2025
전면
개정판

조충환·양건

형법총론 II

개정 형법·최신 판례 및 기출문제 완벽 반영

경찰승진·채용·간부 / 해경승진·채용·간부
법원직·검찰직·승진 / 철도경찰·마약수사

조충환·양건 편저

동영상강의 www.pmg.co.kr

박문각

2025 경찰승진 대비

박문각경찰 경찰승진 올패스

2025년 승진을 위한 필수 선택
경장, 경사, 경위 완벽 대비

형법/형소법

01	SPA 이론강좌	3월 OPEN
02	객관식 테마 문제풀이	7월 OPEN
03	상반기 판례 + 기출해설 총정리	9~10월 OPEN
04	하반기 판례 + 기출해설 총정리	12월 OPEN

실무종합

01	실무종합 입문강좌	4월 OPEN
02	실무종합 이론 + 기출 올인원	6~7월 OPEN
03	실무종합 실전모의고사	11월 OPEN
04	실무종합 개정법령 및 중요판례정리	12월 OPEN

교수별 1년 패키지

양건 형법 1년 패키지	오상훈 형소법 1년 패키지	박우찬 실무종합 1년 패키지

SPA 이론 패키지

양건·오상훈 형사법 SPA 패키지	양건 형법 SPA 패키지	오상훈 형소법 SPA 패키지

──── 특전 ────

1. 수강기간 동안 PC·모바일 무제한 수강
2. 승진시험 특급자료(최신판례+기출문제) 무료제공
3. 온라인 모의고사 5회 무료제공 (*경찰승진 올패스 수강생에 한함)

자세한 내용은 **www.pmg.co.kr** ▶ 경찰승진에 접속하셔서 확인하시기 바랍니다.

PREFACE

이 책의
머리말

조충환·양건
형법총론

SPA

2025 SPA 형법 전면개정판을 출간하면서

2년 만에 출간한 이번 전면개정판에서는 최근의 출제경향을 반영하여 다음과 같은 점에 중점을 두었다.

첫째, 형법조문과 이론

형법 일부 개정법률(2023.8.8.개정)까지 반영하여 개별 법조문의 단순한 암기가 아니라 이해 위주로 학습할 수 있도록 정리하였으며, 총론에서는 이론문제를 완벽하게 대처할 수 있도록 수정·보완하였다.

둘째, 판례

최근 판례(2024.1.1. 대법원 판례공보 및 미간행판례)까지 빠짐없이 반영하였으며, 특히 전원합의체 판결(예 동기설 폐지, 강제추행죄의 폭행·협박의 정도, 주거침입죄, 횡령죄, 배임죄 등)에 따라 변경된 판례들과 기존 판례의 일부를 최근 출제경향에 맞추어 수정·교체·추가·삭제하였고, 사안마다 기출표기를 최신순으로 정리하였다.

셋째, 확인학습(OX문제)

최근 5개년(2020년~2024년) 기출문제를 중심으로 출제비중이 높은 것 위주로 개편하였고 기출표기를 최신순으로 정리하였다.

넷째, 객관식문제(기출문제)

10개년(2015년~2024년) 기출문제(경찰승진, 경찰간부, 순경채용, 경력채용, 수사경과, 해경승진, 해경간부, 해경채용, 9급 법원서기보, 7급·9급 검찰·마약수사·철도경찰, 변호사시험, 법원행정고등고시 등)를 전부 비교·분석하여 최근 출제경향에 맞도록 엄선하였다.

다섯째, 반복학습

본문 ⇨ 확인학습(OX문제) ⇨ 기출문제의 3단계 방식으로 물 흐르듯이 이해 위주로 서술하여 1회독 시 3회 이상의 반복학습 효과를 노렸다.

여섯째, 강약과 시간절약

법조문, 이론, 판례를 사안마다 키워드와 기출표기를 색표기하여 중요도를 파악하고, 반복학습시 시간을 단축하도록 하였다.

SPA 형법을 단권화하여 반복학습 하신다면 본 교재 한 권만으로도 어느 시험에서나 고득점으로 합격·승진하는 데 아무런 지장이 없을 것입니다.

애독자 여러분께 진심으로 감사드리며, 절실한 마음으로 초지일관하시어 우수한 성적으로 합격·승진하시길 간절히 기원합니다.

2024. 2.

조충환·양건

PART

02

범죄론

05 미수론

단원 advice 본장은 어느 시험에서나 형법 각칙 중 가장 출제빈도가 높은 분야이며, 최근에는 갈수록 그 비중이 높아지고 있다. 9가지 재산범죄 중 어느 것 하나 중요하지 않은 것이 없으므로 철저한 이해와 반복학습이 필요하다. 특히 최근에는 판례와 관련된 문제가 집중적으로 출제되고 있으므로 본서에서도 최신 판례까지 반영하여 전면개정하였으므로 반복학습하면 좋은 결과가 나올 것이다.

제1절 ▶ 범죄의 실현단계

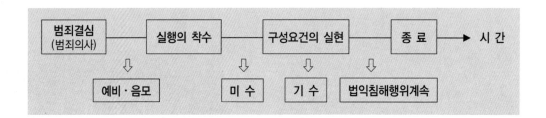

(1) 범죄의 결심단계

일정한 범죄행위를 하려고 하는 결심 내지 범죄실현의사(범죄의사)로부터 범죄는 시작된다. 그러나 범죄의사가 개인의 심리과정(마음 속)에 머물고 있는 한 형법이 간섭할 수도 없고 간섭해서도 안 된다. 즉, "누구든지 생각하는 것만으로써는 처벌되지 아니한다."

예 원수를 죽이겠노라고 마음 속으로 결심한 경우

(2) 예비 · 음모단계

그러한 범죄의사가 외부에 표시되나 아직 실행의 착수에 이르지 아니한 단계가 예비 · 음모단계이다.

예 비	특정범죄를 실현할 목적으로 행하여지는 외부적 준비행위로서 아직 실행의 착수에 이르지 아니한 일체의 행위를 말한다. **예** 그 원수를 죽이기 위해 청계천에서 러시아제 권총을 구입한 경우
음 모	특정범죄를 실현할 목적으로 2인 이상이 범죄를 모의하는 심적 준비행위로서 아직 실행의 착수에 이르지 않는 경우를 말한다. **예** 그 원수를 죽이기 위해 친구와 같이 범행을 모의한 경우

KEY point

• 예비 · 음모는 위와 같이 개념상 구별되나, 현행형법상 동일하게 취급하므로 구별의 실익이 없다.
• 우리 형법은 고의 · 기수범을 원칙적으로 처벌하므로 예비 · 음모는 원칙적으로 처벌되지 않고 법률에 처벌규정이 있는 범죄에 한해 예외적으로 처벌되고(제28조), 법정형이 직접 규정되어 있다.
  예 살인죄를 범할 목적으로 예비 또는 음모한 자는 10년 이하의 징역(법정형)에 처한다(제255조).

(3) 미수단계

범죄의 실행에 착수하였으나 ① 그 행위를 종료하지 못했거나 ② 행위는 종료하였으나 결과가 발생하지 아니한 경우를 미수라 한다. 즉, 실행에 착수하여 범죄가 완성되기 전까지를 말한다.

예 그 원수를 향해 총을 겨누었으나(실행의 착수) 총을 발사하지 않았거나, 총을 발사하였으나 빗맞아 상처만 입힌 경우

KEY point

- 미수는 실행에 착수한 점에서 예비·음모와 구별되고, 범죄가 완성되지 않은 점에서 기수와 구별된다. 따라서 결과가 발생하면 어떤 종류의 미수도 논할 실익이 없다.
- 미수 역시 원칙적으로 처벌되지 않고 법률에 처벌규정이 있는 경우에만 처벌되나(제29조), 예비·음모와 달리 법정형이 직접 규정되어 있지 않다.
  예 살인죄의 미수범은 처벌한다(제254조). ⇨ 살인죄의 법정형(사형, 무기 또는 5년 이상의 징역)에서 장애미수는 임의적 감경(형을 감경할 수 있다 ; 제25조), 중지미수는 필요적 감면(형을 감경 또는 면제한다 ; 제26조), 불능미수는 임의적 감면(형을 감경 또는 면제할 수 있다 ; 제27조)한다.

(4) 기 수

범죄의 실행에 착수하여 범죄를 완성한 경우, 즉 범죄구성요건의 모든 요소를 충족한 경우(이를 구성요건의 충족이라 함)가 기수이다. 형법상, 기수를 처벌하는 것이 원칙이므로 형법 총칙상 기수 처벌에 관한 명문규정을 두고 있지 않고(∵ 너무나 당연하기 때문) 형법 각칙의 구성요건은 기수를 규정하고 있다(**예** 살인죄의 경우 '사람을 살해한 자는 …').

예 원수를 죽이기 위해 총을 발사하여 원수를 살해한 경우

(5) 종 료

대부분의 범죄는 기수가 되면 끝나나(**예** 즉시범) 계속범이나 상태범에 있어서는 범죄가 기수가 된 후에도 법익침해행위가 계속되는 경우가 있다. 이런 경우에 보호법익에 대한 침해행위가 실질적으로 끝난 경우를 종료라고 한다.

예 감금죄의 경우 피해자가 감금되어 어느 정도의 시간이 지나면 감금죄는 기수가 되나, 그 피해자가 감금되어 있는 동안에는 법익침해가 계속되고 피해자가 석방된 때 비로소 범죄는 종료된다.

KEY point 기수와 종료의 구별의 실익 17. 9급 검찰·마약수사·철도경찰

- 기수 이후에는 교사가 불가능하나, 기수 이후 종료 이전까지 종범성립은 가능하다.
- 기수 이후 종료 이전에 정당방위나 긴급피난이 가능하다(∵ 침해의 현재성이 인정되므로).
- 공소시효는 범행의 종료시부터 진행한다(형사소송법 제252조 제1항).
- 기수 이후 종료 이전에 가중적 구성요건 실현이 가능하다(**예** 감금된 자가 사망한 경우 ⇨ 감금치사죄 가능).

제2절 예비 · 음모죄

> **제28조 【음모, 예비】** 범죄의 음모 또는 예비행위가 실행의 착수에 이르지 아니한 때에는 법률에 특별한 규정이 없는 한 벌하지 아니한다. 14. 법원직, 18. 법원행시

1 예비와 음모의 의의 및 구별

(1) 의 의

① **예비** : 특정범죄를 실현하기 위한 외부적 준비행위로서 아직 실행의 착수에 이르지 아니한 행위를 말한다.

② **음모** : 2인 이상이 특정한 범죄를 실행할 목적으로 모의(합의)하는 것을 말한다. 즉, 이때 합의가 있다고 하기 위하여는 단순히 범죄결심을 외부에 표시 · 전달한 것으로는 부족하고, 객관적으로 보아 특정한 범죄(내란죄)의 실행을 위한 준비행위라는 것이 명백히 인식되고, 그 합의에 실질적인 위험성이 인정될 때 음모죄(내란음모죄)가 성립한다(대판 1999.11.12, 99도3801 ; 대판 2015.1.22, 2014도10978 전원합의체). 16. 경찰간부 · 순경 2차, 17. 9급 검찰 · 마약수사 · 철도경찰, 18. 법원행시, 19. 철도경찰, 20. 해경승진, 21. 경찰승진 · 법원직, 24. 변호사시험

(2) 예비와 음모의 구별

예비와 음모는 실행의 착수 이전의 행위라는 점에서 같은데, 양자를 개념상 어떻게 구별할 것인가에 대해 다음과 같이 견해가 대립한다.

① 음모는 예비에 선행하는 범죄발전의 한 단계라는 견해(대판 1986.6.24, 86도437)

② 음모는 심리적 준비행위이고, 예비는 그 이외의 준비행위로서 양자간에 시간적 전후관계는 없다고 보는 견해(다수설)

그러나 예비와 음모를 개념상 위와 같이 구별하지만, 형법상 예비와 음모는 항상 나란히 함께 규정되어 있고 법정형도 동일하다는 점에서 구별의 실익이 없다.

2 예비죄의 법적 성격

예비죄는 기본범죄와 어떠한 관계에 있으며 또한 예비행위의 실행행위성을 인정할 수 있는가가 예비죄의 법적 성격으로 논의된다.

(1) 기본범죄에 대한 관계

발현형태설 (구성요건의 수정형식설 : 다수설·판례)	예비죄는 독립된 범죄유형이 아니라 기본범죄의 수정적 구성요건에 불과하므로 기본범죄의 발현형태에 지나지 않는다는 견해이다. 형법은 예비죄의 처벌이 가져올 범죄의 구성요건을 부당하게 유추 내지 확장 해석하는 것을 금지하고 있기 때문에 형법 각칙의 예비죄를 처단하는 규정을 바로 독립된 구성요건 개념에 포함시킬 수는 없다고 하는 것이 죄형법정주의의 원칙에 합당한 해석이다(대판 1976.5.25, 75도1549). 18. 7급 검찰, 21. 경찰승진, 22. 9급 철도경찰, 23. 경찰간부·경력채용
독립범죄설 (독립된 구성요건설)	예비죄는 형사정책상 중요한 것들만을 선별하여 처벌하고 있는 것으로 보아 그 자체가 일정한 불법유형성을 가지므로 기본범죄와는 독립된 범죄라는 견해이다.

(2) 예비죄의 실행행위성

독립된 범죄설		예비죄의 실행행위성을 당연히 인정한다.
발현 형태설	긍정설(다수설)	예비죄도 수정적 구성요건인 이상 실행행위성을 인정할 수 있다.
	부정설	실행행위는 기본범죄에 대한 정범의 실행에 한정되므로 실행의 착수 이전의 예비행위에는 실행행위성이 없다고 한다.

③ 예비죄의 성립요건

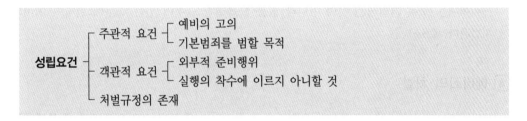

(1) 주관적 요건

① **예비의 고의** : 예비죄가 성립하기 위해서는 고의가 있어야 한다. 따라서 과실에 의한 예비죄나 과실범의 예비죄는 성립할 여지가 없다. 13. 사시, 15. 경찰간부

② **기본범죄를 범할 목적** : 예비죄의 주관적 요건으로 고의 이외에 기본범죄를 범할 목적이 있어야 한다(예비죄는 전부 다 목적범임).

┌ **관련판례**

강도예비·음모죄가 성립하기 위해서는 예비·음모 행위자에게 미필적으로라도 '강도'를 할 목적이 있음이 인정되어야 하고 그에 이르지 않고 단순히 '준강도'할 목적이 있음에 그치는 경우에는 강도예비·음모죄로 처벌할 수 없다(대판 2006.9.14, 2004도6432 **예** 절도행위가 발각되었을 경우에 등산용 칼로 위협하여 체포를 면탈하겠다는 의도를 가지고 이를 구입한 경우 ⇨ 강도예비죄 ×). 17. 변호사시험·순경 2차, 20·21. 법원직·7급 검찰, 20. 해경승진, 21. 경찰간부·경력채용, 19·22. 경찰승진, 23. 법원행시

(2) 객관적 요건

① **외부적 준비행위** : 예비행위는 특정한 범죄실현을 목적으로 하는 외부적 준비행위로서 기본 범죄의 실현에 객관적으로 적합한 행위이어야 한다. 따라서 단순한 범행의 결심이나 의사표시, 내심의 준비행위는 예비가 아니다.

> **관련판례**
>
> 살인예비죄가 성립하기 위하여는 살인죄를 범할 목적 외에도 살인의 준비에 관한 고의가 있어야 하며, 나아가 실행의 착수까지에는 이르지 아니하는 살인죄의 실현을 위한 준비행위가 있어야 한다. 여기서의 준비행위는 물적인 것에 한정되지 아니하며 특별한 정형이 있는 것도 아니지만, 단순히 범행의 의사 또는 계획만으로는 그것이 있다고 할 수 없고 객관적으로 보아서 살인죄의 실현에 실질적으로 기여할 수 있는 외적 행위를 필요로 한다(대판 2009.10.29, 2009도7150 **예** 甲이 사람을 살해하기 위해 乙을 고용하여 대금지급을 약속하는 등 모의한 행위 ⇨ 살인예비죄 ○). 18·19. 경찰승진, 20. 7급 검찰, 21. 변호사시험, 21·23. 경찰간부, 23. 법원행시·해경승진·9급 철도경찰

② **실행의 착수에 이르지 아니할 것** : 예비죄가 성립되기 위해서는 예비행위가 실행의 착수에 이르지 않아야 한다. 만약에 실행의 착수로 나아가면 예비가 아니라 미수단계로 넘어가 예비는 미수 내지 기수에 흡수되어 예비죄를 따로 논의할 여지가 없게 된다. 15. 경찰간부

(3) 처벌규정의 존재

예비행위는 모두 처벌되는 것이 아니라 법률에 특별한 규정이 있는 경우에 한하여 예비죄로 처벌된다(제28조).

4 예비죄의 처벌

우리 형법 제28조는 예비·음모는 원칙적으로 처벌되지 않고, 예외적으로 각칙에 특별규정이 있는 경우에 한하여 처벌된다고 규정하고 있다. 22. 9급 철도경찰

① 각칙에 처벌규정이 있는 경우에도 기본범죄의 법정형보다 감경된 형으로 규정되어 있다.

② 예비·음모행위가 그 목적한 죄의 실행에 이르기 전에 자수하면 그 형을 감경 또는 면제한다(필요적 감면)고 규정되어 있는 범죄도 있다.

> **예** 내란·내란목적살인죄(제90조), 외환의 죄(제101조), 외국에 대한 사전죄(제111조 제3항), 폭발물사용죄(제120조 제1항), 폭발성물건파열죄·현주건조물 등 방화죄·공용건조물방화죄·타인소유일반건조물 등 방화죄(제175조), 통화위조·변조죄(제213조) 09. 순경

> **관련판례**
>
> 예비·음모를 처벌한다고 규정하고 있으나 그 형에 관하여 따로 규정하고 있지 않은 이상 본범이나 미수범에 준하여 처벌한다고 해석함은 죄형법정주의 원칙에 반한다(즉, 처벌할 수 없다. 대판 1977.6.28, 77도251). 14. 변호사시험·9급 검찰·마약수사, 21. 법원행시·법원직, 22. 9급 철도경찰, 23. 경찰간부·해경승진

형법상 예비 · 음모 · 선동 · 선전의 처벌규정 총정리

14. 법원행시 · 사시, 17. 변호사시험 · 순경 2차 · 경찰승진, 21. 해경간부 · 해경승진 · 경력채용

구 분	법 익	형법 규정[주의 : ×(처벌규정 없음)]
예 비 · 음 모	개인적 법익	• 살인죄, 존속살해죄(제250조), 위계 · 위력에 의한 촉탁 · 승낙살인죄(제253조)(촉탁 · 승낙에 의한 살인죄 ⇨ ×) • 약취 · 유인 및 인신매매의 죄(제296조 : 미성년자 약취 · 유인죄 등) • 강도죄[강도죄 이외의 재산범죄(절도죄, 횡령 · 배임죄, 사기 · 공갈죄, 장물 · 손괴죄) ⇨ ×] • 강간죄, 유사강간죄, 준강간죄, 의제강간 · 강제추행죄, 강간 등 상해죄(제305조의 3)[▶ **주의** : 강제추행죄, 준강제추행죄, 미성년자 등에 대한 간음죄, 업무상 위력 등에 의한 간음죄, 강간 등 치상죄 ⇨ ×, 특수강제추행죄(성폭력처벌법) ⇨ ○] ▶ **주의** : 협박죄, 상해죄, 폭행죄, 감금죄, 인질강요죄 등 ⇨ ×
	국가적 법익	• 외국에 대한 사전죄(제111조)(▶ **주의** : 중립명령위반죄 ⇨ ×) • 도주원조죄(제147조)(▶ **주의** : 도주죄, 특수도주죄 ⇨ ×) • 간수자의 도주원조죄(제148조)
	사회적 법익	• 방화죄와 일수죄(현주건조물, 공용건조물, 타인소유일반건조물 ▶ **주의** : 일반물건, 자기소유일반건조물 ⇨ ×) • 기차 · 선박 등의 교통방해죄, 기차 등의 전복죄(제191조, 일반교통방해죄 ×) • 음용수 · 수도음용수 유해물 혼입죄, 수도불통죄 • 폭발성물건파열죄(제172조 제1항), 가스 · 전기 등 방류죄(제172조), 가스 · 전기 등 공급방해죄(제173조) • 각종 위조 · 변조죄(통화, 유가증권, 인지 · 우표), 자격모용에 의한 유가증권작성죄 ▶ **주의** : 문서위조 · 변조죄, 허위유가증권작성죄, 통화유사물제조죄, 소인말소죄 ⇨ ×
예비 · 음모 · 선동	사회적 법익	폭발물사용죄(제119조)
예비 · 음모 · 선동 · 선전	국가적 법익	• 내란죄(제87조), 내란목적살인죄(제88조) • 외환의 죄(외환유치죄, 여적죄, 모병이적죄, 시설제공이적죄, 시설파괴이적죄, 물건제공이적죄, 간첩죄, 일반이적죄 : 제92조~제99조) • 국기에 관한 죄, 국교에 관한 죄(외국에 대한 사전죄 ○, 중립명령위반죄 ×) ⇨ × ▶ **주의** : 외환의 죄 중에서 전시군수계약불이행죄 ⇨ ×, 공안을 해하는 죄(범죄단체조직죄, 소요죄, 다중불해산죄, 공무원자격사칭죄 등) ⇨ ×, (위계에 의한) 공무집행방해죄 ⇨ ×

📖 **기도된 교사**

1. **효과 없는 교사**[교사를 받은 자(피교사자)가 범죄의 실행을 승낙하고 실행의 착수에 이르지 아니한 때 ; 제31조 제2항] : 교사자와 피교사자를 예비 · 음모에 준하여 처벌 17. 9급 검찰 · 마약수사, 22. 순경 1차

2. **실패한 교사**[교사를 받은 자(피교사자)가 범죄의 실행을 승낙하지 아니한 때 ; 제31조 제3항] : 교사자(피교사자 ×)를 예비 · 음모에 준하여 처벌 14. 법원행시, 22. 순경 1차

5 관련문제

(1) 예비의 중지

① **의의** : 예비의 중지란 이미 예비행위를 시작한 자가 예비행위를 자의로 중지하거나 실행의 착수를 포기하는 것을 말한다.

② **중지범규정**(제26조 : 필요적 감면)**의 준용문제**

부정설 (소극설 : 판례)	중지범은 범죄의 실행에 착수한 후 자의로 그 행위를 중지한 때를 말하는 것이므로, 실행의 착수가 있기 전인 예비·음모의 행위를 처벌하는 경우에 있어서는 중지범의 관념을 인정할 수 없다(대판 1999.4.9, 99도424). 16. 순경 2차, 19. 법원직·순경 1차, 20. 7급 검찰·법원행시, 22. 해경간부·해경 2차, 21·22. 경찰승진, 23. 해경승진·경찰간부·9급 철도경찰·경력채용, 24. 변호사시험
긍정설 (적극설 : 다수설)	예비의 형이 중지미수의 형보다 무거운 때에는 형의 균형상 중지미수의 규정을 준용해야 한다는 견해이다.

(2) 예비죄의 공범

부정설 (판례· 다수설)	종범이 처벌되기 위해서는 정범의 실행의 착수가 있는 경우에만 가능하고, 정범이 실행의 착수에 이르지 아니한 예비의 단계에 그친 경우에는 이에 가공한 행위가 예비의 공동정범이 되는 경우를 제외하고는, 예비행위와 종범행위는 무정형·무한정한 것이므로 예비죄의 종범을 처벌하는 때에는 처벌이 부당하게 확대될 염려가 있다는 이유를 들어 예비죄의 종범의 성립을 부정한다(대판 1979.11.27, 79도2201). 17. 9급 검찰, 18. 경찰간부, 19. 법원직·7급 검찰, 22. 경찰승진·순경 1차, 23. 법원행시·해경승진·9급 철도경찰·경력채용, 24. 변호사시험 ▶ **주의** 1. 방조범(종범)은 정범의 실행행위 중에 이를 방조하는 경우뿐만 아니라, 실행의 착수 전에 장래의 실행행위를 예상하고 이를 용이하게 하는 행위를 하여 방조한 경우에도 정범이 그 실행행위에 나아갔다면 성립한다(대판 1997.4.17, 96도3377). 17. 변호사시험, 23. 경찰간부 2. 종범은 정범의 실행행위 중에 이를 방조하는 경우뿐만 아니라, 실행 착수 전에 장래의 실행행위를 예상하고 이를 용이하게 하는 것을 말한다. 따라서 정범의 범죄종료 후의 이른바 사후 방조를 종범이라고 볼 수는 없다(대판 2009.6.11, 2009도1518). 11. 사시, 20. 법원직
긍정설	예비행위의 실행행위성이 인정되고, 정범이 예비죄로 처벌되는 이상 공범종속성설에 의해 예비죄의 종범성립도 인정된다는 견해이다.

┌ **관련판례**

1. 살인의사로 총을 구입하는 甲에게 자금을 제공한 乙은 甲에게 살인예비죄가 인정되더라도 살인예비죄의 방조범으로 처벌될 수는 없다(대판 1976.5.29, 75도1549). 17. 9급 철도경찰
2. 보험사기를 준비하기 위한 타인의 보험계약 체결 과정에서 甲이 피보험자를 가장하는 등으로 이를 도운 행위는 그 사기 범행을 위한 예비행위에 대한 방조의 여지가 있을 뿐이라 할 것이고, 甲의 행위는 그 후 정범이 실행행위에 나아갔다면 정범에 대한 방조가 될 수 있다(대판 2013.11.14, 2013도7494). 18. 7급 검찰

관련판례

1. 통화를 위조하기 위해 필름원판과 인화지를 만든 경우 ⇨ **통화위조예비죄**(대판 1966.12.6, 66도1317
   ∵ 통화위조의 실행착수 ×) 14. 법원행시·사시, 17. 순경 2차, 18. 경찰승진

2. 사병 2인이 수회에 걸쳐 "총을 훔쳐 전역 후 은행이나 현금수송차량을 털어 한탕하자"는 말을 나눈
   경우 ⇨ 강도음모죄 ×(대판 1999.11.12, 99도3801 ∵ 범죄실행의 합의에 실질적인 위험성이 인정 ×,
   막연한 범죄의사의 표명에 불과) 10. 경찰승진, 18. 경찰간부

3. 관세를 포탈할 목적으로 수입물품의 수량과 가격이 낮게 기재된 계약서를 첨부하여 수입예정 물량
   전부에 대한 과세가격 사전심사를 신청함으로써 이에 따른 과세가격 사전심사서를 미리 받아 두는
   경우 관세포탈죄의 예비에 해당한다(대판 1999.4.9, 99도424). 16. 사시, 21. 경력채용

   ▶ **비교판례** : 관세를 포탈할 범의를 가지고 선박을 이용하여 물품을 영해 내에 반입한 경우에는 관세
   포탈죄의 실행의 착수가 있었다고 할 것이고, 선박에 적재한 화물을 양육하는 행위 또는 그에
   밀접한 행위가 있음을 요하지 아니한다(대판 1984.7.24, 84도832). 22. 해경간부·해경 2차

4. 살인에 쓰려고 흉기를 준비했더라도 살해할 대상자가 확정되지 않는 한 ⇨ 살인예비죄 ×(대판 1959.
   9.1, 4292형상387) 17·23. 9급 철도경찰, 20. 법원직

5. 피고인이 본범이 절취한 차량이라는 정을 알면서도 본범 등으로부터 그들이 위 차량을 이용하여
   강도를 하려 함에 있어 차량을 운전해 달라는 부탁을 받고 위 차량을 운전해 준 경우 ⇨ 강도예비죄와
   장물운반죄의 상상적 경합(대판 1999.3.26, 98도3030) 17. 순경 2차, 23. 법원행시

6. 일본으로 밀항하고자 도항비로 100만엔을 주기로 약속한 후 밀항을 포기한 경우에는 밀항의 음모에
   불과한 것으로 예비정도에는 이르지 아니하였다(대판 1986.6.24, 86도437). 10. 경찰승진, 14. 법원직 ⇨
   무죄(밀항단속법은 예비만 처벌하고 음모는 불벌)

7. 甲이 통행인으로부터 현금을 강취하려고 범행도구인 칼을 휴대하고 심야에 인적이 드문 주택가를
   배회한 행위 ⇨ 강도예비죄 ○(대판 1948.8.17, 4281형상80) 14. 사시

8. 가짜 군인이 군인복장을 갖추고 위조신분증을 항상 휴대하고 배회한 경우(대판 1956.11.2, 4289형상
   240 : 위조공문서행사죄는 예비에 불과) 09. 7급 검찰

9. 특정범죄 가중처벌 등에 관한 법률 제5조의 4 제3항 상습강도죄의 범인이 강도예비를 하였다가 실행
   의 착수에 이르지 아니한 경우에는 강도예비행위가 상습강도죄에 흡수된다(대판 1999.4.9, 99도424).
   09. 법원행시·7급 검찰

10. 북한공작원들과의 사전 연락 아래 민중당의 방북을 추진하면서 통일부에 방북신청을 한 경우(대판
    1993.10.8, 93도1951 ∵ 국가보안법 제6조의 탈출죄의 예비에 해당)

1 음모란 2인 이상의 자 사이에 성립한 범죄실행의 합의를 말하는 것으로, 단순히 범죄결심을 외부에 표시·전달한 것으로는 부족하고 객관적으로 보아 특정한 범죄의 실행을 위한 준비행위라는 것이 명백히 인식되고 그 합의에 실질적인 위험성이 인정될 때에 비로소 음모죄가 성립한다.
( )　　　　　16. 경찰간부·순경 2차, 17. 9급 검찰, 19. 9급 철도경찰, 21. 경찰승진·법원직, 24. 변호사시험

2 형법 각칙의 예비죄를 처단하는 규정을 바로 독립된 구성요건 개념에 포함시킬 수는 없다고 하는 것이 죄형법정주의에 부합한다. ( )　　18. 7급 검찰, 21. 경찰승진, 22. 9급 철도경찰, 23. 경찰간부·경력채용

3 강도예비·음모죄가 성립하기 위해서는 예비·음모 행위자에게 미필적으로라도 '강도'를 할 목적이 있음이 인정되어야 하고 그에 이르지 않고 단순히 '준강도'할 목적이 있음에 그치는 경우에는 강도예비·음모죄로 처벌할 수 없다. ( )
17. 변호사시험·순경 2차, 21. 경찰간부·법원직·7급 검찰, 22. 경찰승진, 23. 법원행시

4 법률에 예비·음모와 미수는 처벌한다고 규정하면서 동 예비·음모의 형에 관하여 별도의 규정이 없다면, 이는 미수범에 준하여 처벌할 수 있다고 해석될 뿐이지 본범에 준하여 처벌할 수 있다고 해석할 수는 없다. ( )　15. 9급 검찰·마약수사, 21. 법원행시·법원직, 22. 9급 철도경찰, 23. 경찰간부·해경승진

5 중지범은 범죄의 실행에 착수한 후 자의로 그 행위를 중지한 때를 말하는 것인데 실행의 착수가 있기 전인 예비·음모의 행위를 처벌하는 경우에 있어서도 중지범의 관념은 인정할 수 있다.
( )　　　　　19. 순경 1차, 20. 7급 검찰, 22. 경찰승진, 23. 경찰간부·철도경찰, 24. 변호사시험

6 정범이 실행의 착수에 이르지 아니한 예비단계에 그친 경우 이에 가공한 행위에 대해 예비의 공동정범뿐만 아니라 종범으로도 처벌할 수 있다. ( )　　18. 경찰간부, 20. 법원직·7급 검찰,
22. 경찰승진·순경 1차, 23. 법원행시·철도경찰·경력채용, 24. 변호사시험

7 강제추행죄, 인질강요죄, 중립명령위반죄, 특수도주죄, 일반물건방화죄, 허위유가증권작성죄, 공문서위조죄, 통화유사물제조죄, 소인말소죄, 전시군수계약불이행죄, (위계에 의한) 공무집행방해죄, 일반교통방해죄 등은 예비·음모를 처벌하지 않는다. ( )
16·17. 순경 2차, 17. 변호사시험·경찰승진

8 위계에 의한 살인죄, 미성년자 약취·유인죄, 강도죄, 강간죄, 의제강간·강제추행죄, 도주원조죄, 현주건조물방화죄, 기차교통방해죄, 수도불통죄, 통화위조죄, 유가증권위조죄, 자격모용에 의한 유가증권작성죄, 인지·우표변조죄, 내란목적살인죄, 간첩죄, 일반이적죄, 폭발물사용죄 등은 예비·음모를 처벌한다. ( )　　　　　16·17. 순경 2차, 17. 경찰승진

Answer ┝ 1. ○　2. ○　3. ○　4. ×　5. ×　6. ×　7. ○　8. ○

05 기출문제

01 범죄의 예비에 대한 설명으로 옳은 것은?(다툼이 있는 경우 판례에 의함) 22. 9급 철도경찰

① 형법의 규정에 따르면 범죄의 예비행위가 실행의 착수에 이르지 아니할 때에도 원칙적으로 처벌의 대상이 된다.

② 예비죄를 처벌하는 규정을 독립된 구성요건 개념에 포함시킬 수는 없다고 보는 것은 죄형법정주의의 원칙에 합치하지 않는다.

③ 살인예비죄가 성립하기 위하여는 살인죄를 범할 목적이 있어야 하지만 살인의 준비에 관한 고의까지 요하는 것은 아니다.

④ 범죄의 예비는 이를 처벌한다는 취지와 그 형을 함께 규정하고 있을 때에만 처벌할 수 있다.

> **해설** ① × : 우리 형법 제28조는 예비·음모는 원칙적으로 처벌되지 않고, 예외적으로 각칙에 특별규정이 있는 경우에 한하여 처벌된다고 규정하고 있다.
> ② × : 형법은 예비죄의 처벌이 가져올 범죄의 구성요건을 부당하게 유추 내지 확장 해석하는 것을 금지하고 있기 때문에 형법 각칙의 예비죄를 처단하는 규정을 바로 독립된 구성요건 개념에 포함시킬 수는 없다고 하는 것이 죄형법정주의의 원칙에 합당한 해석이다(대판 1976.5.25, 75도1549).
> ③ × : ~ 범할 목적 외에도 살인의 준비에 관한 고의가 있어야 한다(대판 2009.10.29, 2009도7150).
> ④ ○ : 예비·음모를 처벌한다고 규정하고 있으나 그 형에 관하여 따로 규정하고 있지 않은 이상 본범이나 미수범에 준하여 처벌한다고 해석함은 죄형법정주의 원칙에 반한다(즉, 처벌할 수 없다. 대판 1977.6.28, 77도251).

02 예비죄에 대한 설명으로 옳은 것은?(다툼이 있는 경우 판례에 의함) 20. 7급 검찰

① 甲이 절도 범행이 발각되었을 경우 체포를 면탈하는 데 도움이 될 수 있을 것이라는 정도의 생각에서 등산용 칼을 휴대하고 있던 중에 붙잡힌 경우, 甲에게 강도예비죄가 성립한다.

② 甲은 강도를 하려고 흉기를 구하던 乙에게 자신이 가지고 있던 전자충격기를 건네주었는데 乙이 실행행위로 나아가지 않은 경우, 甲에게 乙의 강도예비죄에 대한 방조범이 성립한다.

③ 甲이 자신을 배신한 A를 살해하려고 사냥용 총을 구입한 직후 스스로 후회하고 총을 폐기한 경우, 甲에게 살인죄의 중지미수 규정이 준용될 수 있다.

④ 甲이 A를 살해하기 위하여 乙, 丙 등을 고용하면서 그들에게 대가의 지급을 약속한 경우, 甲에게는 살인예비죄가 성립한다.

> **해설** ① × : 강도예비죄 ×(대판 2006.9.14, 2004도6432)
> ② × : 강도예비죄의 종범(방조범) ×〔대판 1979.5.22, 79도552 ∵ 정범(乙)이 실행의 착수에 이르지 못한 경우 ⇨ 강도예비죄의 종범 ×〕
> ③ × : 예비죄에 중지미수 규정 준용 ×(대판 1999.4.9, 99도424)
> ④ ○ : 대판 2009.10.29, 2009도7150

Answer 01. ④ 02. ④

03 범죄 실현단계에 대한 설명으로 옳지 않은 것은?(다툼이 있는 경우 판례에 의함)　21. 경찰간부

① 부동산 이중양도에 있어서 매도인이 제2차 매수인으로부터 계약금만을 지급받고 중도금을 수령한 바 없다면 배임죄의 실행의 착수가 있었다고 볼 수 없다.

② 절도를 준비하면서 뜻하지 않게 절도 범행이 발각되었을 때 체포를 면탈하는 데 도움이 될 수 있을 것이라고 생각하며 칼을 휴대하고 있었더라도 강도예비죄가 성립하지 않는다.

③ 중지범은 범죄의 실행에 착수한 후 자의로 그 행위를 중지한 때를 말하는 것이고 실행의 착수가 있기 전인 예비·음모의 행위를 처벌하는 경우에 있어서 중지범의 관념은 이를 인정할 수 없다.

④ 살인예비죄가 성립하기 위하여는 살인죄를 범할 목적과 살인의 준비에 관한 고의가 있어야 할 뿐만 아니라 나아가 실행의 착수까지에는 이르지 아니하는 살인죄의 실현을 위한 준비행위가 있어야 하는데, 이 준비행위는 물적인 것에 한정되지 않고 특별한 정형이 있는 것이 아니므로 준비행위는 단순한 범행의 의사 또는 계획만으로도 인정된다.

해설 ① 대판 2003.3.25, 2002도7134 ② 대판 2006.9.14, 2004도6432 ③ 대판 1999.4.9, 99도424 ④ × : ~ (4줄) 계획만으로는 그것이 있다고 할 수 없고, 객관적으로 보아서 살인죄의 실현에 실질적으로 기여할 수 있는 외적 행위를 필요로 한다(대판 2009.10.29, 2009도7150).

04 예비·음모죄에 대한 설명으로 가장 적절하지 않은 것은?(다툼이 있는 경우 판례에 의함) 21. 경찰승진

① 예비행위를 자의로 중지한 경우 중지미수에 관한 형법 제26조가 준용된다.

② 형법 제28조는 예비죄의 처벌이 가져올 범죄의 구성요건을 부당하게 유추 내지 확장해석하는 것을 금지하고 있기 때문에 형법 각칙의 예비죄를 처단하는 규정을 바로 독립된 구성요건 개념에 포함시킬 수는 없다.

③ 판례는 예비죄의 공동정범 성립이 가능하다는 입장이다.

④ 내란음모죄에 해당하는 합의가 있다고 하기 위해서는 단순히 내란에 관한 범죄결심을 외부에 표시·전달하는 것만으로는 부족하고 객관적으로 내란범죄의 실행을 위한 합의라는 것이 명백히 인정되고, 그러한 합의에 실질적인 위험성이 인정되어야 한다.

해설 ① × : ~ 준용되지 않는다(대판 1999.4.9, 99도424).
② 대판 1976.5.25, 75도1549 ③ 대판 1979.11.27, 79도2201 ④ 대판 2015.1.22, 2014도10978 전원합의체

05 예비·음모에 대한 설명으로 가장 적절하지 않은 것은?(다툼이 있는 경우 판례에 의함) 17. 순경 2차

① 강도예비·음모죄가 성립하기 위해서는 예비·음모 행위자에게 미필적으로라도 '강도'를 할 목적이 있음이 인정되어야 하고, 그에 이르지 않고 단순히 '준강도'할 목적이 있음에 그치는 경우에는 강도예비·음모죄로 처벌할 수 없다.

② 형법상 폭발물사용죄와 미성년자약취·유인죄는 예비·음모의 처벌규정을 두고 있다.

Answer 03. ④ 04. ① 05. ③

③ 피고인이 본범이 절취한 차량이라는 정을 알면서도 본범 등으로부터 그들이 위 차량을 이용하여 강도를 하려 함에 있어 차량을 운전해 달라는 부탁을 받고 위 차량을 운전해 준 경우, 피고인은 강도예비와 아울러 장물운반의 고의를 가지고 위와 같은 행위를 하였다고는 볼 수 없다.

④ 피고인이 행사할 목적으로 미리 준비한 물건들과 옵세트인쇄기를 사용하여 한국은행권 100원권을 사진찍어 그 필름 원판 7매와 이를 확대하여 현상한 인화지 7매를 만들었음에 그쳤다면 아직 통화위조의 착수에는 이르지 아니하였고 그 준비단계에 불과하다.

해설 ① 대판 2006.9.14, 2004도6432

② 제120조, 제296조

③ ×: ~ (3줄) 행위를 하였다고 봄이 상당하다(대판 1999.3.26, 98도3030 ∴ 강도예비죄와 장물운반죄의 상상적 경합).

④ 대판 1966.12.6, 66도1317

06 형법상 예비죄에 대한 설명 중 옳지 않은 것만을 모두 고른 것은?(다툼이 있는 경우 판례에 의함)

> ㉠ 형법 각칙의 예비죄를 처단하는 규정을 바로 독립된 구성요건 개념에 포함시킬 수는 없다고 하는 것이 죄형법정주의에 부합한다.
> ㉡ 예비와 미수는 각각 형법 각칙에 처벌규정이 있는 경우에만 처벌할 수 있지만 구체적인 법정형까지 규정될 필요는 없다.
> ㉢ 예비죄를 처벌하는 범죄의 예비단계에서 자의로 중지를 하였다면, 예비죄의 중지미수가 성립한다.
> ㉣ 살인예비죄가 성립하기 위하여는 살인죄를 범할 목적이 있어야 할 뿐만 아니라 살인의 준비에 관한 고의도 있어야 한다.
> ㉤ 정범의 실행 착수 전에 장래의 실행행위를 예상하고 이를 용이하게 하는 행위를 하여 방조한 경우, 정범이 실행의 착수에 이르지 못했다면 방조자는 종범이 성립되지 않지만 정범이 그 실행행위로 나아갔다면 종범이 성립한다.

① ㉠, ㉡   ② ㉡, ㉢   ③ ㉠, ㉢, ㉤   ④ ㉢, ㉣, ㉤

해설 ㉠ ○: 대판 1976.5.25, 75도1549

㉡ ×: ~ 처벌할 수 있고, 미수는 구체적인 법정형까지 규정될 필요는 없으나 예비는 구체적인 법정형까지 규정되어 있어야 한다(대판 1977.6.28, 77도251 참조).

㉢ ×: ~ 성립될 수 없다(대판 1999.4.9, 99도424).

㉣ ○: 대판 2009.10.29, 2009도7150

㉤ ○: 대판 1997.4.17, 96도3377

Answer   06. ②

제3절 ▶ 미수범의 일반이론

(1) 의 의

미수범이란 행위자가 범죄의 실행에 착수하여 행위를 종료하지 못하였거나(착수미수) 종료했더라도 결과가 발생하지 아니한 경우(실행미수)를 말한다.

① 미수범은 실행의 착수 이후에만 가능하다는 점에서 실행의 착수 이전 단계인 예비·음모와 구별되며, 범죄가 완성되지 않은 점에서 기수와 구별된다.

② 형법상 범죄라고 할 때는 일반적으로 기수를 말하며, 기수의 처벌이 원칙이므로 미수는 특별히 처벌규정이 있는 경우에만 처벌된다(제29조).

(2) 미수범처벌의 근거

구 분	객관설	주관설	절충설(인상설)
미수범의 처벌근거	행위객체 내지 보호법익에 대한 위험	범죄의사 내지 법 적대적 의사	범죄인상 내지 법동요의 인상
이론적 근거	객관주의 범죄론	주관주의 범죄론	객관주의＋주관주의
미수범의 불법	결과반가치	행위반가치	결과반가치＋행위반가치
미수범의 처벌	예외적 처벌(필요적 감경)	기수범과 동일	임의적 감경
불능범의 처벌	처벌 ×	처벌 ○	처벌 ×

(3) 형법상 미수범의 처벌

> **제29조【미수범의 처벌】** 미수범을 처벌할 죄는 각칙의 해당 죄에서 정한다.

형법상 기수의 처벌이 원칙이므로 미수는 예외적으로 처벌규정이 있는 범죄에 한해 처벌된다. 또한 미수의 종류에 따라 다음과 같이 처벌에 차이가 있다.

> 장애미수 ⇨ 임의적 감경(제25조 제2항), 중지미수 ⇨ 필요적 감면(제26조), 불능미수 ⇨ 임의적 감면(제27조) 14. 경찰승진

형법상 미수가 처벌되는 범죄의 총정리

구 분	범죄의 종류
개인적 법익에 대한 죄	• 살인의 죄(살인죄, 존속살해죄, 촉탁·승낙살인죄, 위계·위력에 의한 살인죄) 15. 경찰간부, 17. 순경 1차, 21. 해경 2차 • 상해·존속상해죄(▶ 주의 : 폭행·존속폭행죄, 중상해·존속중상해죄 ⇨ ×) 11. 법원행시, 14·15. 경찰승진, 15. 경찰간부 • 체포와 감금의 죄 15. 경찰간부·순경 3차, 21. 해경승진 • 협박의 죄 11. 법원행시, 14. 순경 1차, 15. 경찰간부, 21. 해경승진 • 약취·유인 및 인신매매의 죄

PART
02

	• 강간과 추행의 죄(강간, 강제추행, 준강간, 준강제추행) • 주거침입의 죄(주거침입·퇴거불응죄, 주거·신체수색죄) 11. 법원행시, 13. 순경 3차 • 권리행사를 방해하는 죄(강요죄, 인질강요죄, 인질상해죄, 인질살해죄, 점유강취·준점유강취죄) • 재산죄(절도·강도죄, 사기·공갈죄, 횡령·배임죄, 손괴죄)(▶ **주의** : 장물죄, 점유이탈물횡령죄, 권리행사방해죄, 강제집행면탈죄, 경계침범죄, 부당이득죄 ⇨ ×) 11. 법원행시, 12. 경찰간부, 14. 경찰승진, 15. 순경 3차, 17. 순경 1차, 21·22. 해경 2차, 23. 해경승진
사회적 법익에 대한 죄	• 교통방해죄 • 통화에 관한 죄(▶ **주의** : 위조통화취득 후 지정행사죄 ⇨ ×) • 유가증권·우표·인지에 관한 죄(▶ **주의** : 소인말소죄 ⇨ ×) • 문서에 관한 죄(▶ **주의** : 사문서부정행사죄 ⇨ ×) 12. 경찰간부·경찰승진, 17. 순경 1차, 22. 해경 2차 • 인장에 관한 죄(사인위조죄) 12. 순경 3차, 17. 순경 1차, 21. 해경 2차 • 아편에 관한 죄(▶ **주의** : 아편 등 소지죄 ⇨ ×) • 폭발물사용죄 • 음용수에 관한 죄 • 일수와 수리에 관한 죄(▶ **주의** : 자기소유일반건조물일수죄 ⇨ ×) • 방화의 죄(현주건조물·공용건조물·타인소유 일반건조물 등의 방화, 폭발성물건파열죄, 가스·전기 등 방류죄, 가스·전기 등 공급방해죄)(▶ **주의** : 자기소유일반건조물방화죄, 일반물건방화죄, 진화방해죄 ⇨ ×) 12. 경찰승진·순경 3차
국가적 법익에 대한 죄	• 내란의 죄 • 외환의 죄 • 외국에 대한 사전죄(▶ **주의** : 나머지 국교에 관한 죄 ⇨ ×) • 직권남용(불법)체포·감금죄〔▶ **주의** : 이 이외의 공무원의 직무에 관한 죄(뇌물죄, 직무유기죄, 직권남용권리행사방해죄 등) ⇨ ×〕 15. 경찰간부·경찰승진, 17. 순경 1차, 21·22. 해경 2차 • 공무방해에 관한 죄(공무상 비밀표시무효죄, 부동산강제집행효용침해죄, 공용서류 등 무효죄, 공용물파괴죄, 공무상 보관물무효죄 ⇨ ○, 공무집행방해죄 ⇨ ×) 14. 경찰승진, 15. 순경 3차, 17. 경찰간부, 22. 해경 2차, 23. 해경승진 • 도주·집합명령위반죄, 특수도주죄, 도주원조죄, 간수자의 도주원조죄(▶ **주의** : 범인은닉죄, 위증죄, 증거인멸죄, 무고죄 ⇨ ×) 12. 순경 3차·경찰간부, 15. 경찰승진, 17. 순경 1차, 21. 해경 2차

🐢 **주의 : 형법상 미수범처벌규정이 없는 범죄**(과실범, 대부분의 결과적 가중범, 예비·음모죄 ⇨ ×)
1. 형식범(폭행·존속폭행죄, 무고죄, 위증죄, 유기죄, 모욕죄, 명예훼손죄, 신용훼손죄, 업무방해죄, 비밀침해죄, 상습도박죄) 10. 순경, 15. 경찰승진
2. 공무집행방해죄, 범인은닉죄, 증거인멸죄
3. 공안을 해하는 죄(범죄단체조직죄, 소요죄, 다중불해산죄, 공무원자격사칭죄) 08. 순경
4. 진정부작위범(다중불해산죄, 전시군수계약불이행죄, 전시공수계약불이행죄)
   • 퇴거불응죄와 집합명령위반죄는 진정부작위범이지만 미수범처벌규정이 있다(제322조).
   • 부진정부작위범은 미수를 인정할 수 있다.
5. 재산죄 중 장물에 관한 죄, 점유이탈물횡령죄, 권리행사방해죄, 경계침범죄, 강제집행면탈죄
6. 낙태죄, 유기·학대죄, 성풍속에 관한 죄(공연음란죄 등), 도박과 복표에 관한 죄 08. 경찰승진
📷 **주의 : 형법상 미수범처벌규정이 있는 결과적 가중범** ⇨ 현주건조물일수치사상죄, 인질치사상죄, 강도치사상죄, 해상강도치사상죄 15. 경찰간부, 17. 순경 1차, 18. 경찰승진, 22. 해경 2차, 21·23. 해경승진

(4) 형법상 미수범의 체계

- 현실적 결과 발생 ──────▶ 기 수
- 현실적 결과 불발생
  - 사실상(현실적) 결과발생 가능
    - 자의에 의한 중지(자의성 ○) ⇨ 중지미수(제26조)(필요적 감면)
    - 장애에 의한 미수(자의성 ×) ⇨ 장애미수(협의의 미수, 제25조)(임의적 감경)
  - 수단과 대상의 착오로 인한 원시적 결과발생 불가능
    - 행위의 위험성(결과발생의 가능성) ○ ⇨ 불능미수(제27조)(임의적 감면)
    - 행위의 위험성(결과발생의 가능성) × ⇨ 불능범(불벌)

제4절 ▶ 장애미수

> **제25조【미수범】** ① 범죄의 실행에 착수하여 행위를 종료하지 못하였거나 결과가 발생하지 아니한 때에는 미수범으로 처벌한다.
> ② 미수범의 형은 기수범보다 감경할 수 있다.

(1) 의 의

장애미수란 행위자의 의사에 반하여 외부적 장애로 범죄를 완성하지 못한 경우, 즉 범죄의 실행에 착수하여 행위를 종료하지 못하였거나(이를 '착수미수'라 함) 결과가 발생하지 아니한 경우(이를 '실행미수'라 함)를 말한다.

- **예** • **착수미수** : 살해의 의사로 총을 발사하려는 순간 타인의 방해로 발사하지 못한 경우
  - **실행미수** : 살해의 의사로 총을 발사하였으나 빗나가거나 상해만 입힌 경우

(2) 성립요건

미수범의 성립요건으로는 ① 주관적 구성요건과 ② 객관적 구성요건(실행의 착수 및 범죄의 미완성)이 필요하다.

① **주관적 구성요건** : 미수범도 기수범과 마찬가지로 주관적 구성요건요소로서의 고의와 특수한 주관적 구성요건요소를 필요로 하는 범죄에서 그러한 요소(**예** 절도죄에 있어서 '불법영득의사', 목적범의 '목적')가 있어야 한다. 18. 변호사시험

> **■ KEY point**
>
> • 고의는 언제나 기수의 고의(범죄완성에 대한 인식과 의사)이어야 한다. 따라서 미수범의 고의도 기수의 고의이어야 하므로 미수의 고의(처음부터 미수에 그치겠다는 인식과 의사)는 처벌되지 않는다(함정수사). **예** 결과발생이 불가능함을 인식하고 실행에 착수한 경우 위험성이 있더라도 불능미수 성립 × 14. 변호사시험, 18. 경찰승진

• 과실범은 고의가 없고, 또한 과실범은 전부 결과범이므로 과실범의 미수는 인정되지 않는다. 우리 형법상 과실범의 미수를 처벌하는 규정도 존재하지 않는다.

② **실행의 착수** : 미수범이 성립하려면 객관적 요건으로서 실행의 착수가 있어야 한다. 실행의 착수란 범죄실행의 개시를 말하며, 이는 예비·음모와 미수의 구별기준이 된다.

③ **범죄의 미완성** : 미수가 성립하려면 실행에 착수한 행위를 종료하지 못하였거나(착수미수), 행위는 종료하였으나 결과가 발생하지 않아야 한다(실행미수). 22. 순경 1차

    ㉠ 장애미수(협의의 미수)는 행위자가 예견하지 못했던 의외의 외부적 장애에 의한 범죄의 미완성이란 점에서 자의로 인한 범죄의 미완성인 중지미수와 구별된다.

    ㉡ 형법은 착수미수와 실행미수를 동일하게 처벌한다.

    ㉢ 착수미수와 실행미수의 구별의 실익은 중지미수에 해당하는가를 결정하는 데 있다. 즉, 실행행위가 종료되지 아니한(착수미수) 시점에 있어서는 행위자가 실행행위를 자의적으로 중지하면 중지미수가 되나 실행행위가 종료된 시점(실행미수)에 있어서는 행위자가 적극적이고도 진지한 태도로 결과의 발생을 방지해야만 중지미수가 된다.

⑶ 처 벌

미수범은 각 본조(형법 각칙)에 미수범을 처벌하는 특별규정이 있는 경우에만 처벌되고(제29조), 12. 9급 검찰 (장애)미수범의 형은 기수범보다 감경할 수 있다(임의적 감경 : 제25조 제2항 ∴ 기수범의 형과 동일하게 처벌할 수 있다). 16. 법원행시, 18. 순경 2차, 21. 순경 1차, 22. 9급 철도경찰

⑷ 관련문제

① **형식범(거동범)의 미수** : 구성요건상 결과의 발생을 요하지 않는 거동범은 구성요건에 해당하는 행위가 있으면 바로 범죄가 완성(기수)됨으로 범죄의 미완성을 요건으로 하는 미수란 생각할 수 없다.

② **과실범의 미수** : 미수범의 주관적 성립요건으로 고의를 요하며 또한 과실범은 모두 결과범이므로 과실범의 미수는 존재할 수 없으며, 현행법상 과실범의 미수를 처벌하는 규정도 없다. 07. 9급 검찰, 12. 7급 검찰, 15. 변호사시험

③ **부작위범의 미수**

진정부작위범	부작위가 있으면 즉시 범죄가 완성되는 형식범으로 미수란 있을 수 없다. 다만, 우리형법에는 퇴거불응죄와 집합명령위반죄의 미수처벌규정을 두고 있다. 12. 7급 검찰
부진정부작위범	보호법익에 대한 급박하고 구체적인 위험이 있음에도 불구하고 부작위로 나아가 위험이 증대될 때 실행의 착수가 있다고 보아 미수범의 성립을 인정한다.

(5) **실행의 착수시기에 관한 학설과 판례** 24. 경찰간부 · 해경간부

① **형식적 객관설** : 행위자가 구성요건에 해당하는 행위 또는 그 행위의 일부가 시작되었을 때 실행의 착수가 있다는 견해로 실행의 착수시기를 인정하는 시점이 너무 늦어져 미수의 범위가 좁아진다는 비판이 있다.

> **예** 야간주거침입절도죄의 범의를 가지고 야간에 타인 주거의 출입문을 열려고 출입문을 당긴 때 실행의 착수 인정 가능(대판 2006.9.14, 2006도2824)

② **실질적 객관설** : 구성요건의 보호법익을 기준으로 하여 법익에 대한 직접적 위험을 발생시킨 객관적 행위시점에서 실행의 착수가 있다는 견해로 법익침해의 '직접적 위험'이라는 기준이 모호하다는 비판이 있다.

> **예** 소매치기의 경우 피해자의 양복주머니에서 금품을 절취하려고 손을 뻗어 양복주머니 겉을 더듬은 때 실행의 착수 인정 가능(대판 1984.12.11, 84도2524)

③ **주관설** : 범죄란 범죄적 의사의 표현이므로 범죄의사를 명백하게 인정할 수 있는 외부적 행위가 있을 때 또는 범의의 비약적 표동이 있을 때 실행의 착수가 있다는 견해로 가벌적 미수의 범위가 지나치게 확대될 수 있다.

> **예** 관세포탈의 범의를 가지고 선박을 이용하여 물품을 영해 내에 반입하는 때 실행의 착수 인정 가능(대판 1984.7.24, 84도832), 간첩의 목적으로 외국 또는 북한에서 국내에 침투 또는 월남하는 때 실행의 착수 인정 가능(대판 1984.9.11, 84도1381)

④ **주관적**(개별적) **객관설** : 행위자의 전체적 범행계획에 비추어 구성요건실현에 대한 직접적 행위가 있을 때 실행의 착수가 있다는 견해로 실행의 착수에 관한 객관설과 주관설의 단점을 제거하고 양설을 타협하기 위해 제시된 절충적인 견해이다.

┌ **관련판례**

• **실행의 착수시기**

1. **절도죄** : 타인의 재물에 대한 '사실상의 지배'를 침해하는 데 밀접한 행위가 개시된 경우(대판 1986. 12.23, 86도2256) ⇨ 밀접행위설 · 물색행위시설(실질적 객관설)

   ① 소매치기가 금품을 절취하려고 타인의 호주머니에 손을 뻗쳐 그 겉을 더듬은 경우(대판 1984.12. 11, 84도2524) 16. 경찰승진, 20. 9급 검찰 · 마약수사 · 철도경찰, 23. 해경 3차

   ② 범인들이 마당에 들어가 그중 1명이 구리를 찾기 위해 담에 붙어 걸어가다가 붙잡힌 경우(대판 1989.9.12, 89도1153) 16. 경찰간부 · 경찰승진

   ③ 자동차 안에 있는 물건(밍크코트)을 훔치려고 공범이 망을 보는 사이에 앞문을 열려고 손잡이를 잡아당기다가 피해자에게 발각된 경우(대판 1986.12.23, 86도2256) 16. 경찰승진, 17. 법원직

   ▶ **유사판례** : 야간에 손전등과 노끈을 이용하여 도로에 주차된 차량의 문을 열고 현금을 훔치기로 마음먹고, 차량의 문이 잠겨 있는지 확인하기 위해 양손으로 운전석 문의 손잡이를 잡고 열려고 하던 중 경찰관에게 발각된 경우(대판 2009.9.24, 2009도5595) 14. 경찰간부, 16 · 17. 7급 검찰 · 철도경찰

   ④ 피고인이 주간에 피해자의 주택에 침입하여 절취할 재물을 찾으려고 신발을 신은 채 거실을 통하여 안방으로 들어가 여기저기를 둘러보고는 절취할 재물을 찾지 못하고 다시 거실로 나와서 두리번거리고 있다가 피해자에게 발각된 경우(대판 2003.6.24, 2003도1985) 18. 법원행시

▶ **비교판례** : 실행의 착수가 부정되는 경우

㉠ 길에 세워 놓은 자동차 안에 있는 물건을 훔칠 생각으로 유리창을 통해 그 내부를 손전등으로 살펴보다가 체포된 경우(대판 1985.4.23, 85도464), 16. 법원행시, 20. 경찰승진·법원직·7급 검찰, 22. 변호사시험·해경 3차 ㉡ 잘 아는 피해자에게 전화채권을 사주겠다며 골목길로 유인하여 돈을 절취하려고 기회를 엿본 행위(대판 1983.3.8, 82도2944), 13. 7급 검찰, 16. 경찰간부·경찰승진 ㉢ 甲이 소를 흥정하고 있는 피해자의 뒤에 접근하여 자신의 가방으로 돈이 들어 있는 피해자의 주머니를 스치면서 지나간 행위(대판 1986.11.11, 86도1109), 16. 경찰간부·경찰승진, 19. 7급 검찰 ㉣ 주간에 절도의 목적으로 타인의 집 현관을 통하여 그 집 마루 위에 올라서서 창고문 쪽으로 향하다가 피해자에게 발각, 체포된 경우(대판 1986.10.28, 86도1753), ㉤ 주간에 절도의 목적으로 주거에 침입하기 위하여 부엌문에 시정된 열쇠고리의 장식을 뜯는 경우(대판 1989.2.28, 88도1165) ⇨ 절도죄의 실행의 착수 × ⇨ 절도죄의 예비 ⇨ 처벌 ×, ㉥ 절도죄의 실행의 착수시기는 재물에 대한 타인의 사실상의 지배를 침해하는 데에 밀접한 행위를 개시한 때라고 보아야 하므로, 야간이 아닌 주간에 절도의 목적으로 타인의 주거에 침입하였다고 하여도 아직 절취할 물건의 물색행위를 시작하기 전이라면 주거침입죄만 성립할 뿐 절도죄의 실행에 착수한 것으로 볼 수 없다(대판 1992.9.8, 92도1650). 20. 순경 2차, 21. 법원행시, 22. 9급 검찰·마약수사·순경 1차, 24. 해경간부·해경승진

⑤ 절취목적으로 고속버스 선반 위에 놓인 손가방의 한쪽 걸쇠를 연 경우(대판 1983.10.25, 83도2432) 10. 경찰승진, 20. 해경승진

2. **주거침입죄** : 주거침입죄의 실행의 착수는 주거자, 관리자, 점유자 등의 의사에 반하여 주거나 관리하는 건조물 등에 들어가는 행위 즉, 구성요건의 일부를 실현하는 행위까지 요구하는 것은 아니고, 범죄구성요건의 실현에 이르는 현실적 위험성을 포함하는 행위를 개시하는 것으로 족하다(대판 2006.9.14, 2006도2824). 16. 순경 1차, 17. 경찰승진, 20. 9급 검찰·마약수사·철도경찰

① 침입 대상인 아파트에 사람이 있는지 확인하기 위해 초인종을 누른 행위만으로는 주거침입죄의 실행의 착수에 해당하지 아니한다(대판 2008.4.10, 2008도1464). 15. 9급 철도경찰, 16. 7급 검찰·철도경찰, 20. 경찰승진

② 주거침입죄의 범의로써 주거로 들어가는 문의 시정장치를 부수거나 문을 여는 등 침입을 위한 구체적 행위를 시작하였다면 주거침입죄의 실행의 착수가 인정된다(대판 1995.9.15, 94도2561). 16. 순경 1차, 20. 경찰승진

3. **야간주거침입절도죄** : 야간에 주거에 침입시 ○(물색행위시 ×, 주간에 주거에 침입시 ×)

① 야간에 아파트에 침입하여 물건을 훔칠 의도하에 아파트의 베란다 철제난간까지 올라가 유리창문을 열려고 시도한 경우(대판 2003.10.24, 2003도4417) 16. 경찰간부·순경 1차, 17. 법원직·9급 검찰·법원행시, 20. 해경승진, 23. 경찰승진

▶ **비교판례** : 야간에 다세대주택에 침입하여 물건을 절취하기 위하여 가스배관을 타고 오르다가 순찰 중이던 경찰관에게 발각되어 그냥 뛰어내린 경우 ⇨ 실행의 착수 ×(대판 2008.3.27, 2008도917) 18. 경찰간부, 19. 변호사시험·법원행시, 20·24. 경찰승진

② 야간에 타인의 재물을 절취할 목적으로 출입문이 열려 있으면 안으로 들어가겠다는 의사 아래 출입문을 당겨보는 행위(대판 2006.9.14, 2006도2824) 18. 9급 철도경찰, 20. 7급 검찰, 23. 법원행시·해경승진

③ 주간에 사람의 주거 등에 침입하여 야간에 타인의 재물을 절취한 경우 형법 제330조의 야간주거침입절도죄가 성립하지 않는다(대판 2011.4.14, 2011도300). 16. 순경 2차, 20. 9급 검찰

④ 야간에 절도목적으로 상점 울타리를 침입하여 점포 문틈에 드라이버를 넣고 비틀어 부수려 한 경우(대판 1972.6.27, 72도1028)

4. 특수절도죄

① 제331조 제1항(손괴 후 야간주거침입절도죄) : 야간에 건조물의 일부를 손괴한 때〔대판 1977.7.26, 77도1802 **예** 두 사람이 공모 합동하여 야간에 타인의 재물을 절취하려고 한 사람은 망을 보고 다른 한 사람은 도구를 가지고 출입문의 자물쇠를 떼어낸 경우(대판 1986.7.8, 86도843), 야간에 절도의 목적으로 출입문에 장치된 자물통 고리를 절단하고 출입문을 손괴한 뒤 집안으로 침입하려다가 발각된 경우(대판 1986.9.9, 86도1273)〕 16. 변호사시험·경찰간부, 20. 7급 검찰, 21. 해경간부

② 제331조 제2항(합동절도) : 주거침입시 ×, 물색행위시 ○〔**예** ① 피고인들이 낮에 아파트 출입문 시정장치를 손괴하다가 발각되어 도주한 경우, 형법 제331조 제2항의 특수절도의 실행의 착수가 있었다고 볼 수 없다(대판 2009.12.24, 2009도9667 ∵ 합동절도의 실행의 착수시기 : 물색행위시 ○). 17. 법원행시, 18. 9급 철도경찰, 20. 경찰승진, 21. 해경승진, 24. 경찰승진 ② 피고인이 아파트 신축공사 현장 안에 있는 건축자재 등을 훔칠 생각으로 공범과 함께 위 공사현장 안으로 들어간 후 창문을 통하여 신축 중인 아파트의 지하실 안쪽을 살핀 행위는 특수절도죄의 실행의 착수에 해당하지 않는다(대판 2010.4.29, 2009도14554).〕 11. 사시, 19. 7급 검찰

5. **강간죄** : 강간죄는 사람을 강간하기 위하여 피해자의 항거를 불능하게 하거나 현저히 곤란하게 할 정도의 폭행 또는 협박을 개시한 때에 그 실행의 착수가 있다고 보아야 할 것이지(실제로 폭행·협박에 의해 피해자의 항거가 불능하게 되거나 현저히 곤란하게 되었을 때가 아님 : 대판 2000.6.9, 2000도1253 ; 대판 1990.5.25, 90도607), 16. 9급 철도경찰, 21. 법원행시 실제 간음행위가 시작되어야만 그 실행의 착수가 있다고 볼 것은 아니다. 유사강간죄의 경우도 이와 같다(대판 2021.8.12, 2020도17796).

① 강간을 목적으로 피해자가 자고 있는 안방에 들어가서 피해자의 가슴과 엉덩이를 더듬은 경우 ⇨ 실행의 착수 ×(대판 1990.5.25, 90도607) 15. 9급 철도경찰, 18. 경찰간부·법원직, 23. 법원행시

② 새벽 4시경에 강간을 하려고 방문을 열어주지 않으면 문을 부수고 들어갈 듯이 하자, 피해자가 들어오면 창문으로 뛰어내리겠다고 하는데도 베란다를 통하여 창문으로 침입하려 하는 것 ⇨ 실행의 착수 ○(대판 1991.4.9, 91도288)

③ 잠을 자고 있는 피해자의 옷을 벗기고 자신의 바지를 내린 상태에서 피해자의 음부 등을 만지는 행위 ⇨ 준강간죄(제299조 : 심신상실 상태를 이용하여 간음한 경우)의 실행의 착수 ○(대판 2000. 1.14, 99도5187) 18. 법원행시, 23. 경찰승진

④ 준강간죄에서 실행의 착수시기는 피해자의 심신상실 또는 항거불능의 상태를 이용하여 간음을 할 의도를 가지고 간음의 수단이라고 할 수 있는 행동을 시작한 때로 보아야 한다〔대판 2019.2.14, 2018도19295 **예** 피고인이 피해자 甲(여, 18세)과 성관계를 할 의사로 술에 취하여 모텔 침대에 잠들어 있는 甲의 속바지를 벗기다가 甲이 깨어나자 중단한 경우 ⇨ 준강간죄의 미수(아동·청소년의 성보호에 관한 법률 위반) ○〕.

⑤ 주거침입강간죄는 사람의 주거 등을 침입한 자가 피해자를 간음한 경우에 성립하는 것으로서, 주거침입죄를 범한 후에 사람을 강간하는 행위를 하여야 하는 일종의 신분범이고, 선후가 바뀌어

강간죄를 범한 자가 그 피해자의 주거에 침입한 경우에는 이에 해당하지 않고 강간죄와 주거침입죄의 실체적 경합범이 된다. 그 실행의 착수시기는 주거침입 행위 후 강간죄의 실행행위에 나아간 때이다(주거침입 행위를 한 때 ×)(대판 2021.8.12, 2020도17796). 22. 법원행시, 24. 해경간부

6. **강제추행죄** : 추행의 고의로 상대방의 의사에 반하는 유형력의 행사, 즉 폭행행위를 하여 실행행위에 착수하였으나 추행의 결과에 이르지 못한 때에는 강제추행미수죄가 성립하며, 이러한 법리는 폭행행위 자체가 추행행위라고 인정되는 이른바 '기습추행'의 경우에도 마찬가지로 적용된다(대판 2015.9.10, 2015도6980 **예** 피고인이 피해자 A를 추행하기 위하여 뒤따라가다가 외진 곳에서 가까이 접근하여 껴안으려 하였으나, A가 뒤돌아보면서 소리치자 그 상태로 몇 초 동안 쳐다보다가 다시 오던 길로 되돌아간 경우, 피고인의 팔이 A의 몸에 닿지 않았지만 양팔을 높이 들어 갑자기 뒤에서 껴안으려고 하는 것만으로도 강제추행죄의 실행의 착수가 있다고 볼 수 있다). 17. 순경 2차, 18. 순경 3차, 19. 법원행시·9급 검찰·마약수사·철도경찰, 20. 경찰간부·해경승진, 21. 7급 검찰

7. **사기죄**

① 피담보채권인 공사대금 채권을 실제와 달리 허위로 크게 부풀려 유치권에 의한 경매를 신청할 경우 정당한 채권액에 의하여 경매를 신청한 경우보다 더 많은 배당금을 받을 수도 있으므로, 불능범에 해당한다고 볼 수 없고, 소송사기죄의 실행의 착수에 해당한다(대판 2012.11.15, 2012도9603). 17. 순경 1차, 18. 법원행시, 19. 경찰간부·경찰승진, 21. 7급 검찰

▶ **비교판례** : 부동산 경매절차에서 피고인들이 허위의 공사대금채권을 근거로 유치권 신고를 한 경우, 소송사기의 실행의 착수가 있다고 볼 수 없다(대판 2009.9.2, 2009도5900 ∵ 사례의 경우 입찰물건명세서에 '유치권신고 있음'이라는 사실만을 기재할 뿐, 법원의 판단대상이 아니므로, 법원을 기망한 것이 아님). 20. 경찰간부, 22. 7급 검찰

② 타인의 사망을 보험사고로 하는 생명보험계약을 체결함에 있어 제3자가 피보험자인 것처럼 가장하여 체결하는 등으로 그 유효 요건이 갖추어지지 못한 경우에, 보험사고의 우연성과 같은 보험의 본질을 해칠 정도라고 볼 수 있는 특별한 사정이 없는 한, 그와 같이 하자 있는 보험계약을 체결한 행위만으로 미필적으로라도 보험금을 편취하려는 의사에 의한 기망행위의 실행에 착수한 것으로 볼 것은 아니다(대판 2013.11.14, 2013도7494 ∵ 위와 같은 특별한 사정이 있는 경우에는 실행의 착수가 인정된다). 19. 9급 철도경찰·경찰간부, 21. 법원직·해경간부, 22. 경찰승진

③ 사기도박에서 사기적인 방법으로 도금을 편취하려는 자가 상대방에게 도박에 참여할 것을 권유하는 때에 실행의 착수가 있다(대판 2011.1.13, 2010도9330). 17. 법원직·9급 검찰, 21. 법원행시·경력채용·7급 검찰, 24. 경찰승진·해경승진

④ 태풍피해 복구보조금 지원절차의 전제가 된 피해신고만 하고 지원신청을 하지 않은 경우 ⇨ 사기미수죄 ×(대판 1999.3.12, 98도3443 ∵ 사기죄의 예비 ○, 실행의 착수 ×) ⇨ 무죄, 장애인단체의 지회장이 지방자치단체로부터 보조금을 더 많이 지원받기 위하여 허위의 보조금 정산보고서를 제출한 경우에는 보조금 편취범행인 사기죄의 실행에 착수한 것으로 보기 어렵다(대판 2003.6.13, 2003도1279 ∵ 사기죄의 예비 ○, 실행의 착수 ×). ⇨ 무죄 15. 순경 2차, 16. 9급 철도경찰, 20. 법원직, 21. 경찰간부, 23. 해경 3차

⑤ 장해보상지급청구권자에게 보상금을 찾아주겠다고 거짓말을 하여 동인을 보상금 지급기관까지 유인한 것 ⇨ 사기죄의 실행의 착수 ×(대판 1980.5.13, 78도2259) 11. 사시, 14. 7급 검찰

⑥ 소송사기 : 원고의 경우 ⇨ 소송에서 주장하는 권리가 존재하지 않는 사실을 알고 있으면서도 법원을 기망한다는 인식을 가지고 소를 제기한 때(대판 1993.9.14, 93도915), 피고의 경우 ⇨ 적극적인 방법으로 법원을 기망할 의사를 가지고 허위내용의 서류를 증거로 제출하거나 그에 따른 주장을 담은 답변서나 준비서면을 제출한 때(대판 1998.2.27, 97도2786) 15. 법원직, 18. 순경 2차, 19. 경찰간부 · 경찰승진

법원을 기망하여 유리한 판결을 얻어내고 상대방으로부터 재물이나 재산상 이익을 취득하려고 소송을 제기하였다가 법원으로부터 유리한 판결을 받지 못하고 소송이 종료됨으로써 미수에 그친 경우, 소송사기미수죄에 있어서 범죄행위의 종료시기는 소송이 종료된 때이다(대판 2000.2.11, 99도4459). 13. 경찰승진, 20. 9급 철도경찰

⑦ 법원을 기망하여 자기에게 유리한 판결을 얻고자 소송을 제기한 자가 상대방의 주소를 허위로 기재하여 소송을 제기함으로써 그 허위주소로 소송서류가 송달되어 그로 인하여 상대방 아닌 다른 사람이 그 서류를 받아 소송을 진행한 경우 소송사기죄의 실행의 착수가 인정된다(대판 2006.11.10, 2006도5811 ∴ 피고에게 소장이 송달되지 않아도 실행의 착수가 인정됨). 16. 7급 검찰 · 철도경찰, 21. 경찰간부

⑧ 가압류는 강제집행의 보전방법에 불과하고 그 기초가 되는 허위의 채권에 의하여 실제로 청구의 의사표시를 한 것이라고 할 수 없으므로 소의 제기 없이 가압류신청을 한 것만으로는 사기죄의 실행에 착수한 것이라고 할 수 없다(대판 1982.10.26, 82도1529). 16. 순경 2차, 17. 순경 1차, 18. 경찰간부, 23. 경찰승진 · 해경 3차, 24. 해경승진

⑨ 강제집행절차를 통한 소송사기에서 실행의 착수시기 ⇨ 집행절차의 개시신청을 한 때 또는 진행 중인 집행절차에 배당신청을 한 때, 부동산에 관한 소유권이전등기청구권에 대한 강제집행절차에서, 소송사기의 실행의 착수시기 ⇨ 허위 채권에 기한 공정증서를 집행권원으로 하여 채무자의 소유권이전등기청구권에 대하여 압류신청을 한 때(대판 2015.2.12, 2014도10086) 18. 경찰간부 · 순경 3차, 22. 7급 검찰, 23. 순경 1차

⑩ 진정한 임차권자가 아니면서 허위의 임대차계약서를 법원에 제출하여 임차권등기명령을 신청하면 그로써 소송사기의 실행행위에 착수한 것으로 보아야 하고, 나아가 그 임차보증금 반환채권에 관하여 현실적으로 청구의 의사표시를 하여야만 사기죄의 실행의 착수가 있다고 볼 것은 아니다(대판 2012.5.24, 2010도12732). 16. 법원행시, 21. 경찰간부

⑪ 허위의 증거를 이용하지 않은 채 허위의 내용을 기재하여 지급명령을 신청한 단계에서는 상대방의 이의신청으로 지급명령은 이의의 범위 안에서 그 효력을 잃게 되더라도 지급명령을 신청한 때 소를 제기한 것으로 보게 되므로 소송사기죄에 있어서 실행에 착수하였다고 볼 수 있다(대판 2004.6.24, 2002도4151). 05. 법원행시, 06. 경찰승진

⑫ 피고인 또는 그와 공모한 자가 자신이 토지의 소유자라고 허위의 주장을 하면서 소유권보존등기 명의자를 상대로 보존등기의 말소를 구하는 소송을 제기한 경우 소송사기의 실행행위에 착수한 것이다(대판 2006.4.7, 2005도9858 전원합의체). 07. 순경

8. 배임죄

① 부동산의 이중양도에 있어서 부동산의 매도인인 甲이 제1차 매수인인 乙로부터 계약금 및 중도금 명목의 금원을 교부받은 후 제2차 매수인인 丙에게 부동산을 매도하기로 하고 계약금과 중도금을 지급받은 경우(대판 1983.10.11, 83도2057 ∴ 제2차 매수인에게 계약금만을 지급받은 뒤 더 이상의

계약이행에 나아가지 않는 경우 ⇨ 실행의 착수 × : 대판 2003.3.25, 2002도7134) 20. 9급 검찰, 21. 해경간부·경찰간부, 22. 7급 검찰, 23. 법원행시, 24. 해경승진

▶ **유사판례** : 양수인에게 무허가건물 인도의무를 부담하는 양도인이 중도금 또는 잔금까지 수령한 상태에서 양수인의 의사에 반하여 제3자에게 그 무허가건물을 이중으로 양도하고 중도금까지 수령한 경우 ⇨ 배임죄의 실행의 착수 ○(대판 2005.10.28, 2005도5713 ∵ 부동산의 이중매매) 17. 법원행시

② 타인의 사무를 처리하는 자가 배임의 범의로, 임무에 위배한 행위를 개시한 때 배임죄의 실행에 착수한 것으로 볼 수 있으며, 그 임무위배행위가 사법상 무효라 하더라도 실행의 착수가 있다고 볼 수 있다(대판 2017.9.21, 2014도9960). 21. 법원행시, 23. 순경 1차

③ 업무상 배임죄에서 부작위를 실행의 착수로 볼 수 있기 위해서는 작위의무가 이행되지 않으면 사무처리의 임무를 부여한 사람이 재산권을 행사할 수 없으리라고 객관적으로 예견되는 등으로 구성요건적 결과발생의 위험이 구체화한 상황에서 부작위가 이루어져야 하고, 행위자는 부작위 당시 자신에게 주어진 임무를 위반한다는 점과 그 부작위로 인해 손해가 발생할 위험이 있다는 점을 인식하였어야 한다(대판 2021.5.27, 2020도15529). 22. 법원행시, 23. 순경 1차, 24. 경찰승진

9. **공갈죄** : 기업체의 탈세사실을 국세청이나 정보부에 고발한다는 말을 기업주에게 전한 때(대판 1969. 7.29, 69도984) 06. 법원행시

10. **살인죄** : 살해하기 위하여 낫을 들고 피해자에게 접근한 때(대판 1986.2.25, 85도2773), 18. 9급 철도경찰, 19·22. 9급 검찰·마약수사·철도경찰 소속 중대장을 살해 보복할 목적으로 수류탄의 안전핀을 빼고 그 사무실로 들어간 때(대판 1970.6.30, 70도861)

11. **강도살인죄** : 강도살인미수죄의 성립에는 살해행위가 미수에 그쳤으면 족하고 강취행위의 미수·기수를 불문한다(대판 1973.5.30, 73도847).

12. **간첩죄** : 간첩목적으로(국가기밀을 탐지·모집하기 위하여) 대한민국 지배지역 내에 잠입·침투상륙한 때(대판 1984.9.11, 84도1381 : 주관설) 15. 경찰승진, 18. 경찰간부

13. **방화죄** : 불이 방화목적물 내지 도화물체에 점화된 때(대판 1960.7.22, 4239형상213 : 형식적 객관설) ⇨ 현주건조물에 방화하기 위해 비현주건조물에 방화한 때, 거주하는 가옥의 일부로 된 축사에 방화한 때(대판 1967.8.29, 67도925), 방화의 의사로 뿌린 휘발유가 인화성이 강한 상태로 주택주변과 피해자의 몸에 적지 않게 살포되어 있는 사정을 알면서도 라이터를 켜 불꽃을 일으킴으로써 피해자의 몸에 불이 붙은 경우(대판 2002.3.26, 2001도6641) 15. 경찰승진, 18. 순경 1차, 23. 해경승진

14. 위장결혼의 당사자 및 브로커와 공모한 피고인이 허위로 결혼사진을 찍고 혼인신고에 필요한 서류를 준비하여 위장결혼의 당사자에게 건네준 것만으로는 공전자기록 등 부실기재죄의 실행에 착수한 것으로 볼 수 없다(대판 2009.9.24, 2009도4998 ∵ 공전자기록 등 부실기재죄의 실행의 착수시기는 공무원에 대하여 허위의 신고를 하는 때임). 16. 사시·법원행시·순경 2차, 18. 순경 1차·3차, 19. 경찰간부, 20. 해경승진, 23. 경찰승진

15. 甲이 히로뽕 제조원료 구입비를 乙에게 제공하였는데 乙이 그로써 구입할 원료를 물색 중 적발된 경우 히로뽕 제조에 착수하였다고 볼 수 없다(대판 1983.11.22, 83도2590). 17. 순경 1차

▶ **유사판례** : 필로폰을 매수하려는 자에게서 필로폰을 구해 달라는 부탁과 함께 돈을 지급받았다고 하더라도, 당시 필로폰을 소지 또는 입수한 상태에 있었다는 등 매매행위에 근접·밀착한 상태에서 대금을 지급받은 것이 아니라 단순히 필로폰을 구해 달라는 부탁과 함께 대금 명목으로 돈을 지급

받은 것에 불과한 경우에는 필로폰 매매행위의 실행의 착수에 이른 것이라고 볼 수 없다(대판 2015.3.20, 2014도16920). 18. 순경 1차·3차, 21. 7급 검찰, 22. 법원행시·경찰승진

▶ **비교판례** : 마약류를 소지 또는 입수하였거나 그것이 가능한 상태에 있었고, 甲이 그러한 상태에 있는 乙에게 그 매매대금을 송금하였다는 사실만으로 甲이 마약류 매수행위에 근접·밀착하는 행위를 하였다고 볼 수 있으므로 대마 또는 향정신성의약품 매매행위의 실행의 착수를 인정할 수 있다(대판 2020.7.9, 2020도2893). 21. 경력채용

16. 병역법은 '병역의무를 기피하거나 감면받을 목적으로 도망가거나 행방을 감춘 경우 또는 신체를 손상하거나 속임수를 쓴' 경우를 처벌의 대상으로 하고 있는바, 입영대상자가 병역면제처분을 받을 목적으로 병원으로부터 허위의 병사용 진단서를 발급받았다면 이로써 그 죄의 실행에 착수한 것으로 볼 수 없다〔대판 2005.10.13, 2005도2200 ∵ 병역을 기피할 목적으로 사위의 방법으로 발급받은 병사용 진단서를 관할 병무청에 제출하거나 징병검사장에 출석하여 사위(속임수)의 방법으로 신체검사를 받는 등의 행위에까지 이르지 않았다면 병역법 제86조에서 규정하고 있는 사위행위의 실행에 이르렀다고 할 수 없다〕. 15. 9급 철도경찰·법원직, 20. 해경승진, 22. 7급 검찰, 23. 경찰승진

17. 부정경쟁방지 및 영업비밀보호에 관한 법률 제18조 제2항의 영업비밀부정사용죄에 있어서는 행위자가(당해 영업비밀과 관계된 영업활동에 이용·활용할 의사로) 그 영업활동에 근접한 시기에 영업비밀을 열람하는 행위나(영업비밀이 전자파일의 형태인 경우) 저장의 단계를 넘어서 해당 전자파일을 실행하는 행위를 하였다면 그 실행의 착수가 있다(대판 2009.10.15, 2008도9433). 13. 순경 2차, 17. 순경 1차

18. 피고인이 외화를 반출하기 위하여 일화 400만엔이 들어 있는 휴대용 가방을 가지고 보안검색대에 나아가지 않은 채 공항 내에서 탑승을 기다리고 있던 중에 체포되었다면, 외국환거래법 위반죄의 실행의 착수가 있다고 볼 수 없다(대판 2001.7.27, 2000도4298). 22. 경찰승진, 23. 법원행시·순경 2차

19. 체포죄는 계속범으로서 체포의 행위에 확실히 사람의 신체의 자유를 구속한다고 인정할 수 있을 정도의 시간적 계속이 있어야 하나, 체포의 고의로써 타인의 신체적 활동의 자유를 현실적으로 침해하는 행위를 개시한 때(예 팔을 잡아당기거나 등을 미는 등의 방법으로 끌고 간 때) 체포죄의 실행에 착수하였다고 볼 것이다(대판 2018.2.28, 2017도21249). 18·22. 법원행시·9급 검찰·마약수사·철도경찰

20. 법률사무의 수임에 관하여 당사자를 특정 변호사에게 소개한 후 그 대가로 금품을 수수하면 변호사법 제109조 제2호, 제34조 제1항을 위반하는 죄가 성립하는바, 소개의 대가로 금품을 받을 고의를 가지고 변호사에게 소개를 하면 실행의 착수를 인정할 수 있다(대판 2006.4.7, 2005도9858 전원합의체). 21. 경력채용

21. 은행강도 범행으로 강취할 돈을 송금받을 계좌를 개설한 것만으로는 범죄수익 등의 은닉에 관한 죄의 실행에 착수한 것으로 볼 수 없다(대판 2007.1.11, 2006도5288). 08. 법원행시, 10. 9급 검찰

22. 북한과의 범민족단합대회추진을 위한 예비회담을 하기 위하여 판문점을 향하여 출발하려 하였다면 국가보안법상 회합예비죄에 해당하고 회합죄의 실행에 착수하였다고 볼 수 없다(대판 1990.8.28, 90도1217). 06. 사시

23. 비지정문화재를 국외로 반출하는 행위에 근접·밀착하는 행위가 행해진 때 ⇨ 비지정문화재의 수출미수죄 성립〔따라서 수출할 사람에게 비지정문화재를 판매하려다가 가격절충이 되지 않아 계약이 성사되지 못하였다면 비지정문화재수출미수죄가 성립하지 아니한다(대판 1999.11.26, 99도2461) : 실질적 객관설(밀접행위설)〕 06. 경찰승진

24. 로렉스 손목시계 1개를 출국 당시 차고 나간 신변 휴대품인 양 손목에 차고 이를 세관에 신고하지 아니하고 몰래 반입하려는 의사로 위 시계를 손목에 찬 채 다른 물품이 들어 있는 가방을 세관 검사대에 올려놓았다면 관세포탈죄의 실행의 착수가 있는 것이다(대판 1987.11.24, 87도1571).

25. 국제우편 등을 통하여 향정신성의약품을 수입하는 경우에는 국내에 거주하는 사람이 수신인으로 명시되어 발신국의 우체국 등에 향정신성의약품이 들어 있는 우편물을 제출할 때에 범죄의 실행에 착수하였다고 볼 수 있다(대판 2019.5.16, 2019도97). 23. 순경 1차

26. 범인이 피해자를 촬영하기 위하여 육안 또는 캠코더의 줌 기능을 이용하여 피해자가 있는지 여부를 탐색하다가 피해자를 발견하지 못하고 촬영을 포기한 경우에는 촬영을 위한 준비행위에 불과하여 성폭력범죄의 처벌 등에 관한 특례법 위반(카메라 등 이용촬영)죄의 실행에 착수한 것으로 볼 수 없다. 이에 반하여 범인이 카메라 기능이 설치된 휴대전화를 피해자의 치마 밑으로 들이밀거나, 피해자가 용변을 보고 있는 화장실 칸 밑 공간 사이로 집어넣는 등 카메라 등 이용 촬영 범행에 밀접한 행위를 개시한 경우에는 성폭력처벌법 위반(카메라 등 이용촬영)죄의 실행에 착수하였다고 볼 수 있다(대판 2021.3.25, 2021도749). 22. 법원행시

● 실행의 기수시기

1. 일반적으로 사람에게 공포심을 일으킬 수 있는 정도의 해악의 고지가 상대방에게 도달하여 상대방이 그 의미를 인식했지만 현실적으로 공포심을 일으키지 않은 경우 ⇨ 협박죄 기수(미수 ×, 대판 2006. 4.7, 2005도9858 전원합의체) 18. 경찰승진, 20. 해경승진·9급 철도경찰, 21. 경찰간부

2. 준강도죄의 기수 여부는 절도행위의 기수 여부를 기준으로 하여 판단하여야 한다. ∴ 절도미수범이 체포를 면탈할 목적으로 폭행한 행위에 대하여 준강도미수죄가 성립한다(대판 2004.11.18, 2004도5074 전원합의체 예 주점에 침입하여 양주를 바구니에 담고 있던 중 종업원이 들어오는 소리를 듣고서 양주를 그대로 둔 채 출입문을 열고 나오다가 체포를 면탈할 목적으로 종업원의 오른손을 깨무는 등 폭행한 경우). 15. 경찰간부, 18. 법원직, 20. 7급 검찰, 23. 변호사시험·경찰승진, 24. 해경간부

3. 주거침입의 고의로 야간에 타인의 집 창문을 열고 집 안으로 얼굴을 들이밀어 사실상의 주거의 평온을 해한 경우 ⇨ 주거침입죄 기수(미수 ×, 대판 1995.9.15, 94도2561 전원합의체) 15. 순경 1차, 18. 법원직, 20. 9급 철도경찰

4. 금융기관 직원이 전산단말기를 이용하여 다른 공범들이 지정한 특정계좌에 돈이 입금된 것처럼 허위의 정보를 입력하는 방법으로 위 계좌로 입금되도록 한 경우, 그 후 그러한 입금이 취소되어 현실적으로 인출되지 못한 경우 ⇨ 컴퓨터사용사기죄 기수(미수 ×, 대판 2006.9.14, 2006도4127) 15·18. 순경 1차, 18. 경찰승진, 21. 경찰간부

5. 특수강간이 미수에 그쳤다 하더라도 그로 인하여 피해자가 상해를 입었으면 특수강간치상죄가 성립하고, 특수강간의 죄를 범한 자가 피해자에 대하여 상해의 고의를 가지고 피해자에게 상해를 입히려다가 미수에 그친 경우에는 특수강간상해죄의 미수범으로 처벌된다(대판 2008.4.24, 2007도10058).
   예 ① 위험한 물건인 전자충격기를 피해자의 허리에 대고 피해자를 폭행하여 강간하려다가 미수에 그치고 피해자에게 약 2주간의 치료를 요하는 안면부 좌상 등의 상해를 입힌 경우, 성폭력범죄의 처벌 등에 관한 특례법상 특수강간치상죄의 기수범(미수범 ×)이 성립한다. 20. 순경 2차, 22. 경찰간부·9급 검찰·마약수사·철도경찰, 23. 변호사시험, 24. 해경승진
   ② 강도치상죄(결과적 가중범)와 동일하게 강도상해죄(결과범)도 강도가 미수에 그쳤더라도 상해가 발생하면 강도상해죄(기수)가 된다(대판 1969.3.18, 69도154). 22. 순경 1차

6. 경찰서에 허위 내용의 고소장을 우송하였고 그 고소장이 도달하였다면 수사에 착수하기 전에 그 고소장을 다시 반환받았다고 하더라도 무고죄의 기수가 된다(대판 1985.2.8, 84도2215). 16. 7급 검찰 · 경찰승진, 19. 9급 검찰 · 마약수사 · 철도경찰, 23. 순경 2차

7. ① 회사의 대표이사가 대표권을 남용하여 회사 명의의 약속어음을 발행한 사실을 상대방이 알았거나 알 수 있었을 때에 해당하여 약속어음 발행이 무효(회사가 상대방에 대하여 채무부담 ×)라 하더라도 그 어음이 실제로 제3자에게 유통되었다면 배임죄의 기수범이 되고(∵ 약속어음 발행의 경우 어음법상 발행인은 종전의 소지인에 대한 인적 관계로 인한 항변으로써 소지인에게 대항하지 못함. ∴ 회사로서는 어음채무를 부담할 위험이 구체적 · 현실적으로 발생), 유통되지 않았다면 배임미수죄(∵ 손해발생이나 실해발생의 위험 ×)이다(대판 2017.7.20, 2014도1104 전원합의체). 18. 법원행시 · 순경 3차, 19. 변호사시험, 20. 법원직, 21. 경찰간부

　② 상대방이 대표권 남용 사실을 알지 못한 경우 : 그 의무부담행위가 회사에 대하여 유효 ⇨ 회사의 채무 발생(이행의무 부담) 자체로 현실적인 손해 또는 재산상 실해발생의 위험 ○ ⇨ 그 채무가 현실적으로 이행되기 전이라노 배임죄의 기수 ○(대판 2017.7.20, 2014도1104 전원합의체) 22. 변호사시험

8. 대금을 결제하기 위하여, 절취한 타인의 신용카드를 제시하고 신용카드회사의 승인까지 받았으나 매출전표에 서명한 사실이 없고 도난카드임이 밝혀져 최종적으로 매출취소로 거래가 종결되었다면 여신전문금융업법상 신용카드부정사용의 미수행위에 해당하나, 여신전문금융업법에 위와 같은 미수행위를 처벌하는 규정이 없어 무죄이다(대판 2008.2.14, 2007도8767). 16. 사시 · 경찰간부, 18. 변호사시험

9. 위조사문서행사죄는 상대방이 위조된 문서의 내용을 실제로 인식할 필요 없이 상대방으로 하여금 위조된 문서를 인식할 수 있는 상태에 둠으로써 기수가 된다(대판 2005.1.28, 2004도4663). 15. 법원행시, 17. 경찰승진

10. 甲이 카메라폰으로 피해여성의 치마 속 신체 부위를 동영상 촬영 중 경찰에게 발각되어 저장버튼을 누르지 않고 촬영을 종료하였다면 성폭력범죄의 처벌 등에 관한 특례법상 카메라 등 이용 촬영죄의 기수이다(대판 2011.6.9, 2010도10677). 16. 사시, 18. 순경 1차, 23. 법원행시 · 순경 2차

11. 야간에 아무도 없는 카페 내실에 침입하여 장식장 안에 들어 있던 정기적금통장 등을 꺼내 들고 카페로 나오던 중 발각되어 돌려준 경우 ⇨ 야간주거침입절도죄의 기수범(대판 1991.4.23, 91도476) 14. 변호사시험, 20. 7급 검찰

12. 부동산에 대한 공갈죄는 그 부동산에 관하여 소유권이전등기를 경료받거나 또는 인도를 받은 때에 기수로 되는 것이고, 소유권이전등기에 필요한 서류를 교부받은 때에 기수로 되어 그 범행이 완료되는 것은 아니다(대판 1992.9.14, 92도1506). 12. 순경 1차, 13. 경찰승진

13. 도박장소 등 개설죄는 영리의 목적으로 도박을 하는 장소나 공간을 개설하면 기수에 이르고, 실제로 도박이 행하여져야 기수가 되는 것은 아니다(대판 2009.12.10, 2008도5282). 11. 법원직, 22. 경찰승진

14. 피해자들을 공갈하여 피해자들로 하여금 지정한 예금구좌에 돈을 입금케 한 이상, 위 돈은 범인이 자유로이 처분할 수 있는 상태에 놓인 것으로서 공갈죄는 이미 기수에 이르렀다 할 것이다(대판 1985.9.24, 85도1687). 13 · 15. 사시

　▶ 유사판례 : 甲이 타인의 명의를 빌려 예금계좌를 개설한 후 통장과 도장은 명의인에게 보관시키고 자신은 위 계좌의 현금인출카드를 소지한 채 명의인을 기망하여 위 계좌로 돈을 송금하게 하였지만 그 돈을 인출하지 않고 있던 중 명의인이 이를 인출한 경우, 甲은 사기죄의 기수가 된다(대판

2003.7.25, 2003도2252 ∵ 송금받은 돈을 자신의 지배하에 두게 되어 편취행위는 기수에 이르렀다).
11. 법원직, 21. 9급 검찰·마약수사·철도경찰

15. ① 회사직원이 재직 중에 영업비밀 또는 영업상 주요한 자산을 경쟁업체에 유출하거나 스스로의 이익을 위하여 이용할 목적으로 무단으로 반출하였다면 유출 또는 반출시에 업무상 배임죄의 기수가 된다(대판 2017.6.29, 2017도3808). 17. 순경 2차

② 회사직원이 영업비밀 등을 적법하게 반출하여 반출행위가 업무상 배임죄에 해당하지 않는 경우라도, 퇴사시에 영업비밀 등을 회사에 반환하거나 폐기할 의무가 있음에도 경쟁업체에 유출하거나 스스로의 이익을 위하여 이용할 목적으로 이를 반환하거나 폐기하지 아니하였다면, 이러한 행위 역시 퇴사시에 업무상 배임죄의 기수가 된다(대판 2017.6.29, 2017도3808). 17. 순경 2차

16. 공무원이 뇌물로 투기적 사업에 참여할 기회를 제공받은 경우, 뇌물수수죄의 기수시기는 투기적 사업에 참여하는 행위가 종료된 때로 보아야 한다(대판 2002.11.26, 2002도3539). 17. 순경 2차

17. 다가구용 단독주택인 빌라의 잠기지 않은 대문을 몰래 열고 들어가 공용 계단으로 빌라 3층까지 올라갔다가 1층으로 내려온 경우 ⇨ 주거침입죄의 기수(미수 ×, 대판 2009.8.20, 2009도3452) 15. 순경 1차, 18. 9급 철도경찰, 19. 경찰간부

18. 타인의 사무를 처리하는 자가 배임의 범의로, 즉 임무에 위배하는 행위를 한다는 점과 이로 인하여 자기 또는 제3자가 이익을 취득하여 본인에게 손해를 가한다는 점에 대한 인식이나 의사를 가지고 임무에 위배한 행위를 개시한 때 배임죄의 실행에 착수한 것이고, 이러한 행위로 인하여 자기 또는 제3자가 이익을 취득하여 본인에게 손해를 가한 때 배임죄는 기수가 된다(대판 2017.9.21, 2014도9960). 18. 법원행시

19. 甲이 미성년자 A를 약취하여 돈을 요구하였으나 A의 부모가 가난한 사실을 알고 A를 돌려보냈다면 甲의 행위는 특정범죄 가중처벌 등에 관한 법률상 재물요구죄의 기수에 해당한다(대판 1978.7.25, 78도1418 ∴ 甲의 행위 ⇨ 중지미수 ×). 16. 사시

20. 피해자의 해외도피를 방지하기 위하여 피해자를 협박하고 이에 피해자가 겁을 먹고 있는 상태를 이용하여 피해자 소유의 여권을 교부하게 함으로써 피해자가 그의 여권을 강제회수 당하였다면 강요죄의 기수가 성립한다(대판 1993.7.27, 93도901). 19. 경찰간부

21. 저작권 침해 게시물을 인터넷 웹사이트 서버 등에 업로드하여 공중의 구성원이 개별적으로 선택한 시간과 장소에서 접근할 수 있도록 이용에 제공하면, 공중에게 침해 게시물을 실제로 송신하지 않더라도 저작권법상 공중송신권 침해는 기수에 이른다(대판 2021.9.9, 2017도19025 전원합의체). 22. 순경 1차

22. 마약류 관리에 관한 법률에서 정한 향정신성의약품 수입행위로 인한 위해 발생의 위험은 향정신성의약품의 양륙 또는 지상반입에 의하여 발생하고 그 의약품을 선박이나 항공기로부터 양륙 또는 지상에 반입함으로써 기수에 달한다(대판 2019.5.16, 2019도97).

23. 甲이 A로부터 위탁받아 식재·관리하여 오던 나무들을 A 모르게 제3자에게 매도하는 계약을 체결하고 그 제3자로부터 계약금을 수령한 상태에서 A에게 적발되어 위 계약이 더 이행되지 아니하고 무위로 그쳤다면, 甲에게는 횡령미수죄가 성립한다(대판 2012.8.17, 2011도9113). 15. 사시, 18. 수사경과, 23. 변호사시험

1 상해죄, 감금죄, 협박죄, 주거침입죄, 퇴거불응죄, 횡령죄, 손괴죄, 공문서·사문서·유가증권위조죄, 사인위조죄, 현주건조물방화죄, 불법체포죄, 공무상 비밀표시무효죄, 공무상 보관물무효죄, 도주죄, 특수도주죄 등은 미수범 처벌규정이 있다. (　)

15. 경찰간부·경찰승진·순경 3차, 17. 순경 1차, 21. 해경승진·해경 2차

2 중상해죄, 폭행죄, 장물죄, 점유이탈물횡령죄, 강제집행면탈죄, 사문서부정행사죄, 타인소유일반물건방화죄, 진화방해죄, 직무유기죄, 공무집행방해죄, 위증죄, 증거인멸죄, 무고죄, 명예훼손죄, 유기죄, 범죄단체조직죄, 상습도박죄 등은 미수범 처벌규정이 없다. (　)

15. 경찰간부·경찰승진·순경 3차, 17. 순경 1차, 21. 해경 2차

3 형법에는 과실범의 미수를 처벌하는 규정이 존재한다. (　)　　12. 7급 검찰, 15. 변호사시험

※ 판례에 의할 때 (　)범죄의 실행의 착수를 인정한 경우(○)와 불인정한 경우(×)를 ○, ×로 표기하시오. (4~35)

4 소매치기가 금품을 절취하려고 타인의 호주머니에 손을 뻗쳐 그 겉을 더듬은 경우(절도죄) (　)

16. 경찰승진, 20. 9급 검찰·마약수사·철도경찰, 23. 해경 3차

5 잘 아는 피해자에게 전화채권을 사주겠다며 골목길로 유인하여 돈을 절취하려고 기회를 엿본 경우(절도죄) (　)　　13. 7급 검찰, 16. 경찰간부·경찰승진

6 범인들이 마당에 들어가 그중 1명이 구리를 찾기 위해 담에 붙어 걸어가다가 붙잡힌 경우(절도죄) (　)　　13. 7급 검찰, 16. 경찰간부·경찰승진

7 자동차 안에 있는 물건(밍크코트)을 훔치려고 공범이 망을 보는 사이에 앞문을 열려고 손잡이를 잡아당기다가 피해자에게 발각된 경우(절도죄) (　)　　14. 경찰간부, 16. 경찰승진, 17. 법원직

8 야간에 손전등과 노끈을 이용하여 도로에 주차된 차량의 문을 열고 현금을 훔치기로 마음먹고, 차량의 문이 잠겨 있는지 확인하기 위해 양손으로 운전석 문의 손잡이를 잡고 열려고 하던 중 경찰관에게 발각된 경우(절도죄) (　)　　14. 경찰간부, 16. 경찰승진, 17. 법원직·7급 검찰·철도경찰

9 길에 세워 놓은 자동차 안에 있는 물건을 훔칠 생각으로 유리창을 통해 그 내부를 손전등으로 살펴보다가 체포된 경우(절도죄) (　)　　15. 순경 2차, 20. 경찰승진·법원직·7급 검찰, 22. 변호사시험

10 甲이 소를 흥정하고 있는 피해자의 뒤에 접근하여 자신의 가방으로 돈이 들어 있는 피해자의 주머니를 스치면서 지나간 경우(절도죄) (　)　　16. 경찰간부·경찰승진, 19. 7급 검찰

11 침입 대상인 아파트에 사람이 있는지 확인하기 위해 초인종을 누른 행위(주거침입죄) (　)　　15. 9급 철도경찰, 16. 7급 검찰, 20. 경찰승진

Answer ← 1. ○　2. ○　3. ×　4. ○　5. ×　6. ○　7. ○　8. ○　9. ×　10. ×　11. ×

12 다가구용 단독주택인 빌라의 잠기지 않은 대문을 열고 들어가 공용계단으로 빌라 3층까지 올라갔다가 1층으로 내려온 경우(주거침입죄) ( )　　　　　15. 순경 1차, 16. 법원행시, 19. 경찰간부

13 주거침입죄의 범의로써 주거로 들어가는 문의 시정장치를 부수거나 문을 여는 등 침입을 위한 구체적 행위를 시작한 경우(주거침입죄) ( )　　　　　16. 순경 1차, 20. 경찰승진

14 야간에 아파트에 침입하여 물건을 훔칠 의도하에 아파트의 베란다 철제난간까지 올라가 유리창문을 열려고 시도한 경우(야간주거침입절도죄) ( )
　　　　　16. 경찰간부·순경 1차, 17. 법원직·9급 검찰, 20. 해경승진, 23. 경찰승진

15 야간에 다세대주택에 침입하여 물건을 절취하기 위하여 가스배관을 타고 오르다가 순찰 중이던 경찰관에게 발각되어 그냥 뛰어내린 경우(야간주거침입절도죄) ( )
　　　　　18. 경찰간부, 19. 변호사시험, 20·24. 경찰승진

16 야간에 타인의 재물을 절취할 목적으로 출입문이 열려 있으면 안으로 들어가겠다는 의사 아래 출입문을 당겨보는 행위(야간주거침입절도죄) ( )
　　　　　16. 법원행시, 18. 9급 철도경찰, 20. 7급 검찰, 23. 해경승진

17 주간에 사람의 주거 등에 침입하여 야간에 타인의 재물을 절취한 경우(야간주거침입절도죄)
( )　　　　　16. 순경 2차, 20. 9급 검찰

18 두 사람이 공모 합동하여 야간에 타인의 재물을 절취하려고 한 사람은 망을 보고 다른 한 사람은 도구를 가지고 출입문의 자물쇠를 떼어낸 경우(제331조 제1항 특수절도죄) ( )
　　　　　16. 변호사시험·경찰간부, 20. 7급 검찰, 21. 해경간부

19 피고인들이 낮에 아파트 출입문 시정장치를 손괴하다가 발각되어 도주한 경우(제331조 제2항 특수절도죄) ( )　　　16. 변호사시험, 17. 법원행시, 18. 법원직·9급 철도경찰, 20. 경찰간부, 24. 경찰승진

20 실제로 폭행·협박에 의해 피해자의 항거가 불능하게 되거나 현저히 곤란하게 되었을 때(강간죄)
( )　　　　　16. 9급 철도경찰, 18·21. 법원행시

21 강간을 목적으로 피해자가 자고 있는 안방에 들어가서 피해자의 가슴과 엉덩이를 더듬은 경우
(강간죄) ( )　　　　　15. 9급 철도경찰, 18. 경찰간부·법원직, 19·20. 경찰승진, 23. 법원행시

22 피고인이 혼자 걸어가는 피해자 甲(여, 17세)을 발견하고 가까이 접근하여 껴안으려 하였으나, 甲이 뒤돌아보면서 소리치자 되돌아간 경우(강제추행죄) ( )
　　　　　17. 순경 2차, 18. 순경 3차, 19. 9급 검찰, 20. 경찰간부·해경승진, 21. 7급 검찰

23 태풍피해 복구보조금 지원절차의 전제가 된 피해신고만 하고 지원신청을 하지 않은 경우(사기죄)
( )　　　　　15. 순경 2차, 20. 법원직

24 장애인단체의 지회장이 지방자치단체로부터 보조금을 더 많이 지원받기 위하여 허위의 보조금 정산보고서를 제출한 경우(사기죄) ( )　　　16. 9급 철도경찰, 21. 경찰간부, 23. 해경 3차

Answer ▶ 12. ○　13. ○　14. ○　15. ×　16. ○　17. ×　18. ○　19. ×　20. ×　21. ×　22. ○
　　　23. ×　24. ×

25 피고인이 외화를 반출하기 위하여 일화 400만엔이 들어 있는 휴대용 가방을 가지고 보안검색대에 나아가지 않은 채 공항 내에서 탑승을 기다리고 있던 중에 체포된 경우(외국환거래법 위반죄) ( )
14. 변호사시험, 22. 경찰승진, 23. 법원행시·순경 2차

26 사기도박에서 사기적인 방법으로 도금을 편취하려는 자가 상대방에게 도박에 참여할 것을 권유하는 때(사기죄) ( ) 17. 법원직·9급 검찰, 21. 경력채용·7급 검찰, 24. 해경승진·경찰승진

27 법원을 기망하여 자기에게 유리한 판결을 얻고자 소송을 제기한 자가 상대방의 주소를 허위로 기재하여 소송을 제기한 경우(소송사기죄) ( ) 16. 7급 검찰, 18. 순경 2차, 19. 경찰승진, 21. 경찰간부

28 소의 제기 없이 허위의 채권을 비보전권리로 삼아 가압류신청을 한 것(소송사기죄) ( )
16. 순경 2차, 17. 순경 1차, 18. 경찰간부, 23. 해경 3차, 24. 해경승진

29 타인의 사망을 보험사고로 하는 생명보험계약을 체결함에 있어 제3자가 피보험자인 것처럼 가장하여 체결하는 등으로 그 유효요건이 갖추어지지 못한 경우, 보험사고의 우연성과 같은 보험의 본질을 해칠 정도라고 볼 수 있는 특별한 사정이 없더라도, 그와 같이 하자 있는 보험계약을 체결한 행위는 보험금을 편취하려는 의사에 의한 기망행위의 실행에 착수한 것으로 볼 수 있다. ( )
19. 경찰간부·9급 철도경찰, 21. 법원직·해경간부, 22. 경찰승진

30 피담보채권인 공사대금 채권을 실제와 달리 허위로 크게 부풀려 유치권에 의한 경매를 신청할 경우(소송사기죄) ( ) 17. 순경 1차, 19. 경찰간부·경찰승진, 21. 7급 검찰

31 부동산의 이중양도에 있어서 부동산의 매도인인 甲이 제1차 매수인인 乙로부터 계약금 및 중도금 명목의 금원을 교부받은 후 제2차 매수인에게 계약금만을 지급받은 뒤 더 이상의 계약이행에 나아가지 않는 경우(배임죄) ( ) 20. 9급 검찰, 21. 경찰간부·해경간부, 22. 7급 검찰, 23. 법원행시

32 간첩목적으로(국가기밀을 탐지·모집하기 위하여) 대한민국 지배지역 내에 잠입·침투상륙한 때(간첩죄) ( ) 15. 경찰승진, 18. 경찰간부

33 방화의 의사로 뿌린 휘발유가 인화성이 강한 상태로 주택주변과 피해자의 몸에 적지 않게 살포되어 있는 사정을 알면서도 라이터를 켜 불꽃을 일으킴으로써 피해자의 몸에 불이 붙은 경우(현주건조물방화죄) ( ) 15. 경찰승진·법원직, 18. 순경 1차, 23. 해경승진

34 입영대상자가 병역면제처분을 받을 목적으로 병원으로부터 허위의 병사용 진단서를 발급받은 경우(병역법 위반죄) ( ) 15. 9급 철도경찰·법원직, 20. 해경승진, 22. 7급 검찰, 23. 경찰승진

35 위장결혼의 당사자 및 브로커와 공모한 피고인이 허위로 결혼사진을 찍고 혼인신고에 필요한 서류를 준비하여 위장결혼의 당사자에게 건네준 때(공전자기록부실기재죄) ( )
16. 사시·순경 2차, 18. 순경 1차·3차, 19. 경찰간부, 20. 해경승진, 23. 경찰승진

Answer ► 25. × 26. ○ 27. ○ 28. × 29. × 30. ○ 31. × 32. ○ 33. ○ 34. × 35. ×

36 필로폰을 매수하려는 자에게서 필로폰을 구해 달라는 부탁과 함께 돈을 지급받았다고 하더라도, 당시 필로폰을 소지 또는 입수한 상태에 있었거나 그것이 가능하였다는 등 매매행위에 근접밀착한 상태에서 대금을 지급받은 것이 아니라 단순히 필로폰을 구해달라는 부탁과 함께 대금명목으로 돈을 지급 받은 것에 불과한 경우에는 필로폰 매매행위의 실행의 착수에 이르렀다고 볼 수 없다. (   )
18. 순경 1차·3차, 21. 7급 검찰, 22. 법원행시·경찰승진

※ 판례에 의할 때 (   )범죄의 기수를 인정한 경우(○)와 불인정한 경우(×)를 ○, ×로 표기하시오. (37~45)

37 일반적으로 사람에게 공포심을 일으킬 수 있는 정도의 해악의 고지가 상대방에게 도달하여 상대방이 그 의미를 인식했지만 현실적으로 공포심을 일으키지 않은 경우(협박죄) (   )
15. 순경 1차, 18. 경찰승진, 20. 해경승진·9급 철도경찰, 21. 경찰간부

38 주거침입의 고의로 야간에 타인의 집 창문을 열고 집 안으로 얼굴을 들이밀어 사실상의 주거의 평온을 해한 경우(주거침입죄) (   )
15. 순경 1차, 18. 법원직, 20. 9급 철도경찰

39 금융기관 직원이 전산단말기를 이용하여 다른 공범들이 지정한 특정계좌에 돈이 입금된 것처럼 허위의 정보를 입력하는 방법으로 위 계좌로 입금되도록 한 경우, 그 후 그러한 입금이 취소되어 현실적으로 인출되지 못한 경우(컴퓨터사용사기죄) (   )
15·18. 순경 1차, 18. 경찰승진, 21. 경찰간부

40 절도미수범이 체포를 면탈할 목적으로 폭행한 행위(준강도죄) (   )
15. 경찰간부, 18. 법원직, 20. 7급 검찰, 23. 변호사시험·경찰승진, 24. 해경간부

41 타인을 협박하여 부동산에 관한 소유권이전등기에 필요한 서류를 교부받은 때(공갈죄) (   )
10. 법원행시, 12. 순경 1차, 13. 경찰승진

42 위험한 물건인 전자충격기를 피해자의 허리에 대고 피해자를 폭행하여 강간하려다가 미수에 그치고 피해자에게 상해를 입힌 경우(특수강간치상죄) (   )
20. 순경 2차, 22. 경찰간부·9급 검찰·마약수사·철도경찰, 23. 변호사시험, 24. 해경승진

43 신용카드를 절취한 사람이 대금을 결제하기 위하여 신용카드를 제시하고 카드회사의 승인까지 받았다면 매출전표에 서명한 사실이 없고 최종적으로 매출취소로 거래가 종료된 경우(신용카드부정사용죄) (   )
16. 사시·경찰간부, 18. 변호사시험

44 영리의 목적으로 도박을 하는 장소나 공간을 개설하였으나, 실제로 도박이 행하여지지 않는 경우(도박장소 등 개설죄) (   )
11. 법원직, 16·22. 경찰승진

45 甲이 카메라폰으로 피해여성의 치마 속 신체 부위를 동영상 촬영 중 경찰에게 발각되어 저장버튼을 누르지 않고 촬영을 종료한 경우(카메라 이용 촬영죄) (   )
16. 사시, 18. 순경 1차, 23. 법원행시·순경 2차

Answer ← **36.** ○ **37.** ○ **38.** ○ **39.** ○ **40.** × **41.** × **42.** ○ **43.** × **44.** ○ **45.** ○

01 다음 설명 중 옳은 것은 모두 몇 개인가?(다툼이 있으면 판례에 의함) 16. 순경 1차

> ⊙ 준강도의 주체는 절도, 즉 절도범인으로, 절도의 실행에 착수한 이상 미수이거나 기수이거나 불문하고, 야간에 타인의 재물을 절취할 목적으로 사람의 주거에 침입한 경우에는 주거에 침입한 단계에서 이미 형법 제330조에서 규정한 야간주거침입절도죄라는 범죄행위의 실행에 착수한 것이라고 보아야 한다.
> ⓒ 주거침입죄의 경우 주거침입의 범의로써 예컨대, 주거로 들어가는 문의 시정장치를 부수거나 문을 여는 등 침입을 위한 구체적 행위를 시작하였다면 주거침입죄의 실행의 착수는 있었다고 보아야 한다.
> ⓒ 주거침입죄의 실행의 착수는 주거자, 관리자, 점유자 등의 의사에 반하여 주거나 관리하는 건조물 등에 들어가는 행위, 즉 구성요건의 일부를 실현하는 행위까지 요구하는 것은 아니고, 범죄구성요건의 실현에 이르는 현실적 위험성을 포함하는 행위를 개시하는 것으로 족하다.
> ② 야간에 아파트에 침입하여 물건을 훔칠 의도하에 아파트의 베란다 철제난간까지 올라가 유리창문을 열려고 시도하였다면 야간주거침입절도죄의 실행에 착수한 것으로 보아야 한다.
> ⑩ 출입문이 열려 있으면 안으로 들어가겠다는 의사 아래 출입문을 당겨보는 행위는 주거침입의 실행에 착수한 것으로 보아야 한다.

① 2개 ② 3개 ③ 4개 ④ 5개

해설 ⊙ ○ : 대판 2003.10.24, 2003도4417
ⓒ ○ : 대판 1995.9.15, 94도2561
ⓒ ○ : 대판 2006.9.14, 2006도2824
② ○ : 대판 2003.10.24, 2003도4417
⑩ ○ : 대판 2006.9.14, 2006도2824

02 실행의 착수에 대한 설명으로 옳지 않은 것은?(다툼이 있는 경우 판례에 의함) 16. 7급 검찰 · 철도경찰
① 침입 대상인 아파트에 사람이 있는지를 확인하기 위해 그 집의 초인종을 누른 행위만으로는 주거침입죄의 실행의 착수가 인정되지 않는다.
② 법원을 기망하여 자기에게 유리한 판결을 얻고자 소송을 제기한 자가 상대방의 주소를 허위로 기재하여 소송을 제기함으로써 그 허위주소로 소송서류가 송달되어 그로 인하여 상대방 아닌 다른 사람이 그 서류를 받아 소송을 진행한 경우 소송사기죄의 실행의 착수가 인정되지 않는다.
③ 야간에 손전등과 박스 포장용 노끈을 이용하여 도로에 주차된 차량의 문을 열고 현금 등을 훔치기로 마음먹고 차량의 문이 잠겨 있는지 확인하기 위해 양손으로 운전석 문의 손잡이를 잡고 열려고 하던 중 경찰관에게 발각된 경우 절도죄의 실행의 착수가 인정된다.

Answer 01. ④ 02. ②

④ 종량제 쓰레기봉투에 인쇄할 시장 명의의 문안이 새겨진 필름을 제조하는 행위에 그친 경우 시장 명의의 공문서인 종량제 쓰레기봉투를 위조하는 공문서위조죄의 실행의 착수에 이르지 아니한 준비행위에 불과하다.

해설 ① 대판 2008.4.10, 2008도1464
② × : 소송사기죄의 실행의 착수 ○ (대판 2006.11.10, 2006도5811)
③ 대판 2009.9.24, 2009도5595
④ 대판 2007.2.23, 2005도7430

03 범죄실행의 착수에 대한 설명으로 옳지 않은 것은?(다툼이 있는 경우 판례에 의함) 16. 9급 철도경찰
① 甲은 乙명의로, 乙이 임야를 매수한 일이 없음에도 매수한 것처럼 허위의 사실을 주장하여 임야에 대한 소유권이전등기를 거친 A를 상대로 말소등기청구소송을 제기한 경우 소송사기의 실행의 착수를 인정할 수 없다.
② 강간죄의 실행의 착수는 폭행 또는 협박에 의해 실제로 피해자의 항거가 불가능하게 되거나 현저히 곤란하게 되어야만 인정된다.
③ 甲과 乙이 공모하여 A의 재물을 강취하기로 하고 甲이 현장에서 망을 보고 있는 사이 乙이 A를 폭행·협박하다가 경찰관에게 체포된 경우 甲에게 특수강도죄의 실행의 착수가 인정된다.
④ 장애인단체의 지회장이 지방자치단체로부터 보조금을 더 많이 지원받기 위하여 허위의 보조금 정산보고서를 제출한 경우 사기죄의 실행의 착수를 인정할 수 없다.

해설 ① 대판 1981.12.8, 81도1451
② × : 항거를 불가능하게 하거나 현저히 곤란하게 할 정도의 폭행·협박을 개시한 때에 실행의 착수가 인정되는 것이지 실제로 피해자의 항거가 불가능하게 되거나 현저히 곤란하게 되었을 때 인정되는 것이 아니다(대판 2000.6.9, 2000도1253).
③ 대판 1981.9.8, 81도2159 ④ 대판 2003.6.13, 2003도1279

04 실행의 착수에 관한 설명 중 가장 옳지 않은 것은?(다툼이 있는 경우 판례에 의함) 17. 법원행시
① 야간에 아파트에 침입하여 물건을 훔치려고 아파트 베란다 철제난간까지 올라가 창문을 열려고 시도하였다면 야간주거침입절도죄의 실행에 착수한 것이다.
② 양수인에게 무허가건물 인도의무를 부담하는 양도인이 중도금 또는 잔금까지 수령한 상태에서 양수인의 의사에 반하여 제3자에게 그 무허가건물을 이중으로 양도하고 중도금까지 수령하였더라도 양수인에 대한 관계에서 배임죄의 실행의 착수가 있었다고 볼 수 없다.
③ 2인이 합동하여 주간에 아파트 출입문 시정장치를 손괴하다가 발각되어 도주한 경우 형법 제331조 제2항 특수절도죄의 실행의 착수가 인정되지 않는다.
④ 사기도박에서 사기적인 방법으로 도금을 편취하려고 하는 자가 상대방에게 도박에 참가할 것을 권유하는 등 기망행위를 개시한 때에 실행의 착수가 있다.

Answer 03. ② 04. ②

⑤ 진정한 임차권자가 아니면서 허위의 임대차계약서를 법원에 제출하여 임차권등기명령을 신청하면 그로써 소송사기의 실행행위에 착수한 것으로 보아야 하고, 나아가 그 임차보증금 반환채권에 관하여 현실적으로 청구의 의사표시를 하여야만 사기죄의 실행의 착수가 있다고 볼 것은 아니다.

> **해설** ① 대판 2003.10.24, 2003도4417
> ② ×: 배임죄의 실행의 착수 ○(대판 2005.10.28, 2005도5713 ∵ 부동산의 이중매매)
> ③ 대판 2009.12.24, 2009도9667
> ④ 대판 2011.1.13, 2010도9330
> ⑤ 대판 2012.5.24, 2010도12732

05 실행의 착수에 관한 설명 중 옳지 않은 것으로 짝지은 것은?(다툼이 있는 경우 판례에 의함)

> ㉠ 야간에 다세대주택에 침입하여 물건을 절취하기 위하여 가스 배관을 타고 오르다가 순찰 중이던 경찰관에게 발각되어 그냥 뛰어내린 경우 야간주거침입절도죄의 실행의 착수가 있다.
> ㉡ 가압류는 강제집행의 보전방법에 불과한 것이어서 허위의 채권을 피보전권리로 삼아 가압류를 하였다고 하더라도 본안소송을 제기하지 아니하였다면 사기죄의 실행에 착수가 없다.
> ㉢ 간첩의 목적으로 외국 또는 북한에서 국내에 침투 또는 월남하는 경우에는 기밀탐지가 가능한 국내에 침투 상륙함으로써 간첩죄의 실행의 착수가 있다.
> ㉣ 허위채권에 기한 공정증서를 집행권원으로 하여 채무자의 소유권이전등기청구권에 대하여 압류신청을 한 것만으로는 소송사기의 실행에 착수한 것으로 볼 수 없다.
> ㉤ 甲이 강간할 목적으로 乙의 집에 침입해 안방에 들어가 누워 자고 있는 乙의 가슴과 엉덩이를 만지면서 간음을 기도하였다면 실행의 착수가 있다.
> ㉥ 부동산 이중양도에 있어서 매도인이 제2차 매수인으로부터 계약금만을 지급받고 중도금을 수령한 바 없다면 배임죄의 실행의 착수가 있었다고 볼 수 없다.

① ㉠, ㉡, ㉤
② ㉡, ㉢, ㉥
③ ㉠, ㉣, ㉤
④ ㉡, ㉣, ㉥

> **해설** ㉠ ×: 실행의 착수 ×(대판 2008.3.27, 2008도917)
> ㉡ ○: 대판 1988.9.13, 88도55
> ㉢ ○: 대판 1984.9.11, 84도1381
> ㉣ ×: 실행의 착수 ○(대판 2015.2.12, 2014도10086)
> ㉤ ×: 실행의 착수 ×(대판 1990.5.25, 90도607)
> ㉥ ○: 대판 2003.3.25, 2002도7134

Answer 05. ③

06 **실행의 착수에 관한 설명으로 가장 옳은 것은?**(다툼이 있는 경우 판례에 의함)

20. 경찰간부, 21. 해경승진

① 예비·음모 후 실행의 착수로 나아가기를 자의로 포기한 경우 중지범 규정을 유추적용 할수 있다.

② 2인 이상이 합동하여 주간에 피해자의 아파트 출입문 시정 장치를 손괴하다가 발각되어 도주한 경우 형법 제331조 제2항 특수절도죄의 실행의 착수가 인정된다.

③ 이른바 '기습추행'의 경우 피고인의 팔이 피해자의 몸에 닿지 않았더라도 양팔을 높이 들어갑자기 뒤에서 껴안으려고 한 경우 강제추행죄의 실행의 착수가 인정된다.

④ 범죄수익은닉의 규제 및 처벌 등에 관한 법률상 범죄수익 등의 은닉에 관한 죄의 경우, 강도범행을 통해 강취할 돈을 송금받기 위해 계좌를 개설한 때 실행의 착수가 인정된다.

해설 ① × : 중지범 규정 유추적용 ×(대판 1999.4.9, 99도424)

② × : 2인 이상이 합동하여 주간에 절도의 목적으로 타인의 주거에 침입하였으나 아직 절취할 물건의 물색 행위를 시작하기 전이라면 형법 제331조 제2항의 특수절도죄의 실행에 착수한 것은 아니다(대판 2009. 12.24, 2009도9667).

③ ○ : 대판 2015.9.10, 2015도6980

④ × : 실행의 착수 ×(대판 2007.1.11, 2006도5288)

07 **실행의 착수에 대한 설명 중 가장 적절하지 않은 것은?**(다툼이 있는 경우 판례에 의함) 21. 경력채용

① 사기죄는 편취의 의사로 기망행위를 개시한 때에 실행에 착수한 것으로 보아야 하므로, 사기도박에서도 사기적인 방법으로 도금을 편취하려고 하는 자가 상대방에게 도박에 참가할 것을 권유하는 등의 행위를 개시하였다면 실행의 착수를 인정할 수 있다.

② 甲이 A의 팔을 잡아당기거나 등을 미는 등의 방법으로 A를 끌고 가 그 신체적 활동의 자유를 침해하는 행위를 개시하였다면 체포죄의 실행의 착수를 인정할 수 있다.

③ 법률사무의 수임에 관하여 당사자를 특정 변호사에게 소개한 후 그 대가로 금품을 수수하면 변호사법 제109조 제2호, 제34조 제1항을 위반하는 죄가 성립하는바, 소개의 대가로 금품을 받을 고의를 가지고 변호사에게 소개를 하면 실행의 착수를 인정할 수 있다.

④ 마약류를 소지 또는 입수하였거나 그것이 가능한 상태에 있었고, 甲이 그러한 상태에 있는 乙에게 그 매매대금을 송금하였다는 사실만으로 甲이 마약류 매수행위에 근접·밀착하는 행위를 하였다고 볼 수 없으므로 대마 또는 향정신성의약품 매매행위의 실행의 착수를 인정할수 없다.

해설 ① 대판 2011.1.13, 2010도9330

② 대판 2018.2.28, 2017도21249

③ 대판 2006.4.7, 2005도9858 전원합의체

④ × : ~ (3줄) 볼 수 있으므로 ~ 인정할 수 있다(대판 2020.7.9, 2020도2893).

Answer 06. ③ 07. ④

08 실행의 착수에 대한 설명으로 옳은 것만을 모두 고르면?(다툼이 있는 경우 판례에 의함) 21. 7급 검찰

> ㉠ 사기도박에서 사기적인 방법으로 도금을 편취하려고 하는 자가 상대방에게 도박에 참가할 것을 권유하는 등 기망행위를 개시한 때에 사기죄의 실행의 착수가 인정된다.
> ㉡ 甲이 A를 발견하고 접근하여 껴안으려 하였으나 A가 뒤돌아보면서 소리치자 몇 초 동안 쳐다보다가 되돌아간 경우, 甲이 A를 껴안으려고 하였을 때 강제추행죄의 실행의 착수가 인정된다.
> ㉢ 필로폰을 매수하려는 자에게서 필로폰을 구해 달라는 부탁과 함께 돈을 지급받았다고 하더라도, 당시 필로폰을 소지 또는 입수한 상태에 있었거나 그것이 가능하였다는 등 매매행위에 근접·밀착한 상태에서 대금을 지급받은 것이 아니라 단순히 필로폰을 구해 달라는 부탁과 함께 대금 명목으로 돈을 지급받은 것에 불과한 경우에는 필로폰 매매행위의 실행의 착수에 이른 것이라고 볼 수 없다.
> ㉣ 피담보채권인 공사대금 채권을 실제와 달리 허위로 부풀려 유치권에 의한 경매를 신청한 경우에는 소송사기죄의 실행의 착수가 인정되지 않는다.

① ㉠, ㉢   ② ㉡, ㉣   ③ ㉠, ㉡, ㉢   ④ ㉠, ㉡, ㉢, ㉣

해설 ㉠ ○ : 대판 2011.1.13, 2010도9330
㉡ ○ : 대판 2015.9.10, 2015도6980 ㉢ ○ : 대판 2015.3.20, 2014도16920
㉣ × : ~ 실행의 착수가 인정된다(대판 2012.11.15, 2012도9603).

09 실행의 착수에 대한 설명으로 가장 적절한 것은?(다툼이 있는 경우 판례에 의함)   22. 경찰승진
① 업무상 배임죄에서 부작위를 실행의 착수로 볼 수 있기 위해서는 작위의무가 이행되지 않으면 사무처리의 임무를 부여한 사람이 재산권을 행사할 수 없으리라고 객관적으로 예견되는 등으로 구성요건적 결과발생의 위험이 구체화한 상황에서 부작위가 이루어져야 한다.
② 구 외국환거래법에서 규정하는 신고를 하지 아니하거나 허위로 신고하고 지급수단·귀금속 또는 증권을 수출하는 행위는 지급수단 등을 국외로 반출하기 위한 행위에 근접·밀착하는 행위가 행하여진 때에 그 실행의 착수가 있으므로, 공항 내에서 보안 검색대에 나아가지 않은 채 휴대용 가방 안에 해당물건을 가지고 탑승을 기다리던 중에 발각되었다면 이미 실행의 착수가 있는 것으로 볼 수 있다.
③ 타인의 사망을 보험사고로 하는 생명보험계약을 체결함에 있어 제3자가 피보험자인 것처럼 가장하여 체결하는 등으로 그 유효요건이 갖추어지지 못한 경우, 보험사고의 우연성과 같은 보험의 본질을 해칠 정도라고 볼 수 있는 특별한 사정이 없더라도, 그와 같이 하자 있는 보험계약을 체결한 행위는 보험금을 편취하려는 의사에 의한 기망행위의 실행에 착수한 것으로 볼 수 있다.
④ 정범의 실행의 착수 전에 장래의 실행행위를 예상하고 이를 용이하게 하는 행위를 하여 방조한 경우에도 정범이 그 실행행위에 나아갔다면 종범이 성립하지만, 정범이 실행의 착수에 이르지 못한 경우 방조자는 예비죄의 종범으로 처벌된다.

Answer   08. ③   09. ①

해설 ① ○ : 대판 2021.5.27, 2020도15529
② × : ~ 볼 수 없다(대판 2001.7.27, 2000도4298).
③ × : ~ (3줄) 특별한 사정이 없는 한, 그와 같이 ~ 볼 수 없다(대판 2013.11.14, 2013도7494).
④ × : 예비죄의 종범 ×(대판 1979.11.27, 79도2201)

10 甲의 행위가 미수범에 해당하는 것을 모두 고른 것은?(다툼이 있는 경우 판례에 의함) 22. 변호사시험

> ㉠ 甲이 노상에 세워 놓은 자동차 안에 있는 물건을 훔칠 생각으로 면장갑을 끼고 칼을 소지한
> 채 자동차의 유리창을 통하여 그 내부를 손전등으로 비추어 본 경우
> ㉡ 甲이 A의 재물을 절취하려고 준비한 가방에 A의 재물을 담던 중 A에게 발각되자 체포를 면
> 탈할 목적으로 A를 폭행하고 가방을 그대로 둔 채 도망간 경우
> ㉢ A주식회사의 대표이사인 甲이 대표권을 남용하는 등 그 임무에 위배하여 A회사 명의의 약속
> 어음을 발행하고 그 정을 모르는 자에게 이를 교부하였으나 아직 어음채무가 실제로 이행되
> 기 전인 경우

① ㉠   ② ㉡   ③ ㉢
④ ㉠, ㉡   ⑤ ㉡, ㉢

해설 ㉠ 절도의 실행의 착수 × ⇨ 절도 미수범 ×(대판 1985.4.23, 85도464)
㉡ 준강도미수범 ○(대판 2004.11.18, 2004도5074 전원합의체)
㉢ 상대방이 대표권 남용 사실을 알지 못한 경우에는 그 의무부담행위가 회사에 대하여 유효하므로 회사의
채무 발생(이행의무 부담) 자체로 현실적인 손해 또는 재산상 실해발생의 위험이 있어 그 채무가 현실적으
로 이행되기 전이라도 배임죄의 기수가 된다(대판 2017.7.20, 2014도1104 전원합의체).

11 실행의 착수에 대한 설명으로 옳은 것만을 모두 고르면?(다툼이 있는 경우 판례에 의함) 22. 7급 검찰

> ㉠ 병역법은 '병역의무를 기피하거나 감면받을 목적으로 도망가거나 행방을 감춘 경우 또는 신체
> 를 손상하거나 속임수를 쓴' 경우를 처벌의 대상으로 하고 있는바, 입영대상자가 병역면제처
> 분을 받을 목적으로 병원으로부터 허위의 병사용 진단서를 발급받았다면 이로써 그 죄의 실
> 행에 착수한 것으로 볼 수 있다.
> ㉡ 부동산 이중양도에서 제1차 매수인으로부터 계약금 및 중도금을 받은 매도인이 제2차 매수인
> 으로부터 계약금을 받은 것만으로는 제1차 매수인에 대한 배임죄의 실행에 착수하였다고 볼
> 수 없다.
> ㉢ 강제집행 절차를 통한 소송사기의 경우, 집행 절차의 개시신청을 했을 때 또는 진행 중인 집행
> 절차에 배당신청을 했을 때 사기죄의 실행의 착수가 인정된다.
> ㉣ 부동산경매 절차에서 허위의 공사대금채권을 근거로 유치권 신고를 한 행위만으로는 사기죄
> 의 실행에 착수하였다고 볼 수 없다.

① ㉠, ㉡   ② ㉠, ㉣   ③ ㉡, ㉢   ④ ㉡, ㉢, ㉣

Answer 10. ② 11. ④

해설 ㉠ × : ~ 것으로 볼 수 없다〔대판 2005.10.13, 2005도2200 ∵ 병역을 기피할 목적으로 사위의 방법으로 발급받은 병사용 진단서를 관할 병무청에 제출하거나 징병검사장에 출석하여 사위(속임수)의 방법으로 신체검사를 받는 등의 행위에까지 이르지 않았다면 병역법 제86조에서 규정하고 있는 사위행위의 실행에 이르렀다고 할 수 없다〕.
㉡ ○ : 대판 2003.3.25, 2002도7134
㉢ ○ : 대판 2015.2.12, 2014도10086
㉣ ○ : 대판 2009.9.2, 2009도5900

12 실행의 착수에 관한 설명 중 가장 옳지 않은 것은?(다툼이 있는 경우 판례에 의함) 22. 법원행시

① 체포죄는 사람의 신체에 대하여 직접적이고 현실적인 구속을 가하여 신체활동의 자유를 박탈하는 죄로서 그 실행의 착수시기는 체포의 고의로 타인의 신체적 활동의 자유를 현실적으로 침해하는 행위를 개시한 때이다.

② 필로폰을 매수하려는 자로부터 필로폰을 구해 달라는 부탁과 함께 금전을 지급받았다고 하더라도, 당시 피고인이 필로폰을 소지 또는 입수한 상태에 있었거나 그것이 가능하였다는 등 매매행위에 근접·밀착한 상태에서 그 대금을 지급받은 것이 아니라 단순히 필로폰을 구해 달라는 부탁과 함께 대금 명목으로 금전을 지급받은 것에 불과한 경우에는 필로폰 매매행위의 실행의 착수에 이른 것이라고 볼 수 없다.

③ 피고인의 팔이 피해자의 몸에 닿지는 않았다 하더라도 양팔을 높이 들어 갑자기 뒤에서 피해자를 껴안으려는 행위는 피해자의 의사에 반하는 유형력의 행사로서 폭행행위에 해당하고, 그때에 이른바 '기습추행'에 관한 실행의 착수가 있다고 볼 수 있다.

④ 범인이 피해자를 촬영하기 위하여 육안 또는 캠코더의 줌 기능을 이용하여 피해자가 있는지 여부를 탐색하다가 피해자를 발견하지 못하고 촬영을 포기한 경우에는 촬영을 위한 준비행위에 불과하여 성폭력범죄의 처벌 등에 관한 특례법 위반(카메라 등 이용촬영)죄의 실행에 착수한 것으로 볼 수 없다.

⑤ 업무상 배임죄는 부작위에 의해서도 성립할 수 있는데, 이때 행위자는 부작위 당시 자신에게 주어진 임무를 위반한다는 점만 인식하면 족하고, 그 부작위로 인해 손해가 발생할 위험이 있다는 점을 인식할 필요는 없다.

해설 ① 대판 2018.2.28, 2017도21249
② 대판 2015.3.20, 2014도16920 ③ 대판 2015.9.10, 2015도6980
④ 범인이 피해자를 촬영하기 위하여 육안 또는 캠코더의 줌 기능을 이용하여 피해자가 있는지 여부를 탐색하다가 피해자를 발견하지 못하고 촬영을 포기한 경우에는 촬영을 위한 준비행위에 불과하여 성폭력처벌법 위반(카메라 등 이용촬영)죄의 실행에 착수한 것으로 볼 수 없다. 이에 반하여 범인이 카메라 기능이 설치된 휴대전화를 피해자의 치마 밑으로 들이밀거나, 피해자가 용변을 보고 있는 화장실 칸 밑 공간 사이로 집어넣는 등 카메라 등 이용 촬영 범행에 밀접한 행위를 개시한 경우에는 성폭력처벌법 위반(카메라 등 이용촬영)죄의 실행에 착수하였다고 볼 수 있다(대판 2021.3.25, 2021도749).
⑤ × : ~ (2줄) 임무를 위반한다는 점과 그 부작위로 ~ 점을 인식하였어야 한다(대판 2021.5.27, 2020도15529).

Answer 12. ⑤

13 실행의 착수에 대한 설명으로 옳은 것을 모두 고른 것은?(다툼이 있는 경우 판례에 의함) 23. 경찰승진

> ㉠ 야간에 아파트에 침입하여 물건을 훔칠 의도하에 아파트의 베란다 철제난간까지 올라가 유리
> 창문을 열려고 시도한 경우 야간주거침입절도죄의 실행에 착수하였다.
> ㉡ 甲이 잠을 자고 있는 피해자 A의 옷을 벗긴 후 자신의 바지를 내린 상태에서 A의 음부 등을
> 만지고 자신의 성기를 A의 음부에 삽입하려고 하였으나 A가 몸을 뒤척이고 비트는 등 잠에
> 서 깨어 거부하는 듯한 기색을 보이자 더 이상 간음행위에 나아가는 것을 포기한 경우 준강간
> 죄의 실행에 착수하였다.
> ㉢ 위장결혼의 당사자 및 브로커와 공모한 甲이 허위로 결혼사진을 찍고 혼인신고에 필요한 서
> 류를 준비하여 위장결혼의 당사자에게 건네준 것만으로는 공전자기록 등 부실기재죄의 실행
> 에 착수한 것으로 볼 수 없다.
> ㉣ 입영대상자가 병역면제처분을 받을 목적으로 병원으로부터 허위의 병사용 진단서를 발급받
> 은 경우 구 병역법 제86조 사위행위의 실행에 착수하였다.
> ㉤ 허위의 채권을 피보전권리로 삼아 가압류를 한 경우 그 채권에 관하여 현실적으로 청구의 의
> 사표시를 한 것이라고 볼 수 있으므로, 본안소송을 제기하지 아니한 채 가압류를 한 경우에도
> 사기죄의 실행에 착수하였다.

① ㉠, ㉡, ㉢   ② ㉠, ㉡, ㉤   ③ ㉠, ㉢, ㉣   ④ ㉡, ㉣, ㉤

해설 ㉠ ○ : 대판 2003.10.24, 2003도4417
㉡ ○ : 대판 2000.1.14, 99도5187 ㉢ ○ : 대판 2009.9.24, 2009도4998
㉣ × : ~ 실행에 착수한 것으로 볼 수 없다(대판 2005.10.13, 2005도2200).
㉤ × : 가압류는 강제집행의 보전방법에 불과하고 그 기초가 되는 허위의 채권에 의하여 실제로 청구의 의
사표시를 한 것이라고 할 수 없으므로 소의 제기 없이 가압류신청을 한 것만으로는 사기죄의 실행에 착수한
것이라고 할 수 없다(대판 1982.10.26, 82도1529).

14 실행의 착수에 관한 설명 중 가장 적절하지 않은 것은?(다툼이 있는 경우 판례에 의함) 23. 순경 1차

① 소유권이전등기청구권에 대한 압류는 강제집행절차를 위한 일련의 시작행위라고 할 수 있으
므로, 허위 채권에 기한 공정증서를 집행권원으로 하여 채무자의 소유권이전등기청구권에 대
하여 압류신청을 한 시점에 소송사기의 실행에 착수하였다고 볼 수 있다.

② 배임죄는 임무에 위배하는 행위를 한다는 점과 이로 인하여 자기 또는 제3자가 이익을 취득
하여 본인에게 손해를 가한다는 점에 대한 인식이나 의사를 가지고 임무에 위배한 행위를
개시한 때 실행에 착수하였다고 볼 수 있다.

③ 업무상 배임죄에서 부작위를 실행의 착수로 볼 수 있기 위해서는 작위의무가 이행되지 않으
면 사무처리의 임무를 부여한 사람이 재산권을 행사할 수 없으리라고 객관적으로 예견되는
등으로 구성요건적 결과발생의 위험이 구체화한 상황에서 부작위가 이루어져야 하고, 행위자
는 부작위 당시 자신에게 주어진 임무를 위반한다는 점과 그 부작위로 인해 손해가 발생할
위험이 있다는 점을 인식하였어야 한다.

Answer 13. ① 14. ④

④ 甲이 乙로부터 국제우편을 통해 향정신성의약품을 수입하는 경우, 필로폰을 받을 국내 주소를 알려주었으나 乙이 필로폰이 들어 있는 우편물을 발신국의 우체국에 제출하지 않았다고 하더라도 甲의 이러한 행위는 향정신성의약품 수입행위의 실행에 착수하였다고 볼 수 있다.

> 해설 ① 대판 2015.2.12, 2014도10086
> ② 대판 2017.9.21, 2014도9960 ③ 대판 2021.5.27, 2020도15529
> ④ × : 국제우편 등을 통하여 향정신성의약품을 수입하는 경우에는 국내에 거주하는 사람이 수신인으로 명시되어 발신국의 우체국 등에 향정신성의약품이 들어 있는 우편물을 제출할 때에 범죄의 실행에 착수하였다고 볼 수 있다(대판 2019.5.16, 2019도97).

15 미수·기수에 대한 설명으로 옳은 것은?(다툼이 있는 경우 판례에 의함)　　19. 9급 검찰·마약수사
① 허위 내용의 고소장을 경찰관에게 제출하였다면 무고죄는 기수에 이르고 그 후 고소장을 되돌려 빋더라도 무고죄의 성립에는 영향이 없다.
② 피해자를 살해하려고 낫을 들고 피해자에게 다가서려고 하였으나 제3자가 이를 제지하여 피해자가 그 틈을 타서 도망함으로써 살인의 목적을 이루지 못했다면 살인미수죄로 처벌할 수 없다.
③ 강도의 기회에 강간의 결과가 발생하였더라도 강도가 기수에 이르지 못하였다면 강도강간의 미수에 불과하다.
④ 준강도죄의 기수 또는 미수는 구성요건적 행위인 폭행 또는 협박이 종료되었는가의 여부에 따라 결정된다.

> 해설 ① ○ : 대판 1985.2.8, 84도2215(∵ 무고죄 기수시기 : 허위의 신고가 당해 공무소 또는 공무원에 도달한 때) ② × : 살인미수죄 ○(대판 1986.2.25, 85도2773)
> ③ × : 강도강간의 기수 ○(∵ 본죄의 미수·기수는 강간의 미수·기수에 따라 결정됨. 강도의 미수·기수는 불문)
> ④ × : 준강도죄의 미수·기수는 폭행 또는 협박이 종료되었는가의 여부가 아니라 절도행위의 기수 여부를 기준으로 판단하여야 한다(대판 2004.11.18, 2004도5074 전원합의체).

16 미수범의 성립에 대한 설명으로 옳은 것은?(다툼이 있는 경우 판례에 의함)　　20. 9급 철도경찰
① 일반적으로 사람으로 하여금 공포심을 일으키게 하기에 충분한 해악을 고지하여 상대방이 그 의미를 인식하였지만 현실적으로 공포심을 일으키지 않은 경우 - 협박죄의 미수범
② 신체의 일부만 주거 안으로 들어갔지만 사실상의 주거의 평온을 해할 수 있는 정도에 이른 경우 - 주거침입죄의 미수범
③ 법원을 기망하여 유리한 판결을 얻어 내고 이에 터잡아 상대방으로부터 재물이나 재산상 이익을 취득하려고 소송을 제기하였지만 패소판결이 확정되는 등 유리한 판결을 받지 못하고 소송이 종료된 경우 - 사기죄의 미수범
④ 노상에 세워져 있는 자동차 안의 물건을 훔칠 생각으로 자동차의 유리창을 통하여 그 내부를 손전등으로 비추어 본 경우 - 절도죄의 미수범

Answer　15. ①　16. ③

해설 ① × : 협박죄의 기수범(대판 2006.4.7, 2005도9858 전원합의체)
② × : 주거침입죄의 기수범(대판 1995.9.15, 94도2561 전원합의체)
③ ○ : 대판 2000.2.11, 99도4459
④ × : 절도죄의 미수범 ×(대판 1985.4.23, 85도464 ∵ 실행의 착수 ×)

17 괄호 안의 범죄의 미수범이 성립하는 것만을 모두 고르면?(다툼이 있는 경우 판례에 의함)

20. 7급 검찰

> ㉠ 야간에 아무도 없는 카페 내실에 침입하여 장식장 안에 들어 있던 정기적금통장 등을 꺼내
>   들고 카페로 나오던 중 발각되어 돌려준 경우(야간주거침입절도죄)
> ㉡ 야간에 타인의 재물을 절취할 목적으로 타인의 주거에 침입하였다가 발각된 경우(야간주거침
>   입절도죄)
> ㉢ 야간에 절도의 목적으로 출입문에 장치된 자물통 고리를 절단하고 출입문을 손괴한 뒤 집안
>   으로 침입하려다가 발각된 경우(특수절도죄)
> ㉣ 노상에 세워 놓은 자동차 안에 있는 물건을 훔칠 생각으로 자동차의 유리창을 통하여 그 내부
>   를 손전등으로 비추어 보다가 체포된 경우(절도죄)
> ㉤ 주점에 침입하여 양주를 바구니에 담고 있던 중 종업원이 들어오는 소리를 듣고서 양주를 그
>   대로 둔 채 출입문을 열고 나오다가 체포를 면탈할 목적으로 종업원의 오른손을 깨무는 등
>   폭행한 경우(준강도죄)

① ㉠, ㉤
② ㉠, ㉢, ㉤
③ ㉡, ㉢, ㉣
④ ㉡, ㉢, ㉤

해설 • **미수범 ○ : ㉡** 대판 1970.4.24, 70도507 **㉢** 대판 1986.9.9, 86도1273 **㉤** 대판 2004.11.18, 2004도
5074 전원합의체
• **미수범 × : ㉠** 야간주거침입절도죄의 기수범(대판 1991.4.23, 91도476) **㉣** 무죄(대판 1985.4.23,
85도464 ∵ 절도죄의 실행의 착수 ×)

Answer   17. ④

제5절 ▶ 중지미수

> **제26조【중지범】** 범인이 실행에 착수한 행위를 자의로 중지하거나 그 행위로 인한 결과의 발생을 자의
> 로 방지한 경우에는 형을 감경하거나 면제한다. 22. 법원행시

① 의 의

중지미수 또는 중지범이란 범죄의 실행에 착수한 자가 그 범죄가 완성되기 전에 자의로 그 행위를
중지하거나 그 행위로 인한 결과발생을 방지한 경우를 말한다(제26조). 12. 순경 1차, 22. 철도경찰

② 법적 성격

통상의 미수범(장애미수)은 임의적 감경사유(제25조 제2항)로 하면서 중지미수는 필요적 감면사유
(제26조)로 하여 보다 관대하게 처벌하는 이유에 대해 중지미수에 대한 형의 면제는 형사정책설
에 의하고, 형의 감경은 책임감소설에 의하여 설명하는 견해(결합설)가 다수설이다.

③ 성립요건

(I) **자의성**(중지미수와 장애미수를 구별하는 기준)

┌ **관련판례**

> 중지미수는 범죄의 실행행위에 착수하고 그 범죄가 완수되기 전에 자기의 자유로운 의사에 따라
> 범죄의 실행행위를 중지하는 것으로서 장애미수와 대칭되는 개념이나, 중지미수와 장애미수는 범
> 죄의 미수가 자의에 의한 중지냐 또는 어떤 장애에 의한 미수이냐에 따라 구분하여야 하고, 특히
> 자의에 의한 중지 중에서도 일반 사회통념상 장애에 의한 미수라고 보여지는 경우를 제외하고는
> 중지미수로 본다(대판 1985.11.12, 85도2002). 20. 변호사시험, 22. 경찰간부·해경간부, 23. 9급 철도경찰

● **중지미수** : 사회통념상 범죄실행(완수)에 장애가 되는 사정이 없는 경우

피해자를 강간하려다 피해자의 다음번에 만나 친해지면 응해주겠다는 취지의 간곡한 부탁으로 인하여
그 목적을 이루지 못한 후 피해자를 자신의 차로 집에까지 데려다 준 경우(대판 1993.10.12, 93도1851)
16. 사시·9급 검찰, 18. 경찰간부, 19. 법원직, 21. 9급 검찰

● **장애미수** : 사회통념상 범죄실행(완수)에 장애가 되는 사정이 있는 경우

1. 두려움('발각의 두려움', '겁이 나서')으로 인하여 중단한 때 ⇨ 자의성 × ⇨ 중지미수 ×

　①장롱 안에 있는 옷가지에 불을 놓아 건물을 소훼하려 하였으나 불길이 치솟는 것을 보고 겁이
　　나서 물을 부어 불을 끈 경우(대판 1997.6.13, 97도957) 16. 사시·법원행시·9급 검찰·마약수사·철도경찰,
　　18. 순경 1차, 19. 경찰간부·법원직, 22. 경력채용, 23. 변호사시험·9급 철도경찰

② 피고인이 피해자를 살해하려고 그의 목 부위와 왼쪽 가슴 부위를 칼로 수회 찔렀으나 피해자의 가슴 부위에서 많은 피가 흘러나오는 것을 발견하고 겁을 먹고 그만 둔 경우(대판 1999.4.13, 99도640) 16. 사시, 20. 순경 2차, 21. 경찰간부, 23. 경찰승진·법원직·9급 철도경찰, 24. 해경승진

③ 피고인이 甲에게 위조한 예금통장 사본 등을 보여주면서 외국회사에서 투자금을 받았다고 거짓말하며 자금 대여를 요청하였으나, 이를 의심한 甲이 그 입금 여부의 확인을 요청하여 甲과 함께 은행에 가던 중 은행 입구에서 갑자기 피고인이 차용을 포기하고 돌아간 경우(대판 2011.11.10, 2011도10539) 15. 사시·9급 검찰·철도경찰, 16. 변호사시험·순경 2차, 21.9급 검찰

④ 범행 당일 세관직원들이 범행장소 주변에 잠복근무를 하고 있는 것을 본 피고인이 발각을 두려워한 나머지 자신이 분담한 실행행위를 못한 경우(대판 1986.1.21, 85도2339) 16. 법원직, 21. 순경 1차

⑤ 원료불량으로 인한 제조상의 애로, 제품의 판로문제, 범행탄로시의 처벌공포, 다른 피고인의 포악성 등으로 인하여 히로뽕 제조를 단념한 경우(대판 1985.11.12, 85도2002) 03. 입시

2. 피고인이 피해자를 강간하려고 하였으나 피해자가 시장에 간 남편이 곧 돌아온다고 하면서 임신 중이라고 말하자 강간행위의 실행을 중지하고 도주한 경우(대판 1993.4.13, 93도347) 15. 법원직, 16. 9급 검찰·마약수사·철도경찰, 19. 경찰간부, 23.9급 철도경찰

3. 강간하려고 폭행하였으나 피해자가 수술한지 얼마되지 않아 배가 아프다면서 애원하자 강간행위를 그만 둔 경우(대판 1992.7.28, 92도917) 17. 법원행시, 20. 법원직, 21. 경찰승진

4. 피고인이 기밀탐지 임무를 부여받고 대한민국에 입국하여 기밀을 탐지·수집 중 경찰관이 피고인의 행적을 탐문하고 갔다는 말을 전해듣고 지령사항 수행을 보류하고 있던 중 체포된 경우(대판 1984. 9.11, 84도1381) 16. 사시, 18. 경찰간부, 19. 경력채용

---

(2) **범죄의 미완성**(실행행위의 중지 또는 결과발생의 방지)

중지미수는 행위자가 객관적으로 실행에 착수한 행위를 자의로 실행행위의 종료 전에 중지하거나〔착수미수의 중지(착수중지)〕이미 종료된 실행행위로 인한 결과의 발생을 방지해야〔실행미수의 중지(실행중지)〕성립한다.

① **착수중지**(착수미수의 중지) : 착수중지란 실행에 착수한 행위를 실행행위의 종료 전에 자의로 중지한 경우를 말한다. 즉, 행위의 계속을 포기하는 부작위에 의하여 중지미수가 되는 경우가 착수미수의 중지범이다.

② **실행중지**(실행미수의 중지) : 실행중지란 실행행위는 종료하였으나 행위자가 자의로 그 결과의 발생을 방지하는 것을 말한다. 실행미수가 중지범으로 인정되기 위해서는 단순히 행위의 계속을 포기하는 것으로 족하지 않고 행위자가 자의에 의하여 결과의 발생을 방지할 것이 요구된다(대판 1986.3.11, 85도2831). 11.9급 검찰, 18. 변호사시험

예 甲은 乙을 살해하려고 독약을 먹였으나 곧 후회하여 해독제를 먹여 소생시킨 경우

㉠ 결과발생 방지행위는 행위자 자신이 직접 해야 하는 것이 원칙이나 타인의 도움을 받아 결과발생이 방지되어도 무방하다(예 의사의 도움으로 결과발생 방지). 다만, 이 경우에도 행위자 자신이 결과발생을 방지한 것과 동일하게 평가받을 수 있을 정도의 행위자의 진지한 노력이 있어야 한다. 03. 사시, 16. 경찰간부

ⓛ 실행중지가 되려면 현실적으로 결과발생이 없어야 한다. 따라서 행위자가 진지한 노력을 다했음에도 불구하고 결과가 발생하면 중지미수는 성립되지 않고 기수책임을 진다.

관련판례

1. 타인의 재물을 공유하는 자가 공유자의 승낙을 받지 않고 공유대지를 담보로 제공하고 가등기를 경료하였으나, 그 후 가등기를 말소한 경우 ⇨ 중지미수 ×(대판 1978.11.28, 78도2175 ∵ 횡령죄의 기수) 16. 사시·법원직, 18. 경찰간부, 21. 해경승진, 22. 경찰승진

2. 甲이 미성년자 A를 약취하여 돈을 요구하였으나 A의 부모가 가난한 사실을 알고 A를 돌려보냈다면 甲의 행위는 특정범죄 가중처벌 등에 관한 법률상 재물요구죄의 중지미수에 해당하지 않는다(대판 1978.7.25, 78도1418 ∵ 재물요구죄의 기수). 16. 사시

3. 대마 2상자를 사가지고 돌아오던 중 장사를 다시 하게 되면 인생을 망치게 된다는 생각이 들어 이를 불태운 경우 ⇨ 중지미수 ×(대판 1983.12.27, 83도2629 ∵ 대마매매죄의 기수) 06. 법원행시, 07. 법원직, 22. 경력채용

④ 처 벌

중지미수는 형법 각칙에 특별한 규정이 있는 경우에만 처벌하되(제29조), 그 형을 감경 또는 면제한다(필요적 감면 : 제26조). 형법은 착수중지와 실행중지의 구별 없이 동일하게 처벌한다.

⑤ 관련문제

(1) 예비의 중지

예비·음모의 행위를 처벌하는 경우에 있어서 중지범의 관념을 인정할 수 없다(대판 1999.4.9, 99도424). 15·21. 변호사시험, 18. 경찰간부·순경 2차, 21. 9급 검찰·순경 1차, 24. 해경간부

(2) 공범과 중지미수

공범(공동정범, 간접정범, 교사범·종범)이 중지미수가 되기 위해서는 결과가 발생하지 않아야 하며 중지미수의 효과는 자의로 중지한 자에게만 미치고 다른 범죄 참가인은 장애미수가 된다. 15. 사시, 16. 변호사시험

■ **공동정범의 중지미수** : 다른 공범자 전원의 실행행위를 중지하게 하거나 모든 결과발생을 완전히 방지해야만 자의로 중지한 자에게 중지미수가 성립한다(그 이외의 자는 장애미수가 된다. ∵ 책임개별화원칙). 따라서 1인이 중지하였더라도 다른 자에 의해 결과가 발생하면 중지한 자에게도 중지미수범이 성립되지 않는다(∵ 공동정범 ⇨ 일부실행·전부책임). 16·21. 변호사시험, 20. 경찰간부, 21. 해경간부·해경승진

관련판례

1. 2인이 범행을 공모하여 실행에 착수한 후 그중 한 사람이 자의로 중지한 경우, 다른 공범의 범행을 중지하게 하지 아니한 이상 범의를 철회, 포기한 자에 대하여도 중지미수가 인정되지 않는다(대판 1969.2.25, 68도1676). 17. 법원행시, 18·19. 9급 철도경찰, 21. 9급 검찰·마약수사, 23. 법원직

2. 甲과 乙이 A를 강간하기로 공모하여 A를 강제로 텐트에 끌고 들어가 甲이 먼저 A의 반항을 억압한 후 1회 간음하고, 이어 乙이 A를 강간하려 하였으나 A가 애걸하여 그만 둔 경우, 乙은 중지미수에 해당하지 않는다(대판 2005.2.25, 2004도8259 ∴ 성폭력범죄의 처벌 등에 관한 특례법상의 특수강간죄의 기수). 15. 법원행시, 18. 순경 1차·2차, 19. 법원직, 22. 경력채용

3. 甲은 乙과 함께 丙이 경영하는 사무실의 금품을 절취하기로 공모한 후 甲은 그 부근 포장마차에 있고 乙은 사무실의 열려진 출입문을 통하여 안으로 들어가 물건을 물색하고 있는 동안 甲은 자신의 범행전력 등을 생각하여 가책을 느낀 나머지 丙에게 乙의 침입사실을 알려 丙과 함께 乙을 체포한 경우 ⇨ 甲 : 특수절도의 중지미수 乙 : 특수절도의 장애미수(대판 1986.3.11, 85도2831) 18. 경찰간부

01 다음 중 중지미수는 모두 몇 개인가?(다툼이 있는 경우 판례에 의함)　　　　13. 법원행시, 16. 사시

> ㉠ 피고인이 甲에게 위조한 예금통장 사본 등을 보여주면서 외국회사에서 투자금을 받았다고 거짓말하며 자금 대여를 요청하였으나, 이를 의심한 甲이 그 입금 여부의 확인을 요청하여 甲과 함께 은행에 가던 중 은행 입구에서 갑자기 피고인이 차용을 포기하고 돌아간 경우
> ㉡ 피고인이 장롱 안에 있는 옷가지에 불을 놓아 건물을 소훼하려 하였으나 불길이 치솟는 것을 보고 겁이 나서 물을 부어 불을 끈 경우
> ㉢ 피고인이 피해자를 살해하려고 그의 복부를 주방용 가위로 힘껏 찔렀으나 피해자가 입에서 피를 흘리는 것을 보고 놀란 나머지 범행현장에서 자고 있던 甲을 깨워서 甲으로 하여금 119에 신고하여 피해자를 병원에 후송하게 하고 피고인은 체포될 것이 두려워서 도망을 친 경우
> ㉣ 피고인이 피해자를 강간하려다 피해자의 다음번에 만나 친해지면 응해주겠다는 취지의 간곡한 부탁으로 인하여 그 목적을 이루지 못한 후 피해자를 자신의 차로 집까지 데려다 준 경우
> ㉤ 피고인이 피해자를 살해하려고 그의 목 부위와 왼쪽 가슴 부위를 칼로 수회 찔렀으나 피해자의 가슴 부위에서 많은 피가 흘러나오는 것을 발견하고 겁을 먹고 그만 둔 경우
> ㉥ 타인의 재물을 공유하는 자가 공유자의 승낙을 받지 않고 공유대지를 담보로 제공하고 가등기하였다가 그 가등기를 말소한 경우
> ㉦ 피고인이 기밀탐지의 목적으로 대한민국에 입국하여 기밀을 탐지 수집하던 중 경찰관이 피고인의 행적을 탐문하고 갔다는 말을 전해 듣고 지령사항 수행을 중지한 경우

① 1개　　　　② 2개　　　　③ 3개　　　　④ 4개

해설　• 중지미수 ○ : ㉣ 대판 1993.10.12, 93도1851
　　　• 중지미수 × : ㉠ 대판 2011.11.10, 2011도10539 ㉡ 대판 1997.6.13, 97도957 ㉢ 두려움 때문에 중단한 것 ⇨ 중지미수 ×(99도640 참조), 甲으로 하여금 119에 신고하여 피해자를 병원으로 후송하게 한 경우 ⇨ 피고인의 진지한 노력에 의한 결과방지 × ⇨ 중지미수 × ㉤ 대판 1999.4.13, 99도640 ㉥ 대판 1978.11.28, 78도2175 ㉦ 대판 1984.9.11, 84도1381

02 중지미수에 있어서 자의성이 인정되는 경우는?(다툼이 있는 경우 판례에 의함)　16. 9급 검찰 · 마약수사
① 甲은 강간의 실행에 착수하였으나 A가 다음에 만나서 친해지면 응해 주겠다는 취지로 간곡하게 부탁을 하자 실행을 중지한 경우
② 甲은 강간의 실행에 착수하였으나 A가 시장에 간 남편이 곧 돌아올 것이고 자신이 현재 임신 중이라고 말하자 실행을 중지한 경우
③ 甲은 A를 살해하려고 A의 목과 왼쪽 가슴을 칼로 수회 찔렀으나 A의 가슴에서 피가 많이 흘러나오는 것을 보고 겁이 나서 실행을 중지한 경우

Answer　01. ①　02. ①

④ 甲은 A의 주택을 불태우려고 주택 안의 장롱에 있던 의류에 불을 놓았으나 불길이 치솟는 것을 보고 겁이 나서 물을 부어 불을 끈 경우

> **해설** • **자의성** ○(중지미수 ○) : ① 대판 1993.10.12, 93도1851
> • **자의성** ×(장애미수 ○) : ② 대판 1993.4.13, 93도347 ③ 대판 1999.4.13, 99도640 ④ 대판 1997.6. 13, 97도957

03 중지미수의 자의성 판단기준을 '자율적 동기와 타율적 동기'에 근거하여 판단할 때 다음 중 甲에게 자의성이 인정되는 경우만으로 짝지은 것은? 　　　　18. 경찰간부

> ⊙ 甲이 기밀탐지 임무를 부여받고 대한민국에 입국하여 기밀을 탐지 수집 중 경찰관이 甲의 행적을 탐문하고 갔다는 말을 전해 듣고 지령사항 수행을 보류하고 있던 중 체포되었다.
> ⓛ 甲은 乙과 함께 丙이 경영하는 사무실의 금품을 절취하기로 공모한 후 甲은 그 부근 포장마차에 있고 乙은 사무실의 열려진 출입문을 통하여 안으로 들어가 물건을 물색하고 있는 동안 甲은 자신의 범행전력 등을 생각하여 가책을 느낀 나머지 丙에게 乙의 침입사실을 알려 丙과 함께 乙을 체포하였다.
> ⓒ 甲은 乙과 대지를 공유하는 자로서 乙의 승낙을 받지 않고 공유대지를 담보에 제공하고 가등기를 경료하였다가 그 후 가등기를 말소하였다.
> ② 甲은 乙을 폭행한 다음 강간하려고 하다가 乙이 다음번에 만나 친해지면 응해 주겠다는 취지의 간곡한 부탁을 하여 그 목적을 이루지 못한 후, 乙을 자신의 차에 태워 집에 데려다 주었다.

① ⊙, ⓒ　　　　② ⊙, ②　　　　③ ⓛ, ②　　　　④ ⓒ, ②

> **해설** • **자의성** ○(중지미수 ○) : ⓛ 甲 : 특수절도의 중지미수 乙 : 특수절도의 장애미수(대판 1986.3.11, 85 도2831) ② 대판 1993.10.12, 93도1851
> • **자의성** ×(중지미수 ×) : ⊙ 대판 1984.9.11, 84도1381 ⓒ 대판 1978.11.28, 78도2175

04 중지미수에 관한 다음 설명 중 가장 옳은 것은?(다툼이 있는 경우 판례에 의함)　　　　19. 법원직

① 甲과 乙이 A를 강간하기로 공모하여 A를 강제로 텐트에 끌고 들어가 甲이 먼저 A의 반항을 억압한 후 1회 간음하고, 이어 乙이 A를 강간하려 하였으나 A가 애걸하여 그만 둔 경우, 乙은 중지미수에 해당한다.

② 살해의 의사로 피해자를 칼로 수회 찔렀으나, 많은 피가 흘러나오는 것을 보고 겁을 먹고 그만 둔 경우 중지미수에 해당한다.

③ 방화 후 불길이 치솟는 것을 보고 겁이 나서 불을 끈 경우 중지미수에 해당한다.

④ 강도가 강간하려고 하였으나 다음에 만나 친해지면 응해 주겠다는 피해자의 간곡한 부탁에 따라 강간행위의 실행을 중지한 경우 중지미수에 해당한다.

> **해설** • **중지미수** ○ : ④ 대판 1993.10.12, 93도1851
> • **중지미수** × : ① 대판 2005.2.25, 2004도8259 ② 대판 1999.4.13, 99도640 ③ 대판 1997.6.13, 97도957

Answer 　03. ③　04. ④

제6절 불능미수

> **제27조 【불능범】** 실행의 수단 또는 대상의 착오로 인하여 결과의 발생이 불가능하더라도 위험성이 있는 때에는 처벌한다. 단, 형을 감경 또는 면제할 수 있다. 22. 해경간부 · 해경 2차, 23. 해경승진 · 법원직

① 서 설

불능미수란 범죄의사로 실행행위를 하였으나 처음부터 실행의 수단 또는 대상의 착오로 인하여 결과발생은 불가능하나 위험성이 있어 미수범으로 처벌되는 경우를 말한다(제27조).

② 성립요건

(1) 수단의 착오

수단의 착오란 설탕에 살인력이 있다고 믿고 설탕을 먹여 살해하려고 하는 경우처럼 행위자가 선택한 수단(설탕)으로는 결과발생(사람의 사망)이 불가능한 경우, 즉 '수단의 불가능성'을 말한다.

(2) 대상의 착오

대상의 착오란 죽은 사람을 살아 있는 사람으로 오인하여 총을 발사한 것처럼 행위자가 범죄의 객체로서 인식했던 대상(살아 있는 사람)이 사실상 범죄의 객체가 될 수 없어(죽은 사람) 결과발생이 불가능한 경우, 즉 '객체의 불가능'을 말한다.

🔖 주체의 착오(진정신분범의 신분이 있는 것으로 오인한 경우)로 인해 결과발생이 불가능한 경우 ⇨ 형법상 명문의 규정 ×(불능미수 ×), 불가벌적 환각범 ○(통설) 17. 9급 철도경찰, 19. 변호사시험, 20. 경찰간부, 23. 해경승진

┌ **관련판례**

대판 2019.3.28, 2018도16002 전원합의체
① 불능미수는 행위자에게 범죄의사가 있고 실행의 착수라고 볼 수 있는 행위가 있지만 실행의 수단이나 대상의 착오로 처음부터 구성요건이 충족될 가능성이 없는 경우이다. 다만 결과적으로 구성요건의 충족은 불가능하지만, 그 행위의 위험성이 있으면 불능미수로 처벌한다. 불능미수는 행위자가 실제로 존재하지 않는 사실을 존재한다고 오인하였다는 측면에서 존재하는 사실을 인식하지 못한 사실의 착오와 다르다. 20. 변호사시험 · 법원행시, 20 · 22. 경찰승진
② 장애미수 또는 중지미수는 범죄의 실행에 착수할 당시 실행행위를 놓고 판단하였을 때 행위자가 의도한 범죄의 기수가 성립할 가능성이 있었으므로 처음부터 기수가 될 가능성이 객관적으로 배제되는 불능미수와 구별된다. 19. 순경 2차, 20. 경찰간부 · 변호사시험
③ 불능미수범에서 말하는 '실행의 수단 또는 대상의 착오'는 행위자가 시도한 행위방법 또는 행위객체로는 결과의 발생이 처음부터 불가능하다는 것을 의미한다. 그리고 '결과발생의 불가능'은 실행의 수단 또는 대상의 원시적 불가능성으로 인하여 범죄가 기수에 이를 수 없는 것을 의미한다. 19. 순경 2차, 20. 경찰승진 · 법원행시, 22. 9급 검찰 · 마약수사 · 철도경찰, 23. 경력채용

(3) **위험성**(불능범과 불능미수의 구별기준)

위험성이 있으면 불능미수로 처벌되고, 위험성이 없으면 불능범으로 처벌되지 아니한다.

위험성 판단기준 13·17. 경찰간부, 19·20. 순경 1차

학 설	내 용	사 례
구객관설 (절대적 불능· 상대적 불능 구별설) : 판례	• 결과발생이 어떠한 경우에도 개념적으로 불가능한 절대적 불능 ⇨ 불능범(위험성 ×) • 결과발생이 일반적으로는 가능하지만 구체적·특수한 경우에만 불가능한 상대적 불능 ⇨ 불능미수(위험성 ○)	• 시체에 대한 살인행위 ⇨ 객체의 절대적 불능(위험성 ×) • 방탄복을 입은 자에 대한 살인행위 ⇨ 객체의 상대적 불능(위험성 ○) • 독살의 의사로 설탕을 먹인 경우 ⇨ 수단의 절대적 불능(위험성 ×) • 치사량 미달의 독약을 먹인 경우 ⇨ 수단의 상대적 불능(위험성 ○)
법률적 불능· 사실적 불능설	• 법률적 불능 ⇨ 불능범 • 사실적 불능 ⇨ 불능미수	법률적 불능은 절대적 불능, 사실적 불능은 상대적 불능으로 이해
구체적 위험설 (신객관설)	행위 당시에 행위자가 인식한 사정과 일반인이 인식할 수 있었던 사정을 기초로 일반인(통찰력 있는 사람)의 관점에서 객관적·사후적으로 구체적 위험성이 있는가를 판단하는 견해이다.	시체를 살아 있는 사람으로 오인하여 살해하려고 한 경우 • 일반인도 살아 있는 것으로 안 경우 ⇨ 불능미수 • 일반인은 시체임을 알고 있었던 경우 ⇨ 불능범
추상적 위험설 (법질서에 대한 위험설, 주관적 위험설, 주관적 객관설) : 다수설·판례	위험성은 행위 당시에 피고인이 인식한 사정(일반인이 인식할 수 있었던 사정 ×)을 놓고 일반인이 객관적으로 판단하여 결과발생의 가능성이 있는지 여부를 따져야 한다(대판 2019. 3.28, 2018도16002 전원합의체). 21. 해경승진, 22. 경찰간부·해경간부, 23. 경찰승진·경력채용	① 시체를 살아 있는 사람으로 오인하고 살해하려고 한 경우 ⇨ 불능미수 ② 설탕을 독약으로 오인하고 먹여 살해하려고 한 경우 ⇨ 불능미수 ③ 설탕으로도 사람을 살해할 수 있다고 믿고서 설탕을 먹인 경우 ⇨ 불능범
주관설	범죄의사를 표현하는 구성요건 실현행위가 있는 이상 결과발생이 객관적으로 불가능하더라도 항상 위험성이 있다고 보는 견해이다.	불능범의 개념을 부정한다. 미신범 이외에는 원칙적으로 불능범을 부정하며 모두 미수범으로 처벌된다. 21. 해경간부

┌ **관련판례**

1. 피고인이 피해자가 심신상실 또는 항거불능의 상태에 있다고 인식하고 그러한 상태를 이용하여 간음할 의사로 피해자를 간음하였으나 피해자가 실제로는 심신상실 또는 항거불능의 상태에 있지 않은 경우, 준강간죄의 불능미수에 해당한다(대판 2019.3.28, 2018도16002 전원합의체 ∵ 추상적 위험성설 : 피고인이 행위 당시에 인식한 사정을 놓고 일반인이 객관적으로 판단하였을 때 준강간의 결과가 발생할 위험성이 있음). 19. 순경 1차, 20. 법원직·법원행시, 21. 경찰승진, 22. 경찰간부, 23. 9급 철도경찰, 24. 변호사시험
2. 소송비용을 편취할 의사로 소송비용의 지급을 구하는 손해배상청구의 소를 제기하였다고 하더라도 이는 객관적으로 소송비용의 청구방법에 관한 법률적 지식을 가진 일반인의 판단으로 보아 결과발

생의 가능성이 없어 위험성이 인정되지 않아 사기죄의 불능범에 해당한다(대판 2005.12.8, 2005도 8105). 18. 법원행시, 21. 순경 1차, 22. 9급 검찰, 23. 경찰승진·법원직·9급 철도경찰·순경 2차, 24. 해경승진

3. 부동산을 편취할 의사로 이미 사망한 자에 대하여 소유권이전등기청구의 소를 제기하여 승소판결을 받는다고 하더라도 판결의 효력이 해당 임야의 재산상속인에게 미칠 수 없으므로 사기죄를 구성한다고 할 수 없다(대판 2002.1.11, 2000도1881 ∴ 사기죄의 불능미수 ×, 사기죄의 불능범). 15. 사시, 18. 경찰승진, 17·19. 경찰간부, 23. 9급 철도경찰

4. 일정량 이상을 먹으면 사람이 사망에 이를 수도 있는 '초우뿌리' 또는 '부자' 달인 물을 피해자에게 마시게 하여 피해자를 살해하려고 하였으나 피해자가 이를 토해버림으로써 미수에 그친 행위는 불능범이 아닌 살인미수죄가 성립한다(대판 2007.7.26, 2007도3687). 18. 법원행시·9급 철도경찰, 23. 변호사시험·경력채용

5. 치사량 미달의 독약으로 사람을 살해하려고 한 경우(대판 1984.2.28, 83도3331 : 요구르트병에 치사량 미달의 농약을 넣은 사건), 히로뽕 제조를 시도하였으나 기술부족으로 완제품을 제조하지 못한 경우(대판 1985.3.26, 85도206) ➡ 결과발생의 위험이 절대 불능 × ➡ (불능)미수범 ○(구 객관설의 입장) 17. 경찰간부·9급 검찰·철도경찰, 18·19. 법원행시, 23. 해경승진

6. 이미 배당금을 수령할 권리를 가진 임차인이 경매배당금을 편취할 의사로 임대차계약서상의 임차인 명의를 처로 변경하여 경매법원에 배당요구를 한 경우 ➡ 사기죄의 불능범으로서 무죄(대판 2002.2.8, 2001도6669) 16. 법원직, 20. 법원행시

7. 피해자를 독살하려 하였으나 피해자가 토함으로써 그 목적을 이루지 못한 경우에는, 피고인이 사용한 독의 양이 치사량 미달이어서 결과발생이 불가능한 경우도 있을 것이므로 불능미수에 해당하는지 가려야 한다(대판 1984.2.14, 83도2967). 06. 경찰승진, 18. 법원행시

8. 소매치기가 피해자의 주머니에 손을 넣어 금품을 절취하려 한 경우 비록 그 주머니 속에 금품이 들어있지 않았다 하더라도 그러한 행위는 절도라는 결과발생의 위험성을 충분히 내포하고 있으므로 이는 절도미수에 해당한다(대판 1986.11.25, 86도2090). 14. 법원행시, 15. 순경 1차

9. 권총에 탄환을 장전하여 발사하였으나 탄환이 불량하여 불발된 경우 ➡ 불능미수 ○, 불능범 ×(대판 1954.1.30, 4286형상103) 16. 법원직, 21. 해경승진

10. 히로뽕제조를 위해 에페트린에 빙초산을 혼합한 행위가 불능범이 아니라고 인정하려면 행위 당시에 행위자가 인식한 사정을 놓고 객관적으로 제약방법을 아는 과학적 일반인의 판단으로 보아 결과발생의 가능성이 있어야 한다(대판 1978.3.28, 77도4049 ➡ 추상적 위험설 입장). 12. 9급 검찰

③ 처 벌

불능미수도 미수범의 일종이므로 형법 각칙에 처벌규정이 있는 때에만 처벌되며(제29조), 불능미수는 사실상(객관적으로) 결과발생은 불가능하지만 위험성이 있으므로 형을 감경 또는 면제할 수 있다(임의적 감면사유 : 제27조). 16. 법원행시, 17. 경찰간부, 18. 경찰승진, 21. 순경 1차, 22. 9급 철도경찰

01 불능미수에 대한 설명이다. 가장 옳은 것은?(다툼이 있을 경우 판례에 의함)　　13·17. 경찰간부

① 불능미수와 불능범을 구별하는 기준은 결과발생의 가능성이다.

② 불능미수의 경우 형을 감경 또는 면제하여야 한다.

③ 불능미수의 위험성판단에 관한 학설 중 객관설은 주관설보다 미수범 인정의 범위가 좁다.

④ 히로뽕 제조를 시도하였으나 그 약품배합 미숙으로 완제품을 만들지 못한 경우에는 불가벌적 불능범이 성립한다.

⑤ 피고인의 제소가 사망한 자를 상대로 한 것이라면 이와 같은 사망한 자에 대한 판결은 그 내용에 따른 효력이 생기지 아니하여 상속인에게 그 효력이 미치지 아니하므로 사기죄의 불능미수로 처벌된다.

해설　① × : 불능미수와 불능범을 구별하는 기준은 "결과발생의 가능성"이 아니라 "위험성"이다.

② × : 형을 감경 또는 면제할 수 있다(제27조).

③ ○ : 타당하다.

④ × : 불능범 ×, 불능미수 ○(대판 1985.3.26, 85도206)

⑤ × : 사기죄의 불능미수 ×, 사기죄의 불능범 ○(대판 2002.1.11, 2000도1881)

02 다음 사례에서 불능미수의 학설에 관한 설명으로 가장 적절하지 않은 것은? 20. 순경 1차, 23. 해경승진

> 甲은 평소 맘에 들지 않던 乙이 동네 벤치에 누워있는 것을 발견하고 살해하기 위해 총을 발사하였다. 그러나 乙은 甲이 총을 발사하기 전에 이미 심장마비로 사망한 상태였다.

① 구객관설(절대적 불능 상대적 불능 구별설)에 의하면 결과발생이 어떠한 경우에도 개념적으로 불가능하여 위험성이 인정되지 않는다.

② 구체적 위험설에 의하면 일반인이 乙을 살아 있는 것으로 오인한 경우뿐만 아니라 乙을 사망한 것으로 인식한 경우에도 행위자 甲의 인식이 우선시되므로 위험성이 인정된다.

③ 추상적 위험설에 의하면 甲은 乙을 살아 있는 사람으로 인식하고 있었으므로 위험성이 인정된다.

④ 주관설에 의하면 위 사례의 경우 위험성이 인정된다.

해설　①③④ 타당하다.

② × : 구체적 위험설은 행위 당시에 행위자가 인식한 사정과 일반인이 인식할 수 있었던 사정을 기초로 일반적 경험법칙(통찰력 있는 사람)의 관점에서 사후판단을 하여 구체적 위험성이 있는가를 판단하는 견해이다. 사례의 경우 일반인도 乙이 살아 있는 것으로 오인한 경우에는 위험성이 인정되나, 일반인이 乙을 사망한 것으로 인식한 경우에는 위험성을 부정한다.

Answer　01. ③　02. ②

03 불능미수에 관한 설명으로 가장 적절하지 않은 것은?(다툼이 있는 경우 판례에 의함) 19. 순경 2차

① 불능미수는 행위자가 실제로 존재하지 않는 사실을 존재한다고 오인하였다는 측면에서 존재하는 사실을 인식하지 못한 사실의 착오와 다르다.

② 장애미수 또는 중지미수는 범죄의 실행에 착수할 당시 실행행위를 놓고 판단하였을 때 행위자가 의도한 범죄의 기수가 성립할 가능성이 있었으므로 처음부터 기수가 될 가능성이 객관적으로 배제되는 불능미수와 구별된다.

③ '결과발생의 불가능'은 실행의 수단 또는 대상의 원시적 불가능성으로 인하여 범죄가 기수에 이를 수 없는 것을 의미한다.

④ 준강간죄가 성립하기 위해서는 피해자의 '심신상실 또는 항거 불능의 상태를 현실적으로 이용'할 필요는 없고, 피해자가 사실상 심신상실 또는 항거불능 상태에 있기만 하면 족하며 피고인이 이를 알고 있을 필요도 없다.

해설 ① ○ ② ○ ③ ○ : 대판 2019.3.28, 2018도16002 전원합의체
④ × : 형법은 폭행 또는 협박의 방법이 아닌 심신상실 또는 항거불능의 상태를 이용하여 간음한 행위를 강간죄에 준하여 처벌하고 있으므로, 준강간의 고의는 피해자가 심신상실 또는 항거불능의 상태에 있다는 것과 그러한 상태를 이용하여 간음한다는 구성요건적 결과발생의 가능성을 인식하고 그러한 위험을 용인하는 내심의 의사를 말한다(대판 2019.3.28, 2018도16002 전원합의체).

04 불능미수에 대한 설명 중 가장 적절하지 않은 것은?(다툼이 있는 경우 판례에 의함) 20. 경찰승진

① 불능미수는 실행의 수단이나 대상의 착오로 처음부터 구성요건이 충족될 가능성이 없는 경우로, 결과적으로 구성요건의 충족은 불가능하지만 그 행위의 위험성이 있으면 불능미수로 처벌한다.

② 불능미수는 행위자가 실제로 존재하지 않는 사실을 존재한다고 오인하였다는 측면에서 존재하는 사실을 인식하지 못한 사실의 착오와 다르다.

③ '결과발생의 불가능'은 실행의 수단 또는 대상의 원시적 불가능성으로 인하여 범죄가 기수에 이를 수 없는 것을 의미한다고 보아야 한다.

④ 불능범과 구별되는 불능미수의 성립요건인 '위험성'은 행위 당시에 행위자가 인식한 사정과 일반인이 인식할 수 있는 사정을 기초로 일반적 경험법칙에 따라 판단해야 한다.

해설 ①②③ 대판 2019.3.28, 2018도16002 전원합의체
④ × : ~ 행위자가 인식한 사정만을 기초로 일반인의 관점에서 판단해야 한다(대판 2005.12.8, 2005도8105).

Answer 03. ④ 04. ④

05 다음 설명 중 가장 옳지 않은 것은?(다툼이 있는 경우 판례에 의함) 18. 법원행시

① 피해자를 독살하려 하였으나 피해자가 토함으로써 그 목적을 이루지 못하였다고 하더라도, 사용한 독의 양이 치사량 미달이어서 결과발생이 불가능한 경우가 있을 수 있으므로 불능미수 해당 여부를 심리해야 한다.

② 행위자가 결과발생이 불가능하다는 것을 알면서 실행에 착수하였고, 결과는 발생하지 않았으나 위험성은 있다면, 불능미수에 해당한다.

③ 부작용으로 사망할 가능성을 배제할 수 없는 약초를 달인 물을 마시게 하여 살해하려 하였으나 미수에 그쳤다면, 불능범이 아닌 살인미수죄가 성립한다.

④ 메스암페타민 제조를 위해 그 원료에 약품들을 교반하였으나 약품배합미숙으로 완제품을 제조하지 못하였다면, 불능범이 아닌 메스암페타민 제조미수에 의한 마약류 관리에 관한 법률 위반죄가 성립한다.

⑤ 소송비용 명목의 돈을 편취하기 위해 소송비용 상당액의 지급을 구하는 손해배상금 청구의 소를 제기하였다가 담당 판사로부터 소송비용액 확정절차를 통하여 하라는 권유를 받고 소를 취하하였다면, 불능범에 해당하여 처벌할 수 없다.

해설 ① 대판 1984.2.14, 83도2967
② × : 미수범의 성립요건 중 주관적 구성요건 고의는 기수의 고의이므로 처음부터 결과발생이 불가능함을 인식한 경우에는 미수의 고의에 불과하기 때문에 미수범(장애미수·불능미수 불문하고)은 성립하지 않는다.
③ 대판 2007.7.26, 2007도3687
④ 대판 1985.3.26, 85도206
⑤ 대판 2005.12.8, 2005도8105

06 다음 중 甲의 행위와 미수(불가벌적 불능범 포함)의 연결이 바르게 된 것을 모두 고른 것은?(다툼이 있는 경우 판례에 의함) 21. 경찰승진

> ㉠ 소송비용을 편취할 의사로 민사소송법상 소송비용의 지급을 구하는 손해배상청구의 소를 제기한 甲의 행위 − 형법 제347조 사기죄의 불능미수
> ㉡ 甲은 피해자가 심신상실 또는 항거불능의 상태에 있다고 인식하고 그러한 상태를 이용하여 간음할 의사로 피해자를 간음하였으나 피해자가 실제로는 심신상실 또는 항거불능의 상태에 있지 않은 경우, 甲의 행위 − 형법 제299조 준강간죄의 불가벌적 불능범
> ㉢ 피해자를 살해하기 위해 그의 목 부위와 왼쪽 가슴 부위를 칼로 수 회 찔렀으나 피해자의 가슴 부위에서 많은 피가 흘러나오는 것을 발견하고 겁을 먹고 범행을 그만둔 甲의 행위 − 형법 제250조 살인죄의 중지미수
> ㉣ 강도행위 중에 피해자를 강간하려고 작은 방으로 끌고가 팬티를 강제로 벗기고 음부를 만지자 피해자가 수술한 지 얼마 안되어 배가 아프다면서 애원하는 바람에 강간을 그만 둔 甲의 행위 − 형법 제339조 강도강간죄의 장애미수

Answer 05. ② 06. ④

① ㉠, ㉡, ㉣   ② ㉠, ㉢
③ ㉡, ㉢   ④ ㉣

해설 ㉠ × : 사기죄의 불능미수 ×, 불능범 ○(대판 2005.12.8, 2005도8105)
㉡ × : 준강간죄의 불능미수 ○, 불능범 ×(대판 2019.3.28, 2018도16002 전원합의체)
㉢ × : 살인죄의 장애미수 ○, 중지미수 ×(대판 1999.4.13, 99도640)
㉣ ○ : 대판 1992.7.28, 92도917

07 다음 설명 중 옳은 것은 모두 몇 개인가?(다툼이 있는 경우 판례에 의함)   20. 경찰간부

㉠ 주체의 착오로 인해 결과발생이 불가능한 경우에도 불능미수가 성립될 수 있는지에 대해서는 형법상 명문의 규정이 없다.
㉡ 장애미수 또는 중지미수는 범죄의 실행에 착수할 당시 실행행위를 놓고 판단하였을 때 행위자가 의도한 범죄의 기수가 성립할 가능성이 있었으므로 처음부터 기수가 될 가능성이 객관적으로 배제되는 불능미수와 구별된다.
㉢ 임대인과 소액 임대차계약을 체결한 임차인이 임차건물에 거주하기는 하였으나 그의 처만이 전입신고를 마친 후에 경매절차에서 배당을 받기 위하여 임대차계약서상의 임차인 명의를 처로 변경하여 경매법원에 배당요구를 한 경우 불능범에 해당한다.
㉣ 피고인이 피해자가 심신상실 또는 항거불능의 상태에 있다고 인식하고 그러한 상태를 이용하여 간음할 의사로 피해자를 간음하였으나 피해자가 실제로는 심신상실 또는 항거불능의 상태에 있지 않은 경우, 준강간죄의 불능미수에 해당한다.
㉤ 일반적으로 공범이 자신의 행위를 중지한 것만으로는 중지 미수가 성립하지 않지만, 다른 공범 또는 정범의 행위를 중단시키기 위하거나 결과발생을 저지하기 위한 진지한 노력이 있었을 경우에는 비록 결과가 발생하였다고 할지라도 그 공범에게는 예외적으로 중지미수가 성립될 수 있다.

① 1개   ② 2개   ③ 3개   ④ 4개

해설 ㉠ ○ : 형법은 실행의 수단 또는 대상의 착오로(실행의 주체의 착오 ×) ~ 있다(제27조).
㉡ ○ : 대판 2019.3.28, 2018도16002 전원합의체
㉢ ○ : 대판 2002.2.8, 2001도6669
㉣ ○ : 대판 2019.3.28, 2018도16002 전원합의체
㉤ × : 결과발생 ⇨ 중지미수 ×

Answer 07. ④

01 실행의 착수시기 및 미수에 대한 설명으로 가장 적절한 것은?(다툼이 있는 경우 판례에 의함)

18. 경찰승진

① 피고인이 임야를 편취할 목적으로 소송을 제기하였으나 소 제기시 이미 소송의 상대방이 사망하였을 경우에는 소송에서 승소판결을 받는다고 하더라도 판결의 효력이 해당 임야의 재산상속인에게 미칠 수 없으므로 이는 사기죄의 불능미수에 해당한다.

② 행위자가 처음부터 미수에 그치겠다는 고의를 가진 경우라도 미수범이 성립할 수 있다.

③ 금융기관 직원이 전산단말기를 이용하여 다른 공범들이 지정한 특정계좌에 돈이 입금된 것처럼 허위의 정보를 입력하는 방법으로 위 계좌로 입금되도록 한 경우, 그 후 그러한 입금이 취소되어 현실적으로 인출되지 못한 경우는 컴퓨터 등 사용사기미수죄에 해당한다.

④ 甲이 부동산 경매절차에서 피담보채권인 공사대금채권을 실제와 달리 허위로 부풀려 유치권에 의한 경매를 신청한 경우 소송사기죄의 실행의 착수에 해당한다.

> **해설** ① × : 사기죄의 불능미수 ×, 사기죄의 불능범 ○(대판 2002.1.11, 2000도1881)
> ② × : 미수범의 고의는 기수의 고의이어야 하므로 처음부터 미수에 그치겠다는 고의를 가진 경우는 미수범이 성립할 수 없다.
> ③ × : 컴퓨터 등 사용사기 기수 ○(미수 ×, 대판 2006.9.14, 2006도4127)
> ④ ○ : 대판 2012.11.15, 2012도9603

02 미수범에 관한 설명 중 옳은 것을 모두 고른 것은?(다툼이 있는 경우 판례에 의함)

16. 사시, 19. 변호사시험

> ㉠ 야간에 다세대주택 2층에 침입해서 물건을 절취하기 위하여 그 다세대주택 외벽 가스배관을 타고 오르다가 순찰 중이던 경찰관에게 발각되어 그냥 뛰어내린 경우 야간주거침입절도죄의 실행의 착수에 이르지 못한 것이다.
>
> ㉡ 甲이 A의 사망에 대한 미필적 고의를 가지고 A가 주거로 사용하는 건조물을 소훼하였으나 이를 후회하고 진지한 노력으로 A를 구조함으로써 A가 사망하지 않은 경우에는 현주건조물방화치사죄의 중지미수범으로 처벌된다.
>
> ㉢ 주체의 착오로 인해 결과발생이 불가능한 경우에도 불능미수가 성립될 수 있는지에 대해서는 형법상 명문의 규정이 없다.
>
> ㉣ 행위자가 처음부터 결과발생이 불가능하다는 것을 알면서 실행에 착수하여 결과는 발생하지 않았지만 위험성이 있는 경우에는 불능미수가 성립된다.
>
> ㉤ 甲이 미성년자 A를 약취하여 돈을 요구하였으나 A의 부모가 가난한 사실을 알고 A를 돌려보냈다면 甲의 행위는 특정범죄 가중처벌 등에 관한 법률상 재물요구죄의 중지미수에 해당한다.

Answer 01. ④　02. ①

ⓗ 甲은 주점 지하 창고에 있는 양주를 절취하려던 중 인기척이 나서 절취하려던 양주를 그대로 두고 나오다가 주점 종업원에게 붙잡히자 종업원을 폭행하였다면, 甲의 죄책은 준강도의 기수이다.

① ㉠, ㉢　　　　　　　　② ㉠, ㉣, ㉤　　　　　　　③ ㉡, ㉣, ㉤

④ ㉢, ㉣, ㉥　　　　　　　⑤ ㉠, ㉡, ㉢

해설 ㉠ ○ : 대판 2008.3.27, 2008도917

㉡ × : 현주건조물방화치사죄의 미수범 처벌규정 ×

㉢ ○ : 형법은 실행의 수단 또는 대상의 착오(주체의 착오 ×)로 인하여 결과발생이 불가능하더라도 위험성이 있는 때에는 처벌한다(제27조)고 규정하고 있다.

㉣ × : 미수범의 성립요건 중 주관적 구성요건 고의는 기수의 고의이므로 처음부터 결과발생이 불가능함을 인식한 경우에는 미수의 고의에 불과하기 때문에 미수범(장애미수 · 불능미수 불문하고)은 성립하지 않는다.

㉤ × : 재물요구죄는 재물요구사실이 있을 때 이미 완성되어 기수가 됨으로 미수(중지미수 또는 장애미수)문제는 발행하지 아니한다(대판 1978.7.25, 78도1418).

㉥ × : 준강도의 미수(대판 2004.11.18, 2004도5074 전원합의체 ∵ 준강도죄의 기수 여부는 절도행위의 기수 여부를 기준으로 판단함으로 甲의 재물취득이 없어 준강도의 미수이다.)

03 다음 설명 중 옳은 것만을 모두 고르면?(다툼이 있는 경우 판례에 의함)　　　21. 9급 철도경찰

㉠ 장애미수와 중지미수는 범죄실행에 착수할 당시 실행행위를 놓고 판단하였을 때 행위자가 의도한 범죄의 기수가 성립할 가능성이 있었으므로, 처음부터 기수가 될 가능성이 객관적으로 배제되는 불능미수와 구별된다.

㉡ 예비행위를 자의로 중지한 경우 예비의 형이 중지미수의 형보다 무거운 때에는 중지미수의 규정을 준용할 수 있다.

㉢ 사람을 약취 · 유인한 자가 인질을 안전한 장소로 풀어준 때와 같이 예외적인 경우에는 범죄가 기수에 이른 후에도 형법 총칙상 중지미수의 규정을 준용한다.

㉣ 범죄의 실행에 착수하였으나 피해자의 간곡한 부탁으로 인하여 그 목적을 이루지 못하고 자기의 자유로운 의사에 따라 범죄의 실행을 중지한 경우에는 중지미수에 해당한다.

① ㉠, ㉡　　　　　② ㉠, ㉣　　　　　③ ㉡, ㉢　　　　　④ ㉢, ㉣

해설 ㉠ ○ : 대판 2019.3.28, 2018도16002 전원합의체

㉡ × : ~ 준용할 수 없다(대판 1999.4.9, 99도424).

㉢ × : 사람을 약취 · 유인한 자가 인질을 안전한 장소로 풀어준 때에는 그 형을 감경할 수 있으나(제295조의 2), 범죄가 기수에 이른 후에는 형법 총칙상 중지미수의 규정을 준용할 수 없다.

㉣ ○ : 대판 1993.10.12, 93도1851

Answer 　03. ②

04 미수 및 예비죄에 관한 설명 중 옳지 않은 것을 모두 고른 것은?(다툼이 있는 경우 판례에 의함)

21. 변호사시험

㉠ 중지범은 범죄의 실행에 착수한 후 자의로 그 행위를 중지한 때를 말하는 것이므로 실행의 착수가 있기 전인 예비의 중지범은 인정할 수 없다.

㉡ 공동정범 중 1인의 자의에 의한 실행중지만으로는 그의 중지미수를 인정할 수 없으며, 공동정범 전원의 실행행위를 중지시키거나 모든 결과발생을 완전히 방지한 때 공동정범 전체의 중지미수가 인정된다.

㉢ 정범이 예비단계에 그친 경우, 이를 방조한 자도 예비죄의 종범으로 처벌된다.

㉣ 살인예비죄가 성립하기 위하여 살인죄를 범할 목적 이외에 살인의 준비에 관한 고의가 있어야 하는 것은 아니다.

㉤ 가벌적 불능미수와 불가벌적 불능범의 구별 기준인 '위험성'은 행위 당시에 행위자가 인식한 사정 및 일반인이 인식할 수 있었던 사정을 기초로 일반적 경험법칙에 따라 사후 판단한다.

① ㉠, ㉡, ㉢ ② ㉠, ㉢, ㉣ ③ ㉡, ㉢, ㉣
④ ㉡, ㉣, ㉤ ⑤ ㉡, ㉢, ㉣, ㉤

해설 ㉠ ○ : 대판 1999.4.9, 99도424

㉡ × : ~ (2줄) 방지한 때 자의로 중지한 자에게는 중지미수가 인정되지만 다른 공동정범은 장애미수가 된다.

㉢ × : 예비죄의 공동정범 ○, 예비죄의 종범 ×(대판 1979.11.27, 79도2201)

㉣ × : ~ 고의가 있어야 한다(대판 2009.10.29, 2009도7150).

㉤ × : ~ 행위자가 인식한 사정(일반인이 인식할 수 있었던 사정 ×)을 기초로 일반인이 객관적으로 판단하여 결과발생의 가능성이 있는지 여부를 따져야 한다(대판 2019.3.28, 2018도16002 전원합의체 ; 추상적 위험설). ㉤ 지문은 구체적 위험설 입장임.

05 미수에 대한 설명으로 가장 적절한 것은?(다툼이 있는 경우 판례에 의함) 22. 경찰승진

① 불능미수의 성립요건인 '위험성'은 피고인이 행위 당시에 인식한 사정과 일반인이 인식할 수 있었던 사정을 놓고 일반인이 객관적으로 판단하여 결과발생의 가능성이 있는지 여부를 따져야 한다.

② 불능미수에서 '결과의 발생이 불가능'하다는 것은 범죄행위의 성질상 그 어떠한 경우에도 구성요건의 실현이 불가능하다는 것을 의미한다.

③ 예비·음모의 행위를한 후 실행의 착수로 나아가기 전에 자의로 중지한 경우에는 예비·음모죄의 중지미수를 인정할 수 있다.

④ 타인의 재물을 공유하는 자가 공유자의 승낙을 받지 않고 공유대지를 담보에 제공하고 가등기를 경료한 후 자의로 가등기를 말소하였다면 이는 횡령죄의 중지미수에 해당한다.

해설 ① × : ~ 위험성은 피고인이 행위 당시에 인식한 사정(일반인이 인식할 수 있었던 사정 ×)을 놓고 일반인이 객관적으로 ~ 한다(대판 2019.3.28, 2018도16002 전원합의체 ○).

② ○ : 대판 2019.3.29, 2018도16002 전원합의체 ③ × : ~ 인정할 수 없다(대판 1999.4.9, 99도424).

④ × : ~ 횡령죄의 기수에 이른다(대판 1978.11.28, 78도2175).

Answer 04. ⑤ 05. ②

06 예비와 미수에 관한 설명으로 옳은 것은 모두 몇 개인가?(다툼이 있는 경우 판례에 의함) 22. 순경 1차

> ㉠ 미수범이란 행위를 종료했더라도 결과가 발생하지 아니한 경우를 말하는 것이므로 결과가 발생한 경우에는 미수범이 성립할 여지가 없다.
> ㉡ 강도치상죄와는 달리 강도상해죄는 강도가 미수에 그쳤다면 상해가 발생하였어도 강도상해죄의 미수에 해당한다.
> ㉢ 대법원은 예비죄의 실행행위성을 긍정하는 입장에 서 있으므로 예비죄의 공동정범뿐만 아니라 예비죄에 대한 종범의 성립도 긍정한다.
> ㉣ 저작권 침해 게시물을 인터넷 웹사이트 서버 등에 업로드하여 공중의 구성원이 개별적으로 선택한 시간과 장소에서 접근할 수 있도록 이용에 제공하였더라도 공중에게 침해 게시물을 실제로 송신하지 않았다면 저작권법상 공중송신권 침해는 기수에 이르지 않는다.
> ㉤ 교사를 받은 자가 범죄의 실행 자체를 승낙하지 아니하거나 실행을 승낙하고 실행의 착수에 이르지 않은 경우, 교사자는 예비음모에 준하여 처벌된다.

① 1개　　　　② 2개　　　　③ 3개　　　　④ 4개

해설 ㉠ × : 미수가 성립하려면 실행에 착수한 행위를 종료하지 못하였거나(착수미수), 행위는 종료하였으나 결과가 발생하지 않아야 한다(실행미수). 따라서 ㉠은 실행미수만을 미수범으로 보았으므로 옳지 않다.
㉡ × : 강도치상죄(결과적 가중범)와 동일하게 강도상해죄(결과범)도 강도가 미수에 그쳤더라도 상해가 발생하면 강도상해죄(기수)가 된다(대판 1969.3.18, 69도154).
㉢ × : 예비죄의 공동정범 ○, 예비죄에 대한 종범 ×(대판 1979.11.27, 79도2201)
㉣ × : ~ (2줄) 이용에 제공하면, 공중에게 ~ 송신하지 않더라도 ~ 침해는 기수에 이른다(대판 2021.9.9, 2017도19025 전원합의체).
㉤ ○ : 실패한 교사(제31조 제3항), 효과 없는 교사(제31조 제2항)

07 미수에 대한 설명 중 가장 적절한 것은?(다툼이 있는 경우 판례에 의함)　　　23. 경찰승진

① 준강도죄의 기수 여부는 구성요건적 행위인 폭행 또는 협박이 종료되었는가의 여부에 따라 결정된다.
② 소송비용을 이미 송금받았음에도 불구하고 소송비용을 편취할 의사로 소송비용의 지급을 구하는 손해배상청구의 소를 제기한 경우 사기죄의 불능범에 해당한다.
③ 피해자를 살해하려고 그의 목 부위와 왼쪽 가슴 부위를 칼로 수회 찔렀으나 피해자의 가슴 부위에서 많은 피가 흘러나오는 것을 발견하고 겁을 먹고 그만 둔 경우 살인죄의 중지미수에 해당한다.
④ 불능범과 구별되는 불능미수의 성립요건인 '위험성'은 행위 당시 행위자가 인식한 사정과 일반인이 인식할 수 있었던 사정을 기초로 일반적 경험법칙에 따라 객관적 사후적으로 판단하여야 한다.

Answer　06. ①　07. ②

해설 ① × : ~ 종료되었는가의 여부가 아니라 절도행위의 기수 여부에 따라 결정된다(대판 2004.11.18, 2004도5074 전원합의체).

② ○ : 대판 2005.12.8, 2005도8105

③ × : ~ 살인죄의 장애미수(중지미수 ×)에 해당한다(대판 1999.4.13, 99도640).

④ × : ~ 위험성은 피고인이 행위 당시에 인식한 사정(일반인이 인식할 수 있었던 사정 ×)을 놓고 일반인이 객관적으로 판단하여 결과발생의 가능성이 있는지 여부를 따져야 한다(대판 2019.3.28, 2018도16002 전원합의체).

08 미수범에 관한 설명 중 옳지 않은 것은?(다툼이 있는 경우 판례에 의함) 23. 변호사시험

① 甲이 위험한 물건인 전기충격기를 사용하여 A에 대한 강간을 시도하다가 미수에 그쳤다 하더라도 그로 인하여 A에게 약 2주간의 치료를 요하는 안면부 좌상 등 치상의 결과를 초래하였다면, 甲에게는 성폭력범죄의 처벌 등에 관한 특례법 위반의 특수강간치상죄의 기수가 성립한다.

② 甲이 소송비용을 편취할 의사로 소송비용의 지급을 구하는 손해배상청구의 소를 제기하였다가 담당 판사로부터 소송비용의 확정은 소송비용액 확정절차를 통하여 하라는 권유를 받고 위 소를 취하하였다면, 甲에게는 소송사기죄의 불능미수범이 성립한다.

③ 甲이 장롱 안에 있는 옷가지에 불을 놓아 사람이 주거로 사용하는 건물을 불태우려 하였으나 불길이 치솟는 것을 보고 겁이 나서 물을 부어 불을 끈 것이라면, 자의에 의한 현주건조물방화죄의 중지미수가 성립하지 않는다.

④ 甲이 A로부터 위탁받아 식재·관리하여 오던 나무들을 A 모르게 제3자에게 매도하는 계약을 체결하고 그 제3자로부터 계약금을 수령한 상태에서 A에게 적발되어 위 계약이 더 이행되지 아니하고 무위로 그쳤다면, 甲에게는 횡령미수죄가 성립한다.

⑤ 甲이 주간에 재물을 절취할 목적으로 A가 운영하는 주점에 이르러 주점의 잠금장치를 뜯고 침입하여 주점 내 진열장에 있던 양주 45병을 바구니 3개에 담고 있던 중, A가 주점으로 들어오는 소리를 듣고서 담고 있던 양주들을 그대로 둔 채 출입문을 열고 나오다가 A에게 붙잡히자 체포를 면탈할 목적으로 A를 폭행하였다면, 甲에게는 준강도미수죄가 성립한다.

해설 ① 대판 2008.4.24, 2007도10058

② × : ~ 소송사기죄의 불능범(불능미수 ×)에 해당한다(대판 2005.12.8, 2005도8105).

③ 대판 1997.6.13, 97도957

④ 대판 2012.8.17, 2011도9113

⑤ 대판 2004.11.18, 2004도5074 전원합의체

Answer 08. ②

09 다음 중 가장 적절한 것은?(다툼이 있는 경우 판례에 의함) 23. 순경 2차

① 甲이 허위내용의 고소장을 경찰관에게 제출하였다가 그 경찰관으로부터 고소장의 내용만으로는 범죄 혐의가 없는 것이라 하므로 그 고소장을 되돌려 받은 때에는 형법 제156조에 따른 무고죄의 장애미수에 해당한다.

② 甲이 소송비용을 편취할 의사로 소송비용의 지급을 구하는 손해배상청구의 소를 제기하였다가 담당 판사로부터 소송비용의 확정은 소송비용액 확정절차를 통해 하라는 권유를 받고 위 소를 취하한 때에는 형법 제347조에 따른 사기죄의 불능미수에 해당한다.

③ 甲이 외국환 수출의 신고를 하지 않은 채 일화를 국외로 반출하기 위해, 일화 400만엔이든 휴대용 가방을 가지고 보안검색대에 나아가지 않은 채 공항 내에서 탑승을 기다리고 있던 중에 체포되었다면 일화 400만 엔의 반출에 대해서는 실행의 착수가 있다고 볼 수 없다.

④ 甲이 A의 뒤에 서서 카메라폰으로 치마 속 신체 부위를 일정한 시간 동안 촬영하다가 경찰관에게 발각되어 저장버튼을 누르지 않고 촬영을 종료하였다면 구 성폭력범죄의 처벌 및 피해자 보호 등에 관한 법률 제14조의 2 제1항에 따른 카메라 등 이용촬영죄의 장애미수에 해당한다.

해설 ① × : 무고죄의 기수범(장애미수 ×)(대판 1985.2.8, 84도2215)
② × : 사기죄의 불능범(불능미수 ×)(대판 2005.12.8, 2005도8105)
③ ○ : 대판 2001.7.27, 2000도4298
④ × : 카메라 등 이용촬영죄의 기수범(장애미수 ×)(대판 2011.6.9, 2010도10677)

Answer 09. ③

06 공범론

단원 advice 본장에서는 대향범·공동정범과 관련된 판례들이 출제비중이 가장 높고, 교사범과 종범 및 간접정범과 관련된 판례들이 그 뒤를 이으며, 공범과 신분을 비롯한 종합문제가 출제되고 있다.

제1절 ▶ 공범의 의의

① 범죄참가 형태

- **단독범** : 1인이 단독으로 범죄를 실행하는 것(단독정범)
- **광의의 공범**
  - 공동정범(수인이 공동하여 범죄를 실행하는 것), 간접정범(타인을 이용하여 간접적으로 범죄를 실행하는 것)
  - 협의의 공범(가담범) : 교사범[타인(정범)을 교사하여 범죄를 실행하게 하는 것], 종범[타인(정범)의 범죄를 방조하는 것]

🔖 **입법형식** : 단일정범체계(구성요건 실현에 기여한 자들을 모두 정범으로 간주하고 양형의 단계에서 범죄기여도에 따라 형량을 정하는 방식 : 가벌성의 확대를 초래한다는 비판이 있음), 정범·공범분리형식[정범과 공범을 분리하여 규정하는 방식 : 우리 형법 총칙상의 공범규정(제2장 제3절 공범)] 21. 해경간부

② 임의적 공범과 필요적 공범

(1) **임의적 공범**(형법 총칙상의 공범) : 1인이 단독으로 실행할 수 있는 범죄를 2인 이상이 협력하여 실현하는 경우(예 공동정범, 간접정범, 교사범, 종범)

(2) **필요적 공범** : 구성요건 자체가 처음부터 2인 이상이 참가해서만 실행할 수 있고, 1인이 단독으로는 실행이 불가능하도록 규정된 공범형태
   ① **집합범** : 다수의 행위자가 동일목표를 향하여 공동으로 작용함으로써 성립하는 범죄[예 다수인에게 동일한 법정형이 규정된 경우(소요죄, 다중불해산죄), 다수인에게 서로 다른 법정형이 규정된 경우(내란죄), 합동범(특수절도죄, 특수강도죄, 특수도주죄)] 24. 해경간부
   ② **대향범** : 범죄성립상 2인 이상이 서로 대향적 행위를 통하여 동일목표를 지향하는 범죄형태
      ㉠ **동일한 법정형이 규정된 경우** : 도박죄, 인신매매죄, 아동혹사죄 15. 변호사시험, 17. 경찰간부, 23. 해경승진
      ㉡ **서로 다른 법정형이 규정된 경우** : 수뢰죄와 증뢰죄, 배임수재죄와 배임증재죄, 도주죄와 도주원조죄 13. 법원행시, 23. 해경승진

ⓒ **일방만이 처벌되는 경우** : 음화판매죄, 범인은닉죄, 촉탁·승낙살인죄, 자살교사·방조죄, 음행매개죄 24. 해경간부

관련판례

필요적 공범(대향범)의 경우 반드시 가담자 모두 범죄가 성립되거나 같이 처벌받아야 하는 것은 아니다.

1. 뇌물공여죄가 성립되기 위하여서는 뇌물을 공여하는 행위와 상대방 측에서 금전적으로 가치가 있는 그 물품 등을 받아들이는 행위(부작위 포함)가 필요할 뿐이지 반드시 상대방 측에서 뇌물수수죄가 성립되어야만 한다는 것은 아니다(대판 1987.12.22, 87도1699). 17. 경찰간부, 18. 법원행시, 20. 경찰승진·7급 검찰, 21. 해경간부, 23. 해경승진

2. 필요적 공범(대향범)이라는 것은 법률상 범죄의 실행이 다수인의 협력을 필요로 하는 것을 가리키는 것으로서 이러한 범죄의 성립에는 행위의 공동을 필요로 하는 것에 불과하고 반드시 협력자 전부가 책임이 있음을 필요로 하는 것은 아니므로, 오로지 공무원을 함정에 빠뜨릴 의사로 직무와 관련되었다는 형식을 빌려 그 공무원에게 금품을 공여한 경우에도 공무원이 그 금품을 직무와 관련하여 수수한다는 의사를 가지고 받아들이면 뇌물수수죄가 성립한다(대판 2008.3.13, 2007도10804). 15. 순경 3차, 16. 법원행시, 22. 변호사시험, 23. 경찰간부, 24. 경찰승진

3. 정치자금을 기부한 자와 기부받은 자는 이른바 대향범(對向犯)인 필요적 공범관계에 있다. 이러한 공범관계는 행위자들이 서로 대향적 행위를 하는 것을 전제로 하는데, 각자의 행위가 범죄구성요건에 해당하면 그에 따른 처벌을 받을 뿐이고 반드시 협력자 전부에게 범죄가 성립해야 하는 것은 아니다. 정치자금을 기부하는 자의 범죄가 성립하지 않더라도 정치자금을 기부받는 자가 정치자금법이 정하지 않은 방법으로 정치자금을 제공받는다는 의사를 가지고 받으면 정치자금부정수수죄가 성립한다(대판 2017.11.14, 2017도3449). 18. 경찰승진, 21·22. 해경간부

4. 배임수재죄와 배임증재죄는 통상 필요적 공범의 관계에 있기는 하나 이것은 반드시 수재자와 증재자가 같이 처벌받아야 하는 것을 의미하는 것은 아니고 증재자에게는 정당한 업무에 속하는 청탁이라도 수재자에게는 부정한 청탁이 될 수도 있는 것이다(대판 1991.1.15, 90도2257). 10. 경찰승진, 15. 순경 3차
재물을 공여하는 자가 부정한 청탁을 하였다 하더라도 그 청탁을 받아들임이 없이 그 청탁과는 관계 없이 금품을 받은 경우에는 배임수재죄는 성립하지 아니한다(대판 1982.7.13, 82도874). 09. 경찰승진

5. 형사소송법(제253조 제2항)은 공범 사이의 처벌에 형평을 기하기 위하여 공범 중 1인에 대한 공소의 제기로 다른 공범자에 대하여도 공소시효가 정지되도록 규정하고 있는데, 여기에서 말하는 '공범'에는 뇌물공여죄와 뇌물수수죄 사이와 같은 대향범 관계에 있는 자는 포함되지 않는다(대판 2015.2.12, 2012도4842). 16. 법원행시, 22. 변호사시험, 23. 법원직

③ **총칙상 공범규정의 적용 여부**

ⓐ **내부 참가자의 경우** : 뇌물공여죄와 뇌물수수죄 사이와 같은 이른바 대향범 관계에 있는 자는 강학상으로는 필요적 공범이라고 불리고 있으나, 서로 대향된 행위의 존재를 필요로 할 뿐 각자 자신의 구성요건을 실현하고 별도의 형벌규정에 따라 처벌되는 것이어서, 2인 이상이 가공하여 공동의 구성요건을 실현하는 공범관계에 있는 자와는 본질적으로 다르며, 대향범 관계에 있는 자 사이에서는 각자 상대방의 범행에 대하여 형법 총칙의 공범규정이 적용되지 아니한다(대판 2015.2.12, 2012도4842). 15. 경찰간부, 16. 법원행시, 22. 9급 검찰·철도경찰

관련판례

1. 2인 이상의 서로 대향된 행위의 존재를 필요로 하는 대향범에 대하여는 공범에 관한 형법 총칙 규정을 적용할 수 없다(대판 2007.10.25, 2007도6712). 15. 사시, 16. 9급 검찰·마약수사

   이러한 법리는 해당 처벌규정의 구성요건 자체에서 2인 이상의 서로 대향적 행위의 존재를 필요로 하는 필요적 공범인 대향범을 전제로 한다. 구성요건상으로는 단독으로 실행할 수 있는 형식으로 되어 있는데 단지 구성요건이 대향범의 형태로 실행되는 경우에도 대향범에 관한 법리가 적용된다고 볼 수는 없다. 23. 법원직, 24. 변호사시험 따라서 마약거래방지법 제7조 제1항에서 정한 '불법수익 등의 출처 또는 귀속관계를 숨기거나 가장하는 행위'는 처벌규정의 구성요건 자체에서 2인 이상의 서로 대향된 행위의 존재를 필요로 하지 않으므로 정범의 이러한 행위에 가담하는 행위에는 형법 총칙의 공범 규정이 적용된다(대판 2022.6.30, 2020도7866).

2. 뇌물수수죄는 필요적 공범으로서 형법 총칙의 공범이 아니므로, 형법 제30조(공동정범)를 따로 적용하여야 하는 것이 아니다(대판 1971.3.9, 70도2536). 09. 경찰승진

3. 대향범의 경우 일방만을 처벌하는 경우에 있어서 처벌되지 않는 자의 가담행위 ⇨ 공범 ×

   ① 변호사가 변호사 아닌 자에게 고용되어 법률사무소의 개설·운영에 관여하는 행위가 일반적인 형법 총칙상의 공모, 교사 또는 방조에 해당된다고 하더라도 변호사를 변호사 아닌 자의 공범(변호사법 위반죄의 공범)으로서 처벌할 수는 없다(대판 2004.10.28, 2004도3994 ∵ 이런 경우 변호사법에서 변호사 아닌 자를 처벌할 뿐 고용된 변호사는 처벌 ×). 16. 9급 검찰·마약수사, 17. 경찰간부, 18. 7급 검찰, 20. 법원직·순경 1차, 23. 해경승진, 24. 경찰승진

   ② 형법 제127조는 공무원 또는 공무원이었던 자가 법령에 의한 직무상 비밀을 누설하는 행위만을 처벌하고 있을뿐, 직무상 비밀을 누설받은 상대방을 처벌하는 규정이 없는 점에 비추어 볼 때, 직무상 비밀을 누설받은 자에 대하여는 공범에 관한 형법 총칙 규정이 적용될 수 없다(대판 2009. 6.23, 2009도544). 17. 순경 1차·2차·법원직, 19. 경찰간부·변호사시험, 20. 경찰승진, 22. 해경간부·9급 검찰·마약수사·철도경찰

   ▶ **유사판례**

   1. 변호사 사무실 직원인 피고인 甲이 법원공무원인 피고인 乙에게 부탁하여, 수사 중인 사건의 체포영장 발부자 53명의 명단을 누설받은 경우(대판 2011.4.28, 2009도3642) ⇨ 甲 : 무죄(∵ 피고인 乙이 직무상 비밀을 누설한 행위와 피고인 甲이 이를 누설받은 행위는 대향범 관계에 있으므로 공범에 관한 형법 총칙 규정이 적용×⇨공무상 비밀누설죄의 교사범×), 乙 : 공무상 비밀누설죄의 정범 15. 변호사시험, 17. 경찰간부, 18. 법원직·9급 검찰·철도경찰, 21. 해경간부, 23. 법원행시

   2. 세무사법의 직무상 비밀누설죄는 세무사 등이 직무상 비밀을 타인에게 누설하는 경우에 성립하는 범죄로, 세무사와 공모하여 세무사로부터 직무상 비밀(임대사업자 등의 인적 사항, 사업자소재지가 기재된 서면)을 전달받은 세무사 등이 아닌 자는 해당 세무사법위반죄의 공동정범에 해당하지 않는다(대판 2007.10.25, 2007도6712). 17. 법원행시, 18. 7급 검찰, 20. 경찰승진, 23. 해경승진

   3. 정보통신망인 국세청의 홈텍스시스템이나 자료상 연계분석시스템 등에 접근권한이 있는 세무공무원 甲이 위 시스템에 접속하여 과세정보자료를 취득한 후 乙에게 전달한 경우(대판 2017. 6.19, 2017도4240) ⇨ 甲 : 무죄(∵ 정보통신망을 이용하여 부정한 수단 또는 방법으로 과세정보자료를 취득하였다고 보기 어렵고, 위와 같이 취득한 과세정보자료를 유출하더라도 정보통신망

에 의하여 처리·보관 또는 전송되는 타인의 비밀을 누설하는 경우에 해당한다고 보기 어렵다),
乙 : 공동정범 ×(대향범 관계에 있으므로 공동정범으로 처벌할 수 없다.)

③ 매도, 매수와 같이 2인 이상의 서로 대향된 행위의 존재를 필요로 하는 관계에 있어서는 매도인에게 따로 처벌규정이 없는 이상 매도인의 매도행위는 그와 대향적 행위의 존재를 필요로 하는 상대방의 매수범행에 대하여 공범이나 방조범관계가 성립되지 아니한다(대판 2001.12.28, 2001도5158). 17. 변호사시험, 21. 법원직, 23. 해경승진, 24. 경찰승진

④ 의사가 직접 환자를 진찰하지 않고 처방전을 작성하여 교부한 행위와 대향범 관계에 있는 '처방전을 교부받은 행위'에 대하여 공범에 관한 형법 총칙 규정을 적용할 수 없다(대판 2011.10.13, 2011도6287 ∴ 의사 : 의료법 위반죄, 의사와 공모하거나 교사하여 처방전을 교부받은 자 : 무죄). 18. 경찰승진·변호사시험, 22. 해경간부

⑤ 종업원 소유 화물차를 자신의 가스배달업무에 제공하는 대가로 임금을 포함하여 매월 일정 금원을 지급하였다면, 자가용화물자동차를 유상으로 화물운송에 제공하는 행위를 처벌하는 구 화물자동차운수사업법위반죄의 공동정범이 성립하지 않는다(대판 2011.4.14, 2008도6693 ∴ 자가용화물자동차를 유상으로 화물운송용에 제공하거나 임대한 자만을 처벌함). 18. 법원행시

⑥ 공인중개사법 처벌규정들이 중개행위를 처벌 대상으로 삼고 있을 뿐이므로, 중개의뢰인의 중개의뢰행위를 중개업자의 중개행위와 동일시하여 중개행위에 관한 공동정범 행위로 처벌할 수도 없다(대판 2013.6.27, 2013도3246).

⑦ '노동조합 및 노동관계조정법'에서 쟁의행위 기간 중 그 쟁의행위로 중단된 업무의 수행을 위하여 당해 사업과 관계없는 자를 채용 또는 대체하는 사용자만을 처벌할 뿐이므로, 사용자에게 채용 또는 대체되는 자의 행위에 대하여는 일반적인 형법 총칙상의 공범 규정을 적용하여 공동정범, 교사범 또는 방조범으로 처벌할 수 없다(대판 2020.6.11, 2016도3048).

▶ **비교판례** : '재화 또는 용역을 공급하는 자가 허위의 매출처별 세금계산서합계표를 정부에 제출하는 행위'와 '재화 또는 용역을 공급받는 자가 허위의 매입처별 세금계산서합계표를 정부에 제출하는 행위'는 서로 대향된 행위의 존재를 필요로 하는 대향범의 관계에 있다고 할 수는 없으므로, 설령 재화 또는 용역을 공급받는 자가 이를 공급하는 자의 허위 매출처별 세금계산서합계표 제출행위에 가담하였다면 그 가담 정도에 따라 그 범행의 공동정범이나 교사범 또는 종범이 될 수 있다(대판 2014.12.11, 2014도11515). 21. 법원행시

ⓛ **외부 가담자의 경우**

ⓐ 집합범의 경우 : 집합범의 경우 구성원 아닌 자의 공동정범은 인정할 수 없으나 교사·방조의 규정은 적용된다고 보는 견해가 다수설이다.

ⓑ 대향범의 경우 : 대향범의 경우 외부에서 각 대향자에게 관여하는 자에게는 총칙상의 공범규정이 적용된다. 따라서 대향범의 경우에는 교사와 방조는 물론 공동정범에 관한 규정도 적용된다. 20. 순경 1차 다만, 처벌되지 아니하는 대향자에 대한 관여행위는 공범규정이 적용되지 않는다(**예** 음화를 매수하라고 교사한 경우 ⇨ 교사범 ×)

관련판례

금품 등을 공여한 자에게 따로 처벌규정이 없는 이상, 그 공여행위는 그와 대향적 행위의 존재를 필요로 하는 상대방의 범행에 대하여 공범관계가 성립되지 아니하고, 오로지 금품 등을 공여한 자의 행위에 대하여만 관여하여 그 공여행위를 교사하거나 방조한 행위도 상대방의 범행에 대하여 공범관계가 성립되지 아니한다(대판 2014.1.16, 2013도6969). 16. 법원행시, 18·21. 경찰승진, 21. 해경 2차, 22. 변호사시험

---

③ 정범과 공범의 구별

정범에는 단독정범, 공동정범, 동시범, 간접정범이 있다. 이들 정범과 공범(협의의 공범)인 교사범, 종범을 어떻게 구분할 것인가?

(1) 정범의 개념

공범(교사범, 종범)은 정범을 전제로 하는 개념이므로 정범의 개념이 밝혀지면 반사적으로 공범의 개념은 밝혀질 수 있다. 따라서 정범과 공범의 구별 문제는 정범의 개념을 밝히는 것이 우선되어야 한다. 이를 정범개념의 우위성이라고 한다.

구 분	제한적 정범개념이론	확장적 정범개념이론
정범의 개념	구성요건에 해당하는 행위를 스스로 행한 자만이 정범이고, 구성요건 이외의 행위에 의하여 결과에 조건을 준 자는 정범이 될 수 없다는 견해이다.	인과관계론의 조건설을 기초로 하여 구성요건적 결과발생에 조건을 준 자는 구성요건 해당행위의 여부를 불문하고 모두 정범이 된다는 견해이다.
정범과 공범의 구별기준	객관설과 결합한다. 왜냐하면 구성요건 행위인가 아닌가는 객관적으로 구별되기 때문이다. 14. 사시, 20. 해경 1차	주관설과 결합한다. 왜냐하면 모든 조건은 동가치적이어서 객관적으로 구별이 불가능하므로 행위자의 주관적인 의사에 따라 구별할 수밖에 없기 때문이다.
공범 (교사범·종범)의 처벌규정	원래 정범만이 가벌적이며 공범은 구성요건에 규정된 처벌대상이 아님에도 불구하고 형법이 교사범·종범에 대한 처벌규정을 둔 것은 구성요건 밖의 행위에까지 가벌성을 확장한 형벌확장사유가 된다. 20. 해경 1차, 21. 순경 2차	교사범·종범도 원래 정범에 해당되어 정범으로 처벌되어야 하나 형법이 공범규정을 두어 특별취급하는 것은 정범의 처벌범위를 축소하는 처벌축소사유가 된다.
공 헌	정범과 공범을 분명하게 구별해 줌으로써 죄형법정주의에 부합한다.	간접정범의 정범성 인정을 쉽게 설명할 수 있다. 05. 사시
비 판	구성요건 해당행위를 스스로 행하지 아니한 간접정범의 정범성을 인정할 수 없어 간접정범은 정범이 아닌 결과가 된다. 12. 경찰승진, 21. 순경 2차	정범개념의 지나친 확대로 죄형법정주의에 반하며, 교사범과 종범의 특별규정을 둔 형법의 태도와도 일치하지 않는다.

(2) 정범과 공범의 구별기준

① **객관설** : 제한적 정범개념 이론에 기초

형식적 객관설	구성요건에 해당하는 행위를 직접 실행한 자가 정범이고, 실행행위 이외의 방법으로 조건을 제공한 자가 공범이라는 견해로 간접정범을 정범으로 인정하기 어렵다. 21. 순경 2차
실질적 객관설	인과관계론의 원인설을 기초로 하여 결과발생에 원인을 준 자가 정범이고 단순한 조건을 준 자는 공범이라는 견해이다.

② **주관설** : 확장적 정범개념 이론에 기초(조건설 기초)

고의설 (의사설)	정범의사(자기의 범죄를 실현하고자 하는 의사)로 행위한 자가 정범이고 공범의사(타인의 범죄를 야기하거나 촉진할 의사)로 행위한 자는 공범이라는 견해이다. 21. 순경 2차
이익설 (목적설)	자기의 이익이나 목적을 위해서 행위한 자가 정범이고 타인의 이익(목적)을 위해 행위한 자는 공범이라는 견해이다. 21. 순경 2차

③ **행위지배설**(다수설) : 행위지배란 자기의 의사에 의하여 실행행위의 진행을 조종·장악·지배하는 것을 말한다. 이러한 행위지배가 있으면 정범이고, 자신의 행위지배에 의하지 않고 타인의 범죄행위를 야기하거나 촉진시킨 자는 공범이라는 견해이다.

    ㉠ **실행지배** : 직접정범(단독정범)은 스스로 구성요건에 해당하는 행위를 직접실행하여 행위 자체를 지배하므로 언제나 정범이 된다. 12. 순경 1차

    ㉡ **의사지배** : 타인을 도구로 이용하여 범죄를 실행하는 간접정범에 있어서는 이용자(간접정범)가 우월적 의사와 인식으로 피이용자의 행위를 지배(즉, 의사지배)하므로 간접정범은 정범이 된다. 21. 순경 2차

    ㉢ **기능적 행위지배** : 공동의 결의에 의하여 분업적으로 구성요건을 실현함으로써 성립하는 공동정범은 각자가 역할분담에 따라 전체 범행계획의 실현에 기능적으로 필요불가분한 행위에 기여함으로 정범이 된다.

관련판례

공동정범의 본질은 분업적 역할분담에 의한 기능적 행위지배에 있으므로 공동정범은 공동의사에 의한 기능적 행위지배가 있음에 반하여 종범은 그 행위지배가 없는 점에서 양자가 구별된다(대판 1989.4.11, 88도1247). 12. 순경 1차, 18. 변호사시험

4 공범의 종속성

위에서와 같이 정범과 공범을 구별할 때 ① 공범(교사범과 종범)은 정범에 종속하여 성립하는가 아니면 독립하여 성립하는가의 문제(즉, 공범종속설과 공범독립성설)와 ② 판례·다수설의 입장인 공범종속설을 따를 때 정범이 어느 정도의 범죄 성립요건을 갖추었을 때 공범이 성립할 수 있는가의 문제(즉, 종속성의 정도)가 공범의 종속성에 관한 문제이다.

(1) 종속성의 유무 : 공범종속성설과 공범독립성설 15. 사시

구 분	공범종속성설(통설·판례)	공범독립성설
의 의	공범이 성립하려면 정범(피교사자나 피방조자)의 실행행위가 있어야 한다는 것으로 공범의 성립은 정범의 성립에 종속한다는 견해이다. 08. 사시	공범행위(교사행위·방조행위)는 그 자체가 반사회적인 범죄실행행위로서의 실질을 가지므로 정범의 실행행위가 없더라도 공범은 정범의 성립 여부와 관계없이 독립하여 성립한다는 견해이다.
논 거	범죄의 중점을 객관적·외부적인 행위에 두는 객관주의 범죄론(구파)의 공범이론이다.	범죄를 반사회적 성격의 징표로 보는 주관주의 범죄론(신파)의 공범이론이다.
공범의 미수 (제31조 제2항· 제3항)	공범은 정범의 실행행위가 있어야 종속적으로 성립되므로 정범의 행위가 미수(즉, 실행의 착수 이후)로 된 때에만 공범도 미수로 처벌된다. • 따라서 미수범(정범이 미수에 그친 경우)의 공범(예 미수의 교사)은 성립될 수 있으나 공범의 미수(예 교사의 미수, 교사행위 자체가 미수에 그쳐 정범이 실행행위로 나아가지 않는 경우)는 성립되지 아니한다. • 기도된 교사(제31조 제2항 효과 없는 교사와 제31조 제3항 실패한 교사)는 공범의 미수를 처벌하는 것으로 특별규정(예외규정)으로 본다. 08. 사시, 19. 경찰간부	교사행위·방조행위 그 자체가 범죄 실행행위이므로 정범이 실행에 착수하지 않더라도 공범의 미수가 가능하다. • 따라서 미수범의 공범과 공범의 미수가 모두 가능하다. • 제31조 제2항·제3항은 공범의 미수를 처벌한 것으로 공범독립성설의 근거이자 당연규정이라고 본다. 20. 해경 1차, 21. 해경간부
간접정범 (제34조 제1항)	정범(피이용자 ; 피교사자나 피방조자)이 성립하지 않거나 처벌되지 않는 경우에 공범(이용자)도 처벌되지 않으므로 이용자를 처벌하기 위하여 간접정범의 개념을 인정하여 간접정범은 공범이 아니라 정범이다. 12. 경찰승진, 22. 경력채용	공범행위(교사·방조행위) 자체로 공범은 성립하고 처벌되므로 이용자는 정범이 아니라 공범이다. 즉, 간접정범은 정범이 아니라 공범이므로 간접정범의 개념을 부정한다.
공범과 신분 (제33조)	신분의 연대성을 규정한 제33조 본문을 당연규정으로 본다.	제33조 본문은 예외 규정이고 신분의 개별성을 규정한 제33조 단서가 원칙 규정이라고 본다. 08. 사시
자살관여죄 (제252조 제2항)	자살이 범죄가 아님에도 불구하고 교사·방조자를 처벌하는 것은 공범종속성에 대한 예외로서 제252조 제2항을 특별규정으로 본다.	자살자의 처벌 여부와 관계없이 교사·방조자를 처벌하는 것은 공범독립성에 기초한 당연규정으로 제252조 제2항을 공범독립성설의 유력한 근거로 본다. 22. 경력채용
결 어	형법 제31조 제1항이 '타인을 교사하여 죄를 범하게 한 자'라고 규정하고, 제32조 제1항은 '타인의 범죄를 방조한 자'라고 규정한 점으로 보아 공범은 정범을 전제하고 있으며, 교사의 미수(제31조 제2항·제3항)를 미수범으로 처벌하지 않고 예비·음모에 준해 처벌한 것 등으로 보아 공범종속성설이 타당하다(통설·판례).	

┌ **관련판례**

1. 교사범이 성립하기 위해서는 교사자의 교사행위와 정범의 실행행위가 있어야 하는 것이므로, 정범의 성립은 교사범의 구성요건의 일부를 형성하고 교사범이 성립함에는 정범의 범죄행위가 인정되는 것이 그 전제요건이 된다(대판 2000.2.25, 99도1252). 14. 경찰승진, 16. 9급 검찰·마약수사·법원행시, 21. 7급 검찰, 22. 해경간부

2. 정범의 성립은 교사범·방조범의 구성요건의 일부를 형성하고 교사범·종범이 성립함에는 먼저 정범의 범죄행위가 인정되는 것이 그 전제요건이 되는 것은 공범의 종속성에 연유하는 당연한 귀결이다(대판 1981.11.24, 81도2422). 22. 7급 검찰

3. 종범의 범죄는 정범의 범죄에 종속하여 성립하는 것이므로 사기방조죄는 정범인 본범의 사기 또는 사기미수의 증명이 없으면 사기방조죄도 그 증명이 없음에 돌아간다(대판 1970.3.10, 69도2492).

(2) 종속성의 정도

공범의 종속성을 인정할 경우, 공범이 성립하기 위해서는 정범이 어느 정도까지 범죄 성립요건을 갖추어야 하는가.

학 설	내 용
최소한 종속형식	정범의 행위가 구성요건에 해당하기만 하면 그 행위가 위법·유책하지 않은 경우에도 공범이 성립한다는 종속형식이다. 이에 의하면 적법행위(위법하지 않은 행위)를 교사한 경우 정범은 처벌할 수 없는데 공범은 처벌되는 결과가 되어 부당하다. **예** 폭행의 고의로 친권자를 교사하여 미성년자를 징계하도록 한 경우 ⇨ 친권자(정범)는 무죄(∵ 위법성 ×), 교사자는 폭행죄의 교사범
제한적 종속형식 (다수설)	정범의 행위가 구성요건에 해당하고 위법하면 공범이 성립하고 정범의 행위가 책임성까지 있어야 할 필요는 없다는 종속형식이다. 이에 의하면 책임무능력자를 교사한 경우 교사자는 공범(교사범)이 된다. 17. 변호사시험, 21. 순경 1차, 22. 경력채용 **예** 12세의 어린이에게 절도행위를 시켰을 경우 ⇨ 절도죄의 교사범
극단적 종속형식	정범의 행위가 구성요건에 해당하고 위법·유책해야만, 즉 범죄의 성립요건을 완전히 구비해야만 공범이 성립한다는 종속형식이다. 이에 의하면 책임무능력자를 교사한 경우 교사자는 공범(교사범)이 될 수 없고 간접정범이 된다. 19. 경찰간부·순경 2차, 22. 경력채용 **예** 13세 된 중학생을 부추겨 학교 실험실에 있는 물건을 절취해 오도록 한 경우 ⇨ 절도죄의 교사범 ×, 절도죄의 간접정범
초(최)극단 종속형식 (확장적 종속형식)	정범의 행위가 구성요건에 해당하고 위법·유책할 뿐만 아니라 가벌성의 조건까지 모두 갖추어야 공범이 성립한다는 종속형식이다. 이에 의하면 정범자의 신분관계로 인하여 형이 가중·감경되는 것까지 공범의 성립에 영향을 미치므로 타당하지 않다. **예** 17세 된 고등학생에게 그의 父의 돈을 훔치도록 교사한 경우 ⇨ 절도죄의 교사범 ×, 절도죄의 간접정범 08·11. 사시

☝ 위에서 보듯이 공범의 종속성이 완화될수록 공범의 성립범위가 넓어져 간접정범은 공범 속에 흡수된다.

확인학습(다툼이 있는 경우 판례에 의함)

1 뇌물공여죄가 성립되기 위하여서는 뇌물을 공여하는 행위와 상대방 측에서 금전적으로 가치가 있는 그 물품 등을 받아들이는 행위(부작위 포함)가 필요하고 나아가 상대방 측에서 뇌물수수죄가 성립되어야 한다. (   )
17. 경찰간부, 18. 법원행시, 20. 경찰승진·7급 검찰, 21. 해경간부, 23. 해경승진

2 배임수재죄와 배임증재죄는 필요적 공범의 관계에 있으므로 반드시 수재자와 증재자가 같이 처벌받아야 한다. (   )
10. 경찰승진, 15. 순경 3차

3 공무원을 함정에 빠뜨릴 의사로 직무와 관련되었다는 형식을 빌려 그 공무원에게 금품을 공여한 경우에도 공무원이 그 금품을 직무와 관련하여 수수한다는 의사를 가지고 받아들이면 뇌물수수죄가 성립한다. (   )
15. 순경 3차, 16. 법원행시, 22. 변호사시험, 23. 경찰간부

4 대향범은 2인 이상의 서로 대향된 행위의 존재를 필요로 하는 필요적 공범으로서, 대향범 간에는 공범에 관한 형법 총칙 규정이 적용된다. (   )
15. 사시, 16. 9급 검찰·마약수사, 17. 변호사시험, 22. 9급 검찰·철도경찰

5 변호사가 변호사 아닌 자에게 고용되어 법률사무소를 개설·운영하는 행위에 관여한 행위가 형법 총칙상의 교사, 방조에 해당될 경우 변호사를 변호사법 위반죄의 공범으로 처벌할 수 있다. (   )
16. 9급 검찰, 17. 경찰간부, 18. 7급 검찰, 20. 법원직·순경 1차, 23. 해경승진, 24. 경찰승진

6 형법 제127조는 공무원 또는 공무원이었던 자가 법령에 의한 직무상 비밀을 누설하는 행위만을 처벌하고 있으므로 직무상 비밀을 누설받은 자에 대하여는 공범에 관한 형법 총칙 규정이 적용될 수 없다. (   )
17. 법원직·순경 1차·2차, 19. 경찰간부·변호사시험, 20. 경찰승진, 22. 해경간부

7 변호사 사무실 직원인 피고인 甲이 법원공무원인 피고인 乙에게 부탁하여, 수사 중인 사건의 체포영장 발부자 53명의 명단을 누설받은 경우 공무상 비밀누설교사죄에 해당한다. (   )
15. 사시·변호사시험, 17. 경찰간부, 18. 법원직·9급 검찰·철도경찰, 21. 해경간부, 23. 법원행시

8 금품 등을 공여한 자에게 따로 처벌규정이 없더라도 금품 등을 공여한 자의 행위에만 관여하여 그 공여행위를 교사하거나 방조한 행위는 금품을 수수한 상대방의 범행에 대해서는 공범관계가 성립한다. (   )
15. 법원행시·9급 철도경찰, 18·21. 경찰승진, 21. 해경 2차, 22. 변호사시험

9 교사범이 성립하기 위해서는 정범의 실행행위가 없더라도 교사자의 교사행위만 있으면 된다는 입장에서 교사범이 성립함에는 정범의 범죄행위가 인정됨을 그 전제요건으로 하지 않는다. (   )
16. 9급 검찰·마약수사·법원행시, 18. 경찰승진, 21. 7급 검찰, 22. 해경간부

Answer 1. × 2. × 3. ○ 4. × 5. × 6. ○ 7. × 8. × 9. ×

01 다음 중 공범에 관한 설명으로 옳지 않은 것은 모두 몇 개인가?(다툼이 있는 경우 판례에 의함)

17. 경찰간부, 23. 해경승진

> ㉠ 변호사가 변호사 아닌 자에게 고용되어 법률사무소를 개설·운영하는 행위에 관여한 행위가 형법 총칙상의 교사, 방조에 해당될 경우 변호사를 변호사법 위반죄의 공범으로 처벌할 수 있다.
> ㉡ 변호사 사무실 직원인 피고인 甲이 법원공무원인 피고인 乙에게 부탁하여, 수사 중인 사건의 체포영장 발부자 53명의 명단을 누설받은 경우 공무상 비밀누설교사죄에 해당한다.
> ㉢ 뇌물공여죄가 성립되기 위하여는 뇌물을 공여하는 행위와 상대방이 뇌물을 받아들이는 행위가 필요할 뿐이지 반드시 상대방 측에서 뇌물수수죄가 성립되어야만 하는 것은 아니다.
> ㉣ 각 가담자에 대해 동일한 법정형이 부과되는 범죄로는 도박죄, 아동혹사죄, 배임수·증재죄 등이 있다.

① 1개   ② 2개   ③ 3개   ④ 4개

해설 ㉠ × : ~ 처벌할 수는 없다(대판 2004.10.28, 2004도3994).
㉡ × : ~ 해당하지 않는다(대판 2011.4.28, 2009도3642).
㉢ ○ : 대판 1987.12.22, 87도1699
㉣ × : 동일한 법정형(도박죄, 아동혹사죄), 다른 법정형(배임수·증재죄)

02 공범에 대한 설명으로 가장 적절하지 않은 것은?(다툼이 있는 경우 판례에 의함)

18. 경찰승진, 22. 해경간부

① 금품 등을 공여한 자에게 따로 처벌규정이 없는 이상, 그 공여행위는 그와 대향적 행위의 존재를 필요로 하는 상대방의 범행에 대하여 공범관계가 성립되지 아니하고, 오로지 금품 등을 공여한 자의 행위에 대하여만 관여하여 그 공여행위를 교사하거나 방조한 행위도 상대방의 범행에 대하여 공범관계가 성립되지 아니한다.
② 정치자금을 기부하는 자의 범죄가 성립하지 않으면 정치자금을 기부받는 자가 정치자금법이 정하지 않은 방법으로 정치자금을 제공받는다는 의사를 가지고 받더라도 정치자금부정수수죄가 성립하지 아니한다.
③ 정범의 성립은 교사범의 구성요건의 일부를 형성하고 교사범이 성립함에는 정범의 범죄행위가 인정되는 것이 그 전제요건이 된다.
④ 의사가 직접 환자를 진찰하지 않고 처방전을 작성하여 교부한 행위와 대향범 관계에 있는 '처방전을 교부받은 행위'에 대하여 공범에 관한 형법 총칙 규정을 적용할 수 없다.

Answer 01. ③ 02. ②

해설 ① 대판 2014.1.16, 2013도6969
② ✕ : ∼ 성립한다(대판 2017.11.14, 2017도3449 ∵ 대향범으로 협력자 전부에게 범죄가 성립해야 하는 것은 아님). ③ 대판 2000.2.25, 99도1252
④ 대판 2011.10.13, 2011도6287(∵ 의사 : 의료법 위반죄, 의사와 공모하거나 교사하여 처방전을 교부받은 자 : 무죄)

03 필요적 공범에 대한 설명 중 가장 적절한 것은?(다툼이 있는 경우 판례에 의함)　　20. 경찰승진

① 필요적 공범인 뇌물공여죄와 뇌물수수죄가 성립하기 위해서는 반드시 관여된 자 모두의 행위가 범죄로 성립되어야 하므로 일방에게 뇌물공여죄가 성립하려면 상대방 측에서 뇌물수수죄가 성립되어야 한다.

② 공무원이 직무상 비밀을 누설한 경우 형법 제127조의 공무상 비밀누설죄로 처벌이 되며, 그 대향범인 비밀누설을 받은 자는 형법 총칙의 공범규정이 적용되어 공무상 비밀누설죄의 공범이 된다.

③ 변호사 甲이 변호사 아닌 자에게 고용되어 법률사무소를 개설·운영하는 행위에 관여한 행위가 형법 총칙의 교사 방조에 해당할 경우 변호사 甲을 구 변호사법 제109조 제2호, 제34조 제4항 위반죄의 공범으로 처벌할 수 있다.

④ 甲이 세무사의 사무직원으로부터 그가 직무상 보관하고 있던 임대사업자 등의 인적사항, 사업자소재지가 기재된 서면을 교부받은 경우 구 세무사법상 직무상 비밀누설죄의 공동정범에 해당하지 않는다.

해설 ① ✕ : ∼ (2줄) 범죄로 성립되어야 하는 것은 아니므로 일방에게 ∼ 뇌물수수죄가 성립되어야 하는 것은 아니다(대판 1987.12.22, 87도1699).
② ✕ : 형법 총칙의 공범규정 적용 ✕ ⇨ 공무상 비밀누설죄의 공범 ✕(대판 2009.6.23, 2009도544)
③ ✕ : ∼ 공범으로 처벌 ✕(대판 2004.10.28, 2004도3994)
④ ○ : 대판 2007.10.25, 2007도6712

04 다음 사례에 관한 설명으로 가장 적절하지 않은 것은?(다툼이 있는 경우 판례에 의함)　　20. 순경 1차

> 변호사가 아닌 甲은 변호사를 고용하여 법률사무소를 개설 운영하기 위해 평소 친분이 있는 회사원 丙을 찾아가 변호사를 소개해 달라고 부탁하였다. 이에 丙은 변호사 乙을 추천해 주었고, 변호사 乙은 甲의 제안을 승낙한 후 甲에게 고용되어 법률사무소를 개설하여 운영하는 데 참여하였다.

① 변호사법 제109조 제2호, 제34조 제4항은 변호사 아닌 자가 변호사를 고용하여 법률사무소를 개설 운영하는 행위를 처벌하도록 규정하고 있다.

② 甲이 변호사 乙을 고용하여 법률사무소를 개설 운영하는 행위에 있어서는 甲은 변호사 乙을 고용하고 乙은 甲에게 고용된다는 서로 대향적인 행위의 존재가 반드시 필요하다.

Answer 03. ④　04. ④

③ 甲에게 고용되어 법률사무소의 개설 운영에 관여한 변호사 乙의 행위가 일반적인 형법 총칙상의 공범에 해당된다고 하더라도 乙을 甲의 변호사법위반죄의 공범으로 처벌할 수는 없다.

④ 丙이 변호사 아닌 甲을 교사·방조한 경우에도 丙은 형법 총칙상의 공범규정이 적용될 여지가 없다.

해설 ① 옳다.

②③ 대판 2004.10.28, 2004도3994

④ × : 대향범의 경우 외부자(丙)가 처벌되는 대향자(甲)에게 관여한 경우(교사·방조한 경우)에는 형법 총칙상의 공범규정이 적용된다.

05 다음 중 공범에 대한 설명으로 옳은 것은 모두 몇 개인가? 14. 9급 검찰·철도경찰, 20. 해경 1차

> ㉠ 제한적 정범개념에 의하면 교사·방조범에 대한 처벌규정은 가벌성을 확장한 형벌확장사유가 되며, 정범과 공범의 구별에 관한 주관설과 결합된다.
> ㉡ 확장적 정범개념에 의하면 정범과 공범의 구별은 원칙적으로 필요로 하지 않고, 단일정범개념으로 충분하다.
> ㉢ 단일정범개념에 대해서는 가벌성의 확대를 초래한다는 비판이 있다.
> ㉣ 제한적 정범개념에 의하면 공범규정은 형벌제한사유가 된다.
> ㉤ 공범종속성설은 유력한 근거로 이른바 '기도된 교사'를 규정한 형법 제31조 제2항과 제3항을 든다.

① 1개   ② 2개   ③ 3개   ④ 4개

해설 ㉠ × : ~ 되며, ~ 관한 객관설(주관설 ×)과 결합된다.

㉡ ○ : 옳다. ㉢ ○ : 옳다.

㉣ × : ~ 형벌확장(제한 ×)사유가 된다.

㉤ × : 공범독립성설(공범종속성설 ×)은 ~ 든다.

06 ㉠부터 ㉤까지는 정범과 공범의 구별에 관한 학설에 대한 설명이다. 옳고 그름의 표시(○, ×)가 바르게 된 것은? 21. 순경 2차

> ㉠ '구성요건상의 실행행위의 전부 또는 일부를 스스로 하는 자'를 정범, '구성요건적 행위 이외의 행위로써 구성요건실현에 기여하는 자'를 공범으로 보는 형식적 객관설에 따르면, 간접정범을 정범으로 인정하기 어렵다.
> ㉡ '스스로 구성요건상의 정형적 행위를 한 자'만을 정범으로 이해하는 제한적 정범개념에 따르면, 형법 제31조, 제32조는 형벌확장사유로서 정범 이외에 특별히 공범의 처벌을 인정하는 규정이다.
> ㉢ '정범자의 의사로 행위한 자'는 정범, '공범자의 의사로 행위한 자'는 공범이라는 의사설에 따르면, 청부살인업자는 구성요건적 행위를 스스로 모두 수행하기에 항상 정범이 된다.

Answer   05. ②   06. ③

ⓔ '자기 자신의 이익을 위한 목적으로 행위한 자'는 정범, '타인의 이익을 위한 목적으로 행위한 자'는 공범이라는 이익설에 따르면, 제3자를 위하여 강도행위를 한 자는 공범이 된다.

ⓜ 행위지배설에 따르면, 이용자가 자신의 우월한 지위에 의하여 피이용자를 수중에 두고 도구처럼 그의 의사를 조종(지배)하여 그로 하여금 범죄를 행하게 하면 행위지배가 인정되어 정범이 된다.

① ㉠(×), ㉡(○), ㉢(×), ㉣(○), ㉤(×)

② ㉠(○), ㉡(×), ㉢(○), ㉣(○), ㉤(○)

③ ㉠(○), ㉡(○), ㉢(×), ㉣(○), ㉤(○)

④ ㉠(○), ㉡(○), ㉢(×), ㉣(×), ㉤(○)

해설 ㉠○ : 옳다(∵ 간접정범은 실행행위의 전부 또는 일부를 스스로 하는 자가 아님).

㉡○ : 옳다〔∵ 교사범, 종범은 스스로 구성요건상의 정형적 행위를 한 자가 아님에도 불구하고 제31조(교사범), 제32조(종범)로 처벌됨〕.

㉢× : 의사설에 따르면 청부살인업자가 정범자의 의사(자기의 범죄로 실현하고자 하는 의사)로 행위한 경우에는 정범이 되나, 살인을 청부한 자의 공범자의 의사(타인의 범죄에 가담할 의사)로 행위한 경우에는 정범이 아닌 공범이 된다.

㉣○ : 옳다〔∵ 제3자를 위하여 강도행위를 한 자는 '타인(제3자)의 이익을 위한 목적으로 행위한 자'임〕.

㉤○ : 옳다〔직접정범(단독정범) ⇨ 실행지배, 간접정범 ⇨ 의사지배(㉤), 공동정범 ⇨ 기능적 행위지배〕.

07 공범에 관한 설명 중 가장 옳지 않은 것은?(다툼이 있는 경우 판례에 의함) 19. 경찰간부

① 공범종속성설에 따르면, 기도된 교사(제31조 제2항 효과 없는 교사와 제31조 제3항 실패한 교사)는 공범의 미수를 처벌하는 것으로서 당연규정(원칙규정)으로 본다.

② 극단적 종속형식에 따르면, 甲이 乙(만13세)을 부추겨 교회에 있는 시계를 절취해 오도록 한 경우 甲은 절도죄의 간접정범이 된다.

③ 거래상대방의 대향적 행위의 존재를 필요로 하는 유형의 배임죄에 있어서 거래상대방이 배임행위를 교사하거나 그 배임행위의 전 과정에 관여하는 등으로 배임행위에 적극 가담함으로써 그 실행행위자와의 계약이 반사회적 법률행위에 해당하여 무효로 되는 경우라면 그 상대방은 배임죄의 교사범 또는 공동정범이 될 수 있다.

④ 형법 제127조는 공무원 또는 공무원이었던 자가 법령에 의한 직무상 비밀을 누설하는 행위만을 처벌하고 있으므로 직무상 비밀을 누설받은 자에 대하여는 공범에 관한 형법 총칙 규정이 적용될 수 없다.

해설 ①× : 공범종속성설 ⇨ 당연규정(원칙규정) ×, 특별규정(예외규정) ○

②○ : 옳다(∵ 乙의 행위는 책임이 조각되어 甲은 절도죄의 교사범이 될 수 없음).

③○ : 대판 2005.10.28, 2005도4915

④○ : 대판 2009.6.23, 2009도547

Answer 07.①

제2절 공동정범

> **제30조【공동정범】** 2인 이상이 공동하여 죄를 범한 때에는 각자를 그 죄의 정범으로 처벌한다.

1 의의 및 본질

공동정범이란 단독으로 범할 수 있는 범죄를 2인 이상이 공동하여 범한 경우를 말한다.
공동정범의 본질이 무엇인가에 대하여 종래부터 범죄공동설(수인이 공동하여 특정한 범죄를 행하는
것)과 행위공동설(수인이 행위를 공동으로 하여 각자 자기의 범죄를 실행하는 것)이 대립하고 있다.

관련판례

행위공동설(범죄공동설 ×)의 입장에서 과실범의 공동정범을 인정한다〔대판 1962.3.29, 4294형상598 : 공
동정범의 주관적 요건인 공동의 의사도 고의를 공동으로 가질 의사임을 필요로 하지 않고 고의행위이고
과실행위이고 간에 그 행위를 공동으로(행위공동설) 할 의사이면 족하다〕.

2 성립요건

관련판례

1. 공동정범이 성립하기 위하여는 주관적 요건인 공동가공의 의사와 객관적 요건인 공동의사에 의한
   기능적 행위지배를 통한 범죄의 실행사실이 필요하다. 공동가공의 의사는 타인범행을 인식하고 이를
   제재하지 아니하거나 용인한 것만으로는 부족하고 공동의 의사로 특정한 범죄행위를 하기 위하여
   일체가 되어 서로 다른 사람의 행위를 이용하여 자기의 의사를 실행에 옮기는 것을 내용으로 하는
   것이어야 한다(대판 2001.11.9, 2001도4792). 17. 법원행시 · 순경 1차 · 2차, 21. 경찰승진, 22. 9급 검찰 · 마약수
   사 · 철도경찰, 23. 해경승진 · 순경 2차 · 해경 3차, 24. 변호사시험
2. 피고인이 범죄구성요건의 주관적 요소인 공동의사를 부인하는 경우, 그 공동의사 자체를 객관적으로
   증명할 수는 없으므로 사물의 성질상 공동의사와 관련성이 있는 간접사실 또는 정황사실을 증명하는
   방법으로 이를 증명할 수밖에 없다〔대판 2021.10.14, 2018도18045 **예** 피고인 甲이 평소 잘 알고 지내던
   乙과 범행 당일 만나 함께 을왕리 해수욕장에 가기로 약속한 다음 서로 수회 전화통화를 주고받으며
   각자 자동차를 운전하여 출발한 후, 인천공항고속도로에서 합류하여 함께 주행하면서 여러 구간에서
   앞뒤로 또는 좌우로 줄지어 제한속도를 현저히 초과하여 주행한 경우 ⇨ 도로교통법 위반(공동위험
   행위)죄 ○ ∵ 피고인 甲과 乙에게는 공동 위험행위에 관한 공동의사가 있었음〕.

(1) 주관적 요건 : 공동실행의 의사(공동가공의 의사, 공모, 공동의사)

┌ **관련판례**

• **공동가공의 의사가 있다고 보지 않는 경우** ⇨ **공동정범** ×

1. 피해자 일행을 한 사람씩 나누어 강간하자는 동료들의 제의에 아무런 대답도 하지 않고 따라다니다가 자신의 강간 상대방으로 남겨진 사람에게 신체적 접촉도 시도 않고 다른 일행이 인근 숲속에서 강간을 마칠 때까지 이야기만 나눈 경우(대판 2003.3.28, 2002도7477) 16. 순경 2차, 23. 경찰승진, 24. 해경승진

2. 전자제품(캠코더) 등을 밀수입해 올 테니 팔아달라는 제의를 받고 승낙한 경우(대판 2000.4.7, 2000도576) 11. 경찰승진, 18. 경찰간부

3. "오토바이를 훔쳐오면 내가 사 주겠다."고 말한 경우(대판 1997.9.30, 97도1940), "황소를 훔쳐오면 문제없이 팔아주겠다."고 말한 것(대판 1975.2.25, 74도2228) 13. 9급 검찰·마약수사·철도경찰

4. 회사의 고문이었던 피고인이 대표이사로부터 회사의 금원으로 사건을 무마하겠다는 보고를 받고도 아무런 말도 없이 창밖만 쳐다보았는데, 대표이사는 피고인이 동의한 것으로 알고 회사 돈을 제3자에게 준 경우(대판 1999.9.17, 99도2889) 21. 해경승진

≡ KEY point

따라서 공동실행의 의사가 전혀 없는 동시범이나 어느 일방에게만 있는 편면적 공동정범은 공동정범이 아니다.

⎧ • **동시범** : 2인 이상이 죄를 범했어도 공동실행의 의사가 없으므로 공동정범은 성립할 수 없고 각자를 미수범으로 처벌한다(제19조). ⇨ 후술 **5** 동시범' 참조
⎩ • **편면적 공동정범** : 공동가공의사는 행위자 상호간에 있어야 하며, 일방의 가공의사만으로는 공동정범이 성립하지 않는다(대판 1985.5.14, 84도2118). ⇨ 편면적 공동정범 부정, 동시범 또는 종범의 성립이 문제될 뿐임. 15. 순경 3차, 21. 순경 2차, 23. 경찰승진·법원행시·해경 3차

① **의사연락의 방법** : 의사의 연락방법은 명시적이든 묵시적이든 불문하며(대판 1987.10.13, 87도1240), 공동행위자 전원이 일정한 장소에 모여 직접 모의할 것을 요하지도 않는다. 따라서 직접적이든 간접적이든(릴레이식·연쇄적) 불문한다(대판 1985.8.20, 83도2575).

┌ **관련판례**

2인 이상이 범죄에 공동 가공하는 공범관계에서 공모는 법률상 어떤 정형을 요구하는 것이 아니고 2인 이상이 공모하여 범죄에 공동 가공하여 범죄를 실현하려는 의사의 결합만 있으면 충분하다. 비록 전체의 모의과정이 없더라도 여러 사람 사이에 순차적으로 또는 암묵적으로 의사의 결합이 이루어지면 공모관계가 성립한다. 이러한 공모관계를 인정하기 위해서는 엄격한 증명이 요구되지만, 피고인이 범죄의 주관적 요소인 공모관계를 부인하는 경우에는 사물의 성질상 이와 상당한 관련성이 있는 간접사실 또는 정황사실을 증명하는 방법으로 이를 증명할 수밖에 없다(대판 2018.4.19, 2017도14322 전원합의체 21. 변호사시험, 22. 해경간부, 23. 경찰간부 **예** 사기의 공모공동정범이 그 기망방법을 구체적으로 몰랐다고 하더라도 공모관계를 부정할 수 없다 ; 대판 2013.8.23, 2013도5080). 16. 사시, 19. 순경 2차, 21. 경찰간부·순경 1차, 22. 9급 검찰·마약수사·철도경찰·해경간부, 24. 경찰승진 범인 전원이 동일일시, 동일장소에서 모의하지

아니하고 순차적으로 범의의 연락이 이루어짐으로써 그 범의내용에 대하여 포괄적 또는 개별적 의사의 연락이나 인식이 있었다면 범인 전원의 공모관계가 있다(대판 1988.6.14, 88도592). 18. 경찰승진 · 9급 검찰 · 마약수사 · 철도경찰, 21. 변호사시험

이와 같은 공모에 대하여는 직접증거가 없더라도 정황사실과 경험법칙에 의하여 이를 인정할 수 있고, 상명하복 관계에 있는 자들 사이에 있어서도 범행에 공동 가공한 이상 공동정범이 성립하는 데 아무런 지장이 없는 것이다(대판 2012.1.27, 2010도10739). 15. 9급 검찰 · 마약수사 · 철도경찰, 21. 변호사시험, 22. 해경간부, 23. 해경승진, 24. 경찰승진

●**공모관계를 인정한 경우** ⇨ **공동정범** ○

1. 이른바 딱지어음을 발행하여 매매한 이상 사기의 실행행위에 직접 관여하지 아니하였다고 하더라도 공동정범으로서의 책임을 면하지 못하고, 딱지어음의 전전유통경로나 중간 소지인들 및 그 기망방법을 구체적으로 몰랐다고 하더라도 공모관계를 부정할 수는 없다(대판 1997.9.12, 97도1706). 15. 순경 2차 · 9급 검찰 · 마약수사 · 철도경찰, 17. 순경 1차, 22. 해경간부

2. 입시부정행위를 지시한 자가 부정행위의 방법으로서 사정위원들의 업무를 방해할 것을 특정하거나 명시하여 지시하지 않았더라도 업무방해죄의 공동정범에 해당한다(대판 1994.3.8, 93도3154 **예** 사립대학 이사장인 甲은 대학의 간부인 乙에게 지시하여 乙의 주도하에 편입학 부정행위 및 입학시험점수 날조 등의 방법으로 일부학생을 부정입학 시킨 경우, 甲도 업무방해죄의 공모공동정범이 성립된다). 10. 9급 검찰, 11. 경찰승진

② **의사연락의 성립시기** : 의사연락은 미리 공모하여 사전(행위 이전)에 있었음을 요하지 않으며, 공동의사의 성립시기에 따라 다음과 같이 구별된다.

- **공모공동정범(예모공동정범)** : 공동실행의 의사(의사의 연락)가 실행행위 이전에 성립한 경우로 실행행위를 분담하지 않는 자의 공동정범 인정 여부가 문제된다.
- **우연적 공동정범** : 공동실행의 의사(공동의 범행결의)가 실행행위시에 성립한 경우를 말한다(공동정범이 성립하기 위하여는 반드시 공범자 간에 사전에 모의가 있어야 하는 것은 아니며, 우연히 만난 자리에서 서로 협력하여 공동의 범의를 실현하려는 의사가 암묵적으로 상통하여 범행에 공동가공하더라도 공동정범은 성립된다 : 대판 1984.12.26, 82도1373). 16. 7급 검찰 · 철도경찰 · 순경 1차, 17. 순경 2차, 18. 순경 3차, 20. 경찰승진, 21. 변호사시험 · 경찰간부, 22. 9급 검찰 · 마약수사 · 철도경찰, 23. 해경승진 · 7급 검찰 · 순경 2차
- **승계적 공동정범** : 공동실행의 의사가 실행행위 도중, 즉 실행행위의 일부 종료 후 그 기수 이전에 성립한 경우를 말한다.

③ **승계적 공동정범** : 선행행위자가 실행에 착수한 후에 후행가담자가 공동가담의 의사를 가지고 선행행위자의 행위에 가담한 경우에도 공동정범이 성립한다(통설 · 판례).

㉠ **공동의사 성립시기** : 선행자와 후행자 사이에 공동의사가 성립할 수 있는 시기에 대해 선행자의 범죄기수시까지라는 견해와 종료시까지라는 견해가 대립된다. 판례는 즉시범과 상태범(**예** 횡령죄, 배임죄, 공갈죄 등)의 경우에는 기수시까지, 계속범(**예** 범인도피죄 등)의 경우에는 기수 이후 범죄종료시까지 가능하다고 한다.

관련판례

1. 회사직원이 영업비밀을 경쟁업체에 유출하거나 스스로의 이익을 위하여 이용할 목적으로 무단으로 반출한 때 업무상 배임죄의 기수에 이르렀다고 할 것이고, 그 이후에 위 직원과 접촉하여 영업비밀을 취득하려고 한 자는 업무상 배임죄의 공동정범이 될 수 없다(대판 2003.10.30, 2003도4382). 15. 9급 검찰 · 마약수사 · 철도경찰, 18. 경찰간부, 22. 해경간부, 23. 경찰승진, 24. 해경승진

2. 공범자가 공갈행위의 실행에 착수한 후 그 범행을 인식하면서 그와 공동의 범의를 가지고 그 후의 공갈행위를 계속하여 재물의 교부나 재산상 이익의 취득에 이른 때에는 공갈죄의 공동정범이 성립한다(대판 1997.2.14, 96도1959). 17. 법원행시, 18. 순경 2차

3. 공범자의 범인도피행위 도중에 그 범행을 인식하면서 그와 공동의 범의를 가지고 기왕의 범인도피상태를 이용하여 스스로 범인도피행위를 계속한 경우에는 범인도피죄의 공동정범(종범 ×)이 성립하고, 이는 공범자의 범행을 방조한 종범의 경우도 마찬가지이다(대판 2012.8.30, 2012도6027). 14. 법원행시 · 경찰승진, 15. 순경 2차, 21. 경찰간부, 23. 순경 2차

4. 실행행위가 종료함과 동시에 범죄가 기수에 이르는 이른바 '즉시범'에서는 범죄가 기수에 이르기 이전에 가담하는 경우에만 공동정범이 성립하고 범죄가 기수에 이른 이후에는 공동정범이 성립될 수 없다(대판 1953.8.4, 4286형상20). 17. 9급 검찰 · 마약수사 · 철도경찰

ⓛ **후행가담자의 책임범위** : 후행자는 선행자의 행위를 포함한 전체 범죄에 대한 공동정범이 된다는 견해와, 후행자는 자기가 개입한 이후의 행위에 대해서만 공동정범의 책임을 진다는 견해(판례)가 있다.

관련판례

1. 포괄일죄의 범행 도중에 공동정범으로 범행에 가담한 자는 비록 그가 그 범행에 가담할 때에 이미 이루어진 종전의 범행을 알았다 하더라도 그 가담 이후(이전 ×)의 범행에 대하여만 공동정범으로 책임을 진다(대판 2007.11.15, 2007도6336). 16. 순경 1차, 17. 9급 검찰 · 마약수사 · 철도경찰, 18. 7급 검찰, 19. 법원행시, 21. 경찰간부 · 순경 2차, 22 · 23. 경찰승진, 24. 해경승진

2. 연속된 히로뽕제조행위 도중에 공동정범으로 범행에 가담한 자는 비록 그가 그 범행에 가담할 때에 이미 이루어진 종전의 범행을 알았다 하더라도 그 가담 이후의 범행에 대하여만 공동정범으로 책임을 지는 것이다(대판 1982.6.8, 82도884). 16. 경찰간부, 18. 순경 2차

④ **과실범의 공동정범**

관련판례

형법 제30조에 '공동하여 죄를 범한 때'의 '죄'라 함은 고의범, 과실범을 불문하므로 두 사람 이상이 어떠한 과실행위를 서로의 의사연락하에 이룩하여 범죄가 되는 결과를 발생케 한 것이라면 과실범의 공동정범이 성립된다(대판 1979.8.21, 79도1249). 14. 7급 검찰, 20. 9급 검찰, 23. 법원행시 · 법원직 · 해경 3차

1. 성수대교가 붕괴하여 자동차들이 한강에 추락하고 승객들이 사망·부상한 사건에서 피고인들(트러스 제작책임자, 건설공사감독자, 감독공무원)의 과실(불량시공, 감독 및 유지·관리 소홀)이 합쳐져서 사고의 원인이 되었으며, 피고인들은 성수대교를 안전하게 건축되도록 한다는 공동목표와 의사연락이 있었으므로 업무상 과실치사상죄, 업무상 과실일반교통방해죄, 업무상 과실자동차추락죄 등의 공동정범이 성립한다(대판 1997.11.28, 97도1740). 16. 법원행시, 22. 경찰승진, 24. 해경승진

2. 지프차의 선임탑승자가 운전병을 주점에 데리고 가서 음주하게 한 다음 운전하게 한 결과 음주탓으로 사고가 발생한 경우 ⇨ 과실범의 공동정범(대판 1979.8.21, 79도1249) 09. 9급 검찰·순경

3. 정기관사의 지휘·감독을 받는 부기관사가 사고열차의 퇴행에 관해 동의한 후 퇴행하다가 다른 열차와 충돌한 경우 ⇨ 과실범의 공동정범(대판 1982.6.8, 82도781) 13. 9급 철도경찰

4. 터널굴착공사를 도급받은 건설회사의 현장소장과 공사를 발주한 한국전력공사의 지소장이 철로 밑 굴착공사를 하다가 무너져 사고현장을 지나가던 열차를 전복케 하여 사상자가 발생한 경우 ⇨ 과실범의 공동정범(대판 1994.5.24, 94도660 : 구포 열차추락사건). 13. 9급 철도경찰

5. 회사 대표이사와 공장장이 먼저 제조한 빵을 늦게 배식하여 수 명의 아동이 식중독에 걸려 사망하고, 수 명은 병원에 입원한 경우 ⇨ 과실범의 공동정범(대판 1978.9.26, 78도2082). 13. 9급 철도경찰

   ▶ **참고판례** : 차량운전행위를 살펴보고 잘못된 점이 있으면 이를 지적하여 교정해 주려고 운전자의 부탁으로 차량의 조수석에 동승하였는데 운행 중 사고가 난 경우 주도적 지위에서(예 전문적인 운전교습자가 피교습자에 대해 차량운행에 관해 모든 지시를 하는 경우) 동차량을 운행할 의도가 있었다거나 실제로 그 같은 운행을 하였다고 보기 어려우므로 과실범의 공동정범의 죄책을 물을 수 없다(대판 1984.3.13, 82도3136). 13. 9급 철도경찰, 16. 법원행시

6. 공동의 과실이 경합되어 화재가 발생한 경우에 적어도 각 과실이 화재의 발생에 대하여 하나의 조건이 된 이상은 그 공동적 원인을 제공한 각자에 대하여 실화죄의 죄책을 물어야 한다(대판 1983.5.10, 82도2279). 16. 법원행시

7. 예인선 정기용선자의 현장소장 甲은 사고의 위험성이 높은 시점에 출항을 강행할 것을 지시하였고, 예인선 선장 乙은 甲의 지시에 따라 사고의 위험성이 높은 시점에 출항하는 등 무리하게 예인선을 운항한 결과 예인되던 선박에 적재된 물건이 해상에 추락하여 선박교통을 방해한 경우, 甲과 乙은 업무상 과실일반교통방해죄의 공동정범이 성립한다(대판 2009.6.11, 2008도11784). 22. 7급 검찰·순경 2차, 24. 해경승진

(2) 객관적 요건

① **공동실행의 사실**(공동가공의 사실) : 공동정범이 성립하기 위하여는 공동가공의 의사 이외에 공동의사에 의한 기능적 행위지배를 통한 범죄의 실행사실이 필요하다.

   ㉠ 공동정범 각자가 구성요건 전부를 실행한 경우는 물론, 구성요건 일부를 실행한 경우에도 행위기여가 인정되어 공동정범이 성립한다(일부실행·전부책임).

관련판례

1. 다른 공범자가 강간하고 있는 동안 피해자가 반항 못하도록 입을 막고 주먹으로 얼굴을 때린 경우 ⇨ 강간죄의 공동정범(대판 1984.6.12, 84도780) 15. 경찰간부

2. 강도범행 후 다른 공범자가 신고를 막기 위해 피해자를 옆방으로 끌고가 강간할 때에 피해자의 자녀들을 감시한 경우 ⇨ 강도강간죄의 공동정범(대판 1986.1.21, 85도2411) 12. 법원행시

ⓛ 또한 구성요건에 해당하는 행위가 아니더라도 전체적으로 볼 때 범죄를 실현하는 데 불가결한 기능적 역할분담을 한 경우에는 공동실행의 행위기여가 인정되어 공동정범이 성립한다(공모에 의한 범죄의 공동실행은 모든 공범자가 스스로 범죄의 구성요건을 실현하는 것을 전제로 하지 아니하고, 그 실현행위를 하는 공범자에게 그 행위결정을 강화하도록 협력하는 것으로도 가능하다 : 대판 2006.12.22, 2006도1623). 16. 순경 2차, 20. 해경승진, 21. 경찰승진

관련판례

1. 업무상 배임죄의 실행으로 인하여 이익을 얻게 되는 수익자 또는 그와 밀접한 관련이 있는 제3자를 배임의 실행행위자와 공동정범으로 인정하기 위하여는 실행행위자의 행위가 피해자 본인에 대한 배임행위에 해당한다는 것을 알면서도 소극적으로 그 배임행위에 편승하여 이익을 취득한 것만으로는 부족하고, 실행행위자의 배임행위를 교사하거나 또는 배임행위의 전 과정에 관여하는 등으로 배임행위에 적극 가담할 것을 필요로 한다(대판 2007.4.12, 2007도1033). 17. 법원행시·순경 1차, 19. 경찰간부·경찰승진, 23. 해경승진

2. 乙이 위조된 부동산임대차계약서를 담보로 제공하고 A로부터 돈을 빌려 편취할 것을 계획하면서 甲에게 미리 전화를 하여 임대인 행세를 하여달라고 부탁하였고, 甲은 그 사정을 잘 알면서도 임대인인 것처럼 행세하여 전세금액 등을 확인한 경우 甲에게 위조사문서행사죄의 공동정범(방조범 ×)이 성립한다(대판 2010.1.28, 2009도10139 ∵ 기능적 행위지배의 공동정범 요건을 갖추었음). 12. 순경 2차, 18. 7급 검찰

3. 부하들이 흉기를 들고 싸움을 하고 있는 도중에 폭력단체의 두목급 수괴 甲이 사건 현장에서 "전부 죽여 버려라."고 고함을 치자, 그 부하들이 피해자들을 난자하여 사망케 한 경우 ⇨ 살인죄의 공동정범(대판 1987.10.13, 87도1240) 09. 9급 검찰, 16. 경찰승진

4. 특수강도의 범행을 모의한 후 범행실행에 가담하지 아니하고 강취해 온 장물의 처분을 알선만 한 경우 ⇨ 특수강도죄의 공동정범(대판 1983.2.22, 82도3103 ∵ 장물알선죄 ×) 19. 9급 철도경찰

5. 화염병과 돌맹이들을 진압 경찰관을 향하여 무차별 던지는 시위 현장에 적극 참여하여 돌맹이를 던지는 등의 행위로 다른 사람의 화염병 투척을 용이하게 한 경우 비록 자신이 직접 화염병 투척의 행위는 하지 아니하였다 하더라도 그 화염병 투척(사용)의 공동정범이 된다(대판 1992.3.31, 91도3279). 05. 9급 검찰

6. 피고인들이 업무방해죄를 범할 의사 없이 광고중단 압박운동에 참여한 사람들을 자신들의 위력 행사에 이용한 행위는 이른바 간접정범을 통하여 그 범행을 실행한 것으로 보아야 할 것이고, 피고인들의 경우 위와 같은 간접정범 형태의 범행에 대하여도 주관적 요건으로서 공모와 객관적 요건으로서 기능적 행위지배가 인정되는 이상 공동정범으로서의 죄책을 면할 수 없다(대판 2013.3.14, 2010도410).

ⓒ 부작위범 사이의 공동정범은 다수의 부작위범에게 공통된 의무가 부여되고 있고 그 의무를 공통으로 이행할 수 있을 때에만 성립한다(대판 2008.3.27, 2008도89). 15. 순경 3차, 17. 변호사시험, 22. 법원행시

예 주권상장법인의 주식 등 대량보유·변동·변경 보고의무 위반으로 인한 자본시장법 위반죄는 구성요건이 부작위에 의해서만 실현될 수 있는 진정부작위범에 해당한다. 진정부작위범인 주식 등 대량보유·변동·변경 보고의무 위반으로 인한 자본시장법 위반죄의 공동정범은 그 의무가 수인에게 공통으로 부여되어 있는데도 수인이 공모하여 전원이 그 의무를 이행하지 않았을 때 성립할 수 있다(대판 2022.1.13, 2021도11110). 22. 순경 1차

ⓔ 범죄의 실행에 가담한 사람이라고 할지라도 그가 공동의 의사에 따라 다른 공범자를 이용하여 실현하려는 행위가 자신에게는 범죄를 구성하지 않는다면, 특별한 사정이 없는 한 공동정범의 죄책을 진다고 할 수 없다(대판 2017.4.26, 2013도12592 **예** 자기 자신을 무고하기로 제3자와 공모하고 이에 따라 무고행위에 가담하였더라도 이는 자기 자신에게는 무고죄의 구성요건에 해당하지 않아 범죄가 성립할 수 없는 행위를 실현하고자 한 것에 지나지 않아 무고죄의 공동정범으로 처벌할 수 없다). 17. 법원행시, 18. 순경 3차, 19. 7급 검찰, 18·20. 경찰간부

ⓜ 공동정범 중 어느 한 사람이 실행행위를 직접 개시한 순간부터 공동정범 모두에 대해 실행의 착수를 인정한다.

ⓗ 피고인 자신이 직접 형사처분을 받게 될 것을 두려워한 나머지 자기의 이익을 위하여 그 증거가 될 자료를 은닉하였다면 증거은닉죄에 해당하지 않고, 제3자와 공동하여 그러한 행위를 하였다고 하더라도 마찬가지이다(대판 2018.10.25, 2015도1000 ∴ 증거은닉죄의 공동정범 ×). 20·22. 법원행시, 23. 경찰간부

② **공모공동정범**

㉠ 공모공동정범이란 2인 이상의 자가 공모하여 그 공모자 가운데 일부만이 범죄의 실행에 나아간 때에 실행행위를 하지 않은 공모자에게도 공동정범이 성립한다는 이론을 말한다.

┌─ **관련판례**

1. 공모자 중 일부가 구성요건적 행위 중 일부를 직접 분담하여 실행하지 않은 경우라 할지라도 단순한 공모자에 그치는 것이 아니라 범죄에 대한 본질적 기여를 통한 기능적 행위지배가 존재하는 것으로 인정된다면, 이른바 공모공동정범으로서의 죄책을 면할 수 없는 것이다(대판 2009.2.12, 2008도6551 **예** 타인의 시세조종을 통한 주가조작 범행과 관련하여, 자기 명의의 증권계좌와 자금을 교부하였을 뿐만 아니라 적극적으로 투자자 등을 유치·관리한 사람에게 증권거래법 제188조의 4 위반죄의 공모공동정범의 죄책을 인정 ○). 17·18. 9급 검찰·마약수사·철도경찰, 21·22. 변호사시험, 23. 해경승진

▶ **유사판례** : 甲주식회사의 협력업체 소속 근로자인 피고인들을 비롯한 10인이 甲주식회사 정문 앞 등에서 1인은 고용보장 등의 주장 내용이 담긴 피켓을 들고 다른 2~4인은 그 옆에 서 있는 방법으로 6일간 총 17회에 걸쳐 미신고 옥외시위를 한 경우, 공모공동정범에 의한 시위주최자로서 책임을 물을 수 있다(대판 2011.9.29, 2009도2821). 13. 경찰승진

▶ **비교판례** : 전국노점상연합회가 주관한 도로행진시위에 단순 가담자인 甲이 다른 시위 참가자들과 시위 중 경찰관 등에 대한 특수공무집행방해 행위로 체포된 경우 체포된 이후에 이루어진 다른 시위참가자들의 범행에 대해서는 공모공동정범의 죄책을 인정할 수 없다(대판 2009.6.23, 2009도2994 ∴ 본질적 기여를 통한 기능적 행위지배 ×). 14·19. 경찰승진, 23. 해경승진

2. 건설회사의 유일한 지배자인 甲이 회사 대표의 지위에서 장기간에 걸쳐 건설공사 현장소장들의 뇌물 공여행위를 보고받고 이를 확인·결재하는 등의 방법으로 위 행위에 관여하였다면, 비록 사전에 구체적인 대상 및 액수를 정하여 뇌물공여를 지시하지 않았다고 하더라도 공모공동정범의 죄책이 인정된다(대판 2010.7.15, 2010도3544 ∵ 기능적 행위지배 ○). 16. 사시, 18. 경찰간부·경찰승진, 19. 7급 검찰

3. 공모자들이 그 공모한 범행을 수행하는 도중에 파생적인 범행 하나하나에 대해 개별적인 의사연락이 없었다 하더라도 부수적인 다른 범죄가 파생되리라고 충분히 예상되었다면 그 범행 전부에 대해 공모와 기능적 행위지배가 있다고 보아야 한다(대판 2011.1.27, 2010도11030). 20. 법원행시, 21. 변호사시험, 23. 해경승진

4. 자동차 명의신탁관계에서 제3자가 명의수탁자로부터 승용차를 가져가 매도할 것을 허락받고 인감증명 등을 교부받아 위 승용차를 명의신탁자 몰래 가져간 경우, 위 제3자와 명의수탁자의 공모·가공에 의한 절도죄의 공모공동정범이 성립한다(대판 2007.1.11, 2006도4498). 18. 7급 검찰, 18·19. 9급 철도경찰

5. 교통방해를 유발한 집회에 참가한 경우 참가 당시 이미 다른 참가자들에 의해 교통의 흐름이 차단된 상태였더라도 그들과 암묵적·순차적으로 공모하여 교통방해의 위법상태를 지속시켰다고 평가할 수 있다면 일반교통방해죄가 성립한다(대판 2018.5.11, 2017도9146 ∵ 일반교통방해죄는 계속범으로 교통방해의 상태가 계속되는 한 위법상태는 계속 존재함. ∴ 일반교통방해죄의 공모공동정범 ○). 19. 변호사시험·7급 검찰·9급 철도경찰·경찰승진, 20. 법원행시

6. 뇌물수수의 공범자들 사이에 직무와 관련하여 금품이나 이익을 수수하기로 하는 명시적 또는 암묵적 공모관계가 성립하고 공모 내용에 따라 공범자 중 1인이 금품이나 이익을 수수하였다면 수수한 금품이나 이익 전부에 관하여 뇌물수수죄의 공모공동정범이 성립할 수 있다(대판 2014.12.24, 2014도10199). 17. 7급 검찰, 20. 경찰간부

▶ **비교판례** : 공무원인 공범자들이 국가자금을 횡령하여 그 횡령범행으로 취득한 돈을 공범자끼리 수수한 행위가 공동정범들 사이의 범행에 의하여 취득한 돈을 공모에 따라 내부적으로 분배한 것에 지나지 않는다면 그 돈의 수수행위에 관하여 별도로 뇌물죄가 성립하는 것은 아니다(대판 2019.11.28, 2019도11766). 20. 법원행시, 22. 변호사시험

7. 의사가 간호사에게 의료행위의 실시를 개별적으로 지시하거나 위임한 적이 없음에도 간호사가 그의 주도 아래 전반적인 의료행위의 실시 여부를 결정하고 간호사에 의한 의료행위의 실시과정에도 의사가 지시·관여하지 아니한 경우, 의사가 이러한 방식으로 의료행위가 실시되는 데 간호사와 함께 공모하여 그 공동의사에 의한 기능적 행위지배가 있었다면, 의사도 무면허의료행위의 공동정범으로서의 죄책을 진다(대판 2012.5.10, 2010도5964). 13. 경찰승진, 16. 변호사시험

8. 건설노동조합의 조합원들이 조합의 상급단체 간부 甲의 지시에 따라 건조물 침입, 업무방해, 손괴, 폭행 등 범죄행위를 하였다면 위 조합의 상급단체 간부인 甲도 이들 범행에 대한 공모공동정범이 성립한다(대판 2007.4.26, 2007도428). 10. 9급 검찰, 21. 변호사시험

9. 수인이 상해를 공모했으나 실행행위를 분담한 공모자 중 일부가 피해자를 상해하여 사망하게 한 경우에 사무실에서 대기 중인 자는 상해치사죄의 공동정범에 해당한다(대판 1991.10.11, 91도1755). 21. 순경 2차

10. 배임증재의 공모공동정범이 다른 공모공동정범에 의하여 수재자에게 재물 또는 재산상 이익이 제공되는 방법을 구체적으로 몰랐다고 하더라도 공모관계를 부정할 수 없다(대판 2015.7.23, 2015도3080). 17. 순경 2차

11. 공모공동정범이 성립되려면 두 사람 이상이 공동의 의사로 특정한 범죄행위를 하기 위하여 일체가 되어 서로가 다른 사람의 행위를 이용하여 각자 자기의 의사를 실행에 옮기는 것을 내용으로 하는 모의를 하여(공동의사주체설) 그에 따라 범죄를 실행한 사실이 인정되어야 하고, 이와 같이 공모에 참여한 사실이 인정되는 이상 직접 실행행위에 관여하지 아니했더라도 다른 사람의 행위를 자기의사의 수단으로 하여 범죄를 하였다는 점(간접정범유사설)에서 자기가 직접 실행행위를 분담한 경우와 형사책임의 성립에 차이를 둘 이유가 없다(대판 1988.4.12, 87도2368). 12. 순경 1차, 13. 경찰승진

12. 유가증권의 허위작성행위 자체에는 직접 관여한 바 없다 하더라도 타인에게 그 작성을 부탁하여 의사연락이 되고 그 타인으로 하여금 범행을 하게 하였다면 공모공동정범에 의한 허위작성죄가 성립한다(대판 1985.8.20, 83도2575). 09. 순경

13. 국가정보원의 원장 피고인 甲, 3차장 피고인 乙, 심리전단장 피고인 丙이 심리전단 산하 사이버팀 직원들과 공모하여 인터넷 게시글과 댓글 작성, 찬반클릭, 트윗과 리트윗 행위 등의 사이버 활동을 한 경우, 피고인들이 실행행위자인 사이버팀 직원들과 순차 공모하여 범행에 대한 기능적 행위지배를 함으로써 범행에 가담하였으므로, 피고인들에게 구 국가정보원법 위반죄와 구 공직선거법 위반죄의 공모공동정범이 성립된다(대판 2018.4.19, 2017도14322 전원합의체).

ⓛ 공모공동정범에 있어서 다른 공모자가 실행행위에 이르기 전에 그 공모관계에서 이탈한 때에는 이탈 이후의 다른 공모자의 행위에 대해 공동정범이 성립하지 않으며 그 이탈의 표시는 반드시 명시적일 필요가 없다(대판 1986.1.21, 85도2371). 15. 경찰간부, 17. 9급 검찰 · 마약수사, 18. 순경 2차, 20. 경찰승진 · 7급 검찰 · 해경승진, 23. 해경 3차 그러나 다른 공모자가 이미 실행에 착수한 이후에는 그 공모관계에서 이탈하였더라도 공동정범이 성립하며(대판 1984.1.31, 83도2941), 23. 해경 3차 다른 공범자에 의해 그 범죄가 기수에 이른 때에는 그 범죄의 기수로 처벌받지(대판 2002.8.27, 2001도513) 중지미수가 되지 않는다. 03. 사시 · 경찰승진, 10. 7급 검찰

관련판례

1. 공모관계에서의 이탈은 공모자가 공모에 의하여 담당한 기능적 행위지배를 해소하는 것이 필요하므로 공모자가 공모에 주도적으로 참여하여 다른 공모자의 실행에 영향을 미친 때에는 범행을 저지하기 위하여 적극적으로 노력하는 등 실행에 미친 영향력을 제거하지 아니하는 한 공모관계에서 이탈하였다고 할 수 없다(대판 2008.4.10, 2008도1274). 16. 사시, 18. 순경 3차, 20. 경찰승진 · 9급 검찰 · 마약수사 · 철도경찰 · 해경승진 · 7급 검찰, 22. 해경간부 · 순경 1차, 23. 경력채용 · 순경 2차

예 ① 다른 공모자들과 강도 모의를 주도한 피고인이, 다른 공모자들이 피해자를 뒤쫓아 가자 단지 "어?"라고만 하고 더 이상 만류하지 아니하여 공모자들이 강도상해의 범행을 한 경우 ⇨ 강도상해죄의 공동정범 ○(대판 2008.4.10, 2008도1274) 16. 사시 · 경찰승진, 22. 해경간부

② 甲은 乙과 공모하여 가출 청소년 丙(여, 16세)에게 낙태수술비를 벌도록 해 주겠다고 유인하였고, 乙로 하여금 丙의 성매매 홍보용 나체사진을 찍도록 하였으며, 丙이 중도에 약속을 어길 경우 민형사상 책임을 진다는 각서를 작성하도록 한 후, 甲이 별건으로 체포되어 구치소에 수감 중인 동안 丙이 乙의 관리 아래 성매매를 계속하여 丙, 乙 및 甲의 처 등이 나누어 사용한 경우 ⇨ 공모관계 이탈 ×(대판 2010.9.9, 2010도6924) 18. 경찰간부, 18 · 19. 경찰승진, 20. 7급 검찰, 23. 해경승진

③ 해적 甲, 乙이 두목의 사전지시에 따라 선원들을 윙브리지로 세워 해군의 위협사격을 받게 함으로써 '인간방패'로 사용한 경우, 甲이 사전모의는 하였지만 선원들을 윙브리지로 내몰았을 당시 총을 버리고 도망갔다고 하더라도 공모관계에서 이탈한 것으로 볼 수 없다(대판 2011. 12.22, 2011도12927). 18. 법원행시, 20. 경찰간부, 21. 해경간부, 23. 해경 3차

④ 처(妻)가 구속된 남편을 대행하여 그의 지시를 받아 회사를 운영하면서 조세범처벌법상의 조세 포탈행위를 하다가 협의이혼한 후 처(妻) 혼자 회사를 경영하였더라도 이혼 전 남편의 영향력이 제거되지 않아 조세포탈행위가 계속되었다면 남편은 협의이혼 후에도 여전히 공동정범으로서 책임을 진다(대판 2008.7.24, 2007도4310). 16. 사시, 24. 경찰승진

2. 실행의 착수 전 공모관계이탈 ⇨ 공동정범 ×

① 피고인은 살해모의에는 가담하였으나 다른 공모자들이 실행행위에 이르기 전에 그 공모관계에서 이탈하였다면 피고인이 위 공모관계에서 이탈한 이후의 다른 공모자의 행위에 관하여는 공동정범 으로서의 책임을 지지 않는다[대판 1986.1.21, 85도2371 ㉠ 행동대원 甲, 乙, 丙은 조직의 두목으로부터 지시를 받고 상대조직 행동대장 A를 살해하기로 공모하였으나, 甲은 쇠파이프 등을 들고 차량에 탑승하던 중 사태의 심각성을 실감하고 범행에 휘말리기 싫어서 조용히 혼자 빠져나와 택시를 타고 집으로 갔다. 이후 乙과 丙이 공모한 대로 A의 사무실로 가서 A를 살해한 경우 ⇨ 살인죄의 공동정범 ×(대판 1996.1.26, 94도2654 ∵ 다른 조직원들이 범행에 이르기 전에 그 공모관계에서 이탈한 것임)]. 13. 사시 21. 순경 2차

② 甲·乙·丙이 창고에 몰래 들어가 피혁을 훔치기로 약속하였으나 甲은 절취할 마음이 내키지 아니하고 처벌이 두려워 만나기로 한 시간에 약속장소로 가지 아니하고 乙·丙은 甲을 기다리다가 그들끼리 모의된 범행을 결행하기로 하여 乙은 창고 앞에서 망을 보고 丙은 창고에 침입하여 가죽 약 1만평을 절취한 경우 ⇨ 甲 : 특수절도의 공동정범 ×, 절도죄의 공동정범 ×(∵ 실행행위에 이르기 이전에 그 공모관계로부터 이탈), 乙·丙 : 특수절도죄(대판 1989.3.14, 88도837) 09. 순경

3. 실행의 착수 후 공모관계이탈 ⇨ 공동정범 ○ 05. 법원직, 08. 9급 검찰

① 피고인이 포괄일죄의 관계에 있는 범행의 일부를 실행한 후 공범관계에서 이탈하였으나 다른 공범 자에 의하여 나머지 범행이 이루어진 경우, 피고인이 관여하지 않은 부분에 대하여도 공동정범으로 서의 죄책을 부담한다(대판 2011.1.13, 2010도9927). 15. 법원행시, 18. 순경 3차, 21. 9급 검찰·마약수사·철도경찰, 22. 경찰승진, 23. 법원직·7급 검찰·해경 3차, 24. 해경승진

㉠ 피고인이 투자금융회사에 입사하여 공범들과 공모한 다음 시세조정행위의 일부를 실행한 후 甲회사로부터 해고를 당하여 공범관계로부터 이탈하였고, 다른 공범들이 그 이후의 나머지 시 세조정행위를 계속한 경우, 그 이후 나머지 공범들이 행한 시세조정행위에 대하여도 공동정범 으로서의 죄책을 부담한다(대판 2011.1.13, 2010도9927). 20. 법원행시·7급 검찰, 22. 순경 2차

② 금품을 강취할 것을 공모하고 다른 공범자들이 집에 침입한 후 상해를 가하고 금품을 강취하는 동안 망을 보기로 한 피고인이 망을 보지 않고 담배를 사러 간 경우(다른 공범자들이 강도상해죄를 범함) ⇨ 강도상해죄의 공동정범(대판 1984.1.31, 83도2941) 12. 법원행시

③ 처 벌

(1) 일부실행 · 전부책임

공동정범은 각자를 그 죄의 정범으로 처벌한다(제30조). 15. 경찰승진

① 여기서 각자를 정범으로 처벌한다는 것은 법정형이 동일하다는 의미일 뿐 구체적인 처단형이나 선고형은 각자 다를 수 있다. 21. 9급 검찰

② 즉, 책임조각사유와 인적 처벌조각사유, 형의 가중 · 감경사유 등은 그 사유가 존재하는 자에게만 적용된다(책임개별화 원칙). 21. 9급 검찰

③ 공동정범에 있어서 인과관계는 공동정범자 각자의 행위와 결과 사이에서 개별적으로 확정되는 것이 아니라, 공동정범자 전원의 행위와 발생한 결과를 종합적 · 전체적으로 고려하여 확정된다(예 甲과 乙이 공동으로 丙을 살해하고자 발포하였는데, 丙이 누구의 총에 맞아 사망했는지 판명되지 아니한 경우 또는 甲의 총에 맞아 사망한 것으로 판명된 경우 모두 甲과 乙은 살인죄의 기수범으로 처벌된다). 22. 경찰승진

(2) 결과적 가중범과 공동정범

> **관련판례**
>
> 1. 결과적 가중범인 상해치사죄의 공동정범은 폭행 기타의 신체침해 행위를 공동으로 할 의사가 있으면 성립되고 결과를 공동으로 할 의사는 필요 없으며, 여러 사람이 상해의 범의로 범행 중 한 사람이 중한 상해를 가하여 피해자가 사망에 이르게 된 경우 나머지 사람들은 사망의 결과를 예견할 수 없는 때가 아닌 한 상해치사의 죄책을 면할 수 없다(대판 2000.5.12, 2000도745). 15. 경찰간부, 16. 사시 · 순경 1차, 19 · 20. 9급 검찰 · 마약수사 · 철도경찰
> 2. 합동강도의 공범자 중 1인이 강도의 기회에 피해자를 살해한 경우, 다른 공모자가 살인의 공모를 하지 아니하였다고 하여도 그 살인행위나 치사의 결과를 예견할 수 없었던 경우가 아니면 강도치사죄(강도살인죄 ×)의 죄책을 면할 수 없다(대판 1991.11.12, 91도2156). 16. 변호사시험 · 경찰간부, 23. 9급 검찰 · 마약수사 · 철도경찰
>   ▶ **비교판례** : 甲이 乙과 공모한 대로 칼을 들고 강도를 하기 위하여 A의 집에 들어가 칼을 휘둘러 A에게 상해를 가한 이상 대문 밖에서 망을 본 乙이 구체적으로 상해를 가할 것까지 공모하지 않았다 하더라도 乙은 상해의 결과에 대하여도 공범으로서의 책임을 면할 수 없다(대판 1998.4.14, 98도356 ∴ 강도상해죄의 공동정범 ○, 강도치상죄의 공동정범 ×). 12. 변호사시험, 22. 경찰승진

(3) 공동정범과 신분 : 후술하는 제6절 공범과 신분 참조

비신분자는 단독으로 진정신분범의 정범이 될 수 없으나 신분자와 공동하여서 진정신분범의 공동정범이 될 수 있다(제33조 본문).

> **관련판례**
>
> 1. 의료인일지라도 의료인 아닌 자의 의료행위에 공모하여 가공하면 무면허의료행위의 공동정범으로서의 책임을 진다(대판 1986.2.11, 85도448). 18. 순경 3차 · 철도경찰, 20. 7급 검찰, 21. 순경 1차

2. 신분관계가 없는 사람이 신분관계로 인하여 성립될 범죄에 가공한 경우, 신분관계가 없는 사람에게 공동가공의 의사와 이에 기초한 기능적 행위지배를 통한 범죄의 실행이라는 주관적·객관적 요건이 충족되면 공동정범으로 처벌된다(대판 2019.8.29, 2018도2738 전원합의체 **에** 비공무원이 공무원과 공동가공의 의사와 이를 기초로 한 기능적 행위지배를 통하여 공무원의 직무에 관하여 뇌물을 수수하는 범죄를 실행하였다면 공무원이 직접 뇌물을 받은 것과 동일하게 평가할 수 있으므로 공무원과 비공무원에게 뇌물수수죄의 공동정범이 성립한다). 20. 해경승진, 21. 경력채용, 23. 변호사시험·순경 2차

3. 물건의 소유자가 아닌 사람은 형법 제33조 본문에 따라 소유자의 권리행사방해 범행에 가담한 경우에 한하여 그의 공범이 될 수 있을 뿐이다. 그러나 권리행사방해죄의 공범으로 기소된 물건의 소유자에게 고의가 없는 등으로 범죄가 성립하지 않는다면 공동정범이 성립할 여지가 없다(대판 2017.5.30, 2017도4578). 18. 7급 검찰, 20. 변호사시험·경찰간부

4. 공직선거법상의 각 기부행위의 주체로 인정되지 아니하는 자가 기부행위의 주체자 등과 공모하여 기부행위를 하였다 하더라도 그 신분에 따라 각 해당법조로 처벌하여야지 기부행위 주체자에 해당하는 법조 위반의 공동정범으로 처벌할 수는 없다(대판 2008.3.13, 2007도9507). 11. 경찰승진, 12. 순경 3차

⑷ 공동정범의 미수

① 공동정범의 미수는 공동정범자의 모든 행위를 종합하여 볼 때 범죄를 완성하지 못한 경우에 가능하다. 따라서 공동정범의 1인의 행위가 미수에 그치더라도 다른 자에 의하여 범죄가 완성(즉, 기수에 이르면)된 때에는 공동정범의 전원이 기수의 책임을 진다.

② 공동정범의 전원이 중지하지 않는 한 그중 1인의 중지만으로는 중지미수가 되지 않는다. 중지범이 다른 공동자까지 중지시켜 결과가 발생하지 않는 경우 스스로 중지한 자는 중지미수로 다른 공동정범은 장애미수로 처벌된다.

> **관련판례**
>
> 1. 위조약속어음인 정을 알고 그것을 행사할 의사가 있는 자임을 알면서 그 위조약속어음을 교부하였다면 후에 이를 다시 회수하려고 노력하였다 하더라도 위 자가 이를 행사하였다면 피고인은 위 자와 위조약속어음의 행사죄와 사기죄의 공동정범에 해당한다(대판 1970.2.10, 69도2070).
>
> 2. 甲은 乙과 함께 丙이 경영하는 사무실의 금품을 절취하기로 공모하여, 甲은 그 부근 포장마차에 있고 乙은 위 사무실의 열려진 출입문을 통하여 안으로 들어가 물건을 물색하고 있는 동안 甲은 자신의 범행전력 등을 생각하여 가책을 느낀 나머지 스스로 결의를 바꾸어 丙에게 乙의 침입사실을 알려 그와 함께 乙을 체포하게 한 경우 ⇨ 甲 : 중지미수, 乙 : 장애미수(대판 1986.3.11, 85도2831)

⑸ 공동정범과 착오

① **구체적 사실의 착오** : 사실의 착오(구성요건적 착오)에 관한 일반이론을 그대로 적용한다.

② **추상적 사실의 착오**

  ㉠ **질적 초과의 경우** : 실제로 행위를 한 자가 공모한 내용과 질적으로 다른 내용의 결과발생을 야기한 경우에는 다른 공모자들은 책임을 지지 않는다.

┌ **관련판례**

1. 甲과 乙이 A를 강도하기로 공모하였음에도 불구하고 乙이 공모한 내용과 전혀 다른 강도강간을 한 경우, 공모사실(강도)과 발생사실(강간)이 전혀 별개의 구성요건에 속하는 질적 초과의 경우로서 그 초과부분에 대해서는 공동정범이 성립하지 않으므로, 甲에게는 강도강간죄의 공동정범이 성립하지 않고 특수강도죄(제334조)만 성립한다(대판 1988.9.13, 88도1114). 21.7급 검찰, 22. 순경 1차

2. 강도를 모의한 공동정범 중 1인이 강도범행의 실행행위 중 강간을 한 경우, 이를 예견할 수 없었던 다른 공모자는 강도의 공동정범만 인정될 뿐 강도강간의 공동정범이 인정될 수는 없다(대판 1982. 10.26, 82도1818). 23.7급 검찰

ⓛ **양적 초과의 경우** : 원칙적으로 공모한 내용과 중첩되는 부분에 대해서만 각 가담자의 공동정범이 인정된다.

┌ **관련판례**

甲·乙·丙은 등산용 칼을 이용하여 강도를 하기로 공모한 후 甲은 차 안에서 망을 보고, 乙과 丙은 차에서 내려 행인 A로부터 금품을 강취하려는 중 우연히 범행현장을 목격하게 된 B를 丙이 소지하고 있던 등산용 칼로 찔러 살해한 경우 ⇨ 丙 : 강도살인죄, 甲·乙 : 강도치사죄(대판 1990.11.27, 90도 2262 ∵ 甲·乙은 丙이 강도살인행위에 이를 것을 예상하지 못하였다고 할 수 없음)

▶ **비교판례** : 甲과 乙 등 4인은 A회사 사무실에 들어가 금품을 강취하기로 공모하고, 1인을 제외하고 전원이 과도 또는 쇠파이프 등을 휴대하고 사무실에 침입한 후, 甲 등은 사무실의 금고를 강취하고 그 사이에 乙은 숙직직원 丙을 감시하다가 丙이 외부로 연락을 취하려 하자 乙이 소지하고 있던 쇠파이프로 丙을 강타하여 살해한 경우 ⇨ 수인이 합동하여 강도를 한 경우 1인이 강취하는 과정에서 간수자를 강타, 사망케 한 때에는 나머지 범인도 이를 예기하지 못한 것으로 볼 수 없는 경우에는 강도살인죄의 죄책을 면할 수 없다(대판 1984.2.28, 83도3162 ∵ 강도살인죄의 공동정범).

---

4 합동범

합동범이란 구성요건상 "2인 이상이 합동하여 …"라고 규정된 범죄를 말한다. 즉, 2인 이상이 합동하여 죄를 범한 경우에 법정형이 형법에 별도로 규정되어 가중처벌되는 범죄이다. 12.7급 검찰

① 합동범으로 형법에 특수도주죄(제146조)·특수절도죄(제331조 제2항)·특수강도죄(제334조 제2항)가 있고, 성폭력특별법에 특수강간·특수강제추행·특수준강간 등이 있다. 11. 경찰승진, 22. 9급 검찰·마약수사·철도경찰

② 합동범은 공동정범과 비슷하므로 합동범의 본질이 문제된다. 즉, 합동범의 '합동'과 공동정범의 '공동'과의 관계에 있어서 합동이 무엇을 의미하느냐에 관해 견해의 대립이 있다.

ㄱ **현장설**(다수설·판례 : 합동<공동) : 합동은 공동보다는 좁은 의미로 합동이란 시간적·장소적 협동을 의미한다고 보는 견해이다.

관련판례

1. 합동범이 성립하기 위하여는 주관적(객관적 ×) 요건으로서의 공모와 객관적(주관적 ×) 요건으로서의 실행행위의 분담이 있어야 하나, 그 공모는 법률상 어떠한 정형을 요구하는 것이 아니어서 공범자 상호간에 직접 또는 간접으로 범죄의 공동가공의사가 암묵리에 서로 상통하면 되고, 사전에 반드시 어떠한 모의과정이 있어야 하는 것도 아니어서 범의 내용에 대하여 포괄적 또는 개별적인 의사연락이나 인식이 있었다면 공모관계가 성립하며, 그 실행행위는 시간적으로나 장소적으로 협동관계에 있다고 볼 수 있는 사정이 있으면 되는 것이다(대판 2012.6.28, 2012도2631). 18. 경찰승진, 21. 경찰간부·해경승진, 22·23. 9급 검찰·마약수사·철도경찰

2. 대법원은 망을 본 경우(대판 1986.7.8, 86도843)는 물론 범행현장 부근에서 자신이 운전하는 차량 내에 대기한 경우(대판 1988.9.13, 88도1197)와 가까운 곳에 대기하고 있다가 절취품을 같이 가지고 나온 경우(대판 1996.3.22, 96도313)는 시간적·장소적 협동관계에 있다고 보아 합동범(특수절도)이 성립한다고 한다. 18. 순경 2차, 22. 경찰승진

3. 甲, 乙, 丙은 사전 모의에 따라 피해자들을 야산으로 유인한 다음 암묵적 합의에 따라 각자 마음에 드는 피해자들을 데리고 불과 100m 이내의 거리에 있는 곳으로 흩어져 동시 또는 순차적으로 피해자들을 각각 강간하였다면, 각 강간의 실행행위도 시간적으로나 장소적으로 협동관계에 있었다고 보아 특수강간죄가 성립한다(대판 2004.8.20, 2004도2870). 14. 변호사시험, 20. 순경 2차

4. 폭력행위 등 처벌에 관한 법률 제2조 제2항에서 '2명 이상이 공동하여' 죄를 범한 때라 함은 수인이 동일한 장소에서 동일한 기회에 상호 다른 사람의 범행을 인식하고 이를 이용하여 범행을 한 경우를 뜻하는 것으로서, 폭행 등의 실행범과의 공모사실은 인정되나 그와 공동하여 범행에 가담하였거나 범행장소에 있었다고 인정되지 아니하는 경우에는 공동하여 죄를 범한 때에 해당하지 아니한다(대판 1994.4.12, 94도128). 19. 변호사시험

5. 甲은 乙, 丙과 함께 택시강도를 하기로 모의하였는데, 甲은 乙과 丙이 피해자 A에 대해 폭행에 착수하기도 전에 겁을 먹고 미리 현장에서 도주해 버렸고 그 후 乙과 丙은 폭행에 저항하는 A를 격분하여 살해하고 택시에 있던 현금 8만원을 강취한 경우 ⇨ 甲은 특수강도의 합동범 ×〔∵ 乙과 丙이 폭행에 착수하기 전에 겁을 먹고 미리 현장에서 도주 ⇨ 피고인들(乙과 丙)과의 사이에 강도의 실행행위를 분담한 협동관계 ×〕, 乙과 丙은 강도살인죄의 공동정범 ○(대판 1985.3.26, 84도2956) 23. 9급 검찰·마약수사·철도경찰, 22·24. 경찰승진

ⓛ **판례** : 합동절도의 공모에는 참여하였으나 현장에서 실행행위를 직접 분담하지 아니한 자도 그가 현장에서 절도 범행을 실행한 2인 이상의 범인의 행위를 자기 의사의 수단으로 하여 합동절도의 범행을 하였다고 평가할 수 있는 정범성의 표지를 갖추고 있다면 합동절도의 공동정범이 된다. 그러므로 합동절도에서도 공동정범과 교사범·종범의 구별기준은 일반원칙에 따라야 하고, 그 결과 범행현장에 존재하지 아니한 범인도 공동정범이 될 수 있으며, 반대로 상황에 따라서는 장소적으로 협동한 범인도 방조만 한 경우에는 종범으로 처벌될 수도 있다."(대판 1998.5.21, 98도321 전원합의체)고 하였다. 15. 사시·경찰간부, 22. 해경간부·경찰승진, 20·23. 9급 검찰·철도경찰·경력채용

┌ **관련판례**

乙·丙과 A회사의 사무실 금고에서 현금을 절취할 것을 공모한 甲이 乙과 丙에게 범행도구를 구입하여 제공해 주었을 뿐만 아니라 乙과 丙이 사무실에서 현금을 절취하는 동안 범행장소가 보이지 않는 멀리 떨어진 곳에서 기다렸다가 절취한 현금을 운반한 경우, 甲은 乙·丙의 합동절도의 공동정범(종범 ×)의 죄책을 진다(대판 2011.5.13, 2011도2021). 13. 변호사시험·9급 검찰·철도경찰, 18. 경찰승진

5 동시범(독립행위의 경합)

> **제19조 【독립행위의 경합】** 동시 또는 이시의 독립행위가 경합한 경우에 그 결과발생의 원인된 행위가 판명되지 아니한 때에는 각 행위를 미수범으로 처벌한다. 21. 9급 검찰

(1) 의 의

동시범이란 2인 이상의 행위자(정범)가 의사의 연락(공동의 의사) 없이 동시 또는 이시(근접한 시간적 전후관계)에 동일한 객체에 대해 각자 범죄를 실행하여 구성요건적 결과를 실현한 경우를 말한다. 형법 제19조에서 말하는 독립행위의 경합이 바로 동시범이다. 즉, 동시범은 단독범이 병존·경합한 경우이다(독립행위의 경합). **예** 甲과 乙은 각자 별개의 살인의 의사로 동시에 丙에게 발포하였는데 丙이 탄환 일방에 명중되어 사망한 경우

(2) 성립요건

① 2인 이상의 실행행위가 있어야 한다. 따라서 예비행위는 제19조의 적용대상이 아니다.

② 행위자 사이에 의사의 연락이 없어야 한다(공범관계에 있어 공동가공의 의사 ○ ⇨ 동시범 ×, 공동정범 ○ ; 대판 1985.12.10, 85도1892). 이 점에서 공동정범이나 합동범과 구별된다. 따라서 1인의 행위가 종료되기 이전(실행 도중)에 의사연락이 되어 공동실행하는 경우는 승계적 공동정범이지 동시범이 아니다. 19. 9급 검찰·마약수사·철도경찰, 20. 변호사시험, 21. 해경 1차·경력채용, 22. 순경 1차

③ 행위객체는 동일해야 한다. 즉, 2인 이상의 행위가 동일 객체에 향한 것이어야 한다.

④ 2인 이상의 행위가 시간적(제19조 '동시 또는 이시')·장소적으로 반드시 동일할 필요는 없다.

⑤ 결과발생의 원인된 행위가 판명되지 않아야 한다.

(3) 효 과

① **원인된 행위가 판명된 경우** : 각 행위자는 독립하여 자기책임의 한도 내에서 그 원인행위에 따라 처벌된다. **예** 의사의 연락 없이 甲과 乙은 살해의 고의로 丙을 향해 총탄을 발사한 결과 甲이 쏜 총탄은 스쳐 지나가고 乙이 쏜 총탄에 심장이 맞아 丙이 사망한 경우 ⇨ 甲은 살인미수범, 乙은 살인기수범

② **원인된 행위가 판명되지 않은 경우** : 각 행위자는 발생된 결과에 대해서 미수범으로 처벌된다(제19조). **예** 甲과 乙이 각자 별개의 살인의사로 이시에 丙에게 발포하였는데 丙은 탄환 일방에 명중되어 사망하였으나 누가 쏜 탄환에 맞은 것인지 불분명한 경우 ⇨ 甲·乙 모두 살인미수죄

(4) 동시범의 특례(상해죄의 동시범)

> **제263조【동시범】** 독립행위가 경합하여 상해의 결과를 발생하게 한 경우에 있어서 원인된 행위가 판명되지 아니한 때에는 공동정범의 예에 의한다. 21. 해경승진

① **의의** : 형법 제19조에서 동시범은 "각 행위의 미수범으로 처벌한다."고 규정하고 있으나 상해의 동시범은 제263조에서 "공동정범의 예에 의한다."고 규정하여 예외를 인정하고 있다.

② **법적 성질**(거증책임전환설 ; 다수설) : 제263조는 검사의 거증책임 부담원칙의 예외로서 피고인에게 자기의 행위로 인하여 상해의 결과가 발생하지 않았음을 증명할 거증책임을 지우는 것이라는 견해이다. 19. 9급 검찰·마약수사·철도경찰

③ **효과**

　㉠ **원인된 행위가 판명된 경우** : 각 행위자는 독립하여 그 원인행위에 따라 처벌된다.

　　예 甲과 乙이 의사의 연락 없이 상해의 고의로 동시에 丙에게 돌을 던졌으나 甲의 돌에 맞아 丙은 상해를 입었으나 乙의 돌은 빗나간 경우 ⇨ 甲은 상해기수, 乙은 상해미수 20. 변호사시험, 21. 해경 1차·순경 2차, 22. 경찰승진

　㉡ **원인된 행위가 판명되지 아니한 경우** : 공동정범의 예에 의한다(제263조). 이는 공동정범으로 처벌된다는 것이 아니고, 각자를 제19조에 의해 미수범으로 처벌하는 것이 아니라 제30조에 의해 정범(기수범)으로 처벌한다는 의미이다. 22. 순경 1차

　　예 위의 예에서 丙이 상해를 입었으나 누구의 돌에 맞았는지 판명되지 아니한 경우 ⇨ 甲·乙은 각자 상해죄로 처벌됨.

④ **적용범위** : 형법 제263조의 동시범은 상해죄와 폭행죄에 관한 특별규정이므로 상해죄와 폭행치상죄에 당연히 적용되며, 상해치사죄와 폭행치사죄에도 적용되나, 보호법익을 달리하는 강간치상죄나 강도치상죄에는 적용되지 않는다(판례).

◆ 관련판례

1. 시간적 차이가 있는 독립된 상해행위나 폭행행위가 경합하여 사망의 결과가 일어나고 그 사망의 원인된 행위가 판명되지 않은 경우에는 공동정범의 예에 의하여 처벌할 것이다(대판 2000.7.28, 2000도2466). 17. 법원직, 18·20. 변호사시험·9급 검찰·마약수사·철도경찰, 21. 해경 1차·7급 검찰·순경 2차

2. 강간치상죄에 대하여는 상해죄의 동시범 처벌에 관한 특례를 인정한 형법 제263조가 적용되지 아니한다(대판 1984.4.24, 84도372). 19. 9급 검찰·마약수사·철도경찰, 21. 법원행시, 22. 순경 1차

3. 상해죄에 있어서의 동시범은 두 사람 이상이 가해행위를 하여 상해의 결과를 가져올 경우에 그 상해가 어느 사람의 가해행위로 인한 것인지가 분명치 않다면 가해자 모두를 공동정범으로 본다는 것이므로 가해행위를 한 것 자체가 분명치 않은 사람에 대하여는 동시범으로 다스릴 수 없다(대판 1984.5.15, 84도488). 14. 경찰간부, 19·21. 순경 2차, 21. 법원행시·순경 1차

4. 고의행위이든 과실행위이든 행위를 공동으로 할 의사가 있어 공동정범이 성립한다면, 독립행위의 경합문제는 제기될 여지가 없다(대판 1997.11.28, 97도1740). 12. 사시

1 공동정범의 주관적 요건에 해당되는 공동가공의 의사는 타인의 범행을 인식하면서도 그것을 제지하지 않고 용인하는 것만으로는 부족하고 공동의 의사로 특정한 범죄행위를 하기 위해 일체가 되어 서로 다른 사람의 행위를 이용해서 자기의 의사를 실행에 옮기는 것이어야 한다.
( )　　　17. 법원행시 · 순경 1차, 21. 경찰승진, 22. 9급 검찰 · 마약수사 · 철도경찰, 23. 해경승진 · 순경 2차 · 해경 3차

2 피해자 일행을 한 사람씩 나누어 강간하자는 피고인 일행의 제의에 아무런 대답도 하지 않고 따라 다니다가 자신의 강간 상대방으로 남겨진 甲에게 일체의 신체적 접촉도 시도하지 않은 채 다른 일행이 인근 숲 속에서 강간을 마칠 때까지 甲과 함께 이야기만 나누었더라도, 다른 일행이 甲 외 피해자들을 강간하려는 것을 보고도 이를 제지하지 아니하고 용인하였다면, 공모공동정범으로서의 죄책을 면할 수 없다. ( )　　　14. 법원행시, 16. 순경 2차, 18 · 23. 경찰승진, 24. 해경승진

3 공동정범은 행위자 상호간에 범죄행위를 공동으로 한다는 공동가공의 의사를 가지고 범죄를 공동실행하는 경우에 성립하는데, 그 공동가공의 의사는 행위자 일방의 가공의사만으로도 인정될 수 있다. ( )　　　15. 순경 3차, 16. 7급 검찰, 21. 순경 2차, 23. 경찰승진 · 법원행시 · 해경 3차

4 사기의 공모공동정범은 순차적 암묵적으로 상통하여 그 의사의 결합이 이루어지면 공모관계가 성립하지만, 이러한 공모가 이루어졌다 하더라도 실행행위에 직접 관여하지 아니하여 기망방법을 구체적으로 몰랐다면 공모관계는 부정된다. ( )
16. 사시, 19. 순경 2차, 21. 경찰간부 · 순경 1차, 22. 9급 검찰 · 마약수사 · 철도경찰, 24. 경찰승진

5 딱지어음을 발행하였으나 딱지어음의 전전유통경로, 중간소지인들, 기망방법을 구체적으로 몰랐던 경우에는 사기죄의 공모관계를 인정할 수 없다. ( )
15. 순경 2차 · 9급 검찰 · 마약수사 · 철도경찰, 17. 순경 1차, 22. 해경간부

6 공동정범이 성립하기 위하여 반드시 공범자 간 사전모의가 있어야 하는 것은 아니며, 우연히 만난 자리에서 서로 협력하여 공동의 범의를 실현하려는 의사가 암묵적으로 상통하여 범행에 공동가공하더라도 공동정범은 성립된다. ( )
18. 순경 3차, 20. 경찰승진, 21. 변호사시험 · 경찰간부, 22. 9급 검찰 · 철도경찰, 23. 7급 검찰 · 순경 2차

7 포괄일죄의 범행 도중에 공동정범으로 범행에 가담한 자는 그가 그 범행에 가담할 때에 이미 이루어진 종전의 범행을 알았다면 그 가담 이후는 물론 가담 이전의 범행에 대하여도 공동정범으로서 책임을 진다. ( )　　　17. 9급 검찰, 18. 7급 검찰, 21. 경찰간부 · 순경 2차, 22 · 23. 경찰승진, 24. 해경승진

8 甲은 전자회사직원 乙이 영업비밀을 경쟁업체에 유출하기 위하여 무단 반출하였다는 사실을 알고 몇 개월 후 乙에게 접근하여 영업비밀을 취득하려고 하였다면 업무상 배임죄의 공동정범이 된다. ( )　　　15. 9급 검찰 · 철도경찰, 18. 경찰간부, 22. 해경간부, 23. 경찰승진, 24. 해경승진

Answer ← 1. ○　2. ×　3. ×　4. ×　5. ×　6. ○　7. ×　8. ×

9 공범자의 범인도피행위 도중에 그 범행을 인식하면서 그와 공동의 범의를 가지고 기왕의 범인 도피상태를 이용하여 스스로 범인도피행위를 계속한 자는 범인도피죄의 공동정범이 성립한다. ( )
14. 법원행시 · 경찰승진, 21. 경찰간부, 23. 순경 2차

10 형법 제30조에 '공동하여 죄를 범한 때'의 '죄'라 함은 고의범, 과실범을 불문하므로 두 사람 이상 이 어떠한 과실행위를 서로의 의사연락하에 이룩하여 범죄가 되는 결과를 발생케 한 것이라면 과실범의 공동정범이 성립된다. ( )
20. 7급 검찰, 22. 경찰승진, 23. 법원행시 · 법원직 · 해경 3차

11 자기 자신을 무고하기로 제3자와 공모하고 이에 따라 무고행위에 가담하였더라도 무고죄의 공 동정범으로 처벌할 수 없다. ( )
17. 법원행시, 18. 순경 3차, 19. 7급 검찰, 18 · 20. 경찰간부

12 공모에 의한 범죄의 공동실행은 모든 공범자가 스스로 범죄의 구성요건을 실현하는 것을 전제로 하지 아니하고, 그 실현행위를 하는 공범자에게 그 행위결정을 강화하도록 협력하는 것으로도 가능하다. ( )
16. 순경 2차, 20. 해경승진, 21. 경찰승진

13 업무상 배임죄로 이익을 얻는 수익자 또는 그와 밀접한 관련이 있는 제3자를 배임의 실행행위자와 공동정범으로 인정하기 위해서는 실행행위자의 행위가 피해자 본인에 대한 배임행위에 해당한다 는 것을 알면서도 소극적으로 배임행위에 편승하여 이익을 취득한 것만으로는 부족하고, 실행행 위자의 배임행위를 교사하거나 또는 배임행위의 전 과정에 관여하는 등으로 배임행위에 적극 가담할 것이 필요하다. ( )
17. 법원행시 · 순경 1차, 19. 경찰간부 · 경찰승진, 23. 해경승진

14 공모자가 공모공동정범으로 인정되기 위해서는 그가 단순히 공모자에 그치는 것이 아니라 범죄에 대한 본질적 기여를 통한 기능적 행위지배가 존재하여야 한다. ( )
17 · 18. 9급 검찰 · 마약수사 · 철도경찰, 21 · 22. 변호사시험, 23. 해경승진

15 건설 관련 회사의 유일한 지배자가 회사 대표의 지위에서 장기간에 걸쳐 건설공사 현장소장들의 뇌물공여행위를 보고받고 이를 확인 · 결재하는 등의 방법으로 위 뇌물공여행위에 관여한 경우, 비록 사전에 구체적인 대상 및 액수를 정하여 뇌물공여를 지시하지 아니하였더라도 뇌물죄의 공동정범의 죄책을 진다. ( )
16. 사시, 18. 경찰간부 · 경찰승진, 19. 7급 검찰

16 공모자들이 그 공모한 범행을 수행하는 도중에 파생적인 범행 하나하나에 대해 개별적인 의사연락 이 없었다 하더라도 부수적인 다른 범죄가 파생되리라고 충분히 예상되었다면 그 범행 전부에 대해 공모와 기능적 행위지배가 있다고 보아야 한다. ( ) 20. 법원행시, 21. 변호사시험, 23. 해경승진

17 공모자 중의 어떤 사람이 다른 공모자가 실행행위에 이르기 전에 그 공모관계에서 이탈한 때에 는 그 이후의 다른 공모자의 행위에 관하여 공동정범으로서의 책임은 지지 않는다고 할 것이나, 그 이탈의 표시는 명시적이어야 한다. ( )
15. 경찰간부 · 9급 검찰 · 마약수사, 18. 순경 2차, 20. 경찰승진 · 7급 검찰, 23. 해경 3차

Answer 9. ○ 10. ○ 11. ○ 12. ○ 13. ○ 14. ○ 15. ○ 16. ○ 17. ×

18 공모공동정범에 있어서 공모자 중의 1인이 다른 공모자가 실행행위에 이르기 전에 공모자가 공모에 주도적으로 참여하여 다른 공모자의 실행에 영향을 미친 때에는 범행을 저지하기 위하여 적극적으로 노력하는 등 실행에 미친 영향력을 제거하지 아니하는 한 공모관계에서 이탈하였다고 할 수 없다. (　　) 　18. 순경 3차, 20. 경찰승진 · 9급 · 7급 검찰, 21. 해경간부, 22. 순경 1차, 23. 경력채용 · 순경 2차

19 피고인이 포괄일죄의 관계에 있는 범행의 일부를 실행한 후 공범관계에서 이탈하였으나 다른 공범자에 의하여 나머지 범행이 이루어진 경우, 피고인이 관여하지 않은 부분에 대하여도 공동정범으로서의 죄책을 부담한다. (　　)

　18. 순경 3차, 21. 9급 검찰 · 마약수사, 22. 경찰승진, 23. 법원직 · 7급 검찰 · 해경 3차, 24. 해경승진

20 결과적 가중범의 공동정범이 인정되기 위해서는 행위를 공동으로 할 의사 외에 결과를 공동으로 할 의사도 필요하다. (　　) 　15. 경찰간부, 16. 사시 · 순경 1차, 19 · 20. 9급 검찰 · 철도경찰

21 비신분자가 신분관계로 인하여 성립될 범죄에 가공한 경우, 비신분자에게 공동가공의 의사와 이에 기초한 기능적 행위지배를 통해 범죄의 실행이라는 주관적 · 객관적 요건이 충족되면 신분자와 공동정범이 성립한다. (　　) 　20. 해경승진, 21. 경력채용, 23. 변호사시험 · 순경 2차

22 합동강도의 공범자 중 1인이 강도의 기회에 피해자를 살해한 경우, 다른 공모자가 살인의 공모를 하지 아니하였다고 하여도 그 살인행위나 치사의 결과를 예견할 수 없었던 경우가 아니면 강도치사죄의 죄책을 면할 수 없다. (　　) 　16. 변호사시험 · 경찰간부, 23. 9급 검찰 · 마약수사 · 철도경찰

23 3인이 합동절도의 범행을 공모한 후 그 가운데 2인이 범행현장에서 시간적 · 장소적으로 협동관계를 이루어 절도의 실행행위를 분담해서 절도범행을 한 경우에, 절도의 실행행위를 직접 분담하지 않은 1인은 단순절도의 공동정범이 될 수 있을 뿐이고 합동절도의 공동정범이 될 수는 없다. (　　) 　16. 사시 · 순경 1차, 22. 해경간부 · 경찰승진, 23. 9급 검찰 · 철도경찰 · 경력채용

24 판례에 의하면 시간적 차이가 있는 독립된 상해행위나 폭행행위가 경합하여 사망의 결과가 일어나고 그 사망의 원인된 행위가 판명되지 않은 경우에는 동시범으로 처벌할 수 없다. (　　) 　17. 법원직, 18. 변호사시험 · 9급 검찰 · 마약수사 · 철도경찰, 21. 해경 1차 · 7급 검찰 · 순경 2차

25 상해죄의 동시범 특례(형법 제263조)는 상해의 결과가 발생하였으나 그 상해가 어느 사람의 가해행위로 인한 것인지가 분명치 않은 경우뿐만 아니라 가해행위를 한 것 자체가 분명치 않은 경우에도 적용된다. (　　) 　14. 경찰간부, 19 · 21. 순경 2차, 21. 법원행시 · 순경 1차

Answer ← 　18. ○　19. ○　20. ×　21. ○　22. ○　23. ×　24. ×　25. ×

01 공동정범에 관한 다음 설명 중 가장 옳은 것은?(다툼이 있는 경우 판례에 의함) 18. 경찰간부

① 甲은 乙로부터 캠코더 등을 밀수입해 오면 팔아주겠느냐는 제의를 받고 팔아주겠다고 승낙한 다음 乙이 물품을 밀수입해 오자 대금을 지불하고 이를 인도받아 타에 처분하였다면 밀수입 범행의 공동정범이 된다.

② 甲은 A회사의 영업비밀을 다른 벤처기업에 유출하거나 스스로의 이익을 위하여 이용할 목적으로 CD에 저장한 다음 반출하여 집으로 가져와 보관한 후에, 乙에게 그 사실을 말하여 乙이 甲과 접촉해 A회사의 영업비밀을 취득하려 하였다면 乙은 업무상 배임죄의 공동정범이 될 수 있다.

③ 甲은 乙과 공모하여 가출 청소년 丙(여, 16세)에게 낙태수술비를 벌도록 해 주겠다고 유인하였고, 乙로 하여금 丙의 성매매 홍보용 나체사진을 찍도록 하였으며, 丙이 중도에 약속을 어길 경우 민형사상 책임을 진다는 각서를 작성하도록 한 후, 甲이 별건으로 체포되어 구치소에 수감 중인 동안 丙이 乙의 관리 아래 성매매를 계속한 경우, 丙의 성매매 기간 동안 甲은 수감되어 있었으므로 甲은 공모관계에서 이탈하였다고 할 수 있다.

④ 건설회사의 유일한 지배자인 대표 甲이 장기간에 걸쳐 건설공사 현장소장 乙의 뇌물공여 행위를 보고 받고 이를 확인 · 결재하는 등의 방법으로 관여한 경우, 비록 사전에 구체적인 대상 및 액수를 정하여 뇌물공여를 지시하지 아니하였다고 하더라도 그 핵심적 경과를 계획적으로 조종하거나 촉진하는 등으로 기능적 행위지배를 하였다고 보아 공모공동정범이 성립한다.

해설 ① × : 공동정범 ×(대판 2000.4.7, 2000도576 ∵ 공동가공의사 ×)
② × : 회사직원이 영업비밀을 경쟁업체에 유출하거나 스스로의 이익을 위하여 이용할 목적으로 무단으로 반출한 때 업무상 배임죄의 기수에 이르렀다고 할 것이고, 그 이후에 위 직원과 접촉하여 영업비밀을 취득하려고 한 자는 업무상 배임죄의 공동정범이 될 수 없다(대판 2003.10.30, 2003도4382).
③ × : 공모관계 이탈 ×(대판 2010.9.9, 2010도6924)
④ ○ : 대판 2010.7.15, 2010도3544

02 공동정범에 대한 설명으로 가장 적절하지 않은 것은?(다툼이 있는 경우 판례에 의함) 21. 순경 2차

① 甲이 A를 살해하고자 A의 음료수 잔에 치사량의 독약을 넣고 사라진 후 그 사실을 알고 있는 乙이 독자적으로 A를 확실히 살해하고자 한번 더 치사량의 독약을 넣어 A가 이를 마시고 사망한 경우, 甲과 乙은 상호간에 의사의 연락이 없어 공동정범이 성립되지 아니한다.

② 甲이 강도살인의 의사로 먼저 A를 살해한 직후 마침 그곳을 지나가던 乙이 이를 보고 甲의 양해 하에 절취의 의사로 참가하여 甲은 A의 지갑과 현금을, 乙은 A의 시계와 금반지를 가져간 경우, 승계적 공동정범을 인정하더라도 乙은 살인에 대한 책임은 지지 아니한다.

Answer 01. ④ 02. ③

③ 행동대원 甲, 乙, 丙은 조직의 두목으로부터 지시를 받고 상대조직 행동대장 A를 살해하기로 공모하였으나, 甲은 쇠파이프 등을 들고 차량에 탑승하던 중 사태의 심각성을 실감하고 범행에 휘말리기 싫어서 조용히 혼자 빠져나와 택시를 타고 집으로 갔다. 이후 乙과 丙이 공모한 대로 A의 사무실로 가서 A를 살해한 경우, 甲에게는 살인죄의 공동정범이 성립한다.

④ 조직의 보스 甲은 부하인 乙과 반대조직의 보스 A를 살해하기로 공모하고, 甲은 자신의 사무실에서 진행 상황을 실시간으로 보고 받고 乙이 A의 사무실로 가서 A를 살해한 경우, 공모공동정범을 인정하는 견해에 따르면 甲에게는 살인죄의 공동정범이 성립한다.

> **해설** ① ○ : 공동가공의사는 행위자 상호간에 있어야 하며, 일방의 가공의사만으로는 공동정범이 성립하지 않는다(대판 1985.5.14, 84도2118 ∴ 편면적 공동정범 부정). 따라서 상호간에 의사의 연락이 없어 공동정범이 성립되지 않고 동시범 또는 종범(∵ 편면적 종범은 인정됨)의 성립이 문제될 뿐이다.
> ② ○ : 이른바 '승계적 공동정범'의 경우 비록 그 범행에 가담할 때에 이미 종전의 범행(살인)을 알았다 하더라도 자신(乙)이 가담하기 이전에 타인(甲)이 행한 부분(살인)에는 죄책을 지지 않는다(대판 2007.11.15, 2007도6336).
> ③ × : 살인죄의 공동정범 ×(대판 1996.1.26, 94도2654 ∵ 다른 조직원들이 범행에 이르기 전에 그 공모관계에서 이탈한 것임)
> ④ ○ : 공모가 이루어진 이상 실행행위에 직접 관여하지 아니한 자에게도 다른 공모자의 행위에 대하여 공동정범으로서 형사책임을 진다(대판 1991.10.11, 91도1755).

03 공동정범에 대한 설명 중 가장 적절한 것은?(다툼이 있는 경우 판례에 의함)   23. 경찰승진

① 공동가공의 의사는 공동행위자 상호간에 있어야 하며 행위자 일방의 가공의사만으로는 공동정범 관계가 성립할 수 없다.

② 甲이 피해자 일행을 한 사람씩 나누어 강간하자는 일행들의 제의에 아무런 대답도 하지 않고 따라 다니다가 자신의 강간 상대방으로 남겨진 A에게 일체의 신체적 접촉도 시도하지 않은 채 다른 일행이 인근 숲 속에서 강간을 마칠 때까지 A와 함께 이야기만 나눈 경우 강간죄의 공동정범이 성립한다.

③ 회사직원이 영업비밀을 경쟁업체에 유출하거나 스스로의 이익을 위하여 이용할 목적으로 무단으로 반출한 때 업무상 배임죄의 기수에 이르렀으며, 그 이후에 위 직원과 접촉하여 영업비밀을 취득하려고 한 자는 업무상 배임죄의 공동정범이 된다.

④ 포괄일죄의 범행 도중에 공동정범으로 범행에 가담한 자가 그 범행에 가담할 때에 이미 이루어진 종전의 범행을 알았다면 가담 이후의 범행뿐만 아니라 가담 이전의 범행에 대하여도 공동정범으로 책임을 진다.

> **해설** ① ○ : 대판 1985.5.14, 84도2118
> ② × : 강간죄의 공동정범 ×(대판 2003.3.28, 2002도7477 ∵ 공동가공의 의사 ×)
> ③ × : ~ 공동정범이 될 수 없다(대판 2003.10.30, 2003도4382).
> ④ × : 포괄일죄의 범행 도중에 공동정범으로 범행에 가담한 자는 비록 그가 그 범행에 가담할 때에 이미 이루어진 종전의 범행을 알았다 하더라도 그 가담 이후(이전 ×)의 범행에 대하여만 공동정범으로 책임을 진다(대판 2007.11.15, 2007도6336).

Answer 03. ①

04 수인이 범행에 가담한 형태에 대한 설명으로 옳은 것은?(다툼이 있는 경우 판례에 의함) 18. 7급 검찰

① 甲이 乙과 공동으로 A의 권리행사를 방해한 혐의로 기소되었으나 물건의 소유자인 乙에게 고의가 없는 등으로 범죄가 성립하지 않는 경우라도, 甲에게는 권리행사방해죄의 공동정범이 성립될 수 있다.

② 乙이 위조된 부동산임대차계약서를 담보로 제공하고 A로부터 돈을 빌려 편취할 것을 계획하면서 甲에게 미리 전화를 하여 임대인 행세를 하여달라고 부탁하였고, 甲은 그 사정을 잘 알면서도 임대인인 것처럼 행세하여 전세금액 등을 확인한 경우 甲에게 위조사문서행사죄의 방조범이 성립한다.

③ 乙의 포괄일죄의 범행 도중에 공동정범으로 범행에 가담한 甲이 그 범행에 가담할 때에 이미 이루어진 종전의 범행을 알았던 경우 甲은 가담 이전의 범행에 대하여도 공동정범으로 책임을 진다.

④ 피해자 A가 승용차를 구입하고, 다만 장애인에 대한 면세 혜택 등의 적용을 받기 위해 甲의 어머니인 乙의 명의를 빌려 등록하였는데, 甲이 乙로부터 승용차를 가져가 매도할 것을 허락받고 乙의 인감증명 등을 교부받은 뒤 甲이 승용차를 피해자 A 몰래 가져간 경우 甲과 乙에게는 절도죄의 공모공동정범이 성립한다.

해설 ① ×: 물건의 소유자가 아닌 사람은 형법 제33조 본문에 따라 소유자의 권리행사방해 범행에 가담한 경우에 한하여 그의 공범이 될 수 있을 뿐이다. 그러나 권리행사방해죄의 공범으로 기소된 물건의 소유자에게 고의가 없는 등으로 범죄가 성립하지 않는다면 공동정범이 성립할 여지가 없다(대판 2017.5.30, 2017도4578).
② ×: 위조사문서행사죄의 공동정범 ○(방조범 ×)(대판 2010.1.28, 2009도10139 ∵ 기능적 행위지배의 공동정범 요건을 갖추었음)
③ ×: 가담 이후(가담 이전 ×)의 범행에 대하여만 ~ 진다(대판 2007.11.15, 2007도6336).
④ ○: 대판 2007.1.11, 2006도4498

05 공모관계 이탈 및 공범관계 이탈에 대한 설명으로 옳지 않은 것은?(다툼이 있는 경우 판례에 의함)
20. 7급 검찰

① 공모자가 공모에 주도적으로 참여하여 다른 공모자의 실행에 영향을 미친 때에는 범행을 저지하기 위하여 적극적으로 노력하는 등 실행에 미친 영향력을 제거하지 아니하는 한 공모관계에서 이탈하였다고 할 수 없다.

② 단순공모자 중의 어떤 사람이 다른 공모자가 실행행위에 이르기 전에 그 공모관계에서 이탈한 때에는 그 이후의 다른 공모자의 행위에 관하여 공동정범으로서의 책임은 지지 않는다고 할 것이고, 그 이탈의 표시는 반드시 명시적임을 요하지 않는다.

③ 피고인이 공범과 함께 가출청소년에게 성매매를 하도록 한 후 피고인이 별건으로 구속된 상태에서 공범들이 그 청소년에게 계속 성매매를 하게 한 경우, 구속 이후 범행에 대하여는 피고인의 실질적인 행위지배가 인정되지 않으므로 피고인에게는 공동정범의 죄책이 인정되지 않는다.

Answer 04. ④ 05. ③

④ 피고인이 공범들과 주식시세조종의 목적으로 허위매수주문, 통정매매행위 등을 반복적으로 행하다가 회사를 퇴사하는 등의 사정으로 공범관계에서 이탈하였으나 다른 공범에 의하여 포괄일죄 관계에 있는 나머지 범행이 이루어진 경우, 피고인은 자신이 관여하지 않은 부분에 대하여도 죄책을 부담한다.

> 해설 ① 대판 2008.4.10, 2008도1274 ② 대판 1986.1.21, 85도2371
> ③ × : 공동정범 ○(대판 2010.9.9, 2010도6924 ∵ 공모관계 이탈 × ⇨ 실질적인 행위지배가 인정됨)
> ④ 대판 2011.1.13, 2010도9927

06 공동정범에 관한 설명 중 가장 적절하지 않은 것은?(다툼이 있는 경우 판례에 의함)   22. 순경 2차

① 甲이 A투자금융회사에 입사하여 다른 공범들과 특정 회사 주식을 허위매수 주문 등의 방법으로 시세조종 주문을 내기로 공모하고 시세조종 행위의 일부를 실행한 후 A회사로부터 해고를 당하여 공범관계에서 이탈한 경우, 甲이 다른 공범들의 범죄실행을 저지하지 않은 이상 그 이후 공범들이 행한 나머지 시세조종행위에 대해서도 공동정범이 성립한다.

② 예인선 정기용선자의 현장소장 甲은 사고의 위험성이 높은 시점에 출항을 강행할 것을 지시하였고, 예인선 선장 乙은 甲의 지시에 따라 사고의 위험성이 높은 시점에 출항하는 등 무리하게 예인선을 운항한 결과 예인되던 선박에 적재된 물건이 해상에 추락하여 선박교통을 방해한 경우, 甲과 乙은 업무상 과실일반교통방해죄의 공동정범이 성립한다.

③ 甲, 乙, 丙주식회사가 A주식회사의 주식 총수의 5/100 이상을 보유하여 자본시장과 금융투자업에 관한 법률상 주식 등 변경 보고의무를 공동으로 부담하게 되었고, 동법은 이러한 보고의무를 이행하지 않는 자를 처벌하는 진정부작위범인 주식 등 변경 보고의무 위반죄를 규정하고 있음에도 불구하고 甲과 乙주식회사만이 공모하여 보고의무를 이행하지 않은 경우, 보고의무가 있는 甲주식회사, 乙주식회사, 丙주식회사에게 주식 등 변경 보고의무 위반죄의 공동정범이 성립한다.

④ 강도를 모의한 甲, 乙, 丙이 A에게 칼을 들이댄 후 전화선으로 A의 손발을 묶고 폭행하여 반항을 억압한 후 甲이 다른 방에서 물건을 찾는 사이 乙과 丙이 공동으로 A를 강간하고 다 같이 도주한 경우, 甲에게는 강도강간죄의 공동정범이 성립하지 않는다.

> 해설 ① 대판 2011.1.13, 2010도9927(∵ 실행의 착수 후 공모관계이탈 ⇨ 공동정범 ○)
> ② 대판 2009.6.11, 2008도11784
> ③ × : 주권상장법인의 주식 등 대량보유·변동·변경 보고의무 위반으로 인한 자본시장법 위반죄는 구성요건이 부작위에 의해서만 실현될 수 있는 진정부작위범에 해당한다. 진정부작위범인 주식 등 대량보유·변동·변경 보고의무 위반으로 인한 자본시장법 위반죄의 공동정범은 그 의무가 수인에게 공통으로 부여되어 있는데도 수인이 공모하여 전원이 그 의무를 이행하지 않았을 때 성립할 수 있다(대판 2022.1.13, 2021도11110 ∴ 甲과 乙주식회사만이 공모하여 보고의무를 이행하지 않았으므로, 甲과 乙주식회사 ⇨ 공동정범 ○, 丙주식회사 ⇨ 공동정범 ×).
> ④ 대판 1988.9.13, 88도1114(∵ 공모사실(강도)과 발생사실(강간)이 전혀 별개의 구성요건에 속하는 질적 초과의 경우 ⇨ 초과부분 : 공동정범 × ∴ 甲 : 강도강간죄의 공동정범 ×, 특수강도죄 ○)

Answer   06. ③

07 공동정범에 대한 설명으로 옳은 것은?(다툼이 있는 경우 판례에 의함) 21. 9급 철도경찰

① 다른 공모자가 실행에 착수한 이후에 그 공범관계에서 이탈한 공모자는 자신이 관여하지 않은 부분에 대하여 공동정범으로서 죄책을 부담하지 않는다.

② 공동정범은 범행에서의 역할이나 개별적 양형참작사유에도 불구하고 각자를 정범으로서 동일한 선고형으로 벌한다.

③ 공동실행의 의사는 범죄행위시에 존재하면 족하고 반드시 사전에 공모함을 요하지 아니한다.

④ 공동정범 가운데 1인이 공모한 내용과 질적으로 다른 내용의 결과발생을 야기한 경우 다른 공동정범은 그 범행에 대한 과실범의 책임을 진다.

해설 ① × : ~ 죄책을 부담한다(대판 2011.1.13, 2010도9927).
② × : 각자를 정범으로 처벌한다는 것은 법정형이 동일하다는 의미일 뿐 구체적인 처단형이나 선고형은 각자 다를 수 있다. 즉, 책임조각사유와 인적 처벌조각사유, 형의 가중·감경사유 등은 그 사유가 존재하는 자에게만 적용된다.
③ ○ : 대판 1984.12.26, 82도1373
④ × : ~ 야기한 경우(추상적 사실의 착오 중 질적 착오) 실행자는 그 범행의 단독정범이 되고 다른 공동정범은 그 범행에 대한 책임을 지지 않는다.

08 공동정범에 관한 설명 중 옳은 것을 모두 고른 것은?(다툼이 있는 경우 판례에 의함)
21. 변호사시험, 22. 해경간부, 23. 해경승진

> ㉠ 상명하복관계에 있는 자들이 범행에 공동가공한 경우, 특수교사·방조범(형법 제34조 제2항)이 성립할 수 있으나 공동정범은 인정될 수 없다.
> ㉡ 공모자에게 범죄에 대한 본질적 기여를 통한 기능적 행위지배가 인정된다면 공모공동정범으로서의 죄책을 물을 수 있다.
> ㉢ 공모자들이 그 공모한 범행을 수행하거나 목적 달성을 위해 나아가는 도중에 부수적인 다른 범죄가 파생되리라고 예상하거나 충분히 예상할 수 있는데도 그 가능성을 외면한 채 이를 방지하기에 족한 합리적 조치를 취하지 않고 공모한 범행에 나아갔다가 결국 그와 같이 예상된 범행들이 발생한 경우, 그 파생적인 범행 하나하나에 대하여 개별적 의사연락이 없었다면 그 범행 전부에 대한 기능적 행위지배가 존재한다고 볼 수 없다.
> ㉣ 공범관계에 있어서 공모는 법률상 어떤 정형을 요구하는 것이 아니므로, 이러한 공모관계를 인정하기 위하여 엄격한 증명이 요구되지는 않는다.
> ㉤ 공동정범이 성립하기 위하여 반드시 공범자 간 사전모의가 있어야 하는 것은 아니며, 우연히 만난 자리에서 서로 협력하여 공동의 범의를 실현하려는 의사가 암묵적으로 상통하여 범행에 공동가공하더라도 공동정범은 성립된다.

① ㉠, ㉡ ② ㉡, ㉣ ③ ㉡, ㉤
④ ㉢, ㉣, ㉤ ⑤ ㉠, ㉡, ㉢, ㉤

Answer 07. ③ 08. ③

해설 ㉠ × : 공모에 대하여는 직접증거가 없더라도 정황사실과 경험법칙에 의하여 이를 인정할 수 있고, 상명하복 관계에 있는 자들 사이에 있어서도 범행에 공동 가공한 이상 공동정범이 성립하는 데 아무런 지장이 없는 것이다(대판 2012.1.27, 2010도10739).
㉡ ○ : 대판 2009.2.12, 2008도6551
㉢ × : ~ (4줄) 의사연락이 없었다 하더라도 그 범행 전부에 대한 기능적 행위지배가 존재한다고 볼 수 있다(대판 2011.1.27, 2010도11030).
㉣ × : 대판 2018.4.19, 2017도14322 전원합의체(∵ 2인 이상이 범죄에 공동 가공하는 공범관계에서 공모는 법률상 어떤 정형을 요구하는 것이 아니고 2인 이상이 공모하여 범죄에 공동 가공하여 범죄를 실현하려는 의사의 결합만 있으면 충분하다. 비록 전체의 모의과정이 없더라도 여러 사람 사이에 순차적으로 또는 암묵적으로 의사의 결합이 이루어지면 공모관계가 성립한다. 이러한 공모관계를 인정하기 위해서는 엄격한 증명이 요구되지만, 피고인이 범죄의 주관적 요소인 공모관계를 부인하는 경우에는 사물의 성질상 이와 상당한 관련성이 있는 간접사실 또는 정황사실을 증명하는 방법으로 이를 증명할 수밖에 없다.)
㉤ ○ : 대판 1984.12.26, 82도1373

09 공동정범에 대한 설명으로 옳지 않은 것은?(다툼이 있는 경우 판례에 의함)   23. 7급 검찰

① 강도를 모의한 공동정범 중 1인이 강도범행의 실행행위 중 강간을 한 경우, 이를 예견할 수 없었던 다른 공모자는 강도의 공동정범만 인정될 뿐 강도강간의 공동정범이 인정될 수는 없다.
② 포괄일죄의 일부에 공동정범으로 가담한 피고인이 그때에 이미 이루어진 종전의 범행을 알았다면 그러한 사정만으로도 그 가담 이전의 범행에 대해서도 공동정범으로서의 책임을 진다.
③ 공동정범이 성립하기 위하여는 반드시 공범자 간에 사전에 모의가 있어야 하는 것은 아니며, 우연히 만난 자리에서 서로 협력하여 공동의 범의를 실현하려는 의사가 암묵적으로 상통하여 범행에 공동가공하더라도 공동정범은 성립된다.
④ 피고인이 포괄일죄의 관계에 있는 범행의 일부를 실행한 후 공범관계에서 이탈하였고 다른 공범자에 의하여 나머지 범행이 이루어진 경우에 그 피고인이 관여하지 않은 부분에 대하여도 죄책을 부담한다.

해설 ① 대판 1982.10.26, 82도1818
② × : 포괄일죄의 범행 도중에 공동정범으로 범행에 가담한 자는 비록 그가 그 범행에 가담할 때에 이미 이루어진 종전의 범행을 알았다 하더라도 그 가담 이후의 범행에 대하여만 공동정범으로 책임을 진다(대판 2007.11.15, 2007도6336).
③ 대판 1984.12.26, 82도1373
④ 대판 2011.1.13, 2010도9927

Answer 09. ②

10 공동정범에 관한 설명으로 가장 적절하지 않은 것은?(다툼이 있는 경우 판례에 의함)   23. 순경 2차

① 공동정범에서 주관적 요건인 공동가공의 의사는 타인의 범행을 인식하면서도 이를 제지하지 아니하고 용인하는 것만으로는 부족하고, 공동의 의사로 특정한 범죄행위를 하기 위하여 일체가 되어 서로 다른 사람의 행위를 이용하여 자기의 의사를 실행에 옮기는 것을 내용으로 하여야 한다.

② 공동정범이 성립하기 위하여는 반드시 공범자 간에 사전 모의가 있어야 하므로, 우연히 만난 자리에서 서로 협력하여 공동의 범의를 실현하려는 의사가 암묵적으로 상통하여 범행에 공동가공하더라도 공동정범은 성립되지 않는다.

③ 공모공동정범에 있어서 공모자가 공모에 주도적으로 참여하여 다른 공모자의 실행에 영향을 미친 때에는 범행을 저지하기 위하여 적극적으로 노력하는 등 실행에 미친 영향력을 제거하지 아니하는 한 공모관계에서 이탈하였다고 할 수 없다.

④ 비신분자가 신분관계로 인하여 성립될 범죄에 가공한 경우, 비신분자에게 공동가공의 의사와 이에 기초한 기능적 행위지배를 통해 범죄의 실행이라는 주관적·객관적 요건이 충족되면 신분자와 공동정범이 성립한다.

> **해설** ① 대판 2011.11.9, 2001도4792
> ② × : ~ (1줄) 사전 모의가 있어야 하는 것은 아니며, 우연히 만난 자리에서 서로 협력하여 공동의 범의를 실현하려는 의사가 암묵적으로 상통하여 범행에 공동가공하더라도 공동정범은 성립된다(대판 1984.12.26, 82도1373).
> ③ 대판 2008.4.10, 2008도1274 ④ 대판 2019.8.29, 2018도2738 전원합의체

11 합동범에 대한 설명으로 가장 적절한 것은?(다툼이 있는 경우 판례에 의함)   22. 경찰승진

① 甲이 乙과 공모한 대로 칼을 들고 강도를 하기 위하여 A의 집에 들어가 칼을 휘둘러 A에게 상해를 가한 이상 대문 밖에서 망을 본 乙이 구체적으로 상해를 가할 것까지 공모하지 않았다 하더라도 乙은 상해의 결과에 대하여도 공범으로서의 책임을 면할 수 없다.

② 甲이 乙 및 丙과 택시강도를 하기로 모의를 하였다면, 乙과 丙이 피해자에 대한 폭행에 착수하기 전에 겁을 먹고 미리 현장에서 도주해 버렸더라도 특수강도의 합동범이 성립한다.

③ 3인 이상의 범인이 절도의 범행을 공모한 후 적어도 2인 이상의 범인이 시간적·장소적으로 협동관계를 이루어 절도의 실행행위를 분담하여 절도범행을 한 경우, 현장에서 실행행위를 직접 분담하지 않은 가담자는 합동절도의 공동정범도 될 수 없다.

④ 甲은 乙, 丙과 실행행위의 분담을 공모하고, 乙과 丙의 절취행위 장소 부근에서 甲 자신이 운전하는 차량 내에 대기한 경우, 甲에게는 합동절도가 성립할 수 없다.

> **해설** ① ○ : 대판 1998.4.14, 98도356(∴ 강도상해죄의 공동정범 ○, 강도치상죄의 공동정범 ×)
> ② × : 특수강도의 합동범 ×(대판 1985.3.26, 84도2956)
> ③ × : ~ 될 수 있다(대판 1998.5.21, 98도321 전원합의체).
> ④ × : ~ 성립할 수 있다(대판 1988.9.13, 88도1197).

Answer   10. ②   11. ①

12 합동범에 대한 설명으로 옳지 않은 것은?(다툼이 있는 경우 판례에 의함)

23. 9급 검찰·마약수사·철도경찰

① 합동강도의 공범자 중 1인이 강도의 기회에 피해자를 살해한 경우, 다른 공모자가 살인의 공모를 하지 아니하였다고 하여도 그 살인행위나 치사의 결과를 예견할 수 없었던 경우가 아니면 강도치사죄의 죄책을 면할 수 없다.

② 피고인이 다른 피고인들과 택시강도를 하기로 모의한 일이 있다고 하여도 다른 피고인들이 피해자에 대한 폭행에 착수하기 전에 겁을 먹고 미리 현장에서 도주해 버린 것이라면, 피고인을 특수강도의 합동범으로 다스릴 수는 없다.

③ 합동절도에서도 공동정범과 교사범·종범의 구별기준은 일반원칙에 따라야 하고, 그 결과 범행현장에 존재하지 아니한 범인도 공동정범이 될 수 있으며, 상황에 따라서는 장소적으로 협동한 범인도 방조만 한 경우에는 종범으로 처벌될 수도 있다.

④ 합동범이 성립하기 위한 주관적 요건으로서 공모는 법률상 어떠한 정형을 요구하는 것이 아니어서 공범자 상호간에 직접 또는 간접으로 범죄의 공동가공의사가 암묵리에 서로 상통하면 되지만, 적어도 그 모의과정은 사전에 있어야 한다.

> **해설** ① 대판 1991.11.12, 91도2156
> ② 대판 1985.3.26, 84도2956
> ③ 대판 1998.5.21, 98도321 전원합의체
> ④ × : ~ (3줄) 상통하면 되고, 사전에 반드시 어떠한 모의과정이 있어야 하는 것도 아니어서 범의 내용에 대하여 포괄적 또는 개별적인 의사연락이나 인식이 있었다면 공모관계가 성립한다(대판 2012.6.28, 2012도2631).

13 형법 제263조 동시범의 특례에 대한 설명 중 적절한 것은 모두 몇 개인가?(다툼이 있는 경우 판례에 의함)

21. 경력채용

> ㉠ 甲은 A를 폭행하다가 힘에 부치자 평소 A에 대해 원한을 품고 있던 乙에게 연락하여 함께 폭행할 것을 제안하였다. 얼마 후 도착한 乙로부터 A는 다시 폭행을 당하고 사망하였으나 사망의 원인된 행위가 판명되지 않았다면, 형법 제263조가 적용되어 甲과 乙은 폭행치사죄의 공동정범의 예에 의하여 처벌된다.
>
> ㉡ 甲은 길 가던 A를 아무런 이유 없이 수 차례 폭행하고 그냥 가버렸다. 격분한 A는 분을 풀기 위해 지나가던 행인 乙에게 시비를 걸었으나 오히려 乙로부터 수 차례 폭행을 당하였다. A가 乙의 계속되는 폭행을 피하려고 도로를 무단횡단하다 지나가던 차량에 치어 사망하였다면, 형법 제263조가 적용되어 甲과 乙은 폭행치사죄의 공동정범의 예에 의하여 처벌된다.
>
> ㉢ 甲은 A에게 상해를 가한 후 그 자리를 떠났다. 얼마 후 A는 근처를 지나가던 행인 乙과 시비가 붙은 끝에 상해를 당한 후 사망하였으나 사망의 원인된 행위가 판명되지 않았다면, 형법 제263조가 적용되어 甲과 乙은 상해치사죄의 공동정범의 예에 의하여 처벌된다.

Answer 12. ④ 13. ②

② 甲은 A를 강간한 후 그 자리를 떠났다. 얼마 후 A는 근처를 지나가던 다른 행인 乙로부터 다시 강간을 당하였다. 다음 날 A는 강간을 당하는 과정에서 입은 상해로 병원에 입원하였으나 甲과 乙 누구의 행위에 의해 상해를 입었는지는 판명되지 않았다면, 형법 제263조가 적용되어 甲과 乙은 강간치상죄의 공동정범의 예에 의하여 처벌된다.

① 없 음   ② 1개   ③ 2개   ④ 3개

해설 ㉠ × : 공동가공의 의사가 있었으므로(∵ 연락하여 함께 폭행할 것을 제안) 승계적 공동정범의 문제이지 동시범의 문제는 제기될 여지가 없어(∵ 제263조 적용 ×) 사망의 원인된 행위가 판명되지 않았다 하더라도 폭행치사죄의 공동정범의 죄책을 진다.
㉡ × : 원인된 행위가 판명되었으므로(∵ 지나가던 차량에 치어 사망하였음) 제263조가 적용되지 않고 각자 원인대로 처벌된다(∵ 甲은 폭행죄, 乙은 폭행치사죄).
㉢ ○ : 대판 2000.7.28, 2000도2466
② × : 형법 제263조의 동시범은 강간치상죄에는 적용될 수 없다(대판 1984.4.24, 84도372).

14 **동시범에 관한 설명으로 옳은 것은 모두 몇 개인가?**(다툼이 있는 경우 판례에 의함)   22. 순경 1차

㉠ 시간적 차이가 있는 독립행위가 경합한 경우, 그 결과발생의 원인된 행위가 판명되지 아니한 때에 형법 제263조가 적용되는 경우를 제외하고는 형법 제19조가 적용된다.
㉡ 독립행위가 경합하여 상해의 결과를 발생하게 한 경우에 있어서 원인된 행위가 판명되지 아니한 때에는 각 행위자를 미수범으로 처벌한다.
㉢ 형법 제263조의 동시범은 강간치상죄에는 적용할 수 없다.
② A가 甲으로부터 폭행을 당하고 얼마 후 함께 A를 폭행하자는 甲의 연락을 받고 달려 온 乙로부터 다시 폭행을 당하고 사망하였으나 사망의 원인행위가 판명되지 않았다면, 형법 제263조가 적용되어 甲과 乙은 폭행치사죄의 공동정범의 예에 의하여 처벌된다.

① 1개   ② 2개   ③ 3개   ④ 4개

해설 ㉠ ○ : 옳다.
㉡ × : ~ 각 행위자를 공동정범(제30조)의 예에 따라 정범(기수범)으로 처벌한다(제263조).
㉢ ○ : 대판 1984.4.24, 84도372
② × : 공동가공의 의사가 있었으므로(∵ 연락하여 함께 폭행할 것을 제안) 승계적 공동정범의 문제이지 동시범의 문제는 제기될 여지가 없어(∵ 제263조 적용 ×) 사망의 원인된 행위가 판명되지 않았다 하더라도 폭행치사죄의 공동정범의 죄책을 진다.

Answer 14. ②

15 다음 설명 중 가장 옳지 않은 것은?(다툼이 있는 경우 판례에 의함) 20. 경찰간부

① 해적 甲, 乙이 두목의 사전지시에 따라 선원들을 윙브리지로 세워 해군의 위협사격을 받게 함으로써 '인간방패'로 사용한 경우, 甲이 사전모의는 하였지만 선원들을 윙브리지로 내몰았을 당시 총을 버리고 도망갔다면 공모관계에서 이탈한 것에 해당한다.

② 대향범은 대립적 범죄로서 2인 이상의 서로 대향된 행위의 존재를 필요로 하는 필요적 공범 관계에 있는 범죄로, 대향범 간에는 공범에 관한 형법 총칙 규정이 적용되지 않는다.

③ 시간적 차이가 있는 독립된 폭행행위가 경합하여 사망의 결과가 일어나고 그 사망의 원인된 행위가 판명되지 않은 경우 공동정범의 예에 의하여 처벌한다.

④ 자기 자신을 무고하기로 제3자와 공모하고 이에 따라 무고행위에 가담하였더라도 무고죄의 공동정범으로 처벌할 수 없다.

> **해설** ① × : ~ (3줄) 도망갔다고 하더라도 ~ 이탈한 것으로 볼 수 없다(대판 2011.12.22, 2011도12927).
> ② 내판 1985.3.12, 84도2747 ③ 대판 2000.7.28, 2000도2466
> ④ 대판 2017.4.26, 2013도12592

16 공동정범에 관한 설명으로 가장 적절한 것은?(다툼이 있는 경우 판례에 의함) 24. 경찰승진

① 상명하복 관계에 있는 자들이 범행에 공동 가공한 경우 특수교사 방조범(형법 제34조 제2항)이 성립할 수 있으나 공동정범은 인정될 수 없다.

② 사기죄의 실행행위에 직접 관여하지 아니한 사람도 공모관계가 인정되면 공모공동정범이 성립할 수 있지만, 공모자 중 사기의 기망방법을 구체적으로 몰랐던 자는 공모관계가 부정된다.

③ 처(妻) 乙이 구속된 남편 甲을 대행하여 甲의 지시를 받아 회사를 운영하면서 조세범 처벌법 상 조세포탈행위를 하다가 협의이혼한 후, 乙 혼자 회사를 경영하였더라도 이혼 전 甲의 영향력이 제거되지 않아 조세포탈행위가 계속되었다면, 甲은 협의이혼 후에도 여전히 乙의 조세범 처벌법 위반죄에 대하여 공동정범으로서 책임을 진다.

④ 甲은 乙, 丙과 함께 택시강도를 하기로 모의하였는데, 甲은 乙과 丙이 피해자 A에 대해 폭행에 착수하기도 전에 겁을 먹고 미리 현장에서 도주해 버렸고 그 후 乙과 丙은 폭행에 저항하는 A를 격분하여 살해하고 택시에 있던 현금 8만원을 강취하였다면, 甲은 특수강도의 합동범, 乙과 丙은 강도살인죄의 공동정범이 성립한다.

> **해설** ① × : 상명하복 관계에 있는 자들 사이에 있어서도 범행에 공동 가공한 이상 공동정범이 성립하는 데 아무런 지장이 없는 것이다(대판 2012.1.27, 2010도10739).
> ② × : 사기의 공모공동정범이 그 기망방법을 구체적으로 몰랐다고 하더라도 공모관계를 부정할 수 없다(대판 2013.8.23, 2013도5080).
> ③ ○ : 대판 2008.7.24, 2007도4310
> ④ × : 甲은 특수강도의 합동범 ×〔∵ 乙과 丙이 폭행에 착수하기 전에 겁을 먹고 미리 현장에서 도주 ⇨ 피고인들(乙과 丙)과의 사이에 강도의 실행행위를 분담한 협동관계 ×〕, 乙과 丙은 강도살인죄의 공동정범 ○ (대판 1985.3.26, 84도2956)

Answer 15. ① 16. ③

제3절 ▶ 간접정범

> **제34조 제1항 【간접정범】** 어느 행위로 인하여 처벌되지 아니하는 자 또는 과실범으로 처벌되는 자를 교사 또는 방조하여 범죄행위의 결과를 발생하게 한 자는 교사 또는 방조의 예에 의하여 처벌한다.

1 의 의

간접정범이란 직접정범에 대응하는 정범형태로서 타인을 (생명 있는) 도구로 이용하여 범죄를 실행하는 것을 말한다.

> **예** 정신병자(심신상실자 : 처벌되지 아니한 자)를 충동(사주)하여 방화하게 한다든가 의사가 그 사정을 모르는 간호사(과실범으로 처벌되는 자)에게 독약이 든 주사를 놓게 하여 환자를 살해한 경우

2 간접정범의 본질

간접정범은 타인을 이용한다는 점에서 교사범과 유사하고 행위지배를 한다는 점에서 직접정범과 유사하므로 정범과 공범의 한계에 위치한 경우로서 그 본질이 정범인가, 공범인가가 문제된다.

구분	학 설	내 용
정범설	확장적 정범개념이론	구성요건적 결과발생에 조건을 준 자는 모두 정범이므로 간접정범은 당연히 정범이며 간접정범의 개념을 특별히 인정할 필요가 없다는 견해이다. 08. 사시
	공범종속성설	이 설에 따르면 정범이 성립되어야 종속적으로 공범이 성립되는데, 간접정범에 있어서 피이용자는 직접정범의 물적 도구와 비슷하게 인적 도구에 지나지 않으므로 피이용자가 정범이 될 수는 없다. 따라서 간접정범은 공범이 될 수 없고 정범이라는 견해이다.
공범설	제한적 정범개념이론	구성요건적 행위를 직접 실행한 자만이 정범이므로 간접정범은 정범이 아니라 공범(교사범)이라는 견해이다.
	공범독립성설	자기의 범죄수행을 위해 타인의 행위를 이용하는 모든 경우를 공범으로 본다. 즉, 공범행위(교사·방조행위)가 있는 이상 공범은 성립하므로 간접정범에 있어서 이용자는 정범이 아니라 공범(교사범)이라는 설이다. 21. 해경승진

◆ 관련판례

간접정범을 통한 범행에서 피이용자는 간접정범의 의사를 실현하는 수단으로서의 지위를 가질 뿐이므로, 피해자에 대한 사기범행을 실현하는 수단으로서 타인을 기망하여 그를 피해자로부터 편취한 재물이나 재산상 이익을 전달하는 도구로서만 이용한 경우에는 편취의 대상인 재물 또는 재산상 이익에 관하여 피해자에 대한 사기죄가 성립할 뿐 도구로 이용된 타인에 대한 사기죄가 별도로 성립한다고 할 수 없다(대판 2017.5.31, 2017도3894). 22. 변호사시험

③ 간접정범의 성립요건

형법 제34조 제1항에 의하면 간접정범은, ① 어느 행위로 인하여 처벌되지 아니한 자 또는 과실범으로 처벌되는 자를 ② 교사 또는 방조하여 ③ 범죄행위의 결과를 발생하게 함으로써 성립한다.

(1) **피이용자의 범위** : 어느 행위로 인하여 처벌되지 아니한 자 또는 과실범으로 처벌되는 자

여기서 어느 행위로 처벌되지 아니한 자란 범죄의 3가지 성립요건(즉, 구성요건해당성, 위법성, 책임성) 중 어느 하나라도 없어 범죄가 성립되지 않는 경우를 말한다.

> **관련판례**

1. **피이용자의 행위가 객관적 구성요건에 해당하지 않은 경우**(자상 또는 자살을 이용한 경우)

　① 甲이 A에게 면도칼을 주면서 "네가 네 코를 자르지 않으면 돌로 죽인다."는 등 위협을 하자, 자신의 생명에 위험을 느낀 A가 자신의 생명을 보존하기 위해 위 면도칼로 콧등을 절단하여 중상해를 입은 경우 ⇨ 중상해죄의 간접정범(대판 1970.9.22, 70도1638). 15. 사시, 16. 9급 검찰·철도경찰

　② 피고인이 자살의 의미를 이해할 능력이 없고 피고인의 말이라면 무엇이나 복종하는 어린 자식들(7세, 3세)을 함께 죽자고 권유하여 물속에 따라 들어오게 하여 익사하게 한 이상 살인죄의 범의는 있었음이 분명하다(대판 1987.1.20, 86도2395 ∴ 살인죄 ○, 자살교사죄 ×, 위계에 의한 살인죄 ×). 18. 9급 검찰·철도경찰

2. **피이용자의 고의가 조각되는 경우**(고의 없는 도구를 이용한 경우)

　① 공무원 아닌 자가 관공서에 허위 내용의 증명원을 제출하여 그 내용이 허위인 정을 모르는 담당공무원으로부터 그 증명원 내용과 같은 증명서를 발급받은 경우 공문서위조죄의 간접정범으로 의율할 수는 없다(대판 2001.3.9, 2000도938). 15. 경찰간부, 17. 변호사시험, 18. 법원행시·경찰승진·순경 1차

　② 자기에게 유리한 판결을 얻기 위하여 소송상의 주장이 사실과 다름이 객관적으로 명백하거나 증거가 조작되어 있다는 정을 인식하지 못하는 제3자를 이용하여 그로 하여금 소송의 당사자가 되게 하고 법원을 기망하여 소송 상대방의 재물 또는 재산상 이익을 취득하려 하였다면 간접정범의 형태에 의한 소송사기죄가 성립하게 된다(대판 2007.9.6, 2006도3591 **에** 甲이 존재하지 않는 약정이자에 관한 내용을 부가하여 위조한 乙명의 차용증을 바탕으로 乙에 대한 차용금채권을 丙에게 양도하고, 이러한 사정을 모르는 丙으로 하여금 乙을 상대로 양수금 청구소송을 제기하게 한 경우 甲은 소송사기죄의 간접정범이 된다). 18. 경찰승진·법원행시, 19. 9급 검찰·마약수사·철도경찰·7급 검찰·철도경찰, 20. 순경 2차, 21. 해경 2차

　③ 경찰서 보안과장이 甲의 음주운전을 눈감아주기 위하여 그에 대한 음주운전자 적발보고서를 찢어버리고, 부하로 하여금 일련번호가 동일한 가짜 음주운전 적발보고서에 乙에 대한 음주운전 사실을 기재케 하여 그 정을 모르는 담당 경찰관으로 하여금 주취운전자 음주측정처리부에 乙에 대한 음주운전 사실을 기재하도록 한 경우 ⇨ 허위공문서작성 및 동 행사죄의 간접정범 ○(대판 1996.10.11, 95도1706) 15. 경찰간부, 16. 7급 검찰·철도경찰, 18. 경찰승진

　④ 회사 경영자가 내막을 알지 못하는 소속 직원들로 하여금 회사 소재지 지역구 국회의원의 담당사무에 대한 청탁과 관련하여 그 국회의원이 사실상 지배·장악하고 있던 후원회에 후원금을 기부하게

한 경우 국회의원에게는 정치자금법 제32조 제3호 위반죄가, 경영자에게는 정치자금법 위반죄의 간접정범이 성립한다(대판 2008.9.11, 2007도7204). 13. 순경 2차, 18. 경찰승진

⑤ 공무원이 아닌 자는 허위공문서작성죄의 간접정범이 될 수 없으나〔대판 1976.8.24, 76도151 **예** 공무원 아닌 자가 허위공문서작성의 간접정범일 때에는 형법 제228조(공정증서원본부실기재죄)의 경우를 제외하고는 이를 처단하지 못하므로 면장의 거주확인증 발급을 위한 허위사실의 신고는 죄가 되지 않는다 : 대판 1971.1.26, 70도2598〕, 공문서 작성에 있어서 보조직무에 종사하는 공무원이 허위공문서를 기안하여 그 정을 모르는 상사(작성권자)의 결재(서명·날인)를 받아 공문서를 완성한 경우에는 허위공문서작성죄의 간접정범이 성립한다(대판 1981.7.28, 81도898).
면의 호적계장이 정을 모르는 면장의 결재를 받아 허위내용의 호적부를 작성한 경우 허위공문서작성죄의 간접정범이 성립한다(대판 1990.10.30, 90도1912). 그러나 결재를 거치지 않고 임의로 허위내용의 공문서를 완성한 때에는 공문서위조죄가 성립한다(**예** 호적계장인 甲이 행사할 목적으로, A의 부탁으로 면장 모르게 호적계에 보관 중인 면장의 고무인과 직인을 이용하여 인감증명서 용지에 날인하여 A의 인감증명서를 작성한 경우 : 대판 1981.7.28, 81도898, 공문서의 작성권한 없는 사람이 허위공문서를 기안하여 작성권자의 결재를 받지 않았는데도 결재를 받은 것처럼 직인을 보관하는 담당자를 기망하여 작성권자의 직인을 날인하도록 하여 공문서를 완성한 경우 : 대판 2017.5.17, 2016도13912 ⇨ 허위공문서작성죄의 간접정범 ×, 공문서위조죄 ○). 17. 순경 2차, 19. 9급 검찰·철도경찰, 20. 법원행시, 22. 경찰간부·경찰승진, 23. 변호사시험·7급 검찰, 24. 해경간부

▶ **참고판례** : 공무원 아닌 甲이 공문서의 작성권한이 있는 공무원 乙의 직무를 보좌하는 자인 丙을 교사하여 丙으로 하여금 그 직위를 이용하여 행사할 목적으로 허위의 내용이 기재된 문서 초안을 그 정을 모르는 乙에게 제출하여 결재하도록 함으로써 乙로 하여금 허위의 공문서를 작성하게 한 경우 甲은 허위공문서작성죄의 간접정범의 교사범으로서의 죄책을 진다(대판 1992.1.17, 91도2837). 10. 경찰승진, 16. 사시

⑥ 신용카드를 제시받은 상점점원이 그 카드의 금액란을 정정기재하였다 하더라도 그것이 카드소지인이 위 점원에게 자신이 위 금액을 정정기재 할 수 있는 권리가 있는 양 기망하여 이루어졌다면 이는 간접정범에 의한 유가증권변조로 봄이 상당하다(대판 1984.11.27, 84도1862). 13. 7급 검찰, 18. 순경 1차, 21. 해경승진

⑦ 축산업협동조합이 점유하고 있는 A 소유의 창고 패널을 절취할 의사를 가진 甲이 위 조합으로부터 허락을 받지 않은 채 그 정을 모르는 A로 하여금 창고의 패널을 취거하게 하여 영득한 경우 소유자를 도구로 이용한 절도죄의 간접정범이 성립될 수 있다(대판 2006.9.28, 2006도2963). 11. 사시, 15. 경찰간부

⑧ 보증인이 아닌 자가 허위 보증서 작성의 고의 없는 보증인들을 이용하여 허위의 보증서를 작성하게 한 경우, 부동산소유권 이전등기 등에 관한 특별조치법 제13조 제1항 제3호에 정한 '허위보증서 작성죄'의 간접정범이 성립한다(대판 2009.12.24, 2009도7815). 13. 법원행시

3. 목적범에서 '목적 없는 도구'를 이용한 경우

① 출판물에 의한 명예훼손죄는 간접정범에 의하여 범하여질 수도 있으므로 타인을 비방할 목적으로 허위의 기사 재료를 그 정을 모르는 기자에게 제공하여 신문 등에 보도되게 한 경우에도 성립할 수 있다(대판 2002.6.28, 2000도3045). 15. 사시, 22. 경찰간부·변호사시험·경찰승진, 23. 7급 검찰·순경 2차, 24. 해경간부

② 비상계엄 전국확대가 국무회의의 의결을 거쳐 대통령이 선포함으로써 외형상 적법하였다고 하더라도, 이는 피고인들에 의하여 국헌문란의 목적을 달성하기 위하여 그러한 목적이 없는 대통령을 이용하여 이루어진 것이므로 피고인들이 간접정범의 방법으로 내란죄를 실행한 것으로 보아야 할 것이다(대판 1997.4.17, 96도3376 전원합의체). 15. 9급 검찰, 21. 순경 1차, 22 · 23. 순경 2차

4. 위법성이 없는 행위(정당행위)를 이용한 경우

사법경찰관 甲이 乙을 구속하기 위하여 진술조서 등을 허위로 작성한 후 이를 기록에 첨부하여 구속영장을 신청하고, 진술조서 등이 허위로 작성된 정을 모르는 검사와 영장전담판사를 기망하여 구속영장을 발부받은 후 그 영장에 의하여 乙을 구금하였다면 甲에게는 직권남용감금죄의 간접정범이 성립한다(대판 2006.5.25, 2003도3945). 16. 7급 검찰 · 철도경찰, 18. 순경 1차, 22. 경찰간부 · 경찰승진

(2) 이용행위(교사 또는 방조)

여기서 교사 또는 방조의 의미는 교사범이나 종범의 교사 · 방조와 동일한 것이 아니고 단순히 사주 또는 이용한다는 의미이다.

┌ **관련판례**

처벌되지 아니하는 타인의 행위를 적극적으로 유발하고 이를 이용하여 자신의 범죄를 실현한 자는 형법 제34조 제1항이 정하는 간접정범의 죄책을 지게 되고, 그 과정에서 타인의 의사를 부당하게 억압하여야만 간접정범에 해당하는 것은 아니다(대판 2008.9.11, 2007도7204). 19. 9급 검찰 · 마약수사 · 철도경찰, 22. 법원행시 · 순경 2차, 23. 7급 검찰, 24. 해경간부

(3) 간접정범의 실행의 착수시기

① **주관설** : 이용자가 피이용자를 이용하기 시작할 때 실행의 착수가 있다는 견해로, 이용자의 이용의사가 외부로 표현되기만 하면 실행의 착수가 인정되어 미수범의 처벌범위가 확대(축소 ×)될 수 있다. 13. 사시, 22. 순경 2차

② **객관설** : 피이용자가 실행행위를 개시할 때 실행의 착수를 인정해야 한다는 견해로, 도구에 불과하여 독립된 실행행위를 인정할 수 없는 피이용자의 행위를 기준으로 한다는 문제가 있다.

③ **이분설** : 피이용자가 선의의 도구인 때에는 이용행위를 개시한 때에, 악의의 도구인 때에는 피이용자의 실행행위가 개시된 때에 실행의 착수가 있다는 견해이다.

④ **개별설** : 이용행위가 법익침해의 위험성을 직접적으로 초래하였거나 이용행위를 완료하여 피이용자의 손에 범행의 실현 여부가 달려 있을 때 실행의 착수가 있다는 견해이다.

(4) 범죄행위의 결과발생

여기서 범죄행위의 결과발생이란 구성요건에 해당하는 사실을 실현하는 것을 말하는 것이지 결과범에 있어서의 결과발생을 의미하는 것은 아니다. 따라서 범죄행위의 결과가 발생하지 않아도 실행의 착수가 있으면 간접정범의 미수로 처벌한다.

4 처 벌

(1) 간접정범의 기수의 처벌

간접정범은 교사 또는 방조의 예에 의하여 처벌한다(제34조 제1항). 18. 변호사시험, 22. 순경 1차 즉, 간접정범의 이용행위가 교사에 해당하는 경우에는 교사범의 예에 따라 정범과 동일한 형으로 처벌되고(제31조 제1항), 방조에 해당하는 경우에는 종범의 예에 따라 정범의 형보다 감경한다(제32조 제2항).

> **관련판례**
>
> 간접정범으로 공소가 제기된 공소사실에 대하여 이를 유죄로 인정하면서도 그 법령의 적용에 있어서 이를 공동정범에 해당한다고 보아 이에 해당하는 형법 제30조를 적용한 경우, 그 판결에는 판결 결과에 영향을 미친 위법이 없다(대판 1997.7.11, 97도1180 ∵ 간접정범에 대하여는 어차피 형법 제34조 제1항, 제31조 제1항에 의하여 죄를 실행한 자와 동일한 형으로 처벌하는 것이어서 결국 그 판결에는 판결 결과에 영향을 미친 위법이 있다고 할 수 없다). 13. 법원행시

(2) 특수 교사·방조

> **제34조 제2항 【특수한 교사·방조에 대한 형의 가중】** 자기의 지휘·감독을 받는 자를 교사 또는 방조하여 전항의 결과를 발생하게 한 자는 교사인 때에는 정범에 정한 형의 장기 또는 다액에 그 2분의 1까지 가중하고 방조인 때에는 정범의 형으로 처벌한다. 22. 순경 2차

5 자수범과 간접정범

자수범(₪ 위증죄)이란 타인을 이용하여 범죄를 실현할 수 없고 행위자(정범) 자신이 구성요건적 행위를 직접 실행해야만 범할 수 있는 범죄를 말한다. 따라서 자수범에 대하여는 간접정범이나 공동정범이 성립될 수 없고, 협의의 공범으로 처벌될 수 있을 뿐이다.

> **관련판례**
>
> 1. 수표발행인이 아닌 자는 부정수표단속법 제4조의 허위신고죄의 주체가 될 수 없고, 허위신고의 고의 없는 발행인을 이용하여 간접정범의 형태로 허위신고죄를 범할 수도 없다(대판 1992.11.10, 92도1342). 13. 7급 검찰, 18. 변호사시험·법원행시
>
>   ▶ **유사판례** : 타인으로부터 명의를 차용하여 수표를 발행한 경우에 명의차용인은 부정수표단속법 제4조가 정한 허위신고죄의 주체가 될 수 없으므로 간접정범의 형태로 허위신고죄를 범할 수 없다(대판 2003.1.24, 2002도5939). 16. 법원행시
>
>   ▶ **비교판례** : 타인으로부터 명의를 차용하여 수표를 발행한 자라 하더라도 수표의 발행명의인과 공모하여 부정수표단속법 제4조 소정의 허위신고죄의 주체가 될 수 있다(대판 2007.5.11, 2005도6360 ∵ 제33조의 본문에 의해 공동정범 ○). 08. 경찰승진

2. 甲이 자신의 형사사건을 심리하는 법정에서 범죄현장을 목격하지도 않은 선서무능력자 乙로 하여금 범죄현장을 목격한 것처럼 위증하게 한 경우 ⇨ 증거위조죄 ×(대판 1998.2.10, 97도2961), 위증죄의 교사범 ×〔∵ 선서무능력자 ⇨ 위증죄의 주체 × ⇨ 정범(乙)에게 구성요건해당성 × ⇨ 공범 × : 제한종속형식〕, 위증죄 ⇨ 자수범으로 간접정범 × ∴ 무죄 10. 경찰승진, 11. 사시

3. 강제추행죄는 사람의 성적 자유 내지 성적 자기결정의 자유를 보호하기 위한 죄로서 정범 자신이 직접 범죄를 실행하여야 성립하는 자수범이라고 볼 수 없으므로, 처벌되지 아니하는 타인을 도구로 삼아 피해자를 강제로 추행하는 간접정범의 형태로도 범할 수 있다. 여기서 강제추행에 관한 간접정범의 의사를 실현하는 도구로서의 타인에는 피해자도 포함될 수 있으므로, 피해자를 도구로 삼아 피해자의 신체를 이용하여 추행행위를 한 경우에도 강제추행죄의 간접정범에 해당할 수 있다(대판 2018.2.8, 2016도17733 **예** 피해자들을 협박하여 겁을 먹은 피해자들로 하여금 스스로 가슴 사진, 성기 사진, 가슴을 만지거나 자위하는 동영상 등을 촬영하게 하고 촬영된 사진과 동영상을 전송받은 경우 ⇨ 강제추행죄의 간접정범). 19. 경찰간부 · 9급 검찰 · 순경 1차, 21. 해경 2차, 22. 변호사시험, 23. 7급 검찰 · 순경 2차, 24. 해경간부

▶ **유사판례** : 피고인이 아동 · 청소년인 피해자를 협박하여 스스로 성적 행위에 해당하는 아동 · 청소년 자신의 행위를 내용으로 하는 화상 · 영상 등을 생성하게 하고 이를 인터넷 사이트 운영자의 서버에 저장시켜 피고인의 휴대전화기에서 재생할 수 있도록 하였다면, 아동 · 청소년이용음란물제작죄의 간접정범에 해당한다(대판 2018.1.25, 2017도18443). 22. 경찰간부

01 간접정범에 대한 설명으로 가장 적절하지 않은 것은?(다툼이 있는 경우 판례에 의함)　18. 순경 1차

① 인신구속에 관한 직무를 행하는 자 또는 이를 보조하는 자가 피해자를 구속하기 위하여 진술 조서 등을 허위로 작성한 후 이를 기록에 첨부하여 구속영장을 신청하고, 진술조서 등이 허위로 작성된 정을 모르는 검사와 영장전담판사를 기망하여 구속영장을 발부받은 후 그 영장에 의하여 피해자를 구금하였다면 직권남용감금죄가 성립한다.

② 공무원 아닌 자가 관공서에 허위 내용의 증명원을 제출하여 그 내용이 허위인 정을 모르는 담당공무원으로부터 그 증명원 내용과 같은 증명서를 발급받은 경우, 공문서위조죄의 간접정범이 성립한다.

③ 범죄는 '어느 행위로 인하여 처벌되지 아니하는 자'를 이용하여서도 이를 실행할 수 있으므로, 내란죄의 경우에도 '국헌문란의 목적'을 가진 자가 그러한 목적이 없는 자를 이용하여 이를 실행할 수 있다.

④ 신용카드를 제시받은 상점점원이 그 카드의 금액란을 정정기재하였다 하더라도 그것이 카드소지인이 위 점원에게 자신이 위 금액을 정정기재할 수 있는 권리가 있는 양 기망하여 이루어졌다면 이는 간접정범에 의한 유가증권변조죄가 성립한다.

해설 ① 대판 2006.5.25, 2003도3945 ② × : ~ 간접정범으로 의율할 수 없다(대판 2001.3.9, 2000도938). ③ 대판 1997.4.17, 96도3376 전원합의체 ④ 대판 1984.11.27, 84도1862

02 간접정범에 대한 설명으로 옳지 않은 것은?(다툼이 있는 경우 판례에 의함)　19. 9급 검찰·마약수사

① 처벌되지 아니하는 타인의 행위를 적극적으로 유발하고 이를 이용하여 자신의 범죄를 실현한 자는 간접정범의 죄책을 지고, 그 과정에서 타인의 의사를 부당하게 억압하여야 하는 것은 아니다.

② 강제추행죄는 처벌되지 아니하는 타인을 도구로 삼아 피해자를 강제로 추행하는 간접정범의 형태로도 범할 수 있으나, 이때 피해자는 그 타인에 포함되지 않는다.

③ 공문서의 작성권한이 있는 공무원(A)의 직무를 보좌하는 공무원이 행사할 목적으로 그 직위를 이용하여 허위의 내용이 기재된 문서 초안을 그 정을 모르는 A에게 제출하여 결재하도록 한 경우에는 허위공문서작성죄의 간접정범이 성립한다.

④ 자기에게 유리한 판결을 얻기 위해 증거가 조작되어 있다는 점을 알지 못하는 제3자를 이용하여 그를 소송의 당사자가 되게 하고 법원을 기망하여 소송 상대방의 재물을 취득하였다면 간접정범 형태의 소송사기죄가 성립한다.

해설 ① 대판 2008.9.11, 2007도7204
② × : ~ 피해자도 그 타인에 포함될 수 있다(대판 2018.2.8, 2016도17733).
③ 대판 1990.10.30, 90도1912 ④ 대판 2007.9.6, 2006도3591

Answer 01. ② 02. ②

03 간접정범에 대한 설명으로 가장 적절하지 않은 것은?(다툼이 있는 경우 판례에 의함) 22. 경찰승진

① 인신구속에 관한 직무를 행하는 자 또는 이를 보조하는 자가 피해자를 구속하기 위하여 진술조서 등을 허위로 작성한 후 이를 기록에 첨부하여 구속영장을 신청하고, 진술조서 등이 허위로 작성된 정을 모르는 검사와 영장전담판사를 기망하여 구속영장을 발부받은 후 그 영장에 의하여 피해자를 구금한 경우, 직권남용감금죄의 간접정범이 성립한다.

② 공문서의 작성권한이 있는 공무원의 직무를 보좌하는 사람이 그 직위를 이용하여 행사할 목적으로 허위의 내용이 기재된 문서초안을 그 정을 모르는 상사에게 제출하여 결재하도록 하는 등의 방법으로 작성권한이 있는 공무원으로 하여금 허위의 공문서를 작성하게 한 경우, 허위공문서작성죄의 간접정범이 성립한다.

③ 작성권한 있는 공무원의 직무를 보조하는 공무원이 임의로 작성권자의 직인 등을 부정 사용함으로써 공문서를 완성한 경우, 허위공문서작성죄의 간접정범이 성립한다.

④ 타인을 비방할 목적으로 허위의 기사재료를 그 정을 모르는 기자에게 제공하여 신문 등에 보도하게 한 경우, 출판물에 의한 명예훼손죄의 간접정범이 성립할 수 있다.

해설 ① 대판 2006.5.25, 2003도3945
② 대판 1981.7.28, 81도898
③ × : 공문서위조죄 ○, 허위공문서작성죄의 간접정범 ×(대판 1981.7.28, 81도898)
④ 대판 2002.6.28, 2000도3045

04 간접정범에 관한 설명 중 옳은 것을 모두 고른 것은?(다툼이 있는 경우 판례에 의함) 22. 변호사시험

⊙ 甲이 A회사의 전문건설업등록증 등의 이미지 파일을 위조하여 공사 수주에 사용하기 위해 발주업체 직원 B에게 이메일로 송부하여 위조 사실을 모르는 B로 하여금 위 이미지 파일을 출력하게 한 경우, 간접정범을 통한 위조문서행사 범행의 피이용자인 B는 甲과 동일시할 수 있는 자와 마찬가지이므로 甲에게는 위조문서행사죄의 간접정범이 성립하지 아니한다.

ⓒ 甲이 A에 대한 사기범행을 실현하는 수단으로서 B를 기망하여 B를 A로부터 편취한 재물이나 재산상 이익을 전달하는 도구로서만 이용한 경우에는 편취의 대상인 재물 또는 재산상 이익에 관하여 A에 대한 사기죄가 성립할 뿐 도구로 이용된 B에 대한 사기죄가 별도로 성립하는 것은 아니다.

ⓒ 타인을 비방할 목적으로 허위의 기사 재료를 그 정을 모르는 기자에게 제공하여 신문 등에 보도하게 한 경우 출판물에 의한 명예훼손죄의 간접정범이 성립할 수 있다.

ⓔ 강제추행에 관한 간접정범의 의사를 실현하는 도구로서의 타인에는 피해자도 포함될 수 있으므로 피해자를 도구로 삼아 피해자의 신체를 이용하여 추행행위를 한 경우에도 강제추행죄의 간접정범에 해당할 수 있다.

① ⊙, ⓒ   ② ⓒ, ⓔ   ③ ⊙, ⓒ, ⓒ
④ ⓒ, ⓒ, ⓔ   ⑤ ⊙, ⓒ, ⓒ, ⓔ

Answer 03. ③ 04. ④

해설 ㉠ × : ~ 이미지 파일을 출력하게 한 경우, 위조문서행사죄가 성립한다(대판 2012.2.23, 2011도14441 ∵ 간접정범을 통한 위조문서행사 범행에 있어 도구로 이용된 자라고 하더라도 문서가 위조된 것임을 알지 못하는 자에게 행사한 경우에는 위조문서행사죄가 성립한다).
㉡ ○ : 대판 2017.5.31, 2017도3894
㉢ ○ : 대판 2001.6.28, 2000도3045
㉣ ○ : 대판 2018.2.8, 2016도17733

05 간접정범에 관한 설명 중 가장 적절하지 않은 것은?(다툼이 있는 경우 판례에 의함)   22. 순경 2차

① 국헌문란의 목적을 달성하기 위해 그러한 목적이 없는 대통령을 이용하여 비상계엄 전국확대조치를 한 것은 간접정범의 방법으로 내란죄를 실행한 것이다.

② 처벌되지 아니하는 타인의 행위를 적극적으로 유발하고 이를 이용하여 자신의 범죄를 실현한 자는 간접정범의 죄책을 지게 되고, 그 과정에서 타인의 의사를 부당하게 억압하여야만 간접정범에 해당하는 것은 아니다.

③ 자기의 지휘·감독을 받는 자를 교사하여 범죄를 실행하게 한 때에는 정범에 정한 형의 장기 또는 다액의 2분의 1까지 가중한다.

④ 간접정범의 실행의 착수시기를 이용자의 이용행위시로 보는 경우, 이용자의 이용의사가 외부로 표현되기만 하면 실행의 착수가 인정되어 미수범의 처벌 범위가 축소될 수 있다.

해설 ① 대판 1997.4.17, 96도3376 전원합의체 ② 대판 2008.9.11, 2007도7204 ③ 제34조 제2항
④ × : ~ 처벌범위가 확대(축소 ×)될 수 있다.

06 간접정범에 대한 설명으로 옳지 않은 것은?(다툼이 있는 경우 판례에 의함) 23. 7급 검찰, 24. 해경간부

① 타인을 비방할 목적으로 허위의 기사 재료를 그 정을 모르는 기자에게 제공하여 신문 등에 보도되게 한 경우, 출판물에 의한 명예훼손죄의 간접정범이 성립할 수 있다.

② 피고인이 피해자를 도구로 삼아 피해자의 신체를 이용하여 추행행위를 한 경우, 강제추행죄의 간접정범에 해당할 수 있다.

③ 처벌되지 아니하는 타인의 행위를 적극적으로 유발하고 이를 이용하여 자신의 범죄를 실현한 자는 형법 제34조 제1항이 정하는 간접정범의 죄책을 지게 되고, 그 과정에서 타인의 의사를 부당하게 억압하여야만 간접정범에 해당하는 것은 아니다.

④ 공문서작성권자의 문서작성을 보조하는 직무에 종사하는 공무원이 허위공문서를 기안하여 작성권자의 결재를 거치지 않고 임의로 작성권자의 직인 등을 부정 사용함으로써 공문서를 완성한 경우, 허위공문서작성죄의 간접정범이 성립한다.

해설 ① 대판 2002.6.28, 2000도3045 ② 대판 2018.2.8, 2016도17733 ③ 대판 2008.9.11, 2007도7204
④ × : 보조 공무원이 허위공문서를 기안하여 그 정을 모르는 작성권자의 결재를 받아 공문서를 완성한 때에는 허위공문서작성죄의 간접정범이 되고, 이러한 결재를 거치지 않고 임의로 허위내용의 공문서를 완성한 때에는 공문서위조죄가 성립한다(대판 1981.7.28, 81도898).

Answer 05. ④ 06. ④

제4절 교사범

> **제31조【교사범】** ① 타인을 교사하여 죄를 범하게 한 자는 죄를 실행한 자와 동일한 형(법정형)으로 처벌한다.
> ② 교사를 받은 자가 범죄의 실행을 승낙하고 실행의 착수에 이르지 아니한 때에는 교사자와 피교사자를 음모 또는 예비에 준하여 처벌한다(효과 없는 교사).
> ③ 교사를 받은 자가 범죄의 실행을 승낙하지 아니한 때에도 교사자(피교사자 ×)에 대하여는 전항과 같다(실패한 교사).

① 서 설

① **의의** : 교사범이란 타인을 교사하여 죄를 범하게 한 자, 즉 애당초 범죄를 저지를 의사가 없는 타인(정범)으로 하여금 일정한 범죄를 결의하게 하여 그 죄를 범하게 한 자를 말한다.

☰ KEY point

이미 범죄의 결의를 가지고 있는 자에 대해서는 교사범이 성립될 수 없다(대판 1991.5.14, 91도542).
11. 법원직, 20. 경찰승진·해경승진, 18·21. 9급 검찰·마약수사·철도경찰

② **교사행위가 독립된 구성요건으로 규정된 경우** : 음행매개죄(제242조)나 자살관여죄(제252조 제2항)와 같이 교사행위 자체가 형법 각칙에 독립된 범죄로 되어 있는 경우에는 제31조가 적용되지 않는다.

> 📖 사람을 교사하여 자살하게 한 경우에 제31조 제1항을 적용하여 구성요건 해당성 없는 자살에 대한 교사가 되어 처벌되지 않는 것이 아니라, 제252조 제2항의 자살관여죄의 실행행위가 되어 자살관여죄로 처벌된다.

② 교사범의 성립요건

교사범이 성립되기 위해서는 다음과 같은 요건을 갖추어야 한다.

- **교사자에 관한 요건** ┬ 교사자의 고의(2중의 고의) ┬ 교사의 고의
                          └ 교사자의 교사행위   └ 정범의 고의
- **피교사자(정범)에 관한 요건** ┬ 피교사자의 범행결의
                                  └ 피교사자의 실행행위

(1) 교사자에 관한 요건 : 교사자의 교사행위

교사범이 성립하기 위해서는 교사자의 교사행위가 있어야 하며, 교사자의 교사행위는 교사범의 고의를 전제로 한다.

① **교사자의 고의** : 2중의 고의

교사범이 성립하려면 교사자에게 ㉠ 교사의 고의[피교사자 (정범)에게 범행결의를 갖게 한다는 점에 대한 인식과 의사]와 ㉡ 정범의 고의(정범을 통하여 일정한 구성요건적 결과를 발생시킨다는 점에 대한 인식과 의사)라는 2중의 고의가 필요하다.

㉠ **고의의 내용**

ⓐ 과실에 의한 교사는 교사의 고의가 없기 때문에 인정되지 않는다(통설). 16. 경찰간부, 20. 경찰승진·해경승진, 21. 해경 1차

ⓑ 교사자의 고의는 특정성이 있어야 한다. 즉, 특정한 정범(피교사자)과 특정한 범죄에 대한 고의(인식과 의사)여야 한다. 그러나 피교사자가 구체적으로 누구인가를 알고 있을 필요는 없고 범죄의 일시·장소·실행방법이나 정범의 가벌성에 대한 인식을 요하지 않는다.

ⓒ 교사자의 고의 중 정범의 고의는 정범을 통하여 교사된 범죄를 완성시킨다는 점에 대한 고의이어야 한다. 즉, 정범을 통해 구성요건적 결과를 실현할 '기수의 고의'이어야 한다.

㉡ **미수의 교사** : 미수의 교사란 교사자가 처음부터 피교사자의 실행행위가 미수에 그칠 것을 예견하면서 교사하는 경우를 말한다. 현행형법상 미수의 교사에 관한 명문규정이 없다.

예 甲이 A의 금고가 비어 있는 줄 알면서 乙에게 A의 금고에서 보석을 절취하도록 사주한 경우 교사범의 고의는 기수의 고의여야 하므로, 미수의 교사는 교사의 고의가 없어서 교사범이 성립하지 않아 처벌되지 않는다(통설·판례). 18. 9급 철도경찰

② **교사행위** : 애당초 범죄를 저지를 의사가 없는 타인(정범·피교사자)에게 범죄실행의 결의를 갖게 하는 행위를 교사행위라 한다. 따라서 피교사자(정범)가 이미 범행을 결의하고 있을 때에는 교사범은 성립하지 않고 그 교사행위가 범행결의를 강화했을 때에는 종범이 성립할 수 있다.

예 甲이 乙에게 절도를 교사하자 이미 절도의 의사가 있었던 乙이 甲의 교사에 고무되어 절도를 행한 경우 ⇨ 甲은 절도죄의 교사범 ×, 절도죄의 종범 ○

㉠ **교사행위의 수단·방법** : 교사자의 교사행위는 정범의 범죄를 결의하게 할 수 있는 것이면 그 수단에는 제한이 없으며, 명시적이고 직접적인 방법에 의할 것을 필요로 하지 않는다 (대판 2000.2.25, 99도1252). 막연히 "범죄를 하라."거나 "절도를 하라."고 하는 등의 행위만으로는 교사행위가 되기에 부족하다 하겠으나, 타인으로 하여금 일정한 범죄를 실행할 결의를 생기게 하는 행위를 하면 되는 것으로서 교사의 수단방법에 제한이 없다 할 것이므로, 교사범이 성립하기 위하여는 범행의 일시, 장소, 방법 등의 세부적인 사항까지를 특정하여 교사할 필요는 없는 것이고, 정범으로 하여금 일정한 범죄의 실행을 결의할 정도에 이르게 하면 교사범이 성립된다(대판 1991.5.14, 91도542). 15. 경찰승진, 15·17. 순경 1차, 21. 법원직, 22. 9급 철도경찰·7급 검찰

㉡ 교사란 범의를 유발시키는 의식적 행위이므로 부작위나 과실에 의한 교사는 불가능하다 (통설).

▶ 부작위범에 대한 교사는 가능하다. 16. 경찰간부, 20. 해경승진, 21. 해경 1차, 22. 해경간부

ⓒ **교사의 교사** : 교사의 교사에는 다음과 같은 간접교사(甲이 乙에게 丙을 교사하여 범죄를 실행하도록 교사한 경우, 甲이 乙에게 범죄를 교사하였으나 乙이 다시 丙을 교사한 경우)와 연쇄교사(甲 ⇨ 乙 ⇨ 丙 ⇨ 丁)가 포함된다(다수설·판례). 20. 9급 철도경찰, 21. 해경간부

(2) **피교사자에 대한 요건** : 피교사자(정범)의 실행행위

교사범이 성립하려면 교사행위에 의하여 피교사자(정범)가 범죄를 결의하고 실행행위로 나아가야 한다.

① **피교사자의 범행결의** : 피교사자는 교사에 의하여 비로소 범죄의 실행을 결의하여야 한다. 즉, 교사행위와 피교사자의 결의 사이에는 인과관계가 있어야 한다.

  ㉠ 그러나 교사범의 교사가 정범이 그 죄를 범한 유일한 조건일 필요는 없으므로 교사행위에 의하여 피교사자가 범죄실행을 결의하였다면, 피교사자에게 다른 원인이 있어 범죄를 실행한 경우에도 교사범이 성립한다. 따라서 비록 정범에게 범죄의 습벽이 있어 그 습벽과 함께 교사행위가 원인이 되어 정범이 범죄를 실행한 경우에도 교사범의 성립에 영향이 없다(대판 1991.5.14, 91도542). 16. 9급 검찰·마약수사, 21. 해경간부·해경 1차, 22. 법원직·순경 1차, 23. 경찰승진·법원행시

  ㉡ **과실범에 대한 교사** : 교사에 의한 범행결의라는 심리적 과정이 없는 과실범에 대한 교사는 있을 수 없고, 이 경우에 형법상 간접정범이 된다(제34조 제1항). 14. 사시, 16. 경찰간부, 22. 해경간부

KEY point

1. 기본범죄의 실행을 결의하고 있는 자에게 중한 형태의 죄를 범하도록 교사한 경우에 전체에 대한 교사행위가 성립할 수 있다(다수설). **예** 강도를 결의한 정범에게 흉기를 휴대하여 특수강도를 범하도록 한 경우에 특수강도교사가 된다. 그러나 이미 범죄의 결의를 가지고 있는 자에게 그 결의보다 경미한 죄를 범하도록 교사한 경우에는 교사는 성립되지 않고 방조가 성립할 뿐이다. 13. 7급 검찰, 21. 해경간부

2. **편면적 교사** : 피교사자(정범)가 교사받고 있다는 사실을 알지 못하는 경우인 편면적 교사는 인정되지 않는다(∵ 피교사자에게 영향을 미칠 수 없기 때문). 16. 경찰간부, 20. 해경승진, 21. 해경 1차, 22. 해경간부

3. 당초의 교사행위에 의하여 형성된 피교사자의 범죄실행의 결의가 더 이상 유지되지 않는 것으로 평가할 수 있다면, 설사 그 후 피교사자가 범죄를 저지르더라도 이는 당초의 교사행위에 의한 것이 아니라 새로운 범죄실행의 결의에 따른 것이므로 교사자는 형법 제31조 제2항(효과 없는 교사)에 의한 죄책을 부담함은 별론으로 하고 형법 제31조 제1항의 교사범으로서의 죄책을 부담하지는 않는다(대판 2012.11.15, 2012도7407). 15. 순경 1차, 21. 해경 1차, 23. 9급 검찰·마약수사·철도경찰

② **피교사자의 실행행위** : 교사범이 성립하기 위해서는 교사자의 교사행위와 정범의 실행행위가 있어야 하는 것이므로, 정범의 성립은 교사범의 구성요건의 일부를 형성하고 교사범이 성립함에는 정범의 범죄행위가 인정되는 것이 그 전제요건이 된다(대판 2000.2.25, 99도1252). 16. 법원행시, 20. 9급 철도경찰, 21. 해경승진·해경 1차, 23. 경찰승진 다수설·판례인 제한적 종속형식에 의하면 정범의 실행행위는 구성요건에 해당하는 위법한 행위이면 족하며 유책할 필요는 없다.

③ 교사의 미수

> **제31조 【교사범】** ② 교사를 받은 자가 범죄의 실행을 승낙하고 실행의 착수에 이르지 아니한 때에는 교사자와 피교사자를 음모 또는 예비에 준하여 처벌한다.
> ③ 교사를 받은 자가 범죄의 실행을 승낙하지 아니한 때에도 교사자(피교사자 ×)에 대하여는 전항과 같다.

(1) 협의의 교사의 미수

교사자의 교사행위에 의하여 피교사자(정범)가 실행에 착수하였으나 범죄를 완성하지 못하고 미수에 그친 경우를 협의의 교사의 미수라고 한다. 물론 중지미수(중지범)는 자의로 중지한 자에게만 적용된다.

예 甲은 乙에게 丙을 살해할 것을 교사하였는데 乙이 승낙을 하고 살해의사로 丙에게 권총을 발사하려다 후회하고 그만 둔 경우 ⇨ 甲은 살인교사의 장애미수범, 乙은 살인중지범

(2) 기도된 교사 : 실패한 교사＋효과 없는 교사

① **실패한 교사**(제31조 제3항) : 실패한 교사란 교사자가 교사를 하였으나 피교사자(정범)가 범죄의 실행을 승낙하지 아니한 경우를 말하며, 이 경우에 피교사자는 불벌이고 교사자만을 예비·음모에 준하여 처벌한다(제31조 제3항). 따라서 교사한 범죄의 예비·음모를 처벌하는 규정이 있을 때에만 교사자는 처벌받게 된다(제28조). 20. 9급 검찰·철도경찰·경찰승진, 22. 법원직, 23. 경찰간부

예 1. 甲이 乙에게 강도를 교사하였으나 乙이 이를 거절한 경우 ⇨ 甲은 강도예비·음모죄, 乙은 무죄
2. 甲이 乙에게 절도를 교사하였으나 乙이 그 교사를 거절한 경우 ⇨ 乙은 무죄, 甲은 실패한 교사로 예비·음모에 준하여 처벌되지만 절도죄의 예비·음모 처벌규정이 없어 결국은 무죄
3. 甲은 乙에게 위증을 하라고 설득하였으나 乙이 거절하는 바람에 성사되지 못한 경우 ⇨ 乙은 무죄, 甲도 무죄(∵ 위증죄의 예비·음모처벌규정 ×)
4. 甲은 乙에게 丙을 살해해 줄 것을 부탁하였으나 乙이 이를 거절한 경우 ⇨ 甲은 살인죄의 예비·음모죄, 乙은 무죄 22. 경찰승진

② **효과 없는 교사**(제31조 제2항) : 효과 없는 교사란 교사자의 교사에 의하여 피교사자(정범)가 범죄의 실행을 승낙하였으나 실행의 착수에 이르지 아니한 경우를 말하며 이 경우에 교사자와 피교사자를 모두 교사한 범죄의 예비·음모에 준하여 처벌한다(제31조 제2항). 물론 교사한 범죄의 예비·음모를 처벌하는 규정이 있을 때에만 처벌받게 된다(제28조). 09. 법원행시

예 甲이 乙에게 丙의 살해를 교사하였던바 乙은 승낙하였지만 실행의 착수에 이르지 아니한 경우 ⇨ 甲과 乙은 살인의 예비·음모에 준하여 처벌된다. 15. 사시·경찰간부, 16. 순경 1차, 21. 변호사시험·9급 검찰

KEY point 미수의 교사와 교사의 미수 총정리

1. **미수의 교사** : 애당초 미수에 그칠 것을 예견하면서 교사한 경우 ⇨ 교사자는 불가벌, 피교사자는 미수범으로 처벌

2. **교사의 미수** 15. 사시, 16. 9급 검찰 · 마약수사 · 철도경찰, 18. 변호사시험, 19. 경찰간부, 20 · 21. 해경승진, 21. 경찰승진 · 해경간부 · 해경 2차

┌ 협의의 교사의 미수 : 피교사자가 실행에 착수했으나 미수에 그친 경우 ⇨ 교사자 · 피교사자 모두 미수범으로 처벌(제29조, 제25조 제1항)

└ 기도된 교사 ┬ 효과 없는 교사 : 피교사자가 범죄의 실행은 승낙하였으나 실행의 착수에 나아가지 않은 경우 ⇨ 교사자 · 피교사자 모두를 예비 · 음모에 준해 처벌(제31조 제2항)

└ 실패한 교사 : 교사를 하였으나 피교사자가 범죄의 실행을 승낙하지 아니한 경우 (제31조 제3항) 또는 이미 범죄의 실행을 피교사자가 결의하고 있었던 경우 ⇨ 교사자를 예비 · 음모에 준해 처벌(제31조 제3항)

4 교사의 착오

(1) 실행행위에 대한 착오

교사자의 교사내용과 피교사자의 실행행위가 일치하지 않는 경우를 말한다.

착오의 유형		사례와 효과
구체적 사실의 착오		1. **법정적 부합설** : 피교사자의 방법 · 객체의 착오 ⇨ 교사자에게도 방법 · 객체의 착오 2. **구체적 부합설** : 피교사자의 방법 · 객체의 착오 ⇨ 교사자에게는 둘다 방법의 착오 예 甲이 乙에게 A를 살해하라고 교사하였으나 乙이 B를 A로 오인하고 B를 살해한 경우 (객체의 착오) ⇨ 법정적 부합설 : B에 대한 살인기수죄의 교사범, 구체적 부합설 : A에 대한 살인미수죄의 교사범과 B에 대한 과실치사죄의 교사범의 상상적 경합 17. 변호사시험, 19. 9급 철도경찰, 22. 순경 1차
추상적 사실의 착오	피교사자 (정범)의 행위가 교사내용 보다 적게 실행된 경우	1. **원칙** : 공범종속성의 원칙상 교사자는 피교사자가 실행한 범위 내에서만 책임을 진다. 예 특수강도를 교사하였으나, 강도를 범한 경우 ⇨ 강도죄의 교사범 2. **예외** : 그러나 교사한 범죄의 예비 · 음모가 처벌되는 경우에는 제31조 제2항의 교사의 미수 중 효과 없는 교사에 해당되어 교사한 범죄의 예비 · 음모와 실행한 범죄의 교사범(공범종속성)의 상상적 경합이 된다. 이때 예비 · 음모의 죄의 형이 중한 때에는 예비 · 음모로 처벌받게 된다. 예 • 강도를 교사하였으나, 절도를 실행한 경우 ⇨ 절도죄의 교사범과 강도의 예비 · 음모와의 상상적 경합 ⇨ 결국 강도 예비 · 음모로 처벌됨 14. 변호사시험, 15. 경찰간부, 16. 9급 검찰 · 마약수사 · 철도경찰, 18. 9급 철도경찰, 24. 해경승진 • 살인을 교사하였으나, 살인의 고의 없이 상해만 실행한 경우 ⇨ 살인의 예비 · 음모와 상해죄의 교사범의 상상적 경합 ⇨ 결국 살인 예비 · 음모로 처벌됨 • 강간을 교사하였으나 강제추행에 그친 경우 ⇨ 강간의 예비 · 음모죄와 음모죄(3년 이하의 징역)와 강제추행죄(10년 이하의 징역)의 교사범의 상상적 경합 ⇨ 결국 강제추행죄의 교사범으로 처벌됨

정범의 행위가 교사 내용을 초과한 경우	질적 초과	1. 실행된 범죄가 교사된 범죄와 전혀 다른 범죄인 경우를 질적 초과라 한다. 이때 교사자에게 교사책임이 없고, 단지 제31조 제2항에 의해 교사한 범죄의 예비·음모에 준하여 처벌될 수 있다. 예 • 살인을 교사받고 절도를 행한 경우 ⇨ 살인죄의 예비·음모로 처벌 　• 상해를 교사받고 절도를 행한 경우 ⇨ 상해죄의 예비·음모(처벌규정 ×) ⇨ 무죄 　• 강도를 교사받고 강간을 범한 경우 ⇨ 강도죄의 예비·음모로 처벌 17. 변호사시험, 18. 9급 철도경찰 　• 절도를 교사받고 강간을 범한 경우 ⇨ 절도죄의 예비·음모(처벌규정 ×) ⇨ 무죄 24. 해경승진 2. 질적 차이가 본질적이 아닌 경우에는 양적 초과의 경우와 동일하게 취급한다. 　⇨ 교사한 범죄에 대한 교사범이 성립한다. 예 • 사기를 교사하였는데 기망을 근거로 공갈을 한 경우 ⇨ 사기죄의 교사범 　• 공갈을 교사하였는데 공갈을 근거로 강도를 범한 경우 ⇨ 공갈죄의 교사범
	양적 초과	1. 실행된 범죄가 교사된 범죄와 구성요건을 달리하나 공통적 요소를 지니고 있되 그 정도를 초과한 경우를 양적 초과라 한다. 이 경우에 실행된 범죄의 초과부분에 대해서는 책임이 없고, 단지 교사한 범죄의 교사범으로 처벌된다. 예 • 절도를 교사했는데 강도를 실행한 경우 ⇨ 절도죄의 교사범 　• 상해를 교사했는데 살인을 한 경우 ⇨ 상해죄의 교사범 2. 피교사자(정범)가 교사내용을 초과하여 결과적 가중범을 발생시킨 경우 ⇨ 교사자에게 중한 결과에 대한 과실이 있는 때에 결과적 가중범의 교사범이 성립된다. 예 상해를 교사하였는데 피교사자가 이를 넘어 살인을 실행한 경우 　⇨ 교사자에게 사망에 대한 예견가능성이 있는 경우에 상해치사죄의 교사범

관련판례

교사자가 피교사자에게 상해 또는 중상해를 교사하였는데 피교사자가 살인을 행한 경우 일반적으로 교사자는 상해죄 또는 중상해죄의 교사범이 되지만 교사자(피교사자 ×)에게 결과(사망)에 대해 과실 내지 예견가능성이 있으면 상해치사죄의 교사범이 될 수 있다(대판 2002.10.25, 2002도4089 예 甲이 乙에게 평소 사용하는 칼로 A의 다리를 못 쓰게 하라고 교사하여 乙이 칼로 A의 허벅지 등을 20여 회 힘껏 찔러 과다출혈로 사망에 이른 경우 ⇨ 상해치사죄의 교사범). 16. 사시·변호사시험·경찰간부, 20. 9급 철도경찰, 21. 7급 검찰·순경 1차, 22. 경찰승진·법원직, 23. 법원행시·경력채용·7급 검찰, 24. 해경승진

⑵ **피교사자에 대한 착오**

피교사자를 책임능력자로 알았으나 책임무능력자인 경우나 책임무능력자로 알았으나 책임능력자인 경우 간접정범이 아니라(통설) 모두 교사범이 성립한다. 왜냐하면 피교사자의 책임능력에 대한 인식은 교사자의 고의의 내용이 아니기 때문이다. 따라서 이에 대한 착오는 교사범의 고의를 조각하지 않는다.

⑤ 처 벌

① 교사범은 정범과 동일한 형으로 처벌된다(제31조 제1항). 여기서 동일한 형이란 법정형을 말하는 것이지 처단형이나 선고형을 의미하는 것은 아니므로 구체적인 형량에 있어서는 교사범과 정범 사이에 차이가 있을 수 있다. 14 · 15. 사시, 16. 순경 1차

② **제34조 제2항**(특수교사) : 자기의 지휘 · 감독을 받는 자를 교사하여 결과를 발생하게 한 자는 교사인 때에는 정범에 정한 형의 장기 또는 다액에 그 2분의 1까지 가중한다(정범의 형으로 처벌한다 ×). 16 · 21. 9급 검찰 · 마약수사 · 철도경찰

관련판례

1. • 자기의 형사피고사건에 관한 증거를 인멸(위조, 은닉)하기 위하여 타인을 교사하여 죄를 범하게 한 자는 증거인멸죄(증거위조죄, 증거은닉죄)의 교사범이다(대판 2000.3.24, 99도5275 ; 대판 2011.2.10, 2010도15986 ; 대판 2016.7.29, 2016도5596). 18. 법원직 · 경찰승진, 20. 경찰간부, 23. 7급 검찰

   • 범인이 자신을 위하여 타인으로 하여금 허위의 자백을 하게 하여 범인도피죄를 범하게 하는 행위는 방어권의 남용으로 범인도피교사죄에 해당하고, 그 타인이 형법 제151조 제2항에 의하여 처벌을 받지 아니하는 친족 또는 동거 가족에 해당하는 경우에도 마찬가지이다(대판 2006.12.7, 2005도3707 **예** 무면허 운전으로 사고를 낸 사람이 동생을 경찰서에 대신 출두시켜 피의자로 조사받도록 한 행위 ⇨ 범인도피교사죄 ○). 16. 사시 · 법원행시, 16 · 17. 경찰승진, 18. 9급 검찰 · 철도경찰, 18 · 21. 경찰간부 · 해경간부 · 해경 1차, 17 · 23. 변호사시험

   • 자기의 형사사건에 관하여 타인을 교사하여 위증죄를 범하게 하는 것은 방어권을 남용하는 것으로 위증죄의 교사범이 성립한다(대판 2004.1.27, 2003도5114). 13. 사시, 17. 변호사시험

   • 피무고자의 교사 혹은 방조하에 제3자가 피무고자에 대한 허위의 사실을 신고한 경우 피무고자에게 무고의 교사죄 혹은 방조죄가 성립한다(대판 2008.10.23, 2008도4852). 15. 경찰간부, 16. 사시, 17. 변호사시험 · 순경 1차 · 2차, 19. 법원행시, 22. 법원직

   • 甲이 乙을 모해할 목적으로 丙에게 위증을 교사하였다면, 정범인 丙이 모해의 목적 없이 위증하였더라도 甲은 모해위증교사죄의 죄책을 진다(대판 1994.12.23, 93도1002). 14. 사시, 16. 변호사시험, 17 · 18. 경찰간부, 18. 경찰승진

2. ① 교사범이란 정범인 피교사자로 하여금 범죄를 결의하게 하여 그 죄를 범하게 한 때에 성립하므로, 교사자의 교사행위에도 불구하고 피교사자가 범행을 승낙하지 아니하거나 피교사자의 범행결의가 교사자의 교사행위에 의하여 생긴 것으로 보기 어려운 경우에는 이른바 실패한 교사로서 형법 제31조 제3항에 의하여 교사자를 음모 또는 예비에 준하여 처벌할 수 있을 뿐이다(대판 2013.9.12, 2012도2744). 21. 법원직 · 경찰간부, 23. 경찰승진 · 법원행시 · 순경 1차

   ② 피교사자가 교사자의 교사행위 당시에는 일응 범행을 승낙하지 아니한 것으로 보여진다 하더라도 이후 그 교사행위에 의하여 범행을 결의한 것으로 인정되는 이상 교사범의 성립에는 영향이 없다(대판 2013.9.12, 2012도2744). 17. 순경 2차, 18. 7급 검찰, 19. 경찰간부, 22. 경찰승진 · 순경 1차, 23. 법원행시 · 9급 검찰 · 마약수사 · 철도경찰

   ③ 피고인이 결혼을 전제로 교제하던 甲의 임신 사실을 알고 수회에 걸쳐 낙태를 권유하였다가 거부당하자, 甲에게 출산 여부는 알아서 하되 아이에 대한 친권을 행사할 의사가 없다고 하면서 낙태할

PART
02

병원을 물색해 주기도 하였는데, 그 후 甲이 피고인에게 알리지 아니한 채 자신이 알아본 병원에서 낙태시술을 받은 경우, 피고인의 낙태교사행위와 甲의 낙태결의 사이에 인과관계가 단절되는 것은 아니므로 피고인에게 낙태교사죄가 성립한다(대판 2013.9.12, 2012도2744). 14. 사시, 15. 법원행시·순경 3차, 17. 경찰승진

3. 교사범이 그 공범관계로부터 이탈하기 위해서는 피교사자가 범죄의 실행행위에 나아가기 전에 교사범에 의하여 형성된 피교사자의 범죄 실행의 결의를 해소하는 것이 필요하다(대판 2012.11.15, 2012도7407 **예** 교사자인 피고인이 피교사자에게 피해자의 불륜관계를 이용하여 공갈할 것을 교사하였는데, 그 후 피교사자가 피해자를 미행하여 동영상을 촬영한 후 그 촬영 결과를 알리자, 피교사자에게 전화를 걸어 돈을 줄테니 동영상을 넘기고 피해자를 공갈하는 것을 단념하라고 만류하였으나 피교사자가 피고인의 제안을 거절하고 동영상을 이용하여 피해자를 공갈한 경우 ⇨ 공갈죄의 교사범 ○ ∵ 피고인의 교사행위와 공소외인이 공갈행위 사이에 상당인과관계 인정 ○, 피고인이 공범관계에서 이탈 ×). 16. 사시, 18. 9급 검찰·마약수사, 19. 7급 검찰, 20. 해경승진, 21. 해경간부, 22. 9급 철도경찰, 23. 경찰승진

4. 피해자를 정신차릴 정도로 때려 주라고 한 것은 상해죄의 교사에 해당한다(대판 1997.6.24, 97도1075). 15·16. 경찰승진, 17. 순경 1차, 21. 법원직

5. 甲이 乙을 교사하여 자기의 형사사건에 관한 증거를 변조하도록 하였더라도, 乙이 甲과 공범관계에 있는 형사사건에 관한 증거를 변조한 것에 해당하여 乙이 증거변조죄로 처벌되지 않는 경우, 증거변조죄의 간접정범은 물론 교사범도 성립하지 않는다(대판 2011.7.14, 2009도13151). 17. 변호사시험, 21. 경찰간부

6. 절도의 습벽이 있던 자에게 드라이버를 사주면서 절도를 하라고 교사한 경우 절도죄의 교사범이다(대판 1991.5.14, 91도542 ∵ 교사범의 교사가 정범이 죄를 범한 유일한 조건일 필요는 없으므로, 교사행위에 의하여 정범이 실행을 결의하게 된 이상 비록 정범에게 범죄의 습벽이 있어 그 습벽과 함께 교사행위가 원인이 되어 정범이 범죄를 실행한 경우에도 교사범이 성립됨). 14. 9급 철도경찰, 16. 경찰승진·사시

7. 치과의사가 환자의 대량유치를 위해 치과기공사들에게 내원환자들에게 진료행위를 하도록 지시하여 동인들이 각 단독으로 전항과 같은 진료행위를 하였다면 무면허의료행위의 교사범에 해당한다(대판 1986.7.8, 86도749). 15. 경찰승진

8. 공범 중 1인이 그 범행에 관한 수사절차에서 참고인 또는 피의자로 조사받으면서 자기의 범행을 구성하는 사실관계에 관하여 허위로 진술하고 허위 자료를 제출하는 것은 자신의 범행에 대한 방어권행사의 범위를 벗어난 것으로 볼 수 없어, 이러한 행위가 다른 공범을 도피하게 하는 결과가 된다고 하더라도 범인도피죄로 처벌할 수 없다. 이때 공범이 이러한 행위를 교사하였더라도 범죄가 될 수 없는 행위를 교사한 것에 불과하여 범인도피교사죄가 성립하지 않는다(대판 2018.8.1, 2015도20396). 20. 변호사시험·경찰승진

9. 의사가 아닌 甲이 丙을 교사하여 丙으로 하여금 의사인 乙과 공모하여 허위진단서를 작성케 한 경우 허위진단서작성죄의 교사범이다(대판 1967.1.24, 66도1586). 11. 경찰승진, 14. 9급 철도경찰

10. 대리응시자를 시험장에 입장하도록 교사한 행위는 주거침입교사죄가 성립된다(대판 1967.12.19, 67도1281). 09. 경찰승진, 21. 법원직

11. 관세법 제198조 제3항은 몰수할 물품의 전부 또는 일부를 몰수할 수 없을 때에는 그 몰수할 수 없는 물품의 범칙 당시의 국내 도매가격에 상당한 금액을 범인으로부터 추징한다라고 규정하고 있는바 여기

서 말하는 범인의 범위는 공동정범자뿐만 아니라 종범 또는 교사범도 포함된다(대판 1985.6.25, 85도652). 21. 법원행시

12. (위법한) 함정수사란 본래 범의를 가지고 있지 않는 자에 대해 수사기관이 사술이나 계략 등을 써서 범죄를 유발케 하여 범죄인을 검거하는 수사방식을 말한다(대판 1987.6.9, 87도915). 따라서 범의를 가진 자에게 범행기회를 주거나 범행을 용이하게 한 것에 불과한 경우는 위법한 함정수사라 할 수 없다(대판 1992.10.27, 92도1377). 14. 법원직

13. 甲은 乙에게 절도를 교사하였던바, 乙은 다시 丙을 교사하여 절도케 한 경우 甲은 절도의 교사범이다 (대판 1974.1.29, 73도3104). ⇨ 간접교사의 가벌성 인정 05. 법원행시

14. 피고인이 지방행정서기를 교사하여 무허가건물을 허가받은 건축물인 것처럼 가옥대장 등에 등재케 하였다면 허위공문서작성죄의 교사범이 성립한다(대판 1983.12.13, 83도1458). 09. 경찰승진

15. 소년에게 단순히 밥값을 구해 오라고 말한 것이 절도범행을 교사한 것이라고는 볼 수 없다(대판 1984.5.15, 84도418). 08. 경찰승진

16. 피고인이 甲을 시켜서 乙에게 군무를 기피하게 하기 위하여 부대를 이탈하도록 권유하여 乙은 이러한 권유를 받고서 부대를 이탈할 생각이 나서 소속부대를 이탈한 것이라면 피고인은 乙의 군무이탈에 대하여 교사죄의 책임이 있다(대판 1967.3.21, 67도123).

17. 부정임산물의 제재를 업으로 하는 자에게 백송을 도벌하여 해태상자를 만들어 달라고 하면서 도벌자금을 제공한 때에는 산림법 위반죄의 교사가 된다(대판 1969.4.22, 69도255).

01 다음 중 형법 제31조 제2항(이른바 '효과 없는 교사')에 따라 甲과 乙이 예비·음모에 준하여 처벌되는 경우는?
19. 9급 철도경찰

① 甲이 乙에게 강도를 교사하였으나 乙이 이를 거부한 경우

② 甲이 乙에게 강도를 교사하고 乙이 이를 승낙하였으나 강도의 실행으로 나아가지 않은 경우

③ 甲이 乙에게 절도를 교사하였으나 乙이 이를 거부한 경우

④ 甲이 乙에게 절도를 교사하고 乙이 이를 승낙하였으나 절도의 실행으로 나아가지 않은 경우

해설 ① 실패한 교사(제31조 제3항) ⇨ 甲 : 강도예비·음모로 처벌, 乙 : 불벌

② 효과 없는 교사(제31조 제2항) ⇨ 甲·乙 : 강도예비·음모로 처벌

③ 실패한 교사(제31조 제3항) ⇨ 甲 : 절도예비·음모(처벌규정 × ∴ 불벌), 乙 : 불벌

④ 효과 없는 교사(제31조 제2항) ⇨ 甲·乙 : 절도예비·음모(처벌규정 × ∴ 불벌)

02 다음 〈사례〉를 읽고, 甲의 죄책에 대한 〈보기〉의 설명으로 옳은 것만을 모두 고르면? 19. 7급 검찰

〈사 례〉
甲은 상속을 빨리 받기 위하여 乙을 찾아가 자신의 父인 A의 살해를 교사하였으나, 乙은 이를 거절하였다. 그때 乙과 함께 있던 乙의 친구가 甲에게 살인청부업자인 丙의 전화번호를 알려주면서 한번 찾아가 보라고 하였다. 이에 따라 甲은 丙을 찾아가 A를 살해하라고 교사하였고, 丙은 1억 원의 사례금을 받고 이를 승낙한 후 자취를 감추어 버렸다.

〈보 기〉
㉠ 甲의 乙에 대한 행위는 효과 없는 교사(형법 제31조 제2항)에 해당한다.
㉡ 甲의 丙에 대한 행위는 실패한 교사(형법 제31조 제3항)에 해당한다.
㉢ 甲의 乙에 대한 행위는 존속살해예비죄로도 처벌할 수 없다.
㉣ 甲의 丙에 대한 행위는 존속살해예비죄로 처벌된다.

① ㉣   ② ㉠, ㉡   ③ ㉢, ㉣   ④ ㉠, ㉡, ㉢, ㉣

해설 ㉠ × : 실패한 교사(제31조 제3항) ○, 효과 없는 교사(제31조 제2항) ×

㉡ × : 실패한 교사(제31조 제3항) ×, 효과 없는 교사(제31조 제2항) ○

㉢ × : 존속살해예비죄 ○(제31조 제3항)

㉣ ○ : 존속살해예비죄 ○(제31조 제2항)

Answer 01. ② 02. ①

03 교사범에 대한 설명으로 옳은 것(○)과 옳지 않은 것(×)을 순서대로 바르게 나열한 것은?(다툼이 있는 경우 판례에 의함)

18. 9급 철도경찰

> ㉠ 미수의 교사는 기수의 고의가 없으므로 교사자의 가벌성은 부인된다.
> ㉡ 교사자가 중상해를 교사하였는데 피교사자가 살인을 실행한 경우 교사자에게 사망의 예견가능성이 있었다면 살인죄의 교사범이 성립한다.
> ㉢ 교사자가 강도를 교사하였는데 피교사자가 강간을 실행한 경우 교사자는 불가벌이 된다.
> ㉣ 교사자가 강간을 교사하였는데 피교사자가 강도를 실행한 경우 교사자는 불가벌이 된다.

① ㉠(○), ㉡(○), ㉢(○), ㉣(×)

② ㉠(×), ㉡(○), ㉢(○), ㉣(○)

③ ㉠(○), ㉡(×), ㉢(×), ㉣(×)

④ ㉠(○), ㉡(×), ㉢(○), ㉣(×)

해설 ㉠ ○ : 대판 1987.6.9, 87도915
㉡ × : ~ 있었다면 상해치사죄(살인죄 ×)의 교사범이 될 수 있다(대판 2002.10.25, 2002도4089).
㉢ × : 교사의 착오 중 질적 초과 ⇨ 강도죄의 예비·음모(가벌 : 제343조)
㉣ × : 교사의 착오 중 질적 초과 ⇨ 강간죄의 예비·음모(가벌 : 제305조의 3)

04 교사범에 관한 설명 중 옳은 것은?(다툼이 있는 경우 판례에 의함)

16. 사시

① 甲의 교사에 따라 乙이 甲에 대한 허위의 사실을 신고하였더라도 스스로 본인을 무고하는 자기무고는 처벌되지 않으므로 乙의 행위가 무고죄의 구성요건에 해당하지 아니하여 甲을 무고죄의 교사범으로 처벌할 수 없다.

② 죄를 범하고 도피 중인 甲의 교사에 따라 乙이 수사기관에 허위자백을 하였더라도 범인이 도피를 위하여 타인에게 도움을 요청하는 행위는 자기도피행위이므로 甲을 범인도피죄의 교사범으로 처벌할 수 없다.

③ 甲의 교사를 받은 乙이 피해자 A를 공갈하기 위해 사용할 자료를 수집한 후, 甲으로부터 만류 취지의 전화를 받았음에도 A를 공갈하여 재물을 교부받았다면, 甲의 교사행위와 乙의 행위 사이에 인과관계가 단절되어 甲을 공갈죄의 교사범으로 처벌할 수 없다.

④ 변호사 사무실 직원인 甲이 법원 공무원인 乙에게 부탁하여, 수사 중인 사건의 체포영장 발부자 53명의 명단을 넘겨받았다면 甲의 교사에 의하여 乙이 직무상 비밀을 누설한 것이지만, 甲과 乙은 대향범 관계에 있으므로 공범에 관한 형법 총칙 규정이 적용되지 않아 甲을 공무상 비밀누설죄의 교사범으로 처벌할 수 없다.

⑤ 甲은 乙에게 절도를 교사하였으나 평소 乙에게 절도의 습벽이 있어 교사행위와 함께 그 습벽이 원인이 되어 乙이 피해자 A로부터 재물을 절취하였다면, 甲의 절도교사와 乙의 절도결의 사이의 인과관계가 부정되어 甲을 절도죄의 교사범으로 처벌할 수 없다.

Answer 03. ③ 04. ④

해설 ① × : 무고죄의 교사범 ○(대판 2008.10.23, 2008도4852)
② × : 범인도피죄의 교사범 ○(대판 2000.3.24, 2000도20)
③ × : 공갈죄의 교사범 ○(대판 2012.11.15, 2012도7407 ∵ 상당인과관계 인정 ○)
④ ○ : 대판 2011.4.28, 2009도3642 ⑤ × : 절도죄의 교사범 ○(대판 1991.5.14, 91도542)

05 甲의 죄책에 관한 설명 중 옳지 않은 것은?(다툼이 있는 경우 판례에 의함)　　17. 변호사시험
① 甲이 자기의 형사사건에 관하여 乙을 교사하여 위증죄를 범하게 한 경우, 위증죄의 교사범이
성립한다.
② 甲이 乙을 교사하여 甲 자신이 형사처분을 받을 목적으로 수사기관에 대하여 乙이 甲에 대한
허위의 사실을 신고하도록 한 경우, 무고죄의 교사범이 성립한다.
③ 甲이 乙을 교사하여 자기의 형사사건에 관한 증거를 변조하도록 하였더라도, 乙이 甲과 공범
관계에 있는 형사사건에 관한 증거를 변조한 것에 해당하여 乙이 증거변조죄로 처벌되지 않
는 경우, 증거변조죄의 간접정범은 물론 교사범도 성립하지 않는다.
④ 공무원이 아닌 甲이 관공서에 허위 내용의 증명원을 제출하여 그 내용이 허위인 정을 모르는
담당 공무원 乙로부터 그 증명원 내용과 같은 증명서를 발급받은 경우, 공문서위조죄의 간접
정범이 성립하지 않는다.
⑤ 무면허로 운전하다가 교통사고를 낸 甲이 동거하고 있는 동생 乙을 경찰서에 대신 출석시켜
자신을 위하여 허위의 자백을 하게 하여 범인도피죄를 범하게 한 경우, 범인도피죄의 교사범
이 성립하지 않는다.

해설 ① 대판 2004.1.27, 2003도5114 ② 대판 2008.10.23, 2008도4852
③ 대판 2011.7.14, 2009도13151 ④ 대판 2001.3.9, 2000도938
⑤ × : 범인도피죄의 교사범 ○(대판 2006.12.7, 2005도3707)

06 교사범에 대한 다음 설명 중 가장 옳은 것은?(다툼이 있는 경우 판례에 의함)　　18. 법원직
① 자신의 형사사건에 관한 증거은닉 행위는 피고인의 방어권을 인정하는 취지와 상충하여 처
벌의 대상이 되지 아니하므로 자신의 형사사건에 관한 증거은닉을 위하여 타인에게 도움을
요청하는 행위는 언제나 증거은닉교사죄로 처벌되지 아니한다.
② 피교사자의 범행결의가 교사자의 교사행위에 의하여 생긴 것으로 보기 어려운 경우에는 실
패한 교사로서 교사자를 음모 또는 예비에 준하여 처벌할 수 있을 뿐이다.
③ 교사범의 교사가 정범이 죄를 범한 유일한 조건일 필요는 없으나, 정범에게 범죄의 습벽이
있어 그 습벽과 함께 교사행위가 원인이 되어 정범이 범죄를 실행한 경우에도 교사행위와
정범의 범죄실행 사이에 인과관계가 단절되어 교사범이 성립할 여지가 없다.
④ 변호사 사무실 직원인 피고인 甲이 법원공무원인 피고인 乙에게 부탁하여, 공무상 비밀에 해
당하는 수사 중인 사건의 체포영장 발부자 명단을 누설받았다면, 피고인 甲의 행위는 공무상
비밀누설교사죄에 해당한다.

Answer 05. ⑤　06. ②

해설 ① × : 자신의 형사사건에 관한 증거은닉(인멸)을 위하여 타인에게 도움을 요청하는 행위는 원칙적으로 처벌하지 아니하나, 그것이 방어권의 남용이라고 볼 수 있을 때는 증거은닉(인멸)교사죄로 처벌할 수 있다(대판 2016.7.29, 2016도5596).
② ○ : 대판 2013.9.12, 2012도2744
③ × : 교사범의 교사가 정범이 죄를 범한 유일한 조건일 필요는 없으므로, 교사행위에 의하여 정범이 실행을 결의하게 된 이상 비록 정범에게 범죄의 습벽이 있어 그 습벽과 함께 교사행위가 원인이 되어 정범이 범죄를 실행한 경우에도 교사범의 성립에 영향이 없다(대판 1991.5.14, 91도542).
④ × : 공무상 비밀누설교사죄 ×(대판 2011.4.28, 2009도3642)

07 교사범에 대한 설명으로 옳지 않은 것은?(다툼이 있는 경우 판례에 의함)   21. 9급 철도경찰
① 피교사자가 이미 교사한 범죄와 동일한 범죄의 결의를 가지고 있을 때에는 교사범이 성립할 여지가 없다.
② 甲이 乙에게 A를 살해할 것을 교사하고 乙이 이를 승낙하고도 실행의 착수에 이르지 아니하였다면 甲은 처벌되지 아니한다.
③ 甲이 乙에게 乙의 어머니 물건을 훔치도록 교사한 경우 정범인 乙이 처벌되지 아니하더라도 甲은 절도죄의 교사범으로 처벌된다.
④ 자기의 지휘·감독을 받는 자를 교사하여 범죄행위의 결과를 발생하게 한 때에는 정범에 정한 형의 장기 또는 다액의 2분의 1까지 가중한다.

해설 ① 대판 1991.5.14, 91도542
② × : ~ 甲은 살인의 예비·음모에 준하여 처벌된다(제31조 제2항).
③ 신분관계가 없는 공범에 대하여는 친족상도례의 규정을 적용하지 아니한다(제328조 제3항).
④ 제34조 제2항

08 다음 설명 중 가장 옳은 것은?(다툼이 있는 경우 판례에 의함)   21. 법원직
① 교사범이란 정범인 피교사자로 하여금 범죄를 결의하게 하여 그 죄를 범하게 한 때에 성립하므로, 교사자의 교사행위에도 불구하고 피교사자가 범행을 승낙하지 아니하거나 피교사자의 범행 결의가 교사자의 교사행위에 의하여 생긴 것으로 보기 어려운 경우에는 이른바 실패한 교사로서 형법 제31조 제3항에 의하여 교사자를 음모 또는 예비에 준하여 처벌할 수 있을 뿐이다.
② 교사자가 피교사자에게 피해자를 "정신차릴 정도로 때려 주라."고 교사하였다는 사정만으로는 상해에 대한 교사로 보기까지는 어렵다.
③ 막연히 "범죄를 하라."거나 "절도를 하라."고 하는 등의 행위만으로는 교사행위가 되기에 부족하므로, 교사범이 성립하기 위해서는 범행의 일시, 장소, 방법 등의 사항을 특정하여 교사하여야 한다.
④ 대리응시자들의 시험장 입장이 시험관리자의 승낙 또는 그 추정된 의사에 반한 불법침입이라 하더라도, 이와 같은 침입을 교사한 사람에게 주거침입교사죄가 성립된다고 볼 수는 없다.

Answer 07. ② 08. ①

해설 ① ○ : 대판 2013.9.12, 2012도2744

② × : 교사자가 피교사자에게 피해자를 "정신차릴 정도로 때려 주라."고 교사하였다면 이는 상해에 대한 교사로 봄이 상당하다(대판 1997.6.24, 97도1075).

③ × : ~ 되기에 부족하나, 교사범이 ~ 특정하여 교사할 필요는 없다(대판 1991.5.14, 91도542).

④ × : 대리응시자를 시험장에 입장하도록 교사한 행위는 주거침입교사죄가 성립된다(대판 1967.12.19, 67도1281).

09 다음 중 교사범에 관한 설명으로 옳지 않은 것은 모두 몇 개인가?(다툼이 있는 경우 판례에 의함)

21. 해경간부

> ㉠ 교사를 받은 자가 범죄의 실행을 승낙하고 실행의 착수에 이르지 아니한 때 교사자의 경우 음모 또는 예비에 준하여 처벌한다.
>
> ㉡ 교사행위에 의하여 피교사자가 범죄 실행을 결의하게 되었다고 하더라도 피교사자에게 다른 원인이 있어 범죄를 실행한 경우에는 교사범이 성립하지 않는다.
>
> ㉢ 甲은 乙에게 A를 공갈할 것을 교사하였으나, 이후 乙에게 범행에 나아갈 것을 만류하였다. 그럼에도 乙은 甲의 제안을 거절하고 A를 공갈하여 재물을 교부받은 경우, 비록 甲의 만류행위가 있었으나, 乙이 명시적으로 거절하고 당초와 같은 범죄실행의 결의를 그대로 유지한 것이므로 甲이 공범관계에서 이탈한 것으로 볼 수 없다.
>
> ㉣ 甲이 乙에게 A의 자전거를 절취할 것을 교사했는데 乙은 A의 승낙을 얻어 자전거를 임차한 경우 공범종속성설 중 제한적 종속형식에 의하면 甲은 절도죄의 교사범이 성립하지 않는다.
>
> ㉤ 甲이 乙에게 허위의 자백을 하게 하여 자신을 도피시킨 경우 범인 자신을 도피시키는 행위는 처벌되지 않으므로 甲을 범인도피죄의 교사범으로 처벌할 수 없다.
>
> ㉥ 甲은 乙에게 절도를 교사한 후, 乙은 다시 丙을 교사하여 절도의 범행에 나아가게 한 경우 甲은 절도의 교사범에 해당한다.
>
> ㉦ 甲이 이미 흉기휴대 특수강도를 결심하고 있는 乙을 설득하여 단순강도를 범하도록 한 경우 甲은 단순강도죄의 교사범으로 처벌된다.

① 2개   ② 3개   ③ 4개   ④ 5개

해설 ㉠ ○ : 제31조 제2항

㉡ × : ~ 성립한다(대판 1991.5.14, 91도542).

㉢ ○ : 대판 2012.11.15, 2012도7407

㉣ ○ : 乙의 행위는 구성요건에 해당하지 않아〔∵ A의 승낙 ⇨ 구성요건해당성 조각(양해)〕제한적 종속형식에 의하면 甲은 절도죄의 교사범이 성립하지 않는다.

㉤ × : 범인도피죄의 교사범 ○(대판 2000.3.24, 2000도20 ∵ 방어권의 남용 ○)

㉥ ○ : 연쇄교사도 교사범에 해당한다.

㉦ × : 이미 중한 범죄(특수강도)의 결의를 가지고 있는 자에게 그 결의보다 경미한 죄(단순강도)를 범하도록 교사한 경우에는 교사범은 성립되지 않고 방조범이 성립될 뿐이다.

Answer　09. ②

10 교사범에 대한 설명 중 가장 적절하지 않은 것은?(다툼이 있는 경우 판례에 의함)   23. 경찰승진

① 교사범이 그 공범관계로부터 이탈하기 위해서는 피교사자가 범죄의 실행행위에 나아가기 전에 교사범에 의하여 형성된 피교사자의 범죄 실행의 결의를 해소하는 것이 필요하다.

② 교사범이 성립하기 위해서는 교사자의 교사행위와 정범의 실행행위가 있어야 하는 것이므로, 정범의 성립은 교사범의 구성요건의 일부를 형성하고 교사범이 성립함에는 정범의 범죄행위가 인정되는 것이 그 전제요건이 된다.

③ 교사범의 교사가 정범이 죄를 범한 유일한 조건일 필요는 없으므로, 교사행위에 의하여 정범이 실행을 결의하게 된 이상 비록 정범에게 범죄의 습벽이 있어 그 습벽과 함께 교사행위가 원인이 되어 정범이 범죄를 실행한 경우에도 교사범의 성립에 영향이 없다.

④ 교사자의 교사행위에도 불구하고 피교사자가 범행을 승낙하지 아니하거나 피교사자의 범행 결의가 교사자의 교사행위에 의하여 생긴 것으로 보기 어려운 경우에는 이른바 효과 없는 교사로서 형법 제31조 제2항에 의하여 교사자와 피교사자 모두 음모 또는 예비에 준하여 처벌할 수 있다.

> 해설 ① 대판 2012.11.15, 2012도7407
> ② 대판 2000.2.25, 99도1252
> ③ 대판 1991.5.14, 91도542
> ④ × : ~ (2줄) 어려운 경우에는 이른바 실패한 교사(효과 없는 교사 ×)로서 형법 제31조 제3항(제2항 ×)에 의하여 교사자를 음모 또는 예비에 준하여 처벌할 수 있다(대판 2013.9.12, 2012도2744).

Answer   10. ④

제5절 종범(방조범)

> **제32조 【종범】** ① 타인의 범죄를 방조한 자는 종범으로 처벌한다.
> ② 종범의 형은 정범의 형보다 감경한다(감경할 수 있다 ×).

1 의 의

종범이란 타인(정범)의 범죄를 방조한 자를 말하며 방조범이라고도 한다. 이때 정범은 단독정범이든 공동정범이든 불문한다.

📖 형법 각칙에 방조행위가 독립된 구성요건으로 규정된 경우

방조행위 자체가 독립한 범죄유형으로 규정되어 있는 경우에는 그 방조행위가 정범의 실행행위가 되므로 총칙상의 공범이 아니다. 따라서 제32조의 종범규정이 적용되지 않아 필요적 감경의 대상도 아니다. 14. 사시 **예** 간첩방조죄 (제98조 제1항), 도주원조죄(제147조), 자살방조죄(제252조 제2항), 아편흡식 등 장소제공죄(제201조 제2항)

┌ 관련판례

1. 간첩방조죄는 정범인 간첩죄와 대등한 독립죄로서 간첩죄와 동일한 법정형으로 처단하게 되어 있어 형법 총칙 제32조 소정의 감경대상이 되는 종범과는 그 실질이 달라 종범감경을 할 수 없다(대판 1986.9.23, 86도1429). 17·21. 법원행시
2. 공동정범은 공동의사에 의한 기능적 행위지배가 있음에 반하여 종범은 그 행위지배가 없는 점에서 양자가 구별된다(대판 1989.4.11, 88도1247). 06. 사시

2 종범의 성립요건

(1) 종범의 방조행위

종범(방조범)이 성립하기 위해서는 종범에게 방조행위가 있어야 하며, 종범의 방조행위는 종범의 고의를 전제로 한다.

① **종범의 고의**: 2중의 고의

┌ 관련판례

1. 형법상 방조행위는 정범이 범행을 한다는 정을 알면서 그 실행행위를 용이하게 하는 직접·간접의 행위를 말하므로, 방조범은 정범의 실행을 방조한다는 이른바 방조의 고의와 정범의 행위가 구성요건에 해당하는 행위인 점에 대한 정범의 고의가 있어야 하나, 방조범에 있어서 정범의 고의는 정범에 의하여 실현되는 범죄의 구체적 내용을 인식할 것을 요하는 것은 아니고 미필적 인식 또는 예견으로 족하다(대판 2005.4.29, 2003도6056). 정범이 범하는 범죄의 일시, 장소, 객체 등을 구체적으로 인식할 필요가 없으며, 나아가 정범이 누구인지 확정적으로 인식할 필요도 없다(대판 2007.12.14, 2005도872). 14. 사시·경찰승진, 21. 법원직, 22. 9급 검찰·철도경찰·해경간부·변호사시험·순경 1차·7급 검찰

2. 초과주관적 위법요소로서 목적범의 목적의 경우 방조범에게도 정범이 어떤 목적으로 행위를 한다는 점에 대한 고의가 있어야 하나, 그 목적의 구체적인 내용까지 인식할 것을 요하는 것은 아니다(대판 2022.10.27, 2020도12563). 23. 순경 1차

3. 방조범에게 요구되는 정범 등의 고의는 정범에 의하여 실현되는 범죄의 구체적 내용을 인식해야 하는 것은 아니고 미필적 인식이나 예견으로 충분하지만, 이는 정범의 범행 등의 불법성에 대한 인식이 필요하다는 점과 모순되지 않는다(대판 2022.6.30, 2020도7866). 24. 변호사시험

㉠ 방조는 고의에 의한 것이어야 하므로 과실에 의한 방조는 불가능하나, 과실범에 대한 방조는 간접정범으로 처벌될 수 있다(제34조 제1항). 16. 경찰간부, 19. 경찰승진, 20. 해경승진, 21. 해경 1차

㉡ **미수의 방조** : 종범의 고의 중 정범의 고의는 기수의 고의(정범이 범죄를 완성, 즉 구성요건적 결과를 실현한다는 점에 대한 인식과 의사)이어야 한다. 따라서 정범의 행위가 미수에 그칠 것을 알면서 방조하는 경우('미수의 방조')에는 종범이 성립하지 않는다.

㉢ **편면적 방조** : 종범이 성립하기 위하여 종범(방조자)과 정범(피방조자) 사이에 의사의 연락을 요하지 아니한다. 따라서 정범이 방조행위를 인식하지 못하는 소위 '편면적 종범'은 인정된다(통설, 대판 1974.5.28, 74도509 ▶ 주의 : 편면적 종범에서도 정범의 범죄행위 없이 방조범만이 성립될 수 없다). 15. 사시, 16. 7급 검찰 · 철도경찰, 21. 변호사시험, 22. 해경간부

KEY point

편면적 공동정범, 편면적 교사 ⇨ 부정, 편면적 종범 ⇨ 인정 16. 경찰간부, 21. 해경승진 · 해경 1차

② **방조행위** : 방조란 정범의 구체적인 범행준비나 범행사실을 알고 그 실행행위를 가능 · 촉진 · 용이하게 하는 지원행위 또는 정범의 범죄행위가 종료하기 전에 정범에 의한 법익 침해를 강화 · 증대시키는 행위로서, 정범의 범죄 실현과 밀접한 관련이 있는 행위를 말한다(대판 2022. 6.30, 2020도7866).

㉠ **방조행위의 수단 · 방법** : 방조의 수단 · 방법에는 제한이 없다. 형법상 방조행위는 정범이 범행을 한다는 정을 알면서 그 실행행위를 용이하게 하는 직접 · 간접의 모든 행위를 가리키는 것으로서 그 방조는 유형적 · 물질적인 방조뿐만 아니라 정범에게 범행의 결의를 강화하도록 하는 것과 같은 무형적 · 정신적 방조행위까지도 이에 해당한다(대판 1997.1.24, 96도2427). 또한 형법상 방조는 작위에 의하여 정범의 실행을 용이하게 하는 경우는 물론, 법률상(직무상) 정범의 범행을 방지할 의무가 있는 자가 그 범행을 알면서도 방지하지 아니하여 범행을 용이하게 한 때에는 부작위에 의한 종범이 성립한다(대판 1996.9.6, 95도2551). 17. 9급 철도경찰, 20. 해경승진, 21. 해경 1차, 22. 변호사시험 · 해경간부 · 법원행시 · 순경 1차 **판** 백화점에서 검품 등 상품 관리를 담당하는 백화점 직원이 자신이 관리하는 백화점 입점점포의 위조상표 부착 상품 판매사실을 알고도 방치한 행위는 부작위에 의한 상표법위반과 부정경쟁방지 및 영업비밀보호에 관한 법률 위반의 방조(공동정범 ×)에 해당한다(대판 1997.3.14, 96도1639). 16. 사시, 21. 경찰간부

㉡ **방조행위의 시기** : 예비로부터 범행의 실질적 종료시까지 방조가 가능하다. 방조범은 정범의 실행행위 중에 이를 방조하는 경우뿐만 아니라, 실행의 착수 전에 장래의 실행행위를

예상하고 이를 용이하게 하는 행위를 하여 방조한 경우에도 정범이 그 실행행위에 나아갔다면 성립한다(대판 1997.4.17, 96도3377). 17. 경찰간부·순경 2차, 19. 경찰승진, 20. 법원행시·법원직·해경 1차, 21·22. 순경 1차, 23. 9급 검찰·마약수사·철도경찰·7급 검찰

⌐ 관련판례

1. 간호보조원의 무면허진료행위가 있은 후에 이를 의사가 그 환자의 계속진료에 참고하기 위해 작성되는 진료부에 기재하는 행위는 정범의 실행행위 종료 후의 단순한 사후행위에 불과하다고 볼 수는 없으므로 무면허의료행위의 방조에 해당한다(대판 1982.4.27, 82도122). 20. 9급 검찰·마약수사·철도경찰·법원직, 21. 경찰간부, 22. 경찰승진

2. 甲은 보이스피싱 사기 범행에 사용된다는 사정을 알면서도 유령법인 설립, 그 법인 명의 계좌 개설후 그 접근매체를 乙에게 전달·유통하는 등의 행위(유형적·물질적 방조행위)를 계속하였고, 보이스피싱 조직원의 제안에 따라 이른바 '전달책' 역할을 승낙(무형적·정신적 방조행위)하였다면, 甲은 '전달책'으로서 실행행위를 한 시기에 관계없이 사기죄의 종범에 해당한다(대판 2022.4.14, 2022도649). 23. 순경 2차

📖 **사후종범** : 종범은 정범의 실행행위 중에 이를 방조하는 경우뿐만 아니라, 실행 착수 전에 장래의 실행행위를 예상하고 이를 용이하게 하는 것을 말한다. 따라서 정범의 범죄종료 후의 이른바 사후방조를 종범이라고 볼 수는 없다(대판 2009.6.11, 2009도1518). 20. 법원직, 20·21. 9급 검찰·마약수사·철도경찰

예 • 범인은닉죄(제151조), 증거인멸죄(제155조), 장물에 관한 죄(제362조)
　　• 절취해 온 장물을 처분해 준 경우 ⇨ 절도죄의 종범 ×, 장물죄 ○

ⓒ **방조행위의 인과관계** : 방조범은 정범에 종속하여 성립하는 범죄이므로 방조행위와 정범의 범죄 실현 사이에는 인과관계가 필요하다. 방조범이 성립하려면 방조행위가 정범의 범죄 실현과 밀접한 관련이 있고 정범으로 하여금 구체적 위험을 실현시키거나 범죄결과를 발생시킬 기회를 높이는 등으로 정범의 범죄 실현에 현실적인 기여를 하였다고 평가할 수 있어야 한다. 정범의 범죄 실현과 밀접한 관련 없는 행위를 도와준 데 지나지 않는 경우에는 방조범이 성립하지 않는다(대판 2021.9.16, 2015도12632). 23. 해경간부·9급 검찰·마약수사·철도경찰·경력채용, 24. 변호사시험

⌐ 관련판례

1. 입영기피를 결심한 자에게 "잘 되겠지, 몸조심해라."고 악수를 나누는 정도의 행위는 입영기피의 범죄의사를 강화시킨 방조행위로 볼 수 없다(대판 1983.4.12, 82도43). 14. 9급 철도경찰, 16. 사시·경찰승진

2. 웨이터가 미성년자를 홀 출입구까지 안내한 행위는 미성년자를 클럽에 출입시킨 행위 또는 그 방조행위로 볼 수 없다(대판 1984.8.21, 84도781 ∵ 미성년자인 여부의 판단과 출입허용 여부는 2층 출입구에서 주인이 결정함). 14. 9급 철도경찰, 16. 경찰승진, 21. 법원행시

3. 간첩이란 정을 알면서 숙식을 제공하거나, 간첩의 심부름으로 안부편지나 사진을 전달하거나, 무전기를 매몰하는 데 망을 보아 준 것만으로는 간첩방조죄가 될 수 없다(대판 1965.8.17, 65도383 ; 대판 1966.7.12, 66도470 ; 대판 1983.4.26, 83도416). 16. 사시, 22. 해경간부

4. 피고인이 박사방 운영진의 지시에 따라 4회에 걸쳐 검색어를 입력하고 미션방과 박사방 관련 채널에 검색사실을 올려 인증한 경우 ⇨ 아동·청소년 이용 음란물 배포죄의 방조범 ×(대판 2023.10.18, 2022

도15537 ∵ 피고인이 미션방에 참여하여 박사방 운영진의 지시 및 공지 내용을 인식하였다거나 검색어 자체만으로 '아동·청소년 이용 음란물 배포'의 범죄행위를 위한 것임을 알았다고 보기 어려운 이상 방조의 고의는 물론 정범의 고의가 있었다고 단정하기 어렵고, 피고인의 각 행위와 정범의 범죄 실현 사이에 밀접한 관련성 등 인과관계를 인정하거나 피고인의 각 행위가 정범의 범죄 실현에 현실적인 기여를 하였다고 단정하기 어렵다).

(2) 정범의 실행행위

종범이 성립하기 위해서는 공범종속성설(다수설·판례)에 따를 때 정범의 실행행위가 있어야 한다.

관련판례

1. 방조죄는 정범의 범죄에 종속하여 성립하는 것으로서 방조의 대상이 되는 정범의 실행행위의 착수가 없는 이상 방조죄만이 독립하여 성립될 수 없다(대판 1979.2.27, 78도3113). 21. 법원행시·9급 김칠
   예 정범이 강도의 예비행위를 할 때 방조행위가 행해졌고 그 후에 정범이 강도의 실행에 착수하지 못했다면 방조자는 강도예비죄의 종범으로 처벌할 수 없다(대판 1976.5.25, 75도1549). 15. 변호사시험, 19. 경찰간부, 20. 9급 검찰·마약수사·철도경찰

2. 병원 원장인 피고인 甲 등이 乙 등에게 허위의 입·퇴원확인서를 작성한 후 교부하여, 乙 등이 보험회사로부터 보험금을 편취하는 것을 방조하였다는 내용으로 기소된 경우, 정범인 乙 등의 범죄가 성립되지 않는 이상 방조범에 불과한 피고인 甲 등의 범죄도 성립될 수 없다(대판 2017.5.31, 2016도12865). 21. 7급 검찰

3. 종범의 범죄는 정범의 범죄에 종속하여 성립하는 것이므로 사기방조죄는 정범인 본범의 사기 또는 사기미수의 증명이 없으면 사기방조죄가 성립할 수 없다(대판 1970.3.10, 69도2492).

4. 인터넷 게임사이트의 온라인게임에서 통용되는 사이버머니를 구입하고자 하는 사람을 유인하여 돈을 받고 위 게임사이트에 접속하여 일부러 패하는 방법으로 사이버머니를 판매한 사람에 대하여, 정범인 위 게임사이트 개설자의 도박개장행위를 인정할 수 없는 이상 종범인 도박개장방조죄도 성립하지 않는다(대판 2007.11.29, 2007도8050). 11. 사시

① **피방조자**(정범)**는 고의범일 것** : 피방조자(정범)의 행위는 고의행위임을 요한다. 즉, 정범은 고의범이어야 하므로 과실범을 방조하는 경우에는 간접정범이 성립한다(제34조 제1항). 22. 해경간부

② **정범의 실행행위** : 다수설(제한적 종속형식)에 따를 때 정범의 실행행위는 구성요건에 해당하고 위법성이 있으면 족하며, 책임성까지 갖출 필요는 없다.

③ **기도된 방조** : 실행의 착수가 없는 기도된 방조(실패한 방조 + 효과 없는 방조)는 교사범(제31조 제2항·제3항)과는 달리 처벌규정이 없어서 처벌할 수 없다. 10. 사시

KEY point

- 기도된 교사(실패한 교사 + 효과 없는 교사) : 예비·음모로 처벌(제31조 제2항·제3항)
- 기도된 방조(실패한 방조 + 효과 없는 방조) : 불가벌(처벌규정 없음) 16. 경찰간부, 17. 경찰승진, 21. 해경 1차, 22. 해경간부

④ **예비의 방조** : 정범의 행위가 예비단계에 그친 경우에 예비의 종범이 성립할 수 없다.

> **예** 정범이 실행의 착수에 이르지 아니한 예비의 단계에 그친 경우에는 이에 가공하는 행위가 예비의 공동정범이 될 때를 제외하고는 종범으로 처벌할 수 없다(대판 1976.5.25, 75도1549 **예** 정범의 강도예비행위를 방조하였으나 정범이 실행의 착수에 이르지 못한 경우 ⇨ 강도예비죄의 종범 ×). 16. 경찰승진, 18. 7급 검찰, 20. 경찰간부·해경 1차, 21. 해경승진, 22. 순경 1차

3 처벌 : 필요적 감경(임의적 감경 ×)

① 종범의 형은 정범의 형보다 감경한다(제32조 제2항). 여기서 감경한다는 것은 법정형을 정범보다 감경한다는 것이지 선고형을 감경한다는 것이 아니므로, 종범에 대한 선고형이 정범보다 가볍지 않다 하더라도 위법이라 할 수 없다(대판 2015.8.27, 2015도8408). 21. 법원직, 22. 7급 검찰
② **제34조 제2항**(특수방조) : 자기의 지휘, 감독을 받는 자를 방조하여 범죄의 결과를 발생하게 한 자는 정범의 형으로 처벌한다(정범에 정한 형의 장기 또는 다액에 그 2분의 1까지 가중한 형으로 처벌한다 ×). 15. 변호사시험, 17. 경찰승진, 19. 순경 1차, 20. 경찰간부·해경 1차, 22. 해경간부

4 관련문제

① 종범의 착오

> **관련판례**
>
> 방조자의 인식과 정범의 실행행위 사이에 착오가 있고 양자의 구성요건이 다른 경우에는 원칙적으로 방조자의 고의가 조각되는 것이나, 양자의 구성요건이 중첩되는 부분이 있는 경우에는 그 중복되는 한도 내에서는 방조자의 죄책이 인정된다(대판 1985.2.26, 84도2987). 14. 경찰승진, 19. 경력채용, 21. 7급 검찰

② **기타** : 종범과 정범 사이에 한 사람 또는 여러 사람의 중간 방조자가 개입하는 간접방조나 연쇄방조도 종범이 된다(방조행위가 정범의 실행에 대하여 간접적이거나 직접적이거나를 가리지 않으며, 간접적으로 정범을 방조하는 경우 방조자에 있어 정범이 누구에 의하여 실행되어지는가를 확지할 필요가 없다 ; 대판 1977.9.28, 76도4133). 12. 변호사시험, 19. 경력채용

> **관련판례**
>
> 1. 甲이 사기 범행에 이용되리라는 사정을 알고서도 A에게 자신의 명의로 된 은행 예금계좌의 접근매체를 양도함으로써 A가 B를 속여 B로 하여금 현금을 위 계좌로 송금하게 한 경우, 甲은 사기죄의 방조범이 된다(대판 2017.5.31, 2017도3894). 17. 법원행시, 21. 9급 검찰·마약수사
> 2. 은행지점장 甲이 정범인 부하직원들의 은행에 대한 배임행위를 인식하면서도 이를 방치한 경우 업무상 배임죄의 방조범이 성립한다(대판 1984.11.27, 84도1906). 16. 경찰승진, 21. 9급 검찰·마약수사
> 3. 자신들이 개설한 인터넷 사이트를 통해 회원들로 하여금 음란한 동영상을 게시하도록 하고 다른 회원들로 하여금 이를 다운받을 수 있도록 하는 방법으로 정보통신망을 통한 음란한 영상의 배포·

전시를 방조한 행위가 단일하고 계속된 범의 아래 일정기간 계속하여 이루어졌고 피해법익도 동일한 경우, 방조행위는 포괄일죄의 관계에 있다(대판 2010.11.25, 2010도1588). 17. 7급 검찰, 19. 경찰승진

4. 제3자뇌물수수죄에서 제3자란 행위자와 공동정범 이외의 사람을 말하고, 교사자나 방조자도 포함될 수 있다. 그러므로 공무원 또는 중재인이 부정한 청탁을 받고 제3자에게 뇌물을 제공하게 하고 제3자가 그러한 공무원 또는 중재인의 범죄행위를 알면서 방조한 경우에는 그에 대한 별도의 처벌규정이 없더라도 방조범에 관한 형법 총칙의 규정이 적용되어 제3자뇌물수수방조죄가 인정될 수 있다(대판 2017.3.15, 2016도19659 **예** 공무원 甲이 부정한 청탁을 받고 물품구매자들로 하여금 乙이 판매하는 물품을 구입하게 하고 그 대금을 丙명의의 계좌 등으로 지급하게 한 경우 ⇨ 甲 : 제3자뇌물수수죄, 乙 : 제3자뇌물수수방조죄). 17. 순경 2차 · 법원행시, 20. 변호사시험, 23. 7급 검찰

5. 인터넷 카페의 대표 甲이 기자회견을 열어 A회사에 대하여 불매운동을 하겠다고 하면서 공갈행위를 하였는데, 위 카페의 회원 乙이 그러한 사정을 알면서도 그 자리에서 지지의 의사로 공감을 표시하거나 甲의 부탁을 받고 사진을 찍어주는 행위는 공갈죄의 방조에 해당한다(대판 2013.4.11, 2010도13774). 16. 사시, 19. 경찰간부

6. 의사인 피고인이 입원치료를 받을 필요가 없는 환자들이 보험금 수령을 위하여 입원치료를 받으려고 하는 사실을 알면서도 입원을 허가하여 형식상으로 입원치료를 받도록 한 후 입원확인서를 발급하여 준 경우 ⇨ 사기방조죄 ○(대판 2006.1.12, 2004도6557) 19. 경찰승진

▶ **비교판례** : 병원 원장인 甲은 A가 정상적으로 입원한 것으로 작성된 허위의 입 · 퇴원확인서를 작성한 후 A에게 교부하여 A가 보험회사에 보험금을 청구하여 보험금을 받도록 방조하였더라도, A에 대한 공소장에 있어서 검사가 제출한 증거만으로는 A가 보험금을 부당하게 편취하였다고 인정하기 어려운 경우라면, 甲은 사기죄의 방조범이 성립하지 않는다(대판 2017.5.31, 2016도12865 ∵ 정범인 A의 범죄가 성립되지 않는 이상 甲은 사기죄의 방조범 ×). 21. 7급 검찰

7. 甲과 말다툼을 하던 乙이 '죽고싶다.'고 하며 甲에게 기름을 사오라고 하였고, 그 직후 乙은 甲이 사다 준 휘발유를 뿌리고 불을 붙여 자살했다면, 甲의 행위는 자살방조죄에 해당한다(대판 2010. 4.29, 2010도2328). 14. 경찰간부, 16. 사시

8. 甲은 여당의 유력 정치가인 乙이 기업인들로부터 뇌물을 수수하기 전에 乙과 기업인들의 면담을 주선하였고, 그 후 乙이 기업인들로부터 뇌물을 받았다면 甲은 수뢰죄의 종범에 해당한다(대판 1997.4.17, 96도3377). 18. 경찰간부

9. 교통사고를 낸 甲이 자기 대신 사고운전자로 허위자백한 자신의 처에게 사고발생 경위, 도주 경위 등에 관하여 상세한 정보를 제공함으로써 처로 하여금 심리적으로 안정할 수 있게 한 경우에는 범인도피죄의 방조범이 성립한다(대판 2008.11.13, 2008도7647). 11. 사시

▶ **유사판례** : 甲이 허위자백을 하여 진범에 대한 범인도피죄의 기수에 이르고 나서야 비로소 甲의 범행을 인식한 A가 기왕의 범인도피상태를 이용하여 甲이 허위자백을 유지하도록 도운 경우 그 이후 甲이 진범을 밝혔다고 하더라도 A의 범인도피방조죄(범인도피공동정범 ×)는 성립한다 (대판 2012.8.30, 2012도6027 ∵ 정범인 甲에게 결의를 강화하게 한 방조행위로 평가될 수 있음). 17. 법원행시, 20. 해경 1차

10. 1인 회사의 주주가 개인적 거래에 수반하여 법인 소유의 부동산을 담보로 제공한다는 사정을 거래상대방이 알면서 가등기의 설정을 요구하고 그 가등기를 경료받은 경우 거래상대방은 배임행위의 방조범에 해당하지 않는다(대판 2005.10.28, 2005도4915 ∵ 거래상대방이 배임행위를 교사하거나 그 배임

행위의 전 과정에 관여하는 등으로 배임행위에 적극 가담한 경우 배임죄의 교사범 또는 공동정범이 될 수 있음은 별론으로 하고, 비록 정범의 행위가 배임행위에 해당한다는 점을 알고 거래에 임하였다는 사정이 있어 외견상 방조행위로 평가될 수 있는 행위가 있었다 할지라도 범죄를 구성할 정도의 위법성은 없다). 18. 경찰간부

11. MP3 파일 공유를 위한 P2P 프로그램인 소리바다 프로그램을 개발하여 이를 무료로 널리 제공하였으며, 그 서버를 설치·운영하면서 프로그램 이용자들이 용이하게 음악 MP3 파일을 다운로드 받은 경우 이용자의 행위는 구 저작권법 제2조 제14호의 복제에 해당하고, 소리바다 서비스 운영자의 행위는 구 저작권법상 복제권 침해행위의 방조에 해당한다(대판 2007.12.14, 2005도872). 13. 경찰간부

12. 운전면허 없는 자에게 승용차를 제공하여 무면허운전을 하게 한 경우 ⇨ 무면허운전죄(도로교통법)의 방조범(대판 2000.8.18, 2000도1914) 09. 사시, 11. 경찰승진

13. 축산목장의 관리인이 업무의 지시에 따라 3, 4명의 노무자를 데리고 축사청소 등의 단순노무에 주로 종사하였을 뿐 목장의 경영문제까지는 관여하지 아니하였다면 관리인이 업주의 정화시설설치의무위반 행위에 공모, 가담하였거나 업주의 위와 같은 행위를 방조하였다고 할 수 없다(대판 1990.12.11, 90도2178). 11. 경찰승진

14. 도박하는 자리에서 도금으로 사용하리라는 정을 알면서 채무변제조로 금원을 교부하였다면 도박을 방조한 행위에 해당한다(대판 1970.7.28, 70도1218). 03. 사시

15. 세관원에게 "잘 부탁한다."는 말을 하였다는 사실만으로서는 사위 기타 부정한 방법으로 관세를 포탈하는 범행의 방조행위에 해당된다든가 또는 그 범행의 실행에 착수하였다고 볼 수 없다(대판 1971.8.31, 71도1204). 10. 경찰승진

16. 특정 응시생의 경미한 부정행위를 방조할 의사를 갖고 있는 자의 요구를 받아들여 특정 고사실의 감독관으로 배치하여 준 경우 위계에 의한 공무집행방해죄의 방조범이 성립한다(대판 1996.1.26, 95도2461).

17. 정범이 변호사법 위반행위를 하려 한다는 것을 알면서 자금능력이 있는 사람을 정범에게 소개하고 교섭한 행위는 변호사법 위반행위의 종범에 해당한다(대판 1982.9.14, 80도2566).

18. 전송의 방법으로 공중송신권을 침해하는 게시물이나 그 게시물이 위치한 웹페이지 등에 연결되는 링크를 한 행위자가 정범이 공중송신권을 침해한다는 사실을 충분히 인식하면서 그러한 침해 게시물 등에 연결되는 링크를 인터넷 사이트에 영리적·계속적으로 게시하는 등으로 공중의 구성원이 개별적으로 선택한 시간과 장소에서 침해 게시물에 쉽게 접근할 수 있도록 하는 정도의 링크 행위를 한 경우에는 침해 게시물을 공중의 이용에 제공하는 정범의 범죄를 용이하게 하므로 공중송신권 침해의 방조범이 성립한다(대판 2021.9.9, 2017도19025 전원합의체). 17. 법원행시

19. 쟁의행위가 업무방해죄에 해당하는 경우 제3자가 그러한 정을 알면서 쟁의행위의 실행을 용이하게 한 경우에는 업무방해방조죄가 성립할 수 있다(대판 2021.9.16, 2015도12632).

20. 정범의 '마약류 불법거래 방지에 관한 특례법'상 '불법수익 등의 은닉 및 가장'범행의 방조범에서 요구되는 '방조의 고의'는 마약매수인이 정범인 마약매도인으로부터 마약을 매수하면서 마약매도인의 요구로 차명계좌에 제3자 명의로 마약 매매대금을 입금하면서 그 행위가 정범의 범행 실행을 방조하는 것으로 불법성이 있다는 것을 인식해야 한다는 것을 뜻한다. 따라서 대마를 매수하면서 매매대금을 대포통장으로 무통장 입금을 한 피고인에게 형법 총칙의 공범 규정이 적용되어 불법수익 등의 은닉 및 가장행위로 인한 마약거래방지법 위반죄의 방조범이 성립된다(대판 2022.6.30, 2020도7866).

01 종범에 대한 설명으로 가장 적절하지 않은 것은?(다툼이 있는 경우 판례에 의함)　　　　19. 경찰승진

① 종범은 정범이 실행행위에 착수하여 범행을 하는 과정에서 이를 방조한 경우뿐 아니라, 정범의 실행의 착수 이전에 장래의 실행행위를 미필적으로나마 예상하고 이를 용이하게 하기 위하여 방조한 경우에도 그 후 정범이 실행행위에 나아갔다면 성립할 수 있다.

② 의사인 피고인이 입원치료를 받을 필요가 없는 환자들이 보험금 수령을 위하여 입원치료를 받으려고 하는 사실을 알면서도 입원을 허가하여 형식상으로 입원치료를 받도록 한 후 입원확인서를 발급하여 준 경우, 사기방조죄가 성립한다.

③ 피고인들이, 자신들이 개설한 인터넷 사이트를 통해 회원들로 하여금 음란한 동영상을 게시하도록 하고, 다른 회원들로 하여금 이를 다운받을 수 있도록 하는 방법으로 정보통신망을 통한 음란한 영상의 배포·전시를 방조한 행위가 단일하고 계속된 범의 아래 일정기간 계속하여 이루어졌고 피해법익도 동일한 경우, 방조행위는 포괄일죄의 관계에 있다.

④ 과실범에 대한 교사범은 성립할 수 있으나 과실범에 대한 방조범은 성립할 수 없다.

해설 ① 대판 2018.9.13, 2018도7658 ② 대판 2006.1.12, 2004도6557 ③ 대판 2010.11.25, 2010도1588 ④ × : 과실범에 대한 교사범 ×, 과실범에 대한 방조범 ×(∵ 과실범에 대한 교사·방조 ⇨ 간접정범 ○ : 제34조 제1항)

02 다음 중 방조에 대한 설명으로 적절한 것은?(다툼이 있는 경우 판례에 의함)　　　　20. 해경 1차

> ㉠ 정범이 실행에 착수하기 전에 방조한 경우에는 그 이후 정범이 실행에 착수하였더라도 방조범이 성립할 수 없다.
> ㉡ 정범의 강도예비행위를 방조하였으나 정범이 실행의 착수에 이르지 못한 경우 방조자는 강도예비죄의 종범에 해당한다.
> ㉢ 방조행위와 정범의 실행행위 사이에 인과관계가 필요하다는 견해는 공범의 처벌근거가 타인의 불법을 야기·촉진시키는 데 있으므로 방조행위가 피방조자의 실행에 아무런 영향을 끼치지 못한 경우에는 처벌근거가 상실된다는 점을 논거로 한다.
> ㉣ 방조행위와 정범의 실행행위 사이에 인과관계가 필요하지 않다는 견해에 따르면, 공범종속설에 따라 기도된 방조의 가벌성을 인정하기 때문에 방조범의 처벌범위가 부당하게 확대된다는 비판이 있다.
> ㉤ 甲이 허위자백을 하여 진범에 대한 범인도피죄의 기수에 이르고 나서야 비로소 甲의 범행을 인식한 A가 기왕의 범인도피상태를 이용하여 甲이 허위자백을 유지하도록 도운 경우 그 이후 甲이 진범을 밝혔다고 하더라도 A의 범인도피방조죄는 성립한다.
> ㉥ 자기의 지휘, 감독을 받는 자를 방조하여 범죄의 결과를 발생하게 한 자는 정범의 형으로 처벌한다.

Answer　01. ④　02. ④

① ㉡, ㉣, ㉰　　　　　　　② ㉢, ㉣, ㉰

③ ㉠, ㉢, ㉢　　　　　　　④ ㉢, ㉢, ㉰

해설　㉠ × : 방조범은 정범의 실행행위 중에 이를 방조하는 경우뿐만 아니라, 실행의 착수 전에 장래의 실행행위를 예상하고 이를 용이하게 하는 행위를 하여 방조한 경우에도 정범이 그 실행행위에 나아갔다면 성립한다(대판 1997.4.17, 96도3377).

㉡ × : 예비죄의 종범 ×(대판 1976.5.25, 75도1549)

㉢ ○ : 적절하다.

㉣ × : ~ 따르면, 공범독립성설(공범종속성설 ×)에 따라 ~ 있다.

㉤ ○ : 대판 2012.8.30, 2012도6027

㉰ ○ : 제34조 제2항

03 방조범에 대한 설명으로 옳지 않은 것은?(다툼이 있는 경우 판례에 의함)

21. 9급 검찰·마약수사·철도경찰

① 甲이 사기 범행에 이용되리라는 사정을 알고서도 A에게 자신의 명의로 된 은행 예금계좌의 접근매체를 양도함으로써 A가 B를 속여 B로 하여금 현금을 위 계좌로 송금하게 한 경우, 甲은 사기죄의 방조범이 된다.

② 은행지점장 甲이 정범인 부하직원들의 은행에 대한 배임행위를 인식하면서도 이를 방치한 경우 업무상 배임죄의 방조범이 성립한다.

③ 방조죄는 정범의 범죄에 종속하여 성립하는 것으로서, 방조의 대상이 되는 정범의 실행행위의 착수가 없으면 방조죄만 독립하여 성립할 수 없다.

④ 정범의 실행행위 전이나 실행행위 중에 정범을 방조하여 그 실행행위를 용이하게 하는 것뿐만 아니라 정범의 범죄종료 후의 이른바 사후방조도 방조범으로 볼 수 있다.

해설　① 대판 2017.5.31, 2017도3894　② 대판 1984.11.27, 84도1906　③ 대판 1979.2.27, 78도3113

④ × : 종범은 정범의 실행행위 중에 이를 방조하는 경우뿐만 아니라, 실행 착수 전에 장래의 실행행위를 예상하고 이를 용이하게 하는 것을 말한다. 따라서 정범의 범죄종료 후의 이른바 사후방조를 종범이라고 볼 수는 없다(대판 2009.6.11, 2009도1518).

04 교사범과 방조범의 차이점을 설명한 것에 대하여 옳고 그름의 표시(○, ×)가 바르게 된 것은?(다툼이 있는 경우 판례에 의함)

16. 경찰간부, 22. 해경간부

> ㉠ 편면적 교사범은 성립할 수 없으나, 편면적 방조범은 성립할 수 있다.
> ㉡ 부작위에 의한 교사범은 성립할 수 없으나, 부작위에 의한 방조범은 성립할 수 있다.
> ㉢ 과실범에 대한 교사범은 성립할 수 있으나, 과실범에 대한 방조범은 성립할 수 없다.
> ㉣ 효과 없는 교사는 교사자와 피교사자 모두가 예비·음모에 준하여 처벌되지만, 효과 없는 방조는 처벌되지 않는다.
> ㉤ 과실에 의한 교사범은 성립할 수 없으나, 과실에 의한 방조범은 성립할 수 있다.

Answer　03. ④　04. ①

① ㉠(○), ㉡(○), ㉢(×), ㉣(○), ㉤(×)

② ㉠(○), ㉡(×), ㉢(×), ㉣(○), ㉤(×)

③ ㉠(×), ㉡(○), ㉢(×), ㉣(×), ㉤(○)

④ ㉠(○), ㉡(×), ㉢(○), ㉣(○), ㉤(×)

> 해설 ㉠ ○ : 타당하다(대판 1974.5.28, 74도509).
> ㉡ ○ : 타당하다(대판 1984.11.27, 84도1906).
> ㉢ × : 과실범에 대한 교사 · 방조 ⇨ 간접정범 ○(제34조 제1항)
> ㉣ ○ : 타당하다(효과 없는 교사 : 제31조 제2항, 효과 없는 방조 : 처벌규정 ×).
> ㉤ × : 과실에 대한 교사범 · 방조범 ×(∵ 교사범 · 방조범은 교사 · 방조의 고의가 성립요건의 하나임)

05 교사 · 방조에 관한 설명 중 가장 적절하지 않은 것은?(다툼이 있으면 판례에 의함) 16. 경찰승진

① 입영기피를 결심한 자에게 "잘 되겠지, 몸 조심하라."고 하고 악수를 나눈 행위는 입영기피의 방조행위에 해당한다.

② 절도범들로부터 지속적으로 장물을 취득하여 온 자가 절도범들에게 드라이버 1개를 사주면서 "열심히 일을 하라."라고 말한 것은 절도의 교사가 된다.

③ 교사자가 피교사자에게 피해자를 "정신 차릴 정도로 때려 주라."고 교사하였다면 이는 상해에 대한 교사로 봄이 상당하다.

④ 종범이 처벌되기 위하여는 정범의 실행의 착수가 있는 경우에만 가능하고 정범이 예비의 단계에 그친 경우에는 이를 종범으로 처벌할 수 없다.

⑤ 미성년자 여부의 판단과 클럽 출입허용 여부를 2층 출입구에서 주인이 결정하게 되어 있었던 경우, 웨이터가 손님들을 출입구로 단순히 안내하였을 뿐이라면 웨이터에게는 미성년자를 출입시킨 행위 또는 그 방조행위가 인정되지 않는다.

> 해설 ① × : 입영기피의 범죄의사를 강화시킨 방조행위 ×(대판 1983.4.12, 82도43)
> ② 대판 1991.5.14, 91도542 ③ 대판 1997.6.24, 97도1075
> ④ 대판 1976.5.25, 75도1549 ⑤ 대판 1984.8.21, 84도781

06 교사와 방조에 대한 설명으로 가장 적절하지 않은 것은?(다툼이 있는 경우 판례에 의함) 17. 순경 2차

① 종범은 정범이 실행행위에 착수하여 범행을 하는 과정에서 이를 방조한 경우뿐 아니라, 정범의 실행의 착수 이전에 장래의 실행행위를 미필적으로나마 예상하고 이를 용이하게 하기 위하여 방조한 경우에도 그 후 정범이 실행행위에 나아갔다면 성립할 수 있다.

② 공무원 또는 중재인이 부정한 청탁을 받고 제3자에게 뇌물을 제공하게 하고 제3자가 그러한 공무원 또는 중재인의 범죄행위를 알면서 방조한 경우에는 그에 대한 별도의 처벌규정이 없더라도 방조범에 관한 형법 총칙의 규정이 적용되어 제3자뇌물수수방조죄가 인정될 수 있다.

Answer 05. ① 06. ④

③ 피교사자가 교사자의 교사행위 당시에는 일응 범행을 승낙하지 아니한 것으로 보여진다 하더라도 이후 그 교사행위에 의하여 범행을 결의한 것으로 인정되는 이상 교사범의 성립에는 영향이 없다.

④ 피무고자의 교사·방조하에 제3자가 피무고자에 대한 허위의 사실을 신고한 경우에는 제3자의 행위는 무고죄의 구성요건에 해당하지 않아 무고죄를 구성하지 않고, 제3자를 교사·방조한 피무고자도 교사·방조범으로서의 죄책을 부담하지 않는다.

해설 ① 대판 1997.4.17, 96도3377
② 대판 2017.3.15, 2016도19659
③ 대판 2013.9.12, 2012도2744
④ × : ~ (2줄) 무고죄의 구성요건에 해당하여 무고죄를 구성하므로, ~ 죄책을 부담한다(대판 2008.10.23, 2008도4852).

07 교사와 방조에 대한 설명 중 옳은 것은 모두 몇 개인가?(다툼이 있는 경우 판례에 의함) 21. 경찰간부

> ㉠ 간호보조원이 무면허 진료를 했다고 하더라도 그 내용을 의사가 진료부에 기재하는 행위는 정범의 실행행위 종료 후의 사후행위에 불과하여 의사는 무면허 진료행위의 방조 책임을 지지 않는다.
> ㉡ 교사자의 교사행위에도 불구하고 피교사자가 범행을 승낙하지 아니하거나 피교사자의 범행결의가 교사자의 교사행위에 의하여 생긴 것으로 보기 어려운 경우에는 교사자를 음모 또는 예비에 준하여 처벌한다.
> ㉢ 甲이 무면허운전을 하던 중 교통사고를 내자 동거하던 동생 乙을 경찰서에 대신 출석시키고 자신을 위하여 허위자백을 하게 한 경우, 甲에게 범인도피죄의 교사범의 죄책을 물을 수 없다.
> ㉣ 백화점 직원이 자신이 관리하는 점포에 가짜 상표가 새겨진 상품이 진열·판매되는 사실을 발견하고도 적절한 조치를 취하지 않아 계속 판매되도록 방치한 행위는 상표법위반 및 부정경쟁방지법위반행위를 방조한 것에 해당한다.
> ㉤ 甲이 고발을 당하자 乙에게 증거를 변조하도록 교사하였는데 乙이 甲과 공범관계에 있는 형사사건의 증거를 변조한 것에 해당하여 乙이 증거변조로 처벌되지 않는 경우, 甲도 증거변조죄의 교사범으로 처벌받지 않는다.

① 1개　　　　　② 2개　　　　　③ 3개　　　　　④ 4개

해설 ㉠ × : 범죄종료 후의 사후행위 ×, 무면허의료행위의 방조 ○(대판 1982.4.27, 82도122)
㉡ ○ : 대판 2013.9.12, 2012도2744
㉢ × : 지문의 경우 범인도피죄의 교사범 ○(대판 2006.12.7, 2005도3707)
㉣ ○ : 대판 1997.3.14, 96도1639
㉤ ○ : 대판 2011.7.14, 2009도13151

Answer ┃ 07. ③

08 교사범과 종범에 대한 설명으로 옳지 않은 것은?(다툼이 있는 경우 판례에 의함) 22. 7급 검찰

① 교사자의 교사행위는 정범의 범죄를 결의하게 할 수 있는 것이면 그 수단에는 제한이 없으며, 명시적이고 직접적인 방법에 의할 것을 필요로 하지 않는다.

② 교사범이 성립함에는 정범의 범죄행위가 인정되는 것이 그 전제 요건이 되는데, 이는 공범의 종속성에 연유하는 것은 아니다.

③ 방조행위가 정범의 실행에 대하여 간접적인 경우에도 그 실행행위를 용이하게 하였다면 종범이 될 수 있고, 간접적으로 정범을 방조하는 경우 방조자는 정범이 범행한다는 점을 알고 있어야 하지만 정범이 누구인지를 확실히 알 필요는 없다.

④ 종범에 대한 선고형이 정범보다 가볍지 않다고 하더라도 그것만으로는 위법이라고 할 수 없다.

해설 ① 대판 2000.2.25, 99도1252
② × : ~ 종속성에 연유하는 당연한 귀결이다(대판 1981.11.24, 81도2422).
③ 대판 2007.12.14, 2005도872
④ 대판 2015.8.27, 2015도8408

09 공범에 대한 설명으로 옳지 않은 것은?(다툼이 있는 경우 판례에 의함) 23. 9급 검찰·마약수사·철도경찰

① 피교사자의 범행이 당초의 교사행위와 무관한 새로운 범죄 실행의 결의에 따른 것이라면, 교사자는 예비·음모에 준하는 죄책을 부담함은 별론으로 피교사자에 대한 교사범으로서의 죄책을 부담하지는 않는다.

② 피교사자가 교사자의 교사행위 당시에는 범행을 승낙하지 아니한 것으로 보여진다 하더라도 이후 그 교사행위에 의하여 범행을 결의한 것으로 인정된다면, 교사범의 성립에 영향이 없다.

③ 형법상 방조행위는 정범이 범행을 한다는 정을 알면서 그 실행행위를 용이하게 하는 직접·간접의 모든 행위를 가리키는 점에서 방조행위와 정범의 범죄 실현 사이에 반드시 인과관계를 필요로 하는 것은 아니다.

④ 정범의 실행의 착수 이전에 장래의 실행행위를 예상하고 이를 용이하게 하기 위하여 방조한 경우에도 그 후 정범이 실행행위에 나아갔다면 종범이 성립할 수 있다.

해설 ① 대판 2012.11.15, 2012도7407
② 대판 2013.9.12, 2012도2744
③ × : 방조범은 정범에 종속하여 성립하는 범죄이므로 방조행위와 정범의 범죄 실현 사이에는 인과관계가 필요하다. 방조범이 성립하려면 방조행위가 정범의 범죄 실현과 밀접한 관련이 있고 정범으로 하여금 구체적 위험을 실현시키거나 범죄결과를 발생시킬 기회를 높이는 등으로 정범의 범죄 실현에 현실적인 기여를 하였다고 평가할 수 있어야 한다. 정범의 범죄 실현과 밀접한 관련이 없는 행위를 도와준 데 지나지 않는 경우에는 방조범이 성립하지 않는다(대판 2021.9.16, 2015도12632).
④ 대판 1997.4.17, 96도3377

Answer 08. ② 09. ③

10 교사범과 방조범에 관한 설명 중 가장 적절하지 않은 것은?(다툼이 있는 경우 판례에 의함)

23. 순경 1차

① 교사범이란 타인으로 하여금 범죄실행의 결의를 일으키게 하고, 이 결의에 의하여 범죄를 실행하게 함으로써 성립하는 범죄로서 형법 제31조 제1항에 따라 정범과 동일한 형으로 처벌한다.

② 방조범은 정범의 실행행위를 방조한다는 '방조의 고의'와 정범의 행위가 구성요건에 해당하는 행위인 점에 대한 '정범의 고의'를 갖추어야 하며, 목적범의 경우 정범의 목적에 대한 구체적 내용까지 인식할 것을 요한다.

③ 교사자의 교사행위에도 불구하고 피교사자가 범행을 승낙하지 아니하거나 피교사자의 범행 결의가 교사자의 교사행위에 의하여 생긴 것으로 보기 어려운 경우에는 실패한 교사로서 형법 제31조 제3항에 따라 교사자를 예비 음모에 준하여 처벌할 수 있다.

④ 방조범이란 타인의 범죄실행을 방조함으로써 성립하는 범죄이며, 형법 제32조 제2항에 따라 방조범의 형은 정범의 형보다 감경한다.

해설 ① 타당하다(대판 1991.5.14, 91도542).
② × : ~ (2줄) 갖추어야 하며, 초과주관적 위법요소로서 목적범의 목적의 경우 방조범에게도 정범이 어떤 목적으로 행위를 한다는 점에 대한 고의가 있어야 하나, 그 목적의 구체적인 내용까지 인식할 것을 요하는 것은 아니다(대판 2022.10.27, 2020도12563).
③ 대판 2013.9.12, 2012도2744
④ 타당하다.

Answer 10. ②

제6절 공범과 신분

> **제33조【공범과 신분】** 신분이 있어야 성립되는 범죄에 신분 없는 사람이 가담한 경우에는 그 신분 없는 사람에게도 제30조부터 제32조까지의 규정을 적용한다(본문). 다만, 신분 때문에 형의 경중이 달라지는 경우에 신분이 없는 사람은 무거운 형으로 벌하지 아니한다(단서).

① 의 의

형법상 '공범과 신분'이란 행위자의 신분이 범죄의 성립이나 형의 가중·감경에 영향을 미치는 경우에 신분 있는 자(신분자)와 신분 없는 자(비신분자)가 공범관계에 있을 때 이를 어떻게 처리할 것인가를 다루는 문제를 말한다.

② 신분의 의의와 종류

(1) 신분의 의의

신분의 개념에 관해 형법상 규정은 없으나, 신분이란 남녀의 성별, 내·외국인의 구별, 친족관계, 공무원의 자격 등 널리 일정한 범죄행위에 대한 범인의 인적 관계인 특수한 지위나 상태를 말한다(대판 1994.12.23, 93도1002). 18. 순경 3차, 21. 경찰승진, 22. 경찰간부, 23. 해경승진·경력채용

> **KEY point**
>
> 판례는 모해위증죄(제152조 제2항)의 '모해할 목적'은 범인의 특수한 상태이므로 형법 제33조 단서의 '신분관계로 인하여 형의 경중이 있는 경우'에 해당한다고 하여 목적범의 목적(초과주관적 구성요건요소)을 신분의 개념에 포함시켰다(대판 1994.12.23, 93도1002). 21. 9급 검찰, 22. 경찰간부
> **예** 모해의 목적을 가진 甲이 이러한 목적이 없는 乙을 교사하여 위증하게 한 경우 ⇨ 乙은 위증죄, 甲은 모해위증교사죄로 처단(∵ 제33조 단서 적용) 18. 경찰간부, 19. 순경 1차·법원행시, 20. 법원직·해경 3차·7급 검찰, 23. 경찰승진·경력채용, 24. 변호사시험
> 그러나 모해위증죄에서 모해할 목적을 신분관계가 아니라 초과주관적 불법요소로 보면, 공범종속성의 원칙이 적용되어 甲은 단순위증죄의 교사범으로 처벌된다. 15. 사시, 22. 경찰간부

(2) 신분의 분류

일반적으로 신분은 그것이 범죄에 미치는 영향에 따라 구성적 신분(이러한 신분을 필요로 하는 범죄를 진정신분범이라 함)과 가감적 신분(이러한 신분에 의한 범죄를 부진정신분범이라 함)으로 분류한다.

구 분	내 용	구체적인 예
구성적 신분 (진정신분범)	• 일정한 신분이 있어야 범죄가 성립하는 경우 • 신분의 착오는 고의를 조각하며 신분 없는 자는 단독으로 그 범죄의 주체가 되지 못함	수뢰죄의 공무원 · 중재인, 위증죄의 선서한 증인, 횡령죄의 보관자, 배임죄의 타인의 사무를 처리하는 자 ▶ 기타 : 유기죄, 허위진단서작성죄, 업무상 비밀누설죄, 도주죄
가감적 신분 (부진정신분범)	• 신분이 없어도 범죄는 성립하지만 신분에 의하여 형벌이 가중 또는 감경되는 경우 • 착오는 고의를 조각시킬 수 없고 제15조 제1항에 따라 경한 죄로 처벌한다.	• 존속살해죄의 직계존속 • 업무상 횡령죄의 업무상 보관자 ▶ 기타 : 업무상 배임죄, 업무상 낙태죄, 업무상 과실치사죄

③ 공범과 신분(제33조의 해석)

신분범에 있어서 신분자와 비신분자(신분관계가 없는 자)가 공범관계에 있는 경우에 비신분자에게는 어떤 범죄가 성립하며 어떠한 형으로 처벌할 것인가가 문제된다.

(1) 제33조의 본문과 단서의 관계

- **통설** : 제33조의 본문은 진정신분범(성립과 과형의 근거), 단서는 부진정신분범(성립과 과형의 근거)에 관한 규정이라고 본다. 13. 경찰승진
- **판례 · 소수설** : 형법 제33조 본문의 신분관계로 인하여 성립될 범죄에는 진정신분범뿐만 아니라 부진정신분범도 포함되며, 단서는 비신분자와 신분자의 과형의 개별화에 관한 규정으로 본다(대판 2018.8.30, 2018도10047). 14. 순경 2차, 20. 경찰승진

구 분	통 설	판례 · 소수설
제33조 본문	진정신분범(구성적 신분)의 성립과 과형의 근거	진정신분범 · 부진정신분범의 성립근거
제33조 단서	부진정신분범(가감적 신분)의 성립과 과형의 근거	부진정신분범의 과형의 근거

(2) 제33조 본문의 해석

신분관계로 인하여 성립될 범죄(진정신분범)에 가공한 행위는 신분관계가 없는 자에게도 전 3조(제30조의 공동정범, 제31조의 교사범, 제32조의 종범)의 규정을 적용한다(제33조 본문).

① **비신분자가 신분자에게 가공한 경우** : 제33조의 본문에 의하여 진정신분범에 가공한 비신분자는 공범(교사범 · 종범)은 물론 공동정범이 된다.

> 예 1. 공무원 아닌 자가 공무원을 교사 · 방조하여 뇌물을 수수하게 한 경우 ⇨ 공무원은 수뢰죄, 공무원 아닌 자는 수뢰죄의 교사범 · 종범
> 2. 공무원인 甲이 그의 처 乙과 공동으로 직무에 관련하여 친지의 청탁을 받고 뇌물을 수수한 경우 ⇨ 甲과 乙은 수뢰죄의 공동정범 10. 9급 검찰

관련판례

1. 공무원이 아닌 자는 형법 제228조(공정증서원본 등의 부실기재)의 경우를 제외하고는 허위공문서작성죄의 간접정범으로 처벌할 수 없으나, 공무원과 공동하여 허위공문서작성죄를 범한 때에는 허위공문서작성죄의 공동정범의 죄책을 진다(대판 2006.5.11, 2006도1663). 17. 경찰승진 · 7급 검찰, 18. 순경 3차, 20. 법원직, 23. 경찰간부 · 해경승진 · 경찰승진

2. 대판 2019.8.29, 2018도2738 전원합의체

   ① 비공무원이 공무원과 공동가공의 의사와 이를 기초로 한 기능적 행위지배를 통하여 공무원의 직무에 관하여 뇌물을 수수하는 범죄를 실행하였다면 공무원이 직접 뇌물을 받은 것과 동일하게 평가할 수 있으므로 공무원과 비공무원에게 뇌물수수죄의 공동정범이 성립한다. 20. 변호사시험 · 해경승진, 21. 경력채용 · 순경 1차, 22. 법원행시, 23. 경찰간부, 24. 해경간부

   ② 공무원이 뇌물공여자로 하여금 공무원과 뇌물수수죄의 공동정범 관계에 있는 비공무원에게 뇌물을 공여하게 하여 비공무원이 뇌물을 받은 경우 비공무원은 공무원과 함께 뇌물수수죄의 공동정범이 성립하고 제3자뇌물수수죄는 성립하지 않는다. 20. 법원행시 · 경찰승진 · 순경 1차, 21. 경력채용

3. 병가 중인 공무원(직무유기죄의 주체 ×)이 다른 공무원의 직무유기죄(진정신분범)에 공모 가담한 경우 ⇨ 직무유기죄의 공동정범 ○(대판 1997.4.22, 95도748 ∵ 제33조 본문) 17. 7급 검찰

4. 지방공무원의 신분을 가지지 아니하는 사람도 구 지방공무원법 제58조 제1항을 위반하여 같은 법 제82조에 따라 처벌되는 지방공무원의 범행에 가공한다면 형법 제33조 본문에 의해서 공범으로 처벌받을 수 있다(대판 2012.6.14, 2010도14409). 20. 경찰승진, 22. 법원행시

5. 甲은 여당의 유력 정치가인 乙이 기업인들로부터 뇌물을 수수하기 전에 乙과 기업인들의 면담을 주선하였고, 그 후 乙이 기업인들로부터 뇌물을 받았다면 甲은 수뢰죄의 종범에 해당한다(대판 1997.4.17, 96도3377 ∵ 제33조 본문). 18. 경찰간부

6. 피고인이 지방행정서기를 교사하여 무허가 건물을 허가받은 건축물인 것처럼 가옥대장 등에 등재케하여 허위공문서 등을 작성케 한 경우 ⇨ 허위공문서작성죄의 교사범(대판 1983.12.13, 83도1458)

7. 피해아동 甲의 친모인 피고인 乙이 자신과 연인관계인 피고인 丙과 공모하여 甲을 지속적으로 학대함으로써 사망에 이르게 한 경우, 구 아동학대범죄의 처벌 등에 관한 특례법은 보호자가 아동학대범죄를 범하여 그 아동을 사망에 이르게 한 경우를 처벌하는 규정으로 형법 제33조 본문의 '신분관계로 인하여 성립될 범죄'에 해당하므로, 피고인 丙에 대해 형법 제33조 본문에 따라 구 아동학대범죄의 처벌 등에 관한 특례법 위반(아동학대치사)죄의 공동정범이 성립하고 같은 법 제4조에서 정한 형에 따라 과형이 이루어져야 한다(대판 2021.9.16, 2021도5000 ∴ 피고인 丙에 대하여 형법 제33조 단서를 적용하여 형법 제259조 제1항의 상해치사죄에서 정한 형으로 처단한 원심판단에 법리오해의 위법이 있다).

② **신분자가 비신분자에 가공한 경우** : 명문규정이 없다. 이 경우에 신분자가 비신분자를 이용하여 진정신분범을 범한 때에는 처벌되지 않는 자(즉, '신분 없는 고의 있는 도구')를 이용한 간접정범(제34조 제1항)이 성립한다.

   예 1. 공무원이 비공무원을 교사하여 뇌물을 수수하게 한 경우 ⇨ 공무원은 수뢰죄의 간접정범
       2. 의사가 간호사를 교사하여 허위진단서를 작성하게 한 경우 ⇨ 의사는 허위진단서작성죄의 간접정범

(3) 제33조의 단서의 해석 : 가감적 신분과 공범

단, 신분관계로 인하여 형의 경중이 있는 경우(부진정신분범)에는 중한 형으로 벌하지 아니한다 (제33조 단서). 여기서 "중한 형으로 벌하지 아니한다."는 것은 비신분자를 언제나 경한 죄의 형으로 처벌한다는 의미가 아니라, 제33조 단서가 책임개별화원칙과 종속성완화의 원칙을 채택한 것이므로 가중·감경사유는 언제나 신분자에 한하고 비신분자는 통상의 범죄의 형으로 처벌한다는 의미이다.

예 甲과 乙이 공동하여 乙의 부를 살해한 경우 ⇨ 甲은 보통살인죄, 乙은 존속살해죄

┌ 관련판례

1. 업무상 타인의 사무를 처리하는 자가 그러한 신분관계가 없는 자와 공모하여 업무상 배임죄를 저질렀다면 그러한 신분관계가 없는 자에 대하여는 형법 제33조 본문에 의하여 업무상 배임죄(단순배임죄 ×)가 성립하고, 형법 제33조 단서에 의하여 단순배임죄(업무상 배임죄 ×)에 정한 형으로 처벌한다(대판 1986.10.28, 86도1517). 19. 순경 2차, 20. 경찰간부·법원직·7급 검찰, 21. 경력채용·순경 1차, 23. 경찰승진·9급 검찰·마약수사·철도경찰·법원행시, 24. 해경간부·변호사시험

2. 타인의 재물을 업무상 보관하는 신분관계가 없는 자가 신분관계가 있는 자와 공모하여 업무상 횡령죄를 저질렀다면 신분관계가 없는 자에 대하여는 형법 제33조 단서에 의하여 단순횡령죄에 정한 형으로 처단하여야 한다(대판 1965.8.24, 65도493). 18. 9급 검찰·철도경찰·순경 3차, 23. 해경승진

   ▶ **비교판례** : 군용물횡령죄에 있어서는 업무상 횡령이던 단순횡령이던 간에 본조에 의하여 그 법정형이 동일하게 되어 양죄 사이에 형의 경중이 없게 되었으므로 법률적용에 있어서 형법 제33조 단서의 적용을 받지 않는다(대판 1965.8.24, 65도493). 09. 경찰승진

3. 비신분자인 아내와 신분자인 아들이 공동하여 아버지를 살해한 경우 비신분자인 아내는 제33조 본문에 따라 존속살해죄의 공동정범이 성립하고, 제33조 단서에 따라 보통살인죄로 처벌된다(대판 1961.8.2, 4294형상284). 20. 경찰승진·순경 1차·해경 3차, 23. 경찰간부·경력채용

4. 상호신용금고의 임원이 아닌 자가 신분관계 있는 임원과 공모하여 상호신용금고법 위반죄를 저질렀다면 비신분자에게도 상호신용금고법 위반죄가 성립하고, 다만 제33조 단서에 의해 중한 형이 아닌 형법 제355조 제2항(단순배임죄)의 형으로 처벌한다(대판 1997.12.26, 97도2609).

5. 피고인이 국가정보원장 등과 공모하여 국가정보원장 특별사업비에 대한 국고손실 범행을 저질러 그에게 특정범죄 가중처벌 등에 관한 법률 위반(국고 등 손실)죄가 성립한다고 하더라도, 피고인은 회계관계직원 또는 국가정보원장 특별사업비의 업무상 보관자가 아니므로 형법 제355조 제1항의 횡령죄에 정한 형으로 처벌된다(대판 2020.10.29, 2020도3972).

① 비신분자가 신분자에게 가공한 경우

학 설	내용과 사례
통 설	제33조 단서를 부진정신분범의 공범(공동정범·교사범·종범) 성립과 과형에 대한 규정으로 이해한다. 예 • 甲과 乙이 공모하여 乙의 父를 살해한 경우 ⇨ 甲은 보통살인죄의 공동정범, 乙은 존속살해죄의 공동정범 성립 ⇨ 甲은 보통살인죄, 乙은 존속살해죄로 처벌 • 甲이 乙을 교사하여 乙의 父를 살해하게 한 경우 ⇨ 甲은 보통살인죄의 교사범, 乙은 존속살해죄의 정범 성립 ⇨ 甲은 보통살인죄, 乙은 존속살해죄로 처벌
판 례	제33조 본문을 부진정신분범의 공범(공동정범, 교사범, 종범) 성립의 근거로 보고, 그 과형만 단서에 의하여 결정되어야 한다고 본다. 예 • 甲과 乙이 공모하여 乙의 父를 살해한 경우 ⇨ 甲은 존속살해죄의 공동정범의 공동정범 성립(본문) ⇨ 甲은 보통살인죄, 乙은 존속살해죄로 처벌(단서) • 甲이 乙을 교사하여 乙의 父를 살해하게 한 경우 ⇨ 甲은 존속살해죄의 교사범, 乙은 존속살해죄의 정범 성립(본문) ⇨ 甲은 보통살인죄, 乙은 존속살해죄로 처벌(단서) 16. 9급 검찰·마약수사, 22. 경찰승진

② **신분자가 비신분자에게 가공한 경우** : 제33조의 본문은 신분자가 비신분자에게 가공한 경우에는 적용되지 않았으나, 단서는 이 경우에도 적용되어야 한다는 데 이론이 없다.

> 예 甲이 乙을 교사하여 甲의 부를 살해하게 한 경우 ⇨ 甲은 존속살해죄의 교사범, 乙은 보통살인죄의 정범

┌ **관련판례**

1. 형법 제31조 제1항은 협의의 공범의 일종인 교사범이 그 성립과 처벌에 있어서 정범에 종속한다는 일반적인 원칙을 선언한 것에 불과하고, 신분관계로 인하여 형의 경중이 있는 경우에 신분이 있는 자가 신분이 없는 자를 교사하여 죄를 범하게 한 때에는 형법 제33조 단서가 형법 제31조 제1항에 우선하여 적용됨으로써 신분이 있는 교사범이 신분이 없는 정범보다 중하게 처벌된다(대판 1994.12.23, 93도1002). 16. 변호사시험, 17. 9급 철도경찰, 18. 법원행시, 21. 경찰간부·법원직, 22. 순경 1차, 23. 경찰승진·법원행시

2. 도박의 습벽이 있는 자가 타인의 도박을 방조하면 상습도박방조의 죄(도박방조죄 ×)에 해당하는 것이며, 23. 경력채용 도박의 습벽이 있는 자가 도박을 하고 또 도박방조를 하였을 경우 상습도박방조의 죄는 무거운 상습도박의 죄에 포괄시켜 1죄로서 처단하여야 한다(대판 1984.4.24, 84도195). 16. 변호사시험, 20. 해경승진·9급 검찰·철도경찰·해경 3차, 20·21. 순경 1차, 23. 경찰간부, 24. 해경간부·경찰승진

(4) **소극적 신분**(불구성적 신분 예 무면허의료행위에 있어서 의사)**과 공범** : 명문규정 ×

의료인이 비의료인의 의료행위에 가공한 경우 ⇨ 의료인 : 무면허의료행위의 공동정범·교사범·종범 ○ 21. 경력채용

관련판례

1. 의료인일지라도 의료인 아닌 자의 의료행위에 공모하여 가공하면 무면허의료행위의 공동정범으로서의 책임을 진다(대판 1986.2.11, 85도448). 18. 9급 검찰 · 철도경찰 · 순경 3차, 20. 법원직 · 7급 검찰, 21. 순경 1차, 23. 해경승진, 24. 해경간부

2. 치과의사가 환자의 대량유치를 위해 치과기공사들에게 진료행위를 지시하여 이들이 단독으로 진료행위를 한 경우 ⇨ 무면허의료행위의 교사범(대판 1986.7.8, 86도749) 14. 순경 2차, 20. 법원직, 21. 변호사시험

3. 의료인이 의료인의 자격이 없는 일반인의 의료기관 개설행위에 공모하여 가공한 경우 ⇨ 의료법위반죄의 공동정범(대판 2001.11.30, 2001도2015) 18. 법원행시, 21. 경찰승진

4. 간호보조원의 무면허진료행위가 있은 후에 이를 의사가 진료부에다 기재한 행위는 정범의 실행행위 종료 후의 단순한 사후행위에 불과하다고 볼 수 없고, 무면허의료행위의 방조에 해당한다(대판 1982.4.27, 82도122). 11. 사시

---

(5) 기 타

관련판례

1. 공직선거법상의 각 기부행위의 주체로 인정되지 아니하는 자가 기부행위의 주체자 등과 공모하여 기부행위를 하였다 하더라도 그 신분에 따라 각 해당법조로 처벌하여야지 기부행위 주체자에 해당하는 법조 위반의 공동정범으로 처벌할 수는 없다(대판 2008.3.13, 2007도9507). 14. 순경 2차, 17. 경찰승진, 18. 순경 1차

2. 변호사 아닌 자에게 고용되어 법률사무소의 개설 · 운영에 관여한 변호사의 행위가 일반적인 형법총칙상의 공모, 교사 또는 방조에 해당된다고 하더라도 변호사를 변호사 아닌 자의 공범으로서 처벌할 수는 없다(대판 2004.10.28, 2004도3994). 16. 변호사시험, 20. 7급 검찰 · 철도경찰 · 경찰간부, 21. 경찰승진

3. 물건의 소유자가 아닌 사람은 형법 제33조 본문에 따라 소유자의 권리행사방해 범행에 가담한 경우에 한하여 그의 공범이 될 수 있을 뿐이다. 그러나 권리행사방해죄의 공범으로 기소된 물건의 소유자에게 고의가 없는 등으로 범죄가 성립하지 않는다면 공동정범이 성립할 여지가 없다(대판 2017.5.30, 2017도4578). 18. 7급 검찰, 20. 변호사시험 · 경찰간부, 23. 9급 검찰 · 마약수사 · 철도경찰

4. 농업협동조합법 제50조 제2항 소정의 호별방문죄는 '임원이 되고자 하는 자'라는 신분자가 스스로 호별방문을 한 경우만을 처벌하는 것으로 보아야 하고, 비록 신분자가 비신분자와 통모하였거나 신분자가 비신분자를 시켜 방문케 하였다고 하더라도 비신분자만이 호별방문을 한 경우에는 신분자는 물론 비신분자도 같은 죄로 의율하여 처벌할 수는 없다(대판 2003.6.13, 2003도889). 18. 7급 검찰

5. 세무사 자격이 없는 자가 작성하여 온 세무조정계산서에 자기 자신의 기명날인을 한 세무사에 대하여는 형이 보다 가벼운 명의대여 금지규정 위반죄의 적용만이 문제될 뿐이고, 형이 무거운 무자격 세무대리행위의 공동정범이 성립될 여지는 없다(세무사는 명의대여 금지규정 위반죄, 세무사 아닌 자는 세무대리행위에 해당 : 대판 1996.9.24, 96도1278). 15. 법원행시

공범 관련 처벌규정 비교

구 분	처벌 내용
공동정범	각자를 정범으로 처벌한다.
교사범	정범(실행한 자)의 형으로 처벌한다. ▶ **기도된 교사** ┌ • 효과 없는 교사 ⇨ 교사자와 피교사자를 음모 또는 예비에 준하여 처벌 (교사를 받은 자가 범죄의 실행을 승낙하고 착수에 이르지 아니한 경우) └ • 실패한 교사 ⇨ 교사자를 음모 또는 예비에 준하여 처벌(교사를 받은 자가 범죄의 실행을 승낙하지 아니한 경우)
종범(방조범)	정범의 형보다 감경한다(필요적 감경).
공범과 신분	부진정신분범(신분관계로 인하여 형의 경중이 있는 경우) ⇨ 비신분자(신분 없는 자)는 중한 형으로 벌하지 아니한다.
간접정범	교사 또는 방조의 예에 의하여 처벌한다.
특수교사	정범에 정한 형의 장기 또는 다액에 그 2분의 1까지 가중처벌한다(자기의 지휘·감독을 받는 자를 교사한 경우).
특수방조	정범의 형으로 처벌한다(자기의 지휘·감독을 받는 자를 방조한 경우).
동시범 (독립행위의 경합)	원인된 행위가 판명되지 아니한 때에 각 행위를 미수범으로 처벌한다. ▶ **예외** : 상해죄 ⇨ 공동정범의 예에 의한다. ⇨ 각자를 정범으로 처벌한다.

인정(긍정) 여부의 대립이 있는 개념들(판례와 다수설에 따름)

구체적인 예	인정(긍정)·처벌할 것인가
편면적 공동정범	부정 ▶ 경우에 따라 동시범 또는 종범
승계적 공동정범	긍정 ┌ 행위 전체에 대해 공동정범의 책임 부담(다수설) └ 개입한 이후의 행위에 대해서만 책임 부담(판례)
과실범의 공동정범	긍정(판례), 부정(다수설)
공모공동정범	긍정(판례), 부정(다수설)
간접정범의 미수	간접정범의 미수로 처벌한다(다수설).
과실에 의한 교사	부 정
교사의 미수	처벌규정 있음(제31조 제2항·제3항 : 기도된 교사＝효과 없는 교사＋실패한 교사)
미수의 교사	교사범이 성립하지 않는다(판례·다수설).
편면적 교사	부 정
과실범에 대한 교사	부정 ▶ 간접정범이 된다.
교사의 교사(간접교사·연쇄교사)	긍 정
부작위에 의한 방조	긍정 ▶ 부작위에 의한 교사 ⇨ 부정
사후방조	방조가 아니다. ▶ 사후종범은 종범이 아니라 독립된 범죄이다.
과실에 의한 방조	부 정
미수의 방조	부 정
기도된 방조(방조의 미수)	처벌규정이 없어 벌하지 않는다.
편면적 방조	긍 정
예비의 방조	부 정
종범의 종범(간접방조, 연쇄방조), 교사의 종범, 종범의 교사	긍정 ▶ 모두 다 방조범이다.

01 공범과 신분에 대한 설명으로 옳은 것만을 모두 고른 것은?(다툼이 있는 경우 판례에 의함)

> ㉠ 신분관계로 인하여 형이 중한 경우에 신분이 있는 자가 신분이 없는 자를 교사하여 죄를 범하게 한 때에는 형법 제31조 제1항이 적용됨으로써 신분이 있는 교사범이 신분이 없는 정범과 동일하게 처벌된다.
> ㉡ 형법 제33조의 '신분관계'는 남녀의 성별, 내·외국인의 구별, 친족관계, 공무원인 자격과 같은 관계 및 널리 일정한 범죄행위에 관련된 범인의 인적관계인 특수한 지위 또는 상태를 포함한다.
> ㉢ 타인의 재물을 업무상 보관하는 신분관계가 없는 자가 신분관계가 있는 자와 공모하여 업무상 횡령죄를 저질렀다면 신분관계가 없는 자에 대하여는 형법 제33조 단서에 의하여 단순횡령죄에 정한 형으로 처단하여야 한다.
> ㉣ 피해자를 모해할 목적으로 증인에게 위증을 교사하였다면 증인에게는 모해의 목적이 없었다고 하더라도, 교사자를 모해위증교사죄로 처단할 수 있다.

① ㉠, ㉡　　② ㉡, ㉣　　③ ㉠, ㉡, ㉢　　④ ㉡, ㉢, ㉣

해설 ㉠ × : 신분관계로 인하여 형의 경중이 있는 경우에 신분이 있는 자가 신분이 없는 자를 교사하여 죄를 범하게 한 때에는 형법 제33조 단서가 형법 제31조 제1항에 우선하여 적용된다(대판 1994.12.23, 93도1002).
㉡ ○ : 대판 1994.12.23, 93도1002
㉢ ○ : 대판 1965.8.24, 65도493
㉣ ○ : 대판 1994.12.23, 93도1002

02 공범과 신분에 대한 설명으로 가장 적절하지 않은 것은?(다툼이 있는 경우 판례에 의함) 18. 순경 1차
① 업무상 타인의 사무를 처리하는 자가 그러한 신분관계가 없는 자와 공모하여 업무상 배임죄를 저질렀다면 그러한 신분관계가 없는 자에 대하여는 형법 제33조 단서에 의하여 단순배임죄가 성립한다.
② 공직선거법에서 규정하는 각 기부행위제한 위반죄의 주체 및 각 기부행위의 주체로 인정되지 아니하는 자가 주체자 등과 공모하여 기부행위를 한 경우, 주체자에 해당하는 법조 위반죄의 공동정범으로 처벌할 수 없다.
③ 의료인일지라도 의료인 아닌 자의 의료행위에 공모하여 가공하면 의료법상 무면허의료행위의 공동정범으로서의 책임을 진다.
④ 도박의 습벽이 있는 자가 도박의 습벽이 없는 타인의 도박을 방조하면 상습도박방조의 죄가 성립한다.

Answer 01.④ 02.①

해설 ① × : 업무상 배임죄의 공동정범이 성립(제33조 본문)하고 처벌에 있어서 단순배임죄로 처벌(제33조 단서)된다(대판 1986.10.28, 85도1517).
② 대판 2008.3.13, 2007도9507 ③ 대판 1986.2.11, 85도448 ④ 대판 1984.4.24, 84도195

03 공범과 신분에 대한 설명 중 가장 적절하지 않은 것은?(다툼이 있는 경우 판례에 의함) 20. 경찰승진
① 형법 제33조 본문의 신분관계로 인하여 성립될 범죄에는 진정신분범뿐만 아니라 부진정신분범도 포함되며, 단서는 비신분자와 신분자의 과형의 개별화에 관한 규정으로 본다.
② 비신분자인 아내와 신분자인 아들이 공동하여 아버지를 살해한 경우 비신분자인 아내는 존속살해죄가 아닌 보통살인죄로 성립·처벌된다.
③ 공무원이 뇌물공여자로 하여금 공무원과 뇌물수수죄의 공동정범 관계에 있는 비공무원에게 뇌물을 공여하게 하여 비공무원이 뇌물을 받은 경우 비공무원은 공무원과 함께 뇌물수수죄의 공동정범이 성립하고 제3자뇌물수수죄는 성립하지 않는다.
④ 지방공무원의 신분을 가지지 아니하는 사람이 구 지방공무원법에 따라 처벌되는 지방공무원의 범행에 가공한다면 형법 제33조 본문에 의해서 공범으로 처벌받을 수 있다.

해설 ① 대판 2018.8.30, 2018도10047
② × : 제33조 본문에 따라 존속살해죄의 공동정범이 성립하고, 제33조 단서에 따라 보통살인죄로 처벌된다(대판 1961.8.2, 4294형상284).
③ 대판 2019.8.29, 2018도2738 전원합의체 ④ 대판 2012.6.14, 2010도14409

04 공범과 신분에 관한 설명 중 옳은 것은 모두 몇 개인가?(다툼이 있는 경우 판례에 의함) 20. 경찰간부

> ㉠ 신분관계로 인하여 형의 경중이 있는 경우에 신분이 있는 자가 신분이 없는 자를 교사하여 죄를 범하게 한 때에는 형법 제33조 단서가 형법 제31조 제1항에 우선하여 적용된다.
> ㉡ 변호사가 변호사 아닌 자에게 고용되어 법률사무소의 개설·운영에 관여하는 행위는 변호사법위반죄의 방조범으로 처벌할 수 없다.
> ㉢ 업무상의 임무라는 신분관계가 없는 자가 신분관계 있는 자와 공모하여 업무상 배임죄를 범한 경우, 신분관계가 없는 공범에 대하여는 업무상 배임죄가 성립한다.
> ㉣ 형법 제33조 소정의 이른바 신분관계라 함은 남녀의 성별, 내·외국인의 구별, 친족관계, 공무원인 자격과 같은 관계뿐만 아니라 널리 일정한 범죄행위에 관련된 범인의 인적 관계인 특수한 지위 또는 상태를 지칭하는 것이다.
> ㉤ 물건의 소유자가 아닌 사람은 형법 제33조 본문에 따라 소유자의 권리행사방해죄의 범행에 가담한 경우에 한하여 그의 공범이 될 수 있을 뿐이다. 그러나 권리행사방해죄의 공범으로 기소된 물건의 소유자에게 고의가 없는 등으로 범죄가 성립하지 않는다면 공동정범이 성립할 여지가 없다.

① 2개　　　　② 3개　　　　③ 4개　　　　④ 5개

Answer 03. ② 04. ④

해설 ㉠ ○ : 대판 1994.12.23, 93도1002
㉡ ○ : 대판 2004.10.28, 2004도3994 ㉢ ○ : 대판 1986.10.28, 86도1517
㉣ ○ : 대판 1994.12.23, 93도1002 ㉤ ○ : 대판 2017.5.30, 2017도4578

05 **공범과 신분에 대한 설명으로 옳은 것은?**(다툼이 있는 경우 판례에 의함) 20. 7급 검찰, 21. 경찰승진
① 甲이 A를 모해할 목적으로 그러한 목적이 없는 乙에게 위증을 교사한 경우, 甲은 공범종속성의 원칙에 따라 단순위증죄의 교사범으로 처벌된다.
② 의료인 甲이 의료인 아닌 乙의 무면허의료행위에 공모하여 가공한 경우, 의료인의 신분을 가진 甲을 乙의 의료법위반행위의 공범으로 처벌할 수 없다.
③ 신분관계 없는 甲이 신분관계 있는 乙과 공모하여 업무상배임죄를 저질렀다면, 甲에게는 형법 제33조 단서에 의하여 단순배임죄가 성립하고 이에 정한 형으로 처벌된다.
④ 변호사 甲이 변호사 아닌 乙에게 고용되어 법률사무소의 개설·운영에 관여한 경우, 이를 처벌하는 규정이 없는 이상 甲을 乙의 변호사법위반행위의 공범으로 처벌할 수 없다.

해설 ① × : ~ 경우, 甲은 형법 제33조 단서에 따라 모해위증죄의 교사범으로 처벌된다(대판 1994.12.23, 93도1002).
② × : ~ 처벌할 수 있다(대판 1986.2.11, 85도448).
③ × : ~ 형법 제33조 본문에 의하여 업무상 배임죄가 성립하고, 단서에 의하여 단순배임죄에 정한 형으로 처벌된다(대판 1986.10.28, 86도1517).
④ ○ : 대판 2004.10.28, 2004도3994

06 **공범과 신분에 대한 설명으로 가장 적절하지 않은 것은?**(다툼이 있는 경우 판례에 의함) 21. 순경 1차
① 비공무원이 공무원과 공동가공의 의사와 이를 기초로 한 기능적 행위지배를 통하여 공무원의 직무에 관하여 뇌물을 수수한 경우, 공무원과 비공무원에게 뇌물수수죄의 공동정범이 성립한다.
② 업무상 배임죄에서의 업무상의 임무라는 신분관계가 없는 자가 신분관계 있는 자와 공모한 경우, 신분관계가 없는 공범에 대하여는 형법 제33조 단서에 따라 단순배임죄에서 정한 형으로 처단하여야 한다.
③ 의사가 의사 면허 없는 일반인의 무면허의료행위에 공모하여 가공하는 등 기능적 행위지배가 인정된다면, 의사도 의료법상 무면허의료행위의 공동정범으로서의 죄책을 진다.
④ 도박의 습벽이 있는 자가 타인의 도박을 방조하면 상습도박방조의 죄에 해당하는 것이며, 도박의 습벽이 있는 자가 도박을 하고 또 도박방조를 하였을 경우, 상습도박죄와는 별도로 상습도박방조의 죄가 성립하고 양자는 실체적 경합관계에 있다.

해설 ① 대판 2019.8.29, 2018도2738 전원합의체
② 대판 1986.10.28, 86도1517 ③ 대판 1986.2.11, 85도448
④ × : ~ (2줄) 하였을 경우, 상습도박방조의 죄는 무거운 상습도박의 죄에 포괄시켜 1죄로서 처단하여야 한다(대판 1984.4.24, 84도195).

Answer 05. ④ 06. ④

07 공범과 신분에 대한 설명 중 옳은 것만을 고른 것은?(다툼이 있는 경우 판례에 의함) 23. 경찰간부

> ㉠ 비신분자가 신분관계로 인하여 성립될 범죄에 가공한 경우 비신분자에게 공동가공의 의사와
>   이에 기초한 기능적 행위지배를 통한 범죄의 실행이라는 주관적·객관적 요건이 충족되면 신
>   분자와 공동정범이 성립한다.
> ㉡ 甲이 친구 乙과 공모하여 자신의 아버지를 살해한 경우, 乙은 존속살해죄의 공동정범이 성립
>   하나 보통살인죄에 정한 형으로 처단된다.
> ㉢ 도박의 습벽이 있는 甲이 도박을 하고 또한 도박의 습벽이 없는 A의 도박을 방조한 경우, 甲
>   은 상습도박죄와 도박방조죄가 성립하고 양죄는 실체적 경합관계에 있다.
> ㉣ 甲이 공무원인 자신의 남편 A에게 채무변제로 받는 돈이라고 속여 A로 하여금 뇌물을 받게
>   한 경우, 甲은 형법 제33조에 의해 수뢰죄의 간접정범으로 처벌된다.

① ㉠, ㉡   ② ㉡, ㉣   ③ ㉢, ㉣   ④ ㉠, ㉡, ㉣

해설 ㉠ ○ : 대판 2019.8.29, 2018도2738 전원합의체 ㉡ ○ : 대판 1961.8.2, 4294형상284
㉢ × : 도박의 습벽이 있는 자가 타인의 도박을 방조하면 상습도박방조의 죄에 해당하는 것이며, 도박의 습
벽이 있는 자가 도박을 하고 또 도박방조를 하였을 경우 상습도박방조의 죄는 무거운 상습도박의 죄에 포괄
시켜 1죄로서 처단하여야 한다(대판 1984.4.24, 84도195).
㉣ × : 비신분자(수뢰죄에 있어서 공무원이 아닌 자 : 甲)가 진정신분범(수뢰죄에 있어서 공무원 : A)에 가
공한 경우 형법 제33조(본문)에 의해 수뢰죄의 공범(교사범·종범)은 물론 공동정범으로 처벌될 수 있으나
간접정범으로 처벌할 수 없다(대판 2006.5.11, 2006도1663 참조).

08 공범과 신분에 대한 설명 중 가장 적절하지 않은 것은?(다툼이 있는 경우 판례에 의함) 23. 경찰승진

① 신분관계라 함은 널리 일정한 범죄행위에 관련된 범인의 인적 관계인 특수한 지위 또는 상태를
   지칭하는 것이므로, 고의나 목적과 같이 행위 관련적 요소는 이에 포함되지 않는다.
② 신분관계로 인하여 형의 경중이 있는 경우에 신분이 있는 자가 신분이 없는 자를 교사하여
   죄를 범하게 한 때에는 형법 제33조 단서가 형법 제31조 제1항에 우선하여 적용됨으로써 신
   분이 있는 교사범이 신분이 없는 정범보다 중하게 처벌된다.
③ 공무원 아닌 자가 공무원과 공동하여 허위공문서작성죄를 범한 때에는 허위공문서작성죄의
   공동정범이 된다.
④ 업무상 배임죄에 있어서 업무상 임무라는 신분관계가 없는 자가 그러한 신분관계 있는 자와
   공모하여 업무상 배임죄를 저지르는 경우 신분관계 없는 공범은 신분범인 업무상 배임죄가
   성립하고, 다만 과형에서만 무거운 형이 아닌 단순배임죄의 법정형이 적용된다.

해설 ① × : ~ (2줄) 지칭하는 것이므로, 행위자와 관련된 요소가 아닌 행위 관련적 요소(고의나 목적)는
이에 포함되지 않는다고 보는 것이 다수설이나, 행위 관련적 요소도 이에 포함된다는 것이 판례의 태도이다
(위증을 한 범인이 형사사건의 피고인 등을 '모해할 목적'을 가지고 있었는가 아니면 그러한 목적이 없었는
가 하는 범인의 특수한 상태의 차이에 따라 범인에게 과할 형의 경중을 구별하고 있으므로, 이는 바로 형법
제33조 단서 소정의 "신분관계로 인하여 형의 경중이 있는 경우"에 해당한다 ; 대판 1994.12.23, 93도1002).
② 대판 1994.12.23, 93도1002 ③ 대판 2006.5.11, 2006도1663 ④ 대판 1986.10.28, 86도1517

Answer 07. ①   08. ①

01 다음 중 판례가 긍정하는 것만을 모두 고른 것은?　　　　18. 9급 검찰·마약수사·철도경찰

> ㉠ 편면적 방조에 있어서 공범종속성　　㉡ 예비단계에 있어서 방조범 성립
> ㉢ 합동절도의 공동정범 성립　　　　　　㉣ 허위공문서작성죄의 간접정범 성립
> ㉤ 강간치상죄의 동시범특례규정 적용

① ㉠, ㉢, ㉣　　　　　　　　　　　　② ㉠, ㉢, ㉤
③ ㉡, ㉢, ㉣　　　　　　　　　　　　④ ㉡, ㉣, ㉤

해설 • 판례가 긍정 ○ : ㉠ 평면적 종범에서도 정범의 범죄행위 없이 방조범만이 성립될 수 없다(대판 1974.5.28, 74도509 ∴ 공범종속성 긍정). ㉢ 대판 2011.5.13, 2011도2021 ㉣ 보조공무원이 허위공 문서를 기안하여 그 정을 모르는 작성권자의 결재를 받아 공문서를 완성한 경우 허위공문서작성죄 의 간접정범이 성립한다(대판 1981.7.28, 81도898).
　　• 판례가 긍정 × : ㉡ 정범이 실행의 착수에 이르지 아니한 예비의 단계에 그친 경우에는 이에 가공한 행위가 예비의 공동정범이 될 때를 제외하고는 이를 방조범으로 처벌할 수 없다(대판 1976.5.25, 75도1549). ㉤ 강간치상죄에 대하여는 상해죄의 동시범 처벌에 관한 특례를 인정한 형법 제263조가 적용되지 아니한다(대판 1984.4.24, 84도372).

02 공범에 관한 설명 중 옳은 것(○)과 옳지 않은 것(×)을 올바르게 조합한 것은?(다툼이 있는 경우 판례 에 의함)　　　　20. 변호사시험

> ㉠ 공무원이 부정한 청탁을 받고 제3자에게 뇌물을 제공하게 하고 제3자가 그러한 공무원의 범 죄행위를 알면서 방조한 경우, 그에 대한 별도의 처벌규정이 없더라도 제3자에게는 방조범에 관한 형법 총칙의 규정이 적용되어 제3자뇌물수수방조죄가 인정될 수 있다.
> ㉡ 물건의 소유자가 아닌 사람이 소유자의 권리행사방해범행에 가담한 경우에는 형법 제33조 본 문에 따라 권리행사방해죄의 공범이 될 수 있으며, 공범으로 기소된 물건의 소유자에게 고의 가 없어 범죄가 성립하지 않더라도 권리행사방해범행을 공동으로 하였음이 인정되는 한 공동 정범의 죄책을 진다.
> ㉢ 공범 중 1인이 그 범행에 관한 수사절차에서 참고인 또는 피의자로 조사받으면서 자기의 범행 을 구성하는 사실관계에 관하여 허위로 진술하고 허위 자료를 제출하는 것이 다른 공범을 도 피하게 하는 결과가 된다고 하더라도 범인도피죄로 처벌되지 않으나, 공범이 이러한 행위를 교사하였다면 범인도피교사의 죄책을 면할 수 없다.
> ㉣ 신분관계가 없는 사람이 신분관계로 인하여 성립될 범죄에 가공한 경우, 신분관계가 없는 사 람에게 공동가공의 의사와 이에 기초한 기능적 행위지배를 통한 범죄의 실행이라는 주관적· 객관적 요건이 충족되면 공동정범으로 처벌된다.

Answer　　**01.** ①　**02.** ③

① ㉠(×), ㉡(×), ㉢(×), ㉣(○)　　　　② ㉠(○), ㉡(×), ㉢(○), ㉣(×)

③ ㉠(○), ㉡(×), ㉢(×), ㉣(○)　　　　④ ㉠(×), ㉡(○), ㉢(○), ㉣(×)

⑤ ㉠(×), ㉡(○), ㉢(×), ㉣(○)

해설 ㉠ ○ : 대판 2017.3.15, 2016도19659

㉡ × : ~ (3줄) 성립하지 않는다면 공동정범이 성립할 여지가 없다(대판 2017.5.30, 2017도4578).

㉢ × : ~ (3줄) 범인도피죄로 처벌할 수 없다. 이때 공범이 이러한 행위를 교사하였더라도 범죄가 될 수 없는 행위를 교사한 것에 불과하여 범인도피교사죄가 성립하지 않는다(대판 2018.8.1, 2015도20396).

㉣ ○ : 대판 2019.8.29, 2018도2738 전원합의체

03 대법원 판례가 인정하고 있지 않는 것만을 모두 고르면? 　　　　20. 9급 검찰·마약수사·철도경찰

㉠ 예비죄의 중지범	㉡ 진정결과적 가중범의 공동정범
㉢ 부작위범 사이의 공동정범	㉣ 사후방조로서의 종범
㉤ 편면적 종범	㉥ 예비죄의 공동정범

① ㉠, ㉣　　　　② ㉠, ㉡, ㉥　　　　③ ㉠, ㉣, ㉥　　　　④ ㉡, ㉢, ㉤

해설 • 인정 ○ : ㉡ 대판 2000.5.12, 2000도745 ㉢ 대판 2008.3.27, 2008도89 ㉤ 대판 1974.5.28, 74도509 ㉥ 대판 1979.11.27, 79도2201

• 인정 × : ㉠ 대판 1999.4.9, 99도424 ㉣ 대판 2009.6.11, 2009도1518

04 공범에 관한 설명 중 옳은 것은?(다툼이 있는 경우 판례에 의함) 　　　　21. 변호사시험

① 업무상 배임죄에서 업무상 임무라는 신분 관계 없는 甲이 신분 있는 乙과 공모하여 업무상 배임죄를 범한 경우 甲에게는 단순배임죄가 성립한다.

② 2인 이상의 서로 대향된 행위의 존재를 요구하는 관계인 금품 수수에서 금품 공여자에 대한 처벌규정이 없다면, 금품 공여자의 행위에만 관여하여 그 공여 행위를 교사·방조한 자는 금품 수수자의 범행에 대하여 공범이 되지 않는다.

③ 치과의사 甲이 치과의사면허가 없는 치과기공사 乙에게 치과진료행위를 하도록 교사한 경우 甲은 소극적 신분을 이유로 처벌되지 않는다.

④ 방조범이 성립하기 위하여 방조범과 정범 사이의 의사연락을 요하지는 않지만, 정범이 누구인지와 범행 일시, 장소, 객체 등에 대한 구체적 인식과 이러한 정범의 실행을 방조한다는 인식이 필요하다.

⑤ 甲이 범죄를 교사하였고 피교사자 乙이 실행을 승낙하고도 이후 실행의 착수를 하지 않은 경우 교사인 甲만 예비·음모에 준하여 처벌된다.

해설 ① × : ~ 甲에게는 업무상 배임죄(단순배임죄 ×)가 성립한다(대판 1986.10.28, 86도1517).

② ○ : 대판 2014.1.16, 2013도6969

③ × : ~ 甲은 무면허의료행위의 교사범으로 처벌된다(대판 1986.7.8, 86도749).

Answer　03. ①　04. ②

④ × : ~ 않지만(편면적 종범 인정 : 대판 1974.5.28, 74도509), 정범이 누구인지와 범행 일시, 장소, 객체 등에 대해 구체적으로 인식할 필요가 없으나(대판 2007.12.14, 2005도872) 정범의 실행을 방조한다는 인식 (방조의 고의)은 필요하다(대판 2005.4.29, 2003도6056).
⑤ × : ~ 甲과 乙 모두 예비·음모에 준하여 처벌한다(효과 없는 교사 : 제31조 제2항).

05 다음 중 공범에 관한 설명으로 가장 옳지 않은 것은?(다툼이 있는 경우 판례에 의함)   21. 해경간부

① 단일정범개념에 대해서는 가벌성의 확대를 초래한다는 비판이 있다.
② 구성요건 행위의 일부를 직접 분담하여 실행하지 않은 공모자에게 공모공동정범으로서의 죄 책을 물 수 있으려면 전체 범죄에서 그가 차지하는 지위나 역할 등에 비추어 범죄에 대한 본질적 기여를 통한 기능적 행위지배가 존재하여야 한다.
③ 甲이 A중공업 직원 乙이 영업비밀인 선박부품 설계도면을 해외로 유출하기 위하여 무단 반 출하였다는 사실을 알고 몇 개월 후 乙에게 접근하여 설계도면을 취득하려고 하였다면 업무 상 배임죄의 공동정범이 될 수 없다.
④ 甲은 乙에게 A의 도자기를 강취해 올 것을 교사하였고 乙은 이를 승낙하였으나 차일피일 미루고 있는 경우, 甲이 乙을 교사한 행위에 대하여 처벌하는 것은 공범종속성설의 논리적 결과이다.

해설 ① 옳다. ② 대판 2009.2.12, 2008도6551 ③ 대판 2003.10.30, 2003도4382
④ × : ~ 것은 공범독립성설(공범종속성설 ×)의 논리적 결과이다.

06 공범의 착오에 대한 설명으로 옳은 것은?(다툼이 있는 경우 판례에 의함)   21. 7급 검찰

① 방조자의 인식과 정범의 실행 간에 착오가 있고 양자의 구성요건을 달리한 경우, 그 구성요 건이 중첩되는 부분뿐만 아니라 정범의 초과부분에 대해서도 방조자의 죄책을 인정하여야 한다.
② 공범종속성설에 의하면 공범의 가벌성은 교사자 자신의 행위에 의해 결정되기 때문에 교사 자의 교사행위가 있는 이상 피교사자의 범죄실행이 없어도 교사한 범죄의 미수범으로 처벌 받게 된다.
③ 甲과 乙이 A를 강도하기로 공모하였음에도 불구하고 乙이 공모한 내용과 전혀 다른 강도강간 을 한 경우, 직접 실행행위에 관여하지 않았더라도 甲은 강도강간죄의 죄책을 진다.
④ 피교사자가 교사자의 교사내용과 전혀 다른 범죄를 실현한 경우 교사범이 성립하지 않는다 는 견해에 따르면, 甲이 乙에게 A에 대한 강간을 교사하였는데 乙이 강도를 한 경우 甲은 강간의 예비·음모에 준하여 처벌된다.

해설 ① × : ~ 중첩되는 부분 한도 내에서만 방조자의 죄책이 인정된다(대판 1985.2.26, 84도2987).
② × : 교사범이 성립하기 위해서는 교사자의 교사행위와 정범(피교사자)의 실행행위가 있어야 하는 것이 므로, 정범의 성립은 교사범의 구성요건의 일부를 형성하고 교사범이 성립함에는 정범의 범죄행위가 인정 되는 것이 그 전제요건이 된다(대판 2000.2.25, 99도1252).

Answer 05. ④ 06. ④

③ × : 공모사실(강도)과 발생사실(강간)이 전혀 별개의 구성요건에 속하는 질적 초과의 경우로서 그 초과부분에 대해서는 공동정범이 성립하지 않으므로, 甲에게는 강도강간죄의 공동정범이 성립하지 않고 특수강도죄(제334조)만 성립한다(대판 1988.9.13, 88도1114).
④ ○ : 교사의 착오 중 질적 초과의 경우로 제31조 제2항에 의해 강간죄의 예비·음모에 준하여 처벌된다.

07 정범 및 공범에 관한 설명으로 가장 적절하지 않은 것은?(다툼이 있는 경우 판례에 의함)

22. 순경 1차

① 공모공동정범에 있어서 공모자가 공모에 주도적으로 참여하여 다른 공모자의 실행에 영향을 미친 때에는 범행을 저지하기 위하여 적극적으로 노력하는 등 실행에 미친 영향력을 제거하지 아니하는 한 공모관계에서 이탈하였다고 할 수 없다.
② 피교사자가 교사자의 교사행위 당시에는 일응 범행을 승낙하지 아니한 것으로 보여진다 하더라도 이후 그 교사행위에 의하여 범행을 결의한 것으로 인정되는 이상 교사범의 성립에는 영향이 없다.
③ 甲이 책임무능력자를 이용하여 범행한 사례에 있어서 공범의 종속정도와 관련하여 제한종속형식설을 취하는 경우, 공범의 우위성에 따라 甲에게는 교사범이 성립하므로 간접정범이 성립할 여지가 없다.
④ 어느 행위로 인하여 과실범으로 처벌되는 자를 교사 또는 방조하여 범죄행위의 결과를 발생하게 한 자는 교사 또는 방조의 예에 의하여 처벌한다.

해설 ① 대판 2008.4.10, 2008도1274
② 대판 2013.9.12, 2012도2744
③ × : 다수설·판례인 제한종속형식에 의하더라도 정범개념의 우위성에 의하여 고의 있고, 책임 있는 경우에 의사지배가 인정되면 이용자는 간접정범이 될 수 있다. 정범 배후의 정범이론에 따르더라도 간접정범이 될 수 있다.
④ 제34조 제1항

08 甲의 죄책에 관한 설명으로 옳은 것은?(다툼이 있는 경우 판례에 의함)　　22. 7급 검찰
① 乙의 행위가 범죄구성요건에 해당하지만 위법하지 않은 경우, 甲이 乙의 행위를 방조하였더라도 공범의 종속성에 관해 제한종속형식을 취하는 때에는 종범(형법 제32조 제1항)이 성립하지 않는다.
② 甲의 행위가 범죄구성요건에 해당하고 위법하더라도 甲이 듣거나 말하는 데 모두 장애가 있는 사람이라면 甲의 행위에 대해서는 형을 면제한다.
③ 甲의 행위가 범죄구성요건에 해당하고 위법하더라도 甲이 심신상실자(형법 제10조 제1항)라면 甲에게 보안처분을 과할 수 없다.
④ 乙의 행위가 범죄구성요건에 해당하지만 위법하지 않은 경우, 乙의 행위를 교사한 甲을 간접정범(형법 제34조 제1항)으로는 처벌할 수 없다.

Answer　07. ③　08. ①

해설 ① ○ : 제한종속형식설에 따르면 정범(乙)의 행위가 구성요건에 해당하고 위법해야만 공범(甲 : 종범)이 성립하므로 ①은 옳다.
② × : ~ 형을 감경한다(제11조 : 청각 및 언어 장애인).
③ × : 심신상실자는 책임능력이 없어 책임이 조각되나 보안처분은 가능하다(치료감호법에 의한 치료감호처분).
④ × : ~ 간접정범으로 처벌할 수 있다(대판 2006.5.25, 2003도3945).

09 공범에 대한 설명으로 옳지 않은 것은?(다툼이 있는 경우 판례에 의함) 　23. 경찰간부
① 교사를 받은 자가 범죄의 실행을 승낙하지 아니한 때에는 교사자만을 음모 또는 예비에 준하여 처벌한다.
② 필요적 공범이라는 것은 법률상 범죄의 실행이 다수인의 협력을 필요로 하는 것을 가리키는 것으로서 이러한 범죄의 성립에는 행위의 공동을 필요로 하는 것에 불과하고 반드시 협력자 전부가 책임이 있음을 필요로 하는 것은 아니다.
③ 공모공동정범에 있어서의 공모는 범죄사실을 구성하는 것으로서 이를 인정하기 위해서는 엄격한 증명이 요구된다.
④ 정범에 의한 법익침해의 위험을 증대시키면 방조범이 성립하므로 방조범에서는 인과관계가 요구되지 아니한다.

해설 ① 실패한 교사(제31조 제3항)
② 대판 2008.3.13, 2007도10804　③ 대판 2003.1.24, 2002도6103
④ × : 방조범은 정범에 종속하여 성립하는 범죄이므로 방조행위와 정범의 범죄 실현 사이에는 인과관계가 필요하다. 방조범이 성립하려면 방조행위가 정범의 범죄 실현과 밀접한 관련이 있고 정범으로 하여금 구체적 위험을 실현시키거나 범죄결과를 발생시킬 기회를 높이는 등으로 정범의 범죄 실현에 현실적인 기여를 하였다고 평가할 수 있어야 한다. 정범의 범죄 실현과 밀접한 관련이 없는 행위를 도와준 데 지나지 않는 경우에는 방조범이 성립하지 않는다(대판 2021.9.16, 2015도12632).

10 공범에 관한 설명 중 옳은 것은?(다툼이 있는 경우 판례에 의함) 　23. 변호사시험
① 공무원이 아닌 사람이 공무원과 공동가공의 의사와 이를 기초로 한 기능적 행위지배를 통하여 공무원의 직무에 관하여 뇌물을 수수하는 범죄를 실행하였다 하더라도 공무원이 아닌 사람은 뇌물수수죄의 공동정범이 될 수 없다.
② 모해의 목적을 가진 甲이 모해의 목적이 없는 乙에게 위증을 교사하여 乙이 위증죄를 범한 경우, 공범종속성에 따라 甲에게는 모해위증교사죄가 성립할 수 없다.
③ 공문서 작성권자의 직무를 보조하는 공무원이 그 직위를 이용하여 행사할 목적으로 허위내용의 공문서의 초안을 작성한 후 문서에 기재된 내용의 허위사실을 모르는 작성권자에게 제출하여 결재하도록 하는 방법으로 작성권자로 하여금 허위의 공문서를 작성하게 한 경우, 그 보조공무원에게는 허위공문서작성죄의 간접정범이 성립하지 않는다.

Answer 　09. ④　10. ⑤

④ 비신분자가 업무상 타인의 사무를 처리하는 자의 배임행위를 교사한 경우, 그 비신분자는 타인의 사무처리자에 해당하지 않으므로 업무상 배임죄의 교사범이 성립하지 않는다.

⑤ 벌금 이상의 형에 해당하는 죄를 범한 甲이 자신의 동거가족 乙에게 자신을 도피시켜 달라고 교사한 경우, 乙이 甲과의 신분관계로 인해 범인도피죄로 처벌될 수 없다 하더라도 甲에게는 범인도피죄의 교사범이 성립한다.

해설 ① × : ~ (2줄) 실행하였다면 공무원이 아닌 사람은 뇌물수수죄의 공동정범이 될 수 있다(대판 2019.8.29, 2018도2738 전원합의체).
② × : ~ (2줄) 범한 경우, 제33조 단서가 적용되어 모해위증교사죄로 처단할 수 있다(대판 1994.12.23, 93도1002). ③ × : ~ 간접정범이 성립한다(대판 1990.10.30, 90도1912).
④ × : ~ 교사한 경우, 형법 제33조 본문에 의하여 업무상 배임죄의 교사범이 성립하고, 형법 제33조 단서에 의하여 단순배임죄의 교사범으로 처벌한다(대판 1986.10.28, 86도1517).
⑤ ○ : 대판 2006.12.7, 2005도3707

11 공범에 관한 설명 중 옳지 않은 것은?(다툼이 있는 경우 판례에 의함)   24. 변호사시험

① 방조범에게 요구되는 정범 등의 고의는 정범에 의하여 실현되는 범죄의 구체적 내용을 인식해야 하는 것은 아니고 미필적 인식이나 예견으로 충분하지만, 이는 정범의 범행 등의 불법성에 대한 인식이 필요하다는 점과 모순되지 않는다.

② 대향범에 대하여 공범에 관한 형법 총칙 규정이 적용될 수 없다는 법리는 필요적 공범인 대향범뿐만 아니라 구성요건상으로는 단독으로 실행할 수 있는 형식으로 되어 있는데 단지 구성요건이 대향범의 형태로 실행되는 경우에도 적용된다.

③ 업무라는 신분관계가 없는 자가 그러한 신분관계 있는 자와 공모하여 업무상 배임죄를 저질렀다면, 그러한 신분관계가 없는 공범에 대하여는 형법 제33조 단서에 따라 단순배임죄에서 정한 형으로 처단하여야 한다.

④ 공동정범의 성립을 위한 공동가공의 의사는 타인의 범행을 인식하면서도 이를 제지하지 아니하고 용인하는 것만으로는 부족하고, 공동의 의사로 특정한 범죄행위를 하기 위해 일체가 되어 서로 다른 사람의 행위를 이용하여 자기 의사를 실행에 옮기는 것을 내용으로 하는 것이어야 한다.

⑤ 방조범이 성립하려면 방조행위가 정범의 범죄 실현과 밀접한 관련이 있어야 하므로, 정범의 범죄 실현과 밀접한 관련이 없는 행위를 도와준 데 지나지 않는 경우에는 방조범이 성립하지 않는다.

해설 ① 대판 2022.6.30, 2020도7866
② × : 대향범에 대하여는 공범에 관한 형법 총칙 규정을 적용할 수 없다는 법리는 해당 처벌규정의 구성요건 자체에서 2인 이상의 서로 대향적 행위의 존재를 필요로 하는 필요적 공범인 대향범을 전제로 한다. 구성요건상으로는 단독으로 실행할 수 있는 형식으로 되어 있는데 단지 구성요건이 대향범의 형태로 실행되는 경우에도 대향범에 관한 법리가 적용된다고 볼 수는 없다(대판 2022.6.30, 2020도7866).
③ 대판 1986.10.28, 86도1517 ④ 대판 2001.11.9, 2001도4792 ⑤ 대판 2021.9.16, 2015도12632

Answer   11. ②

죄수론

www.pmg.co.kr

단원 advice

수험생들이 어렵게 여기는 부분이다. 그러나 어느 시험에서나 해마다 한 두 문제가 출제되고 있는 실정이다. 특히 최근에는 판례와 관련하여 불가벌적 사후행위, 포괄일죄, 일죄와 수죄의 사례, 상상적 경합과 실체적 경합 및 이들의 종합문제가 출제되고 있다.

제1절 죄수론

(1) 죄수론은 범죄의 수가 1개인가, 여러 개인가의 문제와 이 경우에 어떻게 처벌할 것인가의 법적 취급의 문제를 논하는 이론이다.

① **일죄**(단순일죄)

- 1개의 행위로 1개의 구성요건을 실현하는 경우
  - **예** A가 B에게 단 한 발의 권총을 발사하여 B를 살해한 경우
- 법조경합 : 1개의 행위가 외관상 수개의 구성요건에 해당하는 것처럼 보이나 실질적으로 일죄만을 구성하는 경우
- 포괄일죄 : 수개의 행위가 포괄적으로 1개의 구성요건에 해당하여 일죄를 구성하는 경우

② **수 죄**

- 상상적 경합 : 1개의 행위가 수개의 죄에 해당하는 경우(실질적으로 수죄이나 과형상 일죄)
- (실체적) 경합(경합범) : 수개의 행위가 수개의 죄에 해당하는 경우

관련판례

1. 법조경합(상상적 경합 ×)은 1개의 행위가 외관상 수개의 죄의 구성요건에 해당하는 것처럼 보이나 실질적으로 1죄만을 구성하는 경우인 데 반해 상상적 경합(법조경합 ×)은 1개의 행위가 실질적으로 수개의 구성요건을 충족하는 경우로서, 실질적으로 1죄인가 또는 수죄인가는 구성요건적 평가와 보호법익의 측면에서 고찰하여 판단하여야 한다(대판 2011.11.24, 2010도8568). 13. 경찰승진, 21. 해경승진, 23. 7급 검찰

2. 미성년자의제강간죄·강제추행죄는 행위시마다 한 개의 범죄가 성립한다(대판 1982.12.14, 82도2442). 19. 법원행시·경찰간부, 20. 해경승진

(2) **죄수결정의 기준** 20. 순경 1차, 22. 순경 2차

① **행위표준설** : 행위자의 행위의 수에 의하여 죄수를 결정하는 견해(객관주의 범죄이론)로, 행위가 한 개이면 일죄이고 여러 개이면 수(개의)죄라고 한다.

행위표준설에 의하면 연속범(연속하여 행하여진 수개의 행위가 동종의 범죄에 해당하는 경우)은 수죄이지만, 상상적 경합은 일죄가 된다. 판례는 강간죄(대판 1982.12.14, 82도2442)나 공갈죄(대판 1958.4.11, 4291형상370)의 경우 이 견해를 취하고 있다.

② **법익표준설** : 범죄행위로 침해된 보호법익의 수 또는 결과의 수를 기준으로 죄수를 결정하는 견해(객관주의 범죄이론)로, 전속적 법익(생명, 신체, 자유, 명예)은 법익주체(피해자)마다 1개의 죄가 성립하고, 비전속적 법익(공공의 안전, 재산권)은 공공의 안전의 경우에는 1개의 죄(**예** 1개의 방화행위로 수개의 건물을 연소시킨 경우 1개의 방화죄 성립)가 성립하고, 재산권의 경우 재산관리에 수에 상응해서 범죄가 성립한다(**예** 1인이 관리하는 수인의 소유물을 절취한 경우 1개의 절도죄). 법익표준설에 의하면 상상적 경합은 실질상 수죄이지만 제40조에 의하여 처벌상 일죄로 취급된다.

③ **의사표준설** : 범죄의사의 수를 기준으로 죄수를 결정하는 견해(주관주의 범죄이론)로, 상상적 경합이나 연속범도 의사의 단일성이 인정되면 일죄가 된다. 판례는 연속범의 경우 이 견해를 취하고 있다.

④ **구성요건표준설** : 구성요건에 해당하는 횟수를 기준으로 하는 죄수를 결정하는 견해(객관주의 범죄이론)로, 구성요건을 1회 충족하면 일죄이고 수회 해당하면 수죄가 된다.

구성요건표준설에 의하면 수개의 반복된 행위(5회에 걸친 뇌물수수행위)가 동일한 구성요건(수뢰죄)에 해당할 경우에 일죄인가 수죄인가를 판단하기 어렵다.

01 죄수(罪數)결정 기준에 관한 다음 설명으로 가장 적절한 것은?(다툼이 있는 경우 판례에 의함)

20. 순경 1차

① 행위표준설은 죄수의 판단을 위한 기본요소를 행위자의 행위에서 구하여 행위가 하나일 때 하나의 죄를, 행위가 다수일 때 수개의 죄를 인정하는 견해로 판례는 연속범의 경우 이 견해를 취하고 있다.

② 법익표준설은 한 사람의 행위자가 실현시킨 범죄실현의 과정에서 몇 개의 보호법익이 침해 또는 위태롭게 되었는가를 기준으로 죄의 개수를 인정하는 견해로 판례는 강간, 공갈죄의 경우 이 견해를 취하고 있다.

③ 의사표준설은 행위자가 실현하려는 범죄의사의 개수에 따라서 죄의 개수를 결정하려는 견해로 행위자에게 1개의 범죄의사가 있으면 1죄를, 수개의 범죄의사가 있으면 수개의 죄를 각각 인정하게 되며, 판례는 연속범의 경우를 제외하고는 원칙적으로 이 견해를 취하고 있다.

④ 구성요건표준설은 구성요건에 해당하는 횟수를 기준으로 죄수를 결정하는 견해로 죄수의 결정은 법률적인 구성요건충족의 문제로 해석하여 구성요건을 1회 충족하면 일죄이고, 수개의 구성요건에 해당하면 수죄를 인정하게 되며, 판례는 조세포탈범의 죄수는 위반사실의 구성요건 충족 횟수를 기준으로 1죄가 성립하는 것이 원칙이라고 하여 이 견해를 따르는 경우도 있다.

> **해설** ① × : 행위표준설에 의하면 연속범(연속하여 행하여진 수개의 행위가 동종의 범죄에 해당하는 경우)은 수죄이지만, 상상적 경합은 일죄가 된다. 판례는 강간죄(대판 1982.12.14, 82도2442)나 공갈죄(대판 1958.4.11, 4291형상370)의 경우 이 견해를 취하고 있다.
> ② × : 법익표준설에 의하면 상상적 경합은 실질상은 수죄이지만 처벌상 일죄로 취급하는 것이 된다. 판례는 연속범의 경우를 제외하고는 원칙적으로 이 견해를 취하고 있다.
> ③ × : 판례는 연속범의 경우 이 견해를 취하고 있다(대판 1982.10.26, 81도1409 ; 대판 1987.5.12, 87도694).
> ④ ○ : 대판 2001.3.13, 2000도4880

Answer 01. ④

02 (가)와 (나) 사례에 관한 죄수의 기초이론에 따른 설명 중 가장 적절하지 않은 것은? 22. 순경 2차

> (가) 공무원 甲은 직무와 관련하여 乙로부터 매월 1일 100만원씩 10회에 걸쳐 뇌물을 수수하였다.
> (나) 甲이 A를 살해하기 위하여 A의 음료수에 치사량의 독약을 한 번 넣고 가버린 후 그 음료수를 나누어 마신 A와 그의 비서가 사망하였다.

① 자연적 행위표준설에 따르면 (가)는 수죄, (나)는 일죄가 된다.

② 법익표준설에 따르면 (나)는 전속적 법익인 생명을 침해한 것으로 법익주체마다 1개의 죄가 성립한다.

③ (가)에서 구성요건표준설로는 甲의 10회에 걸친 뇌물수수 행위가 일죄인지, 수죄인지 명확하게 결정할 수 없다는 비판이 있다.

④ 의사표준설에 따르면 (가)의 경우 甲이 10회의 뇌물수수 과정에서 단일한 범의를 가졌는지를 불문하고 일죄가 된다.

해설 ① ○ : (자연적)행위표준설에 따르면 (가)는 수개의 행위(10회)로 수죄, (나)는 1개의 행위(한 번 넣고)로 일죄가 된다.

② ○ : 법익표준설에 따르면 전속적 법익(생명, 신체, 자유, 명예)은 법익주체(피해자)마다 1개의 죄가 성립하므로 ②는 옳다.

③ ○ : 구성요건표준설에 대해서는 반복된 행위(甲의 10회에 걸친 뇌물수수 행위)가 동일한 구성요건(수뢰죄)을 수회 충족한 경우에 일죄인가 수죄인가를 명확하게 결정할 수 없다는 비판이 있다.

④ × : 의사표준설(행위자의 범죄의사의 수를 기준으로 죄수를 결정하는 견해)에 따르면 (가)의 경우(연속범) 의사의 단일성(단일한 범의)이 인정되어야만 일죄가 된다.

Answer 02. ④

제2절 일 죄

1 의 의

일죄란 범죄행위가 1개의 구성요건에 1회 해당하는 경우를 말한다. 즉, 범죄의 수가 실질적으로 1개인 경우를 말하며, 단순일죄 또는 실질상 일죄라고 한다.

2 법조경합

1개의 행위가 외형상으로는 수개의 구성요건(형벌법규)에 해당하는 것 같지만, 성질상 실제로는 한 구성요건이 다른 구성요건을 배척하여 1개의 구성요건에만 해당되어 단순일죄로 되는 경우를 말한다(외형적 경합, 부진정경합).

관련판례

• **특별관계**

> 법조경합의 한 형태인 특별관계란 어느 구성요건이 다른 구성요건의 모든 요소를 포함하는 이외에 다른 요소를 구비하여야 성립하는 경우로서 특별관계에 있어서는 특별법(일반법 ×)의 구성요건을 충족하는 행위는 일반법(특별법 ×)의 구성요건을 충족하지만, 반대로 일반법(특별법 ×)의 구성요건을 충족하는 행위는 특별법(일반법 ×)의 구성요건을 충족하지 못한다(대판 2003.4.8, 2002도6033). 12. 사시

공기호부정사용죄와 '행사할 목적'이 그 주관적 구성요건이 아닌 자동차관리법 제71조 위반죄(자동차 등록번호판부정사용)는 법조경합의 관계(특별법관계)가 아니다(대판 1997.6.27, 97도1085). 12. 법원행시

• **불가벌적 수반행위**(흡수관계)

> 이른바 '불가벌적 수반행위'란 법조경합의 한 형태인 흡수관계에 속하는 것으로서, 행위자가 특정한 죄를 범하면 비록 논리 필연적인 것은 아니지만 일반적·전형적으로 다른 구성요건을 충족하고 이때 그 구성요건의 불법이나 책임 내용이 주된 범죄에 비하여 경미하기 때문에 처벌이 별도로 고려되지 않는 경우를 말한다(대판 2012.10.11, 2012도1895). 14. 9급 검찰·철도경찰·법원행시, 16. 순경 2차

1. 불가벌적 수반행위를 인정한 경우
   ① 강간의 수단으로 사용된 폭행·협박이 형법상의 폭행죄나 협박죄를 구성한다고는 볼 수 없으며, 강간죄와 이들 각 죄는 이른바 법조경합(불가벌적 수반행위)의 관계일 뿐이다(대판 2002.5.16, 2002 도51 전원합의체). 12. 사시, 22. 법원행시
   ▶ **유사판례** : 공갈죄의 수단으로서 한 협박은 공갈죄에 흡수될 뿐 별도로 협박죄를 구성하지 않는다(대판 1996.9.24, 96도2151). 13·21. 9급 검찰·철도경찰
   ▶ **비교판례** : 공갈죄와 도박죄는 그 구성요건과 보호법익을 달리하고 있고, 공갈죄의 성립에 일반적·전형적으로 도박행위를 수반하는 것은 아니며, 도박행위가 공갈죄에 비하여 별도로 고려되

지 않을 만큼 경미한 것이라고 할 수도 없으므로, 도박행위가 공갈죄의 수단이 되었다 하여 그 도박행위가 공갈죄에 흡수되어 별도의 범죄를 구성하지 않는다고 할 수 없다(대판 2014.3.13, 2014도212). 15. 법원행시

② 향정신성의약품수수의 죄가 성립되는 경우에는 그 수수행위의 결과로서 그에 당연히 수반되는 향정신성의약품의 소지행위는 수수죄의 불가벌적 수반행위로서 수수죄에 흡수되고 별도의 범죄를 구성하지 않는다(대판 1990.1.25, 89도1211). 11. 9급 검찰

▶ **유사판례** : 수인이 각자 구입자금을 갹출하여 향정신성의약품을 매수한 다음 갹출한 금액에 상응하는 향정신성의약품을 분배하기로 공모하여 향정신성의약품을 매매하고 이를 자신이 갹출한 금액에 상응하여 분배한 경우, 향정신성의약품수수죄는 향정신성의약품매매죄에 흡수되어 별도의 범죄를 구성하지 않는다(대판 1998.10.13, 98도2584). 22. 법원행시

③ 음주로 인한 특정범죄 가중처벌 등에 관한 법률 위반(위험운전치사상)죄가 성립하는 때에는 차의 운전자가 형법 제268조의 죄를 범한 것을 내용으로 하는 교통사고처리특례법 위반죄는 그 죄에 흡수되어 별죄를 구성하지 아니한다(대판 2008.12.11, 2008도9182). 12. 7급 검찰

④ 유세품에 대하여 수입면허 없이 수입함으로써 관세를 포탈한 경우 무면허수입죄는 관세포탈죄에 흡수되어 오로지 관세포탈죄만이 성립한다(대판 1984.6.26, 84도782). 09. 법원행시

⑤ 아동·청소년이용음란물을 제작한 자가 그 음란물을 소지하게 되는 경우 청소년성보호법 위반(음란물소지)죄는 청소년성보호법 위반(음란물제작·배포 등)죄에 흡수된다고 봄이 타당하다. 다만, 아동·청소년이용음란물을 제작한 자가 제작에 수반된 소지행위를 벗어나 사회통념상 새로운 소지가 있었다고 평가할 수 있는 별도의 소지행위를 개시하였다면 이는 청소년성보호법 위반(음란물제작·배포 등)죄와 별개의 청소년성보호법 위반(음란물소지)죄에 해당한다(대판 2021.7.8, 2021도2993). 22. 법원행시

2. 불가벌적 수반행위를 부정한 경우

① 설령 피해자에 대한 폭행행위가 동일한 피해자에 대한 업무방해죄의 수단이 되었다고 하더라도 그러한 폭행행위가 이른바 '불가벌적 수반행위'에 해당하여 업무방해죄에 대하여 흡수관계에 있다고 볼 수는 없다(대판 2012.10.11, 2012도1895). 18. 경찰승진·순경 3차, 19. 경찰간부, 20. 7급 검찰, 21. 9급 검찰·순경 2차, 23. 법원직·법원행시, 24. 해경승진

② 타인의 위탁에 의하여 사무를 처리하는 자가 그 사무처리상 임무에 위배하여 본인을 기망하고 착오에 빠진 본인으로부터 재물을 교부받은 경우에는 배임죄와 사기죄는 법조경합관계가 아니라 상상적 경합관계에 있다(대판 2002.7.18, 2002도669 전원합의체). 19. 경찰간부, 20. 7급 검찰, 23. 법원직

③ 수수한 메스암페타민을 장소를 이동하여 투약하고서 잔량을 은닉하는 방법으로 소지한 경우 ➡ 향정신성의약품수수죄와 소지죄의 경합범(대판 1999.8.20, 99도1744) 16. 7급 검찰·순경 2차, 18. 법원직, 19. 경찰간부, 23. 경찰승진

④ 형법 제330조에 규정된 야간주거침입절도죄 및 형법 제331조 제1항에 규정된 특수절도(야간손괴침입절도)죄를 제외하고 일반적으로 주거침입은 절도죄의 구성요건이 아니므로 절도범인이 그 범행수단으로 주거침입을 한 경우에 그 주거침입행위는 절도죄에 흡수되지 아니하고 별개로 주거침입죄를 구성하여 절도죄와는 실체적 경합의 관계에 서는 것이 원칙이다. 그러므로 형법 제332조에 규정된 상습절도죄를 범한 범인이 그 범행의 수단으로 주간에 주거침입을 한 경우 그

주간 주거침입행위는 상습절도죄와 별개로 주거침입죄를 구성한다(대판 2015.10.15, 2015도8169). 20. 해경 3차, 21. 법원행시

▶ **비교판례** : 특정범죄 가중처벌 등에 관한 법률 제5조의 4 제6항에 규정된 상습절도 등 죄를 범한 범인이 그 범행 외에 상습적인 절도의 목적으로 주거침입을 하였다가 절도에 이르지 아니하고 주거침입에 그친 경우에도 그것이 절도상습성의 발현이라고 보이는 이상 주거침입행위는 다른 상습절도 등 죄에 흡수되어 위 조문에 규정된 상습절도 등 죄의 1죄만을 구성하고 상습절도 등 죄와 별개로 주거침입죄를 구성하지 않는다(대판 2017.7.11, 2017도4044). 16. 경찰간부, 19. 법원행시, 22. 변호사시험

⑤ 국회의원 선거에서 정당의 공천을 받게 하여 줄 의사나 능력이 없음에도 이를 해 줄 수 있는 것처럼 기망하여 공천과 관련하여 금품을 받은 경우, 공직선거법상 공천 관련 금품수수죄와 사기죄가 모두 성립하고 양자는 법조경합관계가 아니라 상상적 경합의 관계에 있다(대판 2009.4.23, 2009도 834). 12. 법원행시, 16. 순경 2차

⑥ 피고인의 금지된 야간시위 참가로 인하여 교통이 방해된 경우, 집회 및 시위에 관한 법률위반죄와 일반교통방해죄는 구성요건과 보호법익을 달리하고 집회 및 시위에 관한 법률 위반죄의 성립에 교통방해행위가 일반적·전형적으로 수반되는 것도 아니므로, 양죄는 상상적 경합관계(실체적 경합관계 ×)에 있다(대판 2011.8.25, 2008도10960). 19. 법원행시

⑦ 공직선거법의 선거의 자유방해죄가 성립할 경우 형법의 업무방해죄가 이에 흡수되는 법조경합관계라고 볼 수는 없다(대판 2006.6.15, 2006도1667). 14. 법원행시

⑧ 피고인이 피해자의 주거에 침입하여 강간하려다 미수에 그침과 동시에 자기의 형사사건의 수사 또는 재판과 관련하여 수사단서를 제공하고 진술한 것에 대한 보복 목적으로 그를 폭행한 경우, 특정범죄 가중처벌 등에 관한 법률 위반(보복범죄 등)죄가 성폭력범죄의 처벌 등에 관한 특례법 위반(주거침입강간 등)죄에 흡수되는 법조경합의 관계에 있다고 볼 수 없고 양죄는 상상적 경합관계에 있다(대판 2012.3.15, 2012도544). 14. 사시

⑨ 폭력행위 등 처벌에 관한 법률상 범죄단체 구성원으로서 활동하는 행위와 집단감금 또는 집단상해 행위는 각각 별개의 범죄구성요건을 충족하는 독립된 행위라고 보아야 할 것이므로, 집단감금 또는 집단상해 행위가 범죄단체활동에 흡수된다고 보아 양자가 단순일죄의 관계에 해당한다고 볼 수 없다(대판 2008.5.29, 2008도1857).

⑩ 피고인이 보이스피싱 사기 범죄단체에 가입한 후 사기범죄의 피해자들로부터 돈을 편취하는 등 그 구성원으로서 활동한 경우, 범죄단체 가입행위 또는 범죄단체 구성원으로서 활동하는 행위와 사기행위는 각각 별개의 범죄구성요건을 충족하는 독립된 행위이고 서로 보호법익도 달라 법조경합 관계로 목적된 범죄인 사기죄만 성립하는 것은 아니다(대판 2017.10.26, 2017도8600). 20. 순경 1차, 21. 경찰승진

▶ **유사판례**

1. '甲이 보이스피싱 범죄를 목적으로 범죄단체를 조직하고, 乙·丙이 이 범죄단체에 가입하였으며, 甲과 乙·丙은 범죄단체 조직 내 역할을 수행하면서 체크카드 등 접근매체를 편취하거나 대량 문자 발송 사이트를 개설하는 등의 방법으로 범죄단체 활동(전기통신금융사기죄를 범한 경우) 을 한 경우에는 실체적 경합범(상상적 경합범 ×) 관계에 있다(대판 2020.12.24, 2020도10814). 22. 법원행시

2. 범죄단체 등에 소속된 조직원이 저지른 폭력행위 등 처벌에 관한 법률 위반(단체 등의 공동강요)
죄 등의 개별적 범행과 폭력행위처벌법 위반(단체 등의 활동)죄는 범행의 목적이나 행위 등
측면에서 일부 중첩되는 부분이 있더라도, 일반적으로 구성요건을 달리하는 별개의 범죄로서
범행의 상대방, 범행 수단 내지 방법, 결과 등이 다를 뿐만 아니라 그 보호법익이 일치한다고
볼 수 없다. 또한 폭력행위처벌법 위반(단체 등의 구성·활동)죄와 위 개별적 범행은 특별한
사정이 없는 한 법률상 1개의 행위로 평가되는 경우로 보기 어려워 상상적 경합이 아닌 실체적
경합관계에 있다고 보아야 한다(대판 2022.9.7, 2022도6993). 23. 순경 2차

불가벌적 사후행위란 범죄에 의하여 획득한 위법한 이익 또는 상태를 확보하거나 사용·처분하는
사후행위가 다른 구성요건에 해당하더라도 이미 주된 범죄에 의하여 완전히 평가되었기 때문에 별죄
를 구성하지 않는 경우를 말한다[예 절도범이 절취한 물건을 손괴한 행위 ⇨ 절도죄(주된 범죄) 이외에
손괴죄(불가벌적 사후행위)를 구성하지 않는다]. 따라서 시후행위는 주된 범죄와 보호법익을 같이 하거
나 그 침해의 양을 초과하지 않아야 한다.
① 타인의 새로운 법익을 침해해서는 안 된다.
② 사후행위가 침해한 피해자의 법익을 초과해서는 안 된다(예 갈취한 재물을 피해자에게 매각·담보
제공하여 돈을 교부받은 경우 ⇨ 공갈죄와 사기죄의 실체적 경합).

관련판례

● **불가벌적 사후행위가 인정되는 경우**
1. • 절취한 자기앞수표를 음식대금으로 교부하고 거스름돈을 환불받은 경우(대판 1987.1.20, 86도
1728) ⇨ 절도죄 ○, 사기죄 × 17. 법원직, 20. 순경 2차
• 장물인 자기앞수표를 취득한 후 이를 현금 대신 교부한 행위는 장물취득에 대한 가벌적 평가에
당연히 포함되는 불가벌적 사후행위로서 별도의 범죄를 구성하지 아니한다(대판 1993.11.23, 93
도213). 14. 순경 1차, 19. 법원직, 21. 변호사시험 · 해경승진
2. (업무상 과실) 장물보관을 의뢰받고 그 정을 알면서 보관한 후 임의로 처분하는 경우⇨ (업무상 과실)
장물보관죄 ○, 횡령죄 ×(대판 2004.4.9, 2003도8219) 16. 사시, 17. 순경 1차, 19. 법원직 · 9급 검찰 · 철도경찰,
21. 해경승진, 22. 경찰승진, 24. 변호사시험
3. 공동상속인 중 1인이 상속재산인 임야를 보관 중 다른 상속인들로부터 매도 후 분배 또는 소유권이전
등기를 요구받고도 그 반환을 거부한 경우 이때 이미 횡령죄가 성립하고, 그 후 그 임야에 관하여
다시 제3자 앞으로 근저당권설정등기를 경료해 준 행위는 불가벌적 사후행위로서 별도의 횡령죄를
구성하지 않는다(대판 2010.2.25, 2010도93 ∵ 일단 횡령을 한 이후에 다시 그 재물을 처분하는 것은
불가벌적 사후행위 ○). 15. 법원행시, 18. 법원직 · 경찰간부 · 경력채용, 21. 7급 검찰
▶ 유사판례 : 미등기건물의 관리를 위임받아 보관하고 있는 자가 임의로 건물을 자신의 명의로 보존
등기를 한(횡령죄 완성) 후, 다시 타인에게 근저당권설정등기를 해 준 경우(불가벌적 사후행위 :
대판 1993.3.9, 92도2999) 19. 법원직, 20. 해경 1차, 21. 해경승진 · 순경 3차
4. 전기통신금융사기(이른바 보이스피싱 범죄)의 범인이 피해자를 기망하여 피해자의 자금을 사기이용
계좌로 송금 · 이체받으면 사기죄는 기수에 이르고, 그 후 범인이 사기이용계좌에서 현금을 인출한
경우 ⇨ 사기죄 ○, 별도의 횡령죄 ×(대판 2017.5.31, 2017도3894 ∵ 새로운 법익침해 ×, 사기범행에

이용되리라는 사정을 알고서 자신 명의 계좌의 접근매체를 양도함으로써 사기범행을 방조한 종범이 사기이용계좌로 송금된 피해자의 자금을 임의로 인출한 경우에도 동일함) 18. 순경 1차·7급 검찰, 19. 법원행시, 19·20. 순경 2차, 24. 해경승진

5. 장물죄는 타인(본범)이 불법하게 영득한 재물의 처분에 관여하는 범죄이므로, 자기의 범죄〔정범자(공동정범과 합동범 포함)에 한정됨〕에 의하여 영득한 물건에 대하여는 성립되지 아니하고 이는 불가벌적 사후행위에 해당한다고 할 것이지만, 평소 본범과 공동하여 수차 상습으로 절도 등 범행을 함으로써 실질적인 범죄집단을 이루고 있었던 甲이 본범으로부터 장물을 취득하였다면, 본범이 범한 당해 절도범행에 있어서 정범자(공동정범이나 합동범)로 되지 아니한 이상 이를 자기의 범죄라 할 수 없고, 따라서 甲의 장물취득행위는 불가벌적 사후행위라고 할 수 없다(대판 1986.9.9, 86도1273). 14. 경찰간부, 17. 경찰승진, 20. 변호사시험·해경 1차

▶ **비교판례** : 횡령을 교사한 후 횡령한 물건을 취득한 경우 ⇨ 횡령교사죄와 장물취득죄의 경합범 (대판 1969.6.24, 69도692) 12. 경찰승진, 14. 사시, 20. 법원직

6. 甲주식회사 대표이사인 피고인이 자신의 채권자 乙에게 차용금에 대한 담보로 甲회사 명의 정기예금에 질권을 설정하여 주었는데, 그 후 乙이 피고인의 동의하에 정기예금 계좌에 입금되어 있던 甲회사 자금을 전액 인출하였다면, 위와 같은 예금인출동의행위는 이미 배임행위로써 이루어진 질권설정행위의 불가벌적 사후행위에 해당하므로, 배임죄와 별도로 횡령죄까지 성립한다고 볼 수 없다(대판 2012.11.29, 2012도10980). 14. 법원직, 15·17. 법원행시·순경 3차, 23. 해경승진

7. 약속어음을 할인하여 줄 의사가 없으면서 있는 것처럼 피해자를 기망하여 약속어음을 교부받은 후 이를 피해자에 대한 채권의 변제에 충당한 경우 ⇨ 사기죄 ○, 횡령죄 ×(대판 1983.4.26, 82도3079) 15. 순경 3차, 18. 경찰승진

8. 열차승차권을 절취하여 대금을 역 직원으로부터 환불받은 경우(대판 1975.8.29, 75도1996) ⇨ 절도죄 ○, 사기죄 × 14. 사시, 18. 경력채용·순경 1차, 21. 해경승진

9. 甲종친회 회장인 피고인이 위조한 종친회 규약 등을 공탁관에게 제출하는 방법으로 甲종친회를 피공탁자로 하여 공탁된 수용보상금을 출급받아 편취하고, 이를 종친회를 위하여 업무상 보관하던 중 반환을 거부한 경우 ⇨ 사문서위조죄 및 동행사죄, 사기죄(반환을 거부한 행위는 불가벌적 사후행위 ○ ⇨ 별도의 횡령죄 × ; 대판 2015.9.10, 2015도8592) 17. 7급 검찰

10. 타인을 공갈하여 취득한 임야를 매각한 경우 ⇨ 공갈죄 ○, 횡령죄 ×(대판 1986.2.11, 85도2513 ∵ 위탁관계 ×) 17. 법원직

11. 甲이 乙과 공동으로 불하받은 부동산을 丙에게 자의로 매도하여 乙에 대한 배임행위로 처벌받은 후 丙에 대한 소유권이전등기 의무를 지닌 채 다시 丙에 대한 재매도행위는 이미 배임행위로서 이루어진 甲의 丙에 대한 매도행위의 불가벌적 사후행위이다(대판 1970.11.24, 70도1998). 11. 경찰승진

12. 원목을 절취한 후 합법적으로 생산된 것처럼 관계당국을 기망하여 산림법 소정의 연고권자로 인정받아 수의계약의 방법으로 이를 매수한 경우, 이는 새로운 법익의 침해가 있는 것이라고 할 수 없고, 상태범인 산림절도죄의 성질상 하나의 불가벌적 사후행위로서 별도로 사기죄가 구성되지 않는다(대판 1974.10.22, 74도2441). 08. 순경, 09. 경찰승진

13. 신고 없이 물품을 수입한 본범이 그 물품에 대한 취득, 양여 등의 행위를 하는 경우, 관세법상 이는 새로운 법익의 침해를 수반하지 않는 이른바 불가벌적 사후행위로서 별개의 범죄를 구성하지 않는다(대판 2008.1.17, 2006도455). 22. 법원행시

● **불가벌적 사후행위를 부정하는 경우** ⇨ 일죄 ×, (실체적) 경합범 ○

1. 사람을 살해한 자가 그 사체를 다른 장소로 옮겨 유기하였을 때에는 살인죄와 사체유기죄의 경합범이 성립하고, 사체유기를 불가벌적 사후행위로 볼 수는 없다(대판 1997.7.25, 97도1142). 14. 순경 1차, 15. 경찰승진, 17. 법원행시 · 순경 2차, 19. 법원직

2. 자동차를 절취한 후 자동차등록번호판을 떼어내는 행위는 새로운 법익의 침해로 보아야 하므로 위와 같은 번호판을 떼어내는 행위가 절도범행의 불가벌적 사후행위가 되는 것은 아니다(대판 2007.9.6, 2007도4739). 17. 순경 1차, 18. 경찰간부 · 경력채용, 20. 변호사시험 · 7급 검찰, 24. 해경승진

3. 부정한 이익을 얻을 목적으로 타인의 영업비밀이 담긴 CD를 절취하여 그 영업비밀을 부정사용한 경우 절도죄와 별도로 부정경쟁방지 및 영업비밀보호에 관한 법률상 영업비밀부정사용죄가 성립한다(대판 2008.9.11, 2008도5364 ∵ 부정사용행위가 절도범행의 불가벌적 사후행위 ×). 16. 사시, 17. 7급 검찰 · 순경 1차, 18. 법원직 · 법원행시, 21. 해경 2차, 24. 해경승진

4. 부동산 명의신탁의 경우
   ① 종중으로부터 명의신탁받은 부동산을 승낙 없이 제3자에게 근저당권을 설정해 준(횡령죄 완성) 후에 다시 다른 자에게 근저당권을 설정하거나 매도한 경우 ⇨ 별도의 횡령죄 ○, 불가벌적 사후행위 ×(대판 2013.2.21, 2010도10500 전원합의체 예 피해자 甲종중으로부터 토지를 명의신탁받아 보관 중이던 피고인 乙이 개인 채무 변제에 사용할 돈을 차용하기 위해 위 토지에 근저당권을 설정하였는데, 그 후 피고인 乙, 丙이 공모하여 위 토지를 丁에게 매도한 사안에서, 피고인들의 토지 매도행위는 별도의 횡령죄를 구성한다.) 17. 법원행시 · 순경 2차, 18. 9급 검찰 · 순경 3차, 19. 변호사시험, 20. 경찰간부, 21. 경찰승진

   ▶ **비교판례** : 종중으로부터 명의신탁 받아 보관 중이던 토지를 임의로 매각하여 이를 횡령한 후 그 매각대금을 이용하여 다른 토지를 취득하였다가 이를 제3자에게 담보로 제공한 경우 ⇨ 명의신탁 토지에 대한 횡령죄와 별개의 횡령죄 구성 ×(대판 2006.10.13, 2006도4034 ∵ 후의 행위는 횡령한 물건을 처분한 대가로 취득한 물건을 이용한 것에 불과) 15. 사시

   ② 중간생략등기형 명의신탁의 경우 명의수탁된 부동산에 대한 토지수용보상금의 일부를 소비하고(횡령죄 ×), 수용되지 않은 나머지 부동산 전체에 대한 반환을 거부한 경우(횡령죄 ×)(대판 2016. 5.19, 2014도6992 전원합의체) 12. 변호사시험, 16. 사시

5. 부동산에 피해자 명의의 근저당권을 설정하여 줄 의사가 없음에도 피해자를 속이고 근저당권설정을 약정하여 금원을 편취한 다음, 그 부동산에 관하여 제3자 명의로 근저당권설정등기를 마친 경우 ⇨ 사기죄 ○, 배임죄 ×(대판 2020.6.18, 2019도14340 전원합의체 ∵ 채무자가 저당권설정계약에 따라 채권자에 대하여 부담하는 저당권을 설정할 의무는 계약에 따라 부담하게 된 채무자 자신의 의무이다. 채무자가 위와 같은 의무를 이행하는 것은 채무자 자신의 사무에 해당할 뿐이므로, 채무자를 채권자에 대한 관계에서 '타인의 사무를 처리하는 자'라고 할 수 없다.) 13. 경찰간부, 14. 법원직, 15. 법원행시, 18. 경력채용, 20. 변호사시험

6. 편취한 약속어음을 그와 같은 사실을 모르는 제3자에게 편취사실을 숨기고 할인받은 경우 그 약속어음을 취득한 제3자가 선의이고 약속어음의 발행인이나 배서인이 어음금을 지급할 의사와 능력이 있었다 하더라도 새로운 사기죄를 구성한다(대판 2005.9.30, 2005도5236). 17. 순경 1차, 18. 경찰간부, 19. 경찰승진

7. 주식회사의 대표이사가 타인을 기망하여 회사가 발행하는 신주를 인수하게 한 다음, 그로부터 납입받은 신주인수대금을 보관하던 중 횡령한 행위는 사기죄와는 전혀 다른 새로운 보호법익을 침해하는 행위로서 별죄를 구성한다(대판 2006.10.27, 2004도6503). 16. 사시, 18. 법원행시, 20. 법원직

8. 대표이사가 대표기관으로서 타인을 기망하여 교부받은 금원을 보관 중 소비한 경우 ⇨ 사기죄와 업무상 횡령죄(불가벌적 사후행위 ×)의 경합범(대판 1989.10.24, 89도1605) 11. 경찰승진

　　▶ **유사판례** : 대표이사가 회사의 상가분양 사업을 수행하면서 수분양자들을 기망하여 분양대금을 편취한 후, 사적인 용도로 그 분양대금을 임의로 지출한 행위 ⇨ 사기죄와 횡령죄의 경합범(대판 2005.4.29, 2005도741) 14. 사시, 20. 법원행시

9. 신용카드를 절취한 후 이를 사용한 경우 ⇨ 절도죄＋신용카드부정사용죄(부정사용행위가 절도범행의 불가벌적 사후행위 × : 대판 1996.7.12, 96도1181) 14. 법원행시, 16. 경찰간부, 20. 순경 2차

10. 예금통장을 강취(갈취)하고 예금자 명의의 예금청구서를 위조한 다음 이를 은행원에게 제출·행사하여 예금인출금을 교부받은 경우 ⇨ 강도죄(공갈죄), 사문서위조 및 동행사죄와 사기죄의 실체적 경합(대판 1991.9.10, 91도1722 ; 대판 1979.10.30, 79도489) 08. 법원직, 12·15. 순경 2차

11. 절취한 대마를 흡입할 목적으로 소지하는 경우 ⇨ 절도죄와 무허가대마소지죄의 경합범(대판 1999. 4.13, 98도3619) 13. 경찰간부, 18·21. 경력채용

　　▶ **유사판례** : 흡연을 목적으로 매입한 대마를 흡연할 기회를 포착하기 위하여 2일 이상 하의 주머니에 넣고 다닌 경우 대마매매죄와는 별도로 대마소지죄를 구성한다(대판 1990.7.27, 90도543). 17. 순경 1차, 24. 해경승진

12. 법원을 기망하여 승소판결을 받고 그 확정판결에 의하여 소유권이전등기를 경료한 경우 ⇨ 사기죄와 공정증서원본부실기재죄의 실체적 경합(대판 1983.4.26, 83도188) 17. 법원직, 20. 해경승진

13. 채무자가 자신의 부동산에 甲명의로 허위의 금전채권에 기한 담보가등기를 설정하여 강제집행면탈죄가 성립된 후, 그 부동산을 乙에게 양도하여 乙명의로 이루어진 가등기양도 및 본등기를 경료한 행위 ⇨ 불가벌적 사후행위 ×, 별도의 강제집행면탈죄 성립(대판 2008.5.8, 2008도198 ∵ 가등기를 양도하여 본등기를 경료하게 함으로써 소유권을 상실케 하는 행위는 법익침해의 정도가 훨씬 중함) 17. 7급 검찰, 20. 해경 1차

14. 甲주식회사의 대표이사와 실질적 운영자인 피고인들이 공모하여, 자신들이 乙에 대해 부담하는 개인채무 지급을 위하여 甲회사로 하여금 약속어음을 공동발행하게 하고 위 채무에 대하여 연대보증하게 한(배임죄) 후에 甲회사를 위하여 보관 중인 돈을 임의로 인출하여 乙에게 지급하여 위 채무를 변제한 경우(새로운 법익침해 ○, 배임 범행의 불가벌적 사후행위 ×, 횡령죄 ○) ⇨ 배임죄＋횡령죄 ○(대판 2011.4.14, 2011도277) 12. 법원직, 17·20. 법원행시

15. 1인 회사의 주주가 자신의 개인채무를 담보하기 위하여 회사 소유의 부동산에 대하여 근저당권설정등기를 마쳐 주어 배임죄가 성립한 이후에 그 부동산에 대하여 새로운 담보권을 설정해 주는 행위는 선순위 근저당권의 담보가치를 공제한 나머지 담보가치 상당의 재산상 이익을 침해하는 행위로서 별도의 배임죄가 성립한다(대판 2005.10.28, 2005도4915). 12. 법원행시, 20. 해경 1차

16. 절취한 재물의 처분행위

　　① 절취한 전당표로 전당포에 가서 기망하여 전당물을 편취한 경우 ⇨ 절도죄＋사기죄(대판 1980. 10.14, 80도2155) 14. 순경 1차

② 절취한 장물을 자기의 소유물인 것처럼 속여서 제3자에게 팔거나 담보로 제공하고 돈을 교부받은 경우 ⇨ 절도죄＋사기죄(대판 1980.11.25, 80도2310) 13. 사시, 17. 경찰간부

17. 회사에 대한 관계에서 타인의 사무를 처리하는 자가 임무에 위배하는 행위로써 회사로 하여금 회사가 펀드 운영사에 지급하여야 할 펀드출자금을 정해진 시점보다 선지급하도록 하여 배임죄를 범한 다음, 그와 같이 선지급된 펀드출자금을 보관하는 자와 공모하여 펀드출자금을 임의로 인출한 후 자신의 투자금으로 사용하기 위하여 임의로 송금하도록 한 행위 ⇨ 배임죄 ○＋횡령죄 ○(대판 2014.12.11, 2014도10036 ∵ 새로운 보호법익 침해 ○) 17. 순경 2차

18. 무역거래자가 외화도피의 목적으로 물품 등의 수입 가격을 조작하는 방법으로 피해은행을 기망하여 피해은행으로 하여금 신용장을 개설하게 한 후 그 신용장대금을 수령한 경우에, 이러한 외화도피 목적의 수입 가격 조작행위는 사기범행과는 별도로 대외무역법 제43조가 보호하는 새로운 법익을 침해한 것으로 보아야 하므로, 위와 같은 수입 가격 조작행위가 사기범행의 불가벌적 사후행위가 되는 것은 아니다(대판 2012.9.27, 2010도16946). 15. 법원행시

---

③ 포괄일죄

(1) 의 의

포괄일죄는 수개의 행위가 포괄적으로 1개의 구성요건에 해당하여 일죄를 구성하는 경우로, 본래 일죄라는 점에서 과형상 일죄(상상적 경합범)와 구별된다(대판 2007.11.15, 2007도6336). 10. 사시

(2) 효 과

포괄일죄는 실질적으로 일죄이므로 실체법상으로나 소송법상으로 일죄로 취급된다.

① 포괄일죄로 된 개개의 범죄행위가 법개정의 전후에 걸쳐서 행해진 경우에는 신·구법의 법정형에 대한 경중을 비교할 필요도 없이 범죄실행 종료시의 법이라고 할 수 있는 신법을 적용하여 포괄일죄로 처단하여야 한다(대판 1994.10.28, 93도1166). 16. 사시, 18. 9급 철도경찰, 21. 법원직·해경 2차 포괄일죄의 중간에 다른 종류의 죄의 확정판결이 끼어 있는 경우에도 그 죄는 2죄로 분리되지 않고 확정판결 후인 최종의 범행행위시에 완성된다(대판 2003.8.22, 2002도5341). 16. 법원행시, 18. 9급 철도경찰, 21. 해경승진·법원직·해경 2차, 22. 변호사시험 다만, 상습성을 이유로 포괄일죄가 되는 범행의 중간에 동종의 죄(상습범)에 대한 확정판결이 있을 때에는 포괄일죄는 확정판결 전후의 죄로 분리된다(대판 2000.2.11, 99도4797 ▶ 유사판례 : 계속적 혹은 간헐적으로 행해진 통산 8일 이상의 복무이탈행위 중간에 동종의 죄에 관한 확정판결이 있는 경우에는 일련의 복무이탈행위는 그 확정판결 전후로 분리된다 : 대판 2011.3.10, 2010도9317). 10. 법원직, 22. 변호사시험

② 포괄일죄의 범행 도중에 공동정범으로 범행에 가담한 자는 범행에 가담할 때에 종전의 범행을 알았다 하더라도 그 가담 이후의 범행에 대하여만 공동정범으로 책임을 진다(대판 2007.11.15, 2007도6336). 18. 9급 철도경찰, 21. 해경 2차

③ 포괄일죄의 관계에 있는 범행 일부에 대하여 판결이 확정된 경우에는 사실심 판결선고시를 기준으로 그 이전에 이루어진 범행에 대하여는 확정판결의 기판력이 미쳐 면소의 판결을 선고하여야 한다(대판 2020.5.14, 2020도1355 **예** 포괄일죄의 관계에 있는 범행의 일부에 대하여 약식명령이 확정된 경우, 그 약식명령 발령시를 기준으로 그 이전에 이루어진 범행에 대해서는 면소판결을 선고해야 한다). 15. 법원직, 21. 경찰간부

④ 동일 죄명에 해당하는 수개의 행위를 단일하고 계속된 범의로 일정 기간 계속하여 행하고 그 피해법익도 동일한 경우에는 이들 각 행위를 통틀어 포괄일죄로 처단하여야 하고, 그 경우 공소시효는 최종의 범죄행위가 종료한 때로부터 진행한다(대판 2021.3.11, 2020도12583).

⌐ **관련판례**

> 동일 죄명에 해당하는 수개의 행위 또는 연속된 행위를 ① 단일하고 계속된 범의하에 ② 일정기간 계속하여 행하고 ③ 그 피해법익도 동일한 경우에는 이들 각 행위를 통틀어 포괄일죄로 처단하여야 하지만, 범의의 단일성과 계속성이 인정되지 아니하거나 범행방법 및 장소가 동일하지 않은 경우에는 각 범행은 실체적 경합범에 해당한다(대판 2006.9.8, 2006도3172). 11. 순경 2차, 12. 법원직

● **포괄일죄를 인정한 경우**

1. 하나의 사건에 관하여 한번 선서한 증인이 같은 기일에 여러 가지 사실에 관하여 허위의 진술을 한 경우 ⇨ 포괄하여 하나의 위증죄(대판 1998.4.14, 97도3340) 11 · 20. 법원행시, 18 · 20. 경찰승진
   같은 심급에서 1회 선서한 이후 그 선서의 효력이 유지된 상태에서 변론기일을 달리하여 수차 증인으로 출석하여 수개의 허위진술을 한 경우 1개의 위증죄가 성립한다(대판 2007.3.15, 2006도9463). 18. 법원직, 21. 경찰간부

   ▶ **유사판례** : 하나의 소송 사건에서 동일한 선서하에 수차례에 걸쳐 허위의 감정보고서를 제출하는 경우 ⇨ 포괄하여 1개의 허위감정죄(대판 2000.11.28, 2000도1089). 10. 사시, 19. 법원행시

2. 음주상태로 자동차를 운전하여 가다가 제1차 사고를 내고 그대로 진행하여 제2차 사고를 낸 경우 제1차 사고 당시의 음주운전으로 인한 도로교통법 위반죄는 제2차 사고 당시의 음주운전으로 인한 도로교통법 위반죄와 포괄일죄의 관계에 있다(대판 2007.7.26, 2007도4404). 14. 경찰간부, 20. 법원행시, 22. 해경간부, 23. 경찰승진

3. 뇌물을 여러 차례에 걸쳐 수수함으로써 그 행위가 여러 개이더라도 그것이 단일하고 계속적 범의에 의하여 이루어지고 동일법익을 침해한 때에는 포괄일죄로 처벌함이 상당하다(대판 1985.9.24, 85도1502). 16. 7급 검찰 · 철도경찰, 18. 법원직, 20 · 22. 법원행시

   ▶ **유사판례** : 은행장인 피고인이 甲으로부터 정식 이사가 될 수 있도록 도와달라는 부탁을 받고 1년 동안 12회에 걸쳐 그 사례금 명목으로 합계 1억 2,000만원을 교부받은 경우 ⇨ 포괄일죄 ○(대판 2000.6.27, 2000도1155 ∵ 금융기관 임직원이 그 직무에 관하여 여러 차례 금품을 수수한 경우에 그것이 단일하고도 계속된 범의 아래 일정기간 반복하여 이루어진 것이고 그 피해법익도 동일한 경우에는 각 범행을 통틀어 포괄일죄로 볼 것임) 16. 법원행시, 18 · 20. 경찰승진, 22. 해경간부

4. 범죄단체를 구성하거나 이에 가입한 자가 더 나아가 구성원으로 활동하는 경우 이는 포괄일죄의 관계에 있다고 봄이 타당하므로, 피고인의 범죄단체 가입의 점에 대한 공소시효는 이와 포괄일죄의 관계

에 있는 후행 범죄단체 활동의 범죄행위가 종료한 때로부터 진행한다(대판 2015.9.10, 2015도7081). 17. 경찰간부, 21. 법원행시 · 법원직 · 9급 검찰 · 해경 2차, 23. 해경승진

5. 현금카드소유자를 공갈하여 예금인출 승낙과 함께 카드를 교부받은 후 이를 사용하여 현금자동지급기에서 예금을 여러번 인출한 경우 ⇨ 포괄하여 하나의 공갈죄(대판 1996.9.20, 95도1728) 13. 사시

　▶ **비교판례** : 강취한 현금카드를 이용하여 현금자동지급기에서 예금을 인출한 경우(대판 2007.5.10, 2007도1375) ⇨ 강도죄와 절도죄의 실체적 경합 18. 순경 1차, 20. 순경 2차, 21. 변호사시험

6. 수개의 업무상 배임행위가 있더라도 피해법익이 단일하고 범죄의 태양이 동일할 뿐만 아니라 그 수개의 배임행위가 단일한 범의에 기한 일련의 행위라고 볼 수 있을 경우에는 포괄하여 1개의 업무상 배임죄가 성립한다(대판 2004.7.9, 2004도810). 15. 법원직, 17. 경찰간부

7. 사기죄에 있어서 동일한 피해자에 대하여 수회에 걸쳐 기망행위를 하여 금원을 편취한 경우, 그 범의가 단일하고 범행방법이 동일하다면 사기죄의 포괄일죄만이 성립한다(대판 2000.2.11, 99도4862). 18. 법원직, 22. 해경간부

8. 형법 제131조 제1항 수뢰 후 부정처사죄에 있어서 단일하고도 계속된 범의 아래 일정 기간 반복하여 일련의 뇌물수수 행위와 부정한 행위가 행하여졌고 뇌물수수 행위와 부정한 행위 사이에 인과관계가 인정되며 피해법익도 동일한 경우에는 최후의 부정한 행위 이후에 저질러진 뇌물수수 행위도 최후의 부정한 행위 이전의 뇌물수수 행위 및 부정한 행위와 함께 수뢰 후 부정처사죄의 포괄일죄가 된다(대판 2021.2.4, 2020도12103). 21. 순경 2차

9. 피고인들이 개설한 인터넷사이트를 통해 회원들로 하여금 음란한 동영상을 게시하도록 하고, 다른 회원들로 하여금 이를 다운받을 수 있도록 하는 방법으로 정보통신망을 통한 음란한 영상의 배포, 전시를 방조한 행위가 단일하고 계속된 범의 아래 일정기간 계속하여 이루어졌고 피해법익이 동일하다면 포괄일죄의 관계에 있다(대판 2010.11.25, 2010도1588). 21. 해경승진

10. 피고인이 수개의 선거비용 항목을 허위기재한 하나의 선거비용 보전청구서를 제출하여 대한민국으로부터 선거비용을 과다 보전받아 이를 편취하였다면 이는 일죄로 평가되어야 하고, 각 선거비용 항목에 따라 별개의 사기죄가 성립하는 것은 아니다(대판 2017.5.30, 2016도21713). 17. 순경 2차

11. 죽인다고 협박하여 1회 간음하고 200m쯤 가다가 다시 1회 간음한 경우 ⇨ 포괄일죄(접속범 : 대판 1970.9.29, 70도1516) 16. 9급 검찰 · 마약수사 · 철도경찰

　▶ **유사판례** : 동일한 폭행 · 협박으로 항거가 불가능하거나 현저히 곤란한 상태가 계속되는 상태에서 수회에 걸쳐서 간음하였고, 피고인의 의사 및 범행 시각과 장소로 보아 하나의 계속된 행위로 볼 수 있는 경우 실체적 경합범이 아니라 단순일죄가 성립할 뿐이다(대판 2002.9.4, 2002도2581). 20. 법원행시

　▶ **비교판례** : 피해자를 1회 강간하여 상처를 입게 한 후 약 1시간 후에 장소를 옮겨 다시 1회 강간한 경우 ⇨ 강간치상죄와 강간죄의 실체적 경합(대판 1987.5.12, 87도694) 13. 법원직

12. 대금결제할 의사나 능력이 없이 신용카드를 발급받은 후 현금서비스를 받거나 가맹점으로부터 물품을 구입한 경우 ⇨ 포괄하여 하나의 사기죄(대판 1996.4.9, 95도2466) 03. 사시

13. 영리를 목적으로 무면허 의료행위를 업으로 하는 자가 일부 돈을 받지 아니하고 무면허 의료행위를 한 경우에도 보건범죄단속에 관한 특별조치법 위반죄의 1죄만이 성립하고, 별개로 의료법 위반죄를 구성하지 않는다고 보아야 한다(대판 2010.5.13, 2010도2468).

PART
02

▶ **유사판례** : 영리를 목적으로 무면허 의료행위를 업으로 하는 자가 반복적으로 여러 개의 무면허 의료행위를 단일하고 계속된 범의 아래 일정 기간 계속하여 행하고 그 피해법익도 동일하다면 이들 각 행위를 포괄일죄로 처단하여야 한다(대판 1966.9.20, 66도928). 15. 법원직

14. 살해의 목적으로 동일인에게 일시 장소를 달리하고 수차에 걸쳐 단순한 예비행위를 하거나 또는 공격을 가하였으나 미수에 그치다가 드디어 그 목적을 달성한 경우 ⇨ 포괄하여 살인기수죄 일죄(대판 1965.9.28, 65도695 ∴ 살인예비 내지 미수죄와 기수죄의 경합범 ×) 13. 순경 1차, 23. 경찰간부

15. 사람을 강요해서 지불각서(물품대금을 횡령했다는 자인서)를 쓰게 한 뒤 이를 근거로 돈을 갈취한 경우 ⇨ 포괄하여 공갈죄 일죄(대판 1985.6.25, 84도2083)

16. 약국개설자가 처방전 알선의 대가로 일정기간 동안 동일한 의료기관개설자에게 수회에 걸쳐 금원을 제공한 행위 ⇨ 약사법 위반죄의 포괄일죄(대판 2003.12.26, 2003도6288)

▶ **유사판례** : 약국개설자가 아님에도 단일하고 계속된 범의하에 일정기간 계속하여 의약품을 판매하거나 판매의 목적으로 취득함으로써 약사법 제35조 제1항에 위반된 행위를 한 경우 모두 포괄하여 일죄를 구성한다(대판 2001.8.21, 2001도3312).

17. 여러 해 동안 수회에 걸쳐 이루어진 부정의약품 제조·판매행위 등을 포괄일죄에 해당한다고 보는 이상, 그 기간 중 어느 일정 연도의 연간 소매가격이 보건범죄단속법 제3조 제1항 제2호에서 정한 1천만원을 넘은 경우에는 다른 연도의 연간 소매가격이 위 금액에 미달한다고 하더라도 그 전체를 보건범죄단속법 제3조 제1항 제2호 위반의 포괄일죄로 처단함이 타당하다. 이러한 법리는 여러 해 동안 수회에 걸쳐 이루어진 부정의약품 제조·판매행위 등의 연간 소매가격이 모두 1천만원을 넘는 경우에도 마찬가지이다(대판 2021.1.14, 2020도10979). 22. 법원행시

18. 국가정보원 직원이 동일한 사안에 관한 일련의 직무집행 과정에서 단일하고 계속된 범의로 일정 기간 계속하여 저지른 직권남용행위에 대하여는 설령 그 상대방이 수인이라고 하더라도 포괄일죄가 성립할 수 있다고 봄이 타당하다(대판 2021.3.11, 2020도12583). 22. 법원행시

19. 상습범

① 상습범을 별도의 범죄유형으로 처벌하는 규정이 없는 한 각 죄는 원칙적으로 별개의 범죄로서 경합범으로 처단할 것이다(대판 2012.5.10, 2011도12131 **예** 저작권법은 상습으로 제136조 제1항의 죄를 저지른 경우를 가중처벌한다는 규정을 따로 두고 있지 않으므로, 수회에 걸쳐 제136조 제1항의 죄를 범한 것이 상습성의 발현에 따른 것이라고 하더라도, 이는 원칙적으로 경합범으로 보아야 하는 것이지 하나의 죄로 처벌되는 상습범으로 볼 것은 아니다). 17. 순경 1차, 18. 경찰간부, 19. 법원행시, 20. 변호사시험, 21. 해경승진·해경 1차, 22. 해경간부

② 직계존속인 피해자를 폭행하고 상해를 가한 것이 존속에 대한 동일한 폭력습벽의 발현에 의한 것으로 인정되는 경우 상습존속상해죄의 포괄일죄가 성립한다(대판 2003.2.28, 2002도7335). 15. 순경 2차, 17. 9급 철도경찰

▶ **유사판례** : 피고인이 상습으로 甲을 폭행하고, 어머니 乙을 존속폭행한 경우, 습벽에 의하여 단순 폭행, 존속폭행 범행을 저지른 사실이 인정된다면 상습존속폭행죄만 성립할 여지가 있다(대판 2018.4.24, 2017도10956). 21. 7급 검찰, 22. 법원행시

③ 상습절도의 범행을 한 사람이 그 절도습벽의 발현으로 자동차 등 불법사용의 범행을 함께 저지른 경우 자동차불법사용죄는 상습절도죄와 포괄일죄의 관계에 있다(대판 2002.4.26, 2002도429). 10. 사시, 22. 해경간부, 23. 법원행시

④ 도박의 습벽이 있는 자가 도박을 하고 또 도박방조를 하였을 경우 상습도박방조의 죄는 무거운 상습도박의 죄에 포괄시켜 1죄로서 처단하여야 한다(대판 1984.4.24, 84도195). 08. 사시

⑤ 상습강도죄를 범한 범인이 그 범행 외에 상습적인 강도의 목적으로 강도예비를 하였다가 강도에 이르지 아니하고 강도예비에 그친 경우 상습강도죄의 1죄만을 구성하고 이 상습강도죄와 별개로 강도예비죄를 구성하지 아니한다(대판 2003.3.28, 2003도665). 08. 사시

⑥ 상해죄 및 폭행죄의 상습범에 관한 형법 제264조에서 말하는 '상습'이란 위 규정에 열거된 상해 내지 폭행행위의 습벽을 말하는 것이므로, 위 규정에 열거되지 아니한 다른 유형의 범죄(例 재물손괴와 주거침입)까지 고려하여 상습성의 유무를 결정하여서는 아니 된다(대판 2018.4.24, 2017도21663).

⑦ 상습사기죄에 있어서의 사기행위의 습벽은 행위자의 사기 습벽의 발현으로 인정되는 한, 동종의 수법에 의한 사기범행의 습벽만을 의미하는 것이 아니라 이종의 수법에 의한 사기 범행을 포괄하는 사기의 습벽도 포함한다(대판 1999.11.26, 99도3929). 24. 경찰승진

● **포괄일죄를 부정한 경우**

1. 포괄일죄라 함은 각기 따로 존재하는 수개의 행위가 한개의 구성요건을 한번 충족하는 경우를 말하므로 구성요건을 달리하고 있는 횡령, 배임 등의 행위와 사기의 행위는 포괄1죄를 구성할 수 없다(대판 1988.2.9, 87도58). 15. 사시, 23. 순경 1차, 24. 해경승진

2. ① 무면허운전으로 인한 도로교통법 위반죄에 관해서는 어느 날에 운전을 시작하여 다음 날까지 동일한 기회에 일련의 과정에서 계속 운전을 한 경우 등 특별한 경우를 제외하고는 사회통념상 운전한 날을 기준으로 운전한 날마다 1개의 운전행위가 있다고 보는 것이 상당하므로 운전한 날마다 무면허운전으로 인한 도로교통법 위반의 1죄가 성립한다고 보아야 한다(대판 2022.10.27, 2022도8806). 15. 사시, 16. 순경 1차·9급 검찰, 18. 법원행시, 20. 7급 검찰, 21. 경찰승진·해경 2차, 23. 경찰간부

② 한편 같은 날 무면허운전 행위를 여러 차례 반복한 경우라도 그 범의의 단일성 내지 계속성이 인정되지 않거나 범행 방법 등이 동일하지 않은 경우 각 무면허운전 범행은 실체적 경합관계에 있다고 볼 수 있으나, 23. 법원행시 그와 같은 특별한 사정이 없다면 각 무면허운전 행위는 동일 죄명에 해당하는 수 개의 동종 행위가 동일한 의사에 의하여 반복되거나 접속·연속하여 행하여진 것으로 봄이 상당하고 그로 인한 피해법익도 동일한 이상, 각 무면허운전 행위를 통틀어 포괄일죄로 처단하여야 한다(대판 2022.10.27, 2022도8806).

3. 비의료인이 의료기관을 개설하여 운영하는 도중 개설자 명의를 다른 의료인 등으로 변경한 경우에는 그 범의가 단일하다거나 범행방법이 종전과 동일하다고 보기 어렵다. 따라서 개설자 명의별로 별개의 범죄가 성립하고 각 죄는 실체적 경합범의 관계에 있다고 보아야 한다(대판 2018.11.29, 2018도10779). 20. 법원행시·경찰간부·해경 3차, 21. 해경간부·9급 검찰·철도경찰, 23. 해경승진

4. 1개의 기망행위에 의하여 다수의 피해자로부터 각각 재산상 이익을 편취한 경우 ⇨ 포괄일죄 ×, 상상적 경합 ○(대판 2015.4.23, 2014도16980). 18. 경찰간부, 20. 경찰승진

▶ **비교판례**

① 단일한 범의하에 동일한 방법으로 수인의 피해자에 대하여 각 피해자별로 기망행위를 하여 재물을 편취한 경우 ⇨ 포괄일죄 ×, 사기죄의 실체적 경합범 ○(대판 2003.4.8, 2003도382) 18. 순경 2차, 19. 법원행시, 21. 경찰간부·9급 검찰·마약수사·철도경찰, 23. 해경승진

② 불특정 다수의 피해자들을 상대로 동일한 방식으로 사기분양을 하여 그들로부터 분양대금을 편취한 경우의 사기죄 ⇨ 포괄일죄 ×, 피해자별로 독립한 사기죄 성립(대판 2005.4.29, 2005도741) 20. 법원행시, 23. 경찰간부

5. 저작재산권 침해행위는 저작권자가 같더라도 저작물별로 침해되는 법익이 다르므로, 각각의 저작물에 대한 침해행위는 원칙적으로 각 별개의 죄를 구성한다. 다만, 단일하고도 계속된 범의 아래 동일한 저작물에 대한 침해행위가 일정기간 반복하여 행하여진 경우에는 포괄하여 하나의 범죄가 성립한다고 볼 수 있다(대판 2012.5.10, 2011도12131). 17. 경찰간부, 18. 순경 3차, 21. 9급 검찰, 23. 해경승진

6. 컴퓨터로 음란 동영상을 제공한 제1범죄행위로 서버컴퓨터가 압수된 이후 다시 장비를 갖추어 동종의 제2범죄행위를 하고 제2범죄행위로 인하여 약식명령을 받아 확정된 사안에서, 피고인에게 범의의 갱신이 있어 제1범죄행위는 약식명령이 확정된 제2범죄행위와 실체적 경합관계에 있다(대판 2005. 9.30, 2005도4051). 14. 경찰간부, 16. 법원행시, 20. 경찰승진

7. 타인의 사무를 처리하는 자가 여러 사람으로부터 각각 부정한 청탁을 받고 그들로부터 각각 금품을 수수한 경우에는 비록 그 청탁이 동종의 것이라고 하더라도 단일하고 계속된 범의 아래 이루어진 범행으로 보기 어려워 그 전체를 포괄일죄로 볼 수 없다(대판 2008.12.11, 2008도6987). 10. 사시, 15. 법원직, 17. 경찰승진

8. 같은 해에 3차례에 걸쳐 수입물품의 수입신고를 하면서 과세가격 또는 관세율 등을 허위로 신고하여 수입한 경우 각각의 허위 수입신고시마다 1개의 관세포탈죄가 성립한다(대판 2000.11.10, 99도782). 16. 7급 검찰·철도경찰, 19. 경찰간부

9. 작가협회 회원인 甲이 A의 명의를 도용하여 작가협회 교육원장을 비방하는 내용의 호소문을 작성한 후, 이를 작가협회 회원들에게 우편으로 송달한 경우 ⇨ 사문서위조죄와 명예훼손죄의 실체적 경합관계(대판 2009.4.23, 2008도8527) 16. 법원행시, 18. 경찰승진

10. 구 성매매알선 등 행위의 처벌에 관한 법률상의 '영업으로 성매매를 알선한 행위'와 '영업으로 성매매에 제공되는 건물을 제공하는 행위'는 당해 행위 사이에서 각각 포괄일죄를 구성할 뿐, 서로 독립된 가벌적 행위로서 별개의 죄를 구성한다(대판 2011.5.26, 2010도6090). 19. 법원행시, 21. 경찰간부, 24. 해경간부

11. 수개의 등록상표에 대하여 상표법 제93조에서 정한 상표권침해 행위가 계속하여 행하여진 경우에는 각 등록상표 1개마다 포괄하여 1개의 범죄가 성립하므로, 특별한 사정이 없는 한 상표권자 및 표장이 동일하다는 이유로 등록상표를 달리하는 수개의 상표권침해 행위를 포괄하여 하나의 죄가 성립하는 것으로 볼 수 없다(대판 2013.7.25, 2011도12482). 17·21. 경찰간부

▶ **유사판례** : 수개의 등록상표에 대하여 상표법 제230조의 상표권 침해행위가 계속하여 이루어진 경우에는 등록상표마다 포괄하여 1개의 범죄가 성립한다. 그러나 하나의 유사상표 사용행위로 수개의 등록상표를 동시에 침해하였다면 각각의 상표법 위반죄는 상상적 경합의 관계에 있다(대판 2020.11.12, 2019도11688). 22. 순경 2차

12. 히로뽕 완제품을 제조하고, 그때 함께 만든 액체 히로뽕 반제품을 땅에 묻어 두었다가 약 1년 9개월 후, 이전에 제조를 요구했던 사람이 아닌 다른 사람들의 요구에 따라 그들과 함께 위 반제품으로 완제품을 제조한 경우 ⇨ 포괄일죄 ×, 실체적 경합(대판 1991.2.26, 90도2900) 18. 경찰승진, 22. 해경간부

13. 수개의 업무상 횡령행위라 하더라도 피해법익이 단일하고, 범죄의 태양이 동일하며, 단일 범의의 발현에 기인하는 일련의 행위로 인정되는 경우는 포괄하여 1개의 범죄라고 할 것이지만, 피해자가 수인인 경우는 피해법익이 단일하다고 할 수 없으므로 포괄일죄의 성립을 인정하기 어렵다(대판 2011.2.24, 2010도13801). 16. 9급 검찰·마약수사·철도경찰

14. 변호사가 아닌 사람이 당사자와 내용을 달리하는 각기 다른 법률사건에 관한 법률사무를 취급하여 저지르는 변호사법 제109조 제1호 위반의 각 범행은 특별한 사정이 없는 한 실체적 경합범이 되는 것이지 포괄일죄가 되는 것이 아니다(대판 2015.1.15, 2011도14198 ∵ 당사자와 내용을 달리하는 법률사건에 관한 법률사무 취급은 각기 별개의 행위임). 16. 법원행시

15. 피고인이 부동산 공유자인 피해자 3명을 상대로 부동산을 매수할 것처럼 행세하며 근저당권을 먼저 설정하여 주면 이를 담보로 매매대금을 마련하여 지급하겠다고 기망하여, 이에 속은 위 피해자들이 공유하는 부동산의 각 공유지분에 관하여 근저당권을 설정하게 함으로써 재산상 이익을 편취한 경우 ⇨ 사기죄의 포괄일죄 ×, 상상적 경합 ○(대판 2015.4.23, 2014도16980) 16. 법원행시

16. 동일한 장소에서 동일한 방법으로 시간적으로 접착된 상황에서 권총으로 처와 자식들에게 각기 실탄 1발씩을 순차로 발사하여 살해한 경우 ⇨ 포괄일죄 ×, 살인죄의 경합범 ○(대판 1991.8.27, 91도1637) 17. 법원직

17. 포괄일죄라 함은 각기 따로 존재하는 수개의 행위가 한개의 구성요건을 한번 충족하는 경우를 말하므로 구성요건을 달리하고 있는 횡령, 배임 등의 행위와 사기의 행위는 포괄1죄를 구성할 수 없다(대판 1988.2.9, 87도58). 15. 사시

18. '가장거래에 의한 사기죄'와 '분식회계에 의한 사기죄'는 범행 방법이 동일하지 않아 그 피해자가 동일하더라도 포괄일죄가 성립한다고 할 수 없다(대판 2010.5.27, 2007도10056). 21. 해경승진

19. 공직선거법 제106조 제1항 소정의 호별방문죄에 있어서 각 집의 방문이 '연속적'인 것으로 인정되기 위해서는 반드시 집집을 중단 없이 방문하여야 하거나 동일한 일시 및 기회에 각 집을 방문하여야 하는 것은 아니지만, 각 방문행위 사이에는 어느 정도의 시간적 근접성이 있어야 할 것이고, 이러한 시간적 근접성이 없다면 '연속적'인 것으로 인정될 수는 없어 포괄일죄가 성립하지 않는다(대판 2007.3.15, 2006도9042 예 甲, 乙, 丙의 집을 각 4개월, 6개월 기간을 두고 방문 ⇨ 포괄일죄 ×). 21. 경찰간부·해경승진

20. 피고인이 미성년자를 유인하여 금원을 취득할 마음을 먹고 甲으로 하여금 피해자 丙을 유인토록 하였으나 동인의 거절로 미수에 그치고, 같은 달 2차에 걸쳐 다시 피해자 丙을 유인하였으나 마음이 약해져 각 실행을 중지하여 미수에 그치고, 다음 달 드디어 피해자 丙을 인치, 살해하고 금원을 요구하는 내용의 협박편지를 피해자 丙의 부모에게 전달하여 그 부모로부터 재물을 취득하려 했다면, 이를 각 미수죄와 기수죄의 경합범으로 처벌할 것이다(대판 1983.1.18, 82도2761 ∵ 그 간에 범의의 갱신이 있어 그 간의 범행위 단일한 의사발동에 의한 것 ×) 17. 법원행시

21. 상관으로부터 집총을 하고 군사교육을 받으라는 명령을 수회 받고도 그때마다 이를 거부한 경우에는 그 명령 횟수만큼의 항명죄가 즉시 성립하는 것이지, 집총거부의 의사가 단일하고 계속된 것이며 피해법익이 동일하다고 하여 수회의 명령거부행위에 대하여 하나의 항명죄만 성립한다고 할 수는 없다(대판 1992.9.14, 92도1534). 12. 경찰간부

22. 신용협동조합의 전무가 수개의 거래처로부터 각기 다른 일시에 조합정관상의 1인당 대출한도를 초과하여 대출을 하여 달라는 부탁을 받고 각기 다른 범의하에 부당대출을 하여 수개의 업무상 배임행위를 범한 경우 ⇨ 포괄일죄 ×(대판 1997.9.26, 97도1469) 13. 사시

23. 폐기물관리법 제8조 제2항 위반죄에서 매립장소는 포괄일죄 여부를 판단하는 중요한 기준이 된다(대판 2013.5.24, 2011도95 ∵ 피고인이 7개월여에 걸쳐 2개의 폐기물위탁처리업체로부터 사업장폐기물인 무기성 오니를 공급받아 4곳의 농경지에 불법매립한 경우 그 전체 범행을 포괄일죄로 볼 수 없다).

기출지문 확인학습(다툼이 있는 경우 판례에 의함)

1 타인의 위탁에 의하여 사무를 처리하는 자가 그 사무처리상 임무에 위배하여 본인을 기망하고 착오에 빠진 본인으로부터 재물을 교부받은 경우에는 배임죄와 사기죄는 법조경합관계가 아니라 상상적 경합관계에 있다. (　) 　　　　　　　　　　　　　　　　　　19. 경찰간부, 20. 7급 검찰, 23. 법원직

2 피해자에 대한 폭행행위가 동일한 피해자에 대한 업무방해죄의 수단이 되었다면, 그러한 폭행행위는 이른바 '불가벌적 수반행위'에 해당하여 업무방해죄에 대하여 흡수관계에 있다. (　)
　　　　　　18. 경찰승진 · 순경 3차, 19. 경찰간부, 20. 7급 검찰, 21. 9급 검찰 · 순경 2차, 23. 법원직 · 법원행시

3 수수한 메스암페타민을 장소를 이동하여 투약하고서 잔량을 은닉하는 방법으로 소지한 행위는 사회통념상 수수행위와는 독립한 별개의 행위를 구성한다고 보아야 한다. (　)
　　　　　　　　　　　　　　　16. 7급 검찰 · 철도경찰 · 순경 2차, 18. 법원직, 19. 경찰간부, 23. 경찰승진

4 절취한 자기앞수표를 음식대금으로 교부하고 거스름돈을 환불받은 행위는 불가벌적 사후행위에 해당한다. (　) 　　　　　　　　　　　　　　　　　　　　　16. 변호사시험, 17. 법원직, 20. 순경 2차

5 장물보관을 의뢰받고 그 정을 알면서 보관한 후 임의로 처분하는 행위는 불가벌적 사후행위에 해당한다. (　) 　　　　　　　　　17. 법원직 · 순경 1차, 19. 9급 검찰 · 철도경찰, 21. 해경승진, 22. 경찰승진, 24. 변호사시험

6 전기통신금융사기(이른바 보이스피싱 범죄)의 범인이 피해자를 기망하여 피해자의 자금을 사기이용계좌로 송금 · 이체받은 후 사기이용계좌에서 현금을 인출한 행위는 사기의 피해자에 대하여 별도의 횡령죄를 구성한다. (　) 　　　　18. 순경 1차 · 7급 검찰, 19. 법원행시, 20. 순경 2차, 24. 해경승진

7 공동상속인 중 1인이 상속재산인 임야를 보관 중 다른 상속인들로부터 매도 후 분배 또는 소유권이전등기를 요구받고도 그 반환을 거부한 경우 횡령죄가 성립하고, 그 후 그 임야에 관하여 다시 제3자 앞으로 근저당권설정등기를 경료해 준 행위는 별도의 횡령죄를 구성한다. (　)
　　　　　　　　　　　　　　　　　15. 법원행시, 18. 경찰간부 · 법원직 · 경력채용, 21. 7급 검찰

8 A주식회사 대표이사인 피고인 甲이 자신의 채권자 乙에게 차용금에 대한 담보로 A회사 명의 정기예금에 질권을 설정하여 주었는데, 그 후 乙이 피고인 甲의 동의하에 위 정기예금계좌에 입금되어 있던 A회사 자금을 전액 인출한 경우 후행 예금인출 동의행위는 횡령죄가 성립한다. (　) 　　　　　　　　　　　　　　　　　14. 법원직, 15 · 17. 법원행시 · 순경 3차, 23. 해경승진

9 A종중으로부터 종중 소유의 토지를 명의신탁받아 보관 중이던 甲이 자신의 개인 채무 변제에 사용할 돈을 차용하기 위해 위 토지에 근저당권을 설정하였는데, 그 후 甲 · 乙이 공모하여 위 토지를 丙에게 매도한 행위는 선행 근저당권설정행위 이후에 이루어진 것이어서 불가벌적 사후행위에 해당한다. (　) 　　　　　　16. 법원행시 · 순경 3차, 20. 경찰간부 · 순경 1차 · 법원직 · 7급 검찰, 21. 경찰승진

Answer ─ 1. ○　2. ×　3. ○　4. ○　5. ○　6. ×　7. ×　8. ×　9. ×

10 사람을 살해한 다음 그 범죄의 흔적을 은폐하기 위하여 그 시체를 다른 장소로 옮긴 행위는 불가벌적 사후행위에 해당한다. (　　) 15. 경찰승진, 17. 순경 2차, 19. 법원직

11 자동차를 절취한 후 자동차 등록번호판을 떼어낸 행위는 절도죄의 불가벌적 사후행위에 해당되지 않는다. (　　) 16. 사시, 17. 순경 1차 · 7급 검찰, 18. 경찰간부 · 경력채용, 20. 변호사시험, 23. 해경승진

12 부정한 이익을 얻을 목적으로 타인의 영업비밀이 담긴 CD를 절취하여 그 영업비밀을 부정사용한 행위는 불가벌적 사후행위에 해당한다. (　　) 16. 사시, 17. 순경 1차, 18. 법원직 · 법원행시, 21. 해경 2차, 23. 해경승진

13 약속어음을 편취한 후, 이를 숨기고 그 사실을 모르는 제3자로부터 할인받은 경우, 그 어음할인 행위는 별도의 사기죄를 구성한다. (　　) 17. 순경 1차, 18. 경찰간부, 19. 경찰승진

14 신용카드를 절취한 후 이를 사용한 경우, 신용카드의 부정사용행위는 새로운 법익의 침해로 보아야 하고, 절도범행의 불가벌적 사후행위로 볼 수 없다. (　　) 14. 법원행시, 16. 경찰간부, 20. 순경 2차

15 하나의 사건에 관하여 한번 선서한 증인이 같은 기일에 여러 가지 사실에 관하여 기억에 반하는 허위의 진술을 한 경우에는 하나의 범죄의사에 의하여 계속하여 허위의 진술을 한 것으로서 포괄하여 1개의 위증죄가 성립한다. (　　) 18. 법원직, 20. 경찰승진, 21. 경찰간부

16 상습성이 있는 자가 같은 종류의 죄를 반복하여 저질렀다 하더라도 상습범을 별도의 범죄유형으로 처벌하는 규정이 없는 한, 각 죄는 원칙적으로 별개의 범죄로서 경합범으로 처단하여야 한다. (　　) 16. 순경 1차 · 법원행시, 18. 경찰간부, 20. 변호사시험, 21. 해경승진 · 해경 1차

17 운전면허가 없는 상태에서 여러 날에 걸쳐 무면허운전행위를 반복한 경우 특별한 사정이 없는 한 포괄하여 1개의 도로교통법 위반(무면허운전)죄가 성립한다. (　　) 16. 순경 1차, 18. 법원행시, 20. 7급 검찰, 21. 경찰승진 · 해경 2차, 23. 경찰간부

18 비의료인이 의료기관을 개설하여 운영하는 도중 의료시설과 의료진을 그 동일성을 상실할 정도로 변경하지 않은 채 단지 개설자 명의만을 다른 의료인 등으로 변경한 경우, 의료기관을 새로 개설하였다고 보기 어려우므로 개설자 명의변경 전후로 의료법위반죄의 포괄일죄로 보아야 한다. (　　) 20. 법원행시 · 경찰간부 · 해경 3차, 21. 해경간부 · 9급 검찰 · 철도경찰, 23. 해경승진

19 수인의 피해자에 대하여 각 피해자별로 기망행위를 하여 각각 재물을 편취한 경우에도 그 범의가 단일하고 범행방법이 동일한 경우에는 사기죄의 포괄일죄가 성립한다. (　　) 18. 순경 2차, 19. 법원행시, 21. 경찰간부 · 9급 검찰 · 철도경찰, 23. 해경승진

20 피고인이 강취한 현금카드를 사용하여 현금자동지급기에서 현금을 인출한 행위는 강도죄와는 별도로 절도죄가 성립한다. (　　) 18. 순경 1차, 20. 순경 2차, 21. 변호사시험

Answer ← **10.** × **11.** ○ **12.** × **13.** ○ **14.** ○ **15.** ○ **16.** ○ **17.** × **18.** × **19.** × **20.** ○

기출문제

01 다음 중 법조경합에 해당하여 처벌되지 않는 행위는?   18. 법원직

① 부정한 이익을 얻거나 기업에 손해를 가할 목적으로 그 기업에 유용한 영업비밀이 담겨 있는 타인의 재물을 절취한 후, 그 영업비밀을 사용하는 행위

② 필로폰을 받아 장소를 옮겨 투약한 다음, 남은 필로폰을 숨겨 소지하는 행위

③ 피해자의 택시 운행업무를 방해하기 위하여 이루어진 폭행행위

④ 공동상속인 중 1인이 상속재산인 임야를 보관 중 다른 상속인들로부터 그들 지분을 나눠달라는 요구를 받고도 거부한 다음, 제3자에게 근저당권설정등기를 경료해 준 행위

> 해설 •**법조경합** ○ : ④ 별도의 횡령죄 ×(대판 2010.2.25, 2010도93 ∵ 불가벌적 사후행위 ○)
> •**법조경합** × : ① 절도죄와 영업비밀부정사용죄의 경합범(대판 2008.9.11, 2008도5364 ∵ 불가벌적 사후행위 ×) ② 향정신성약품수수죄와 소지죄의 경합범(대판 1999.8.20, 99도1744 ∵ 불가벌적 수반행위 ×) ③ 업무방해죄와 폭행죄의 상상적 경합(대판 2012.10.11, 2012도1895 ∵ 불가벌적 수반행위 ×)

02 다음 설명 중 불가벌적 사후행위에 해당하지 아니하고 별도의 죄가 성립하는 경우로서 가장 옳은 것은?(다툼이 있는 경우 판례에 의함)   17. 법원직

① 법원을 기망하여 승소판결을 받고 그 확정판결에 의하여 소유권이전등기를 경료한 경우

② 타인을 공갈하여 취득한 임야를 매각한 경우

③ 절취한 자기앞수표를 음식대금으로 교부하고 거스름돈을 환불받은 경우

④ 장물보관의뢰를 받은 자가 그 정을 알면서 이를 보관하고 있다가 임의처분한 경우

> 해설 •**불가벌적 사후행위** ○ : ② 대판 1986.2.11, 85도2513 ③ 대판 1987.1.20, 86도1728 ④ 대판 2004.4.9, 2003도8219
> •**불가벌적 사후행위** × : ① 사기죄와 공정증서원본부실기재죄의 실체적 경합(대판 1983.4.26, 83도188)

03 불가벌적 사후행위에 대한 설명으로 옳지 않은 것은?(다툼이 있는 경우 판례에 의함)   17. 7급 검찰

① 종친회 회장이 위조한 종친회 규약 등을 공탁관에게 제출하는 방법으로 종친회를 피공탁자로 하여 공탁된 수용보상금을 출급받아 편취한 후, 이를 보관하던 중 종친회의 요구에 대하여 정당한 이유 없이 반환을 거부한 행위는 사기범행의 불가벌적 사후행위에 해당한다.

② 채무자가 자신의 부동산에 甲명의로 허위의 금전채권에 기한 담보가등기를 설정하여 강제집행면탈죄가 성립된 후, 그 부동산을 乙에게 양도하여 乙명의로 이루어진 가등기양도 및 본등기를 경료한 행위는 강제집행면탈범행의 불가벌적 사후행위에 해당한다.

Answer   01. ④   02. ①   03. ②

③ 부정한 이익을 얻거나 기업에 손해를 가할 목적으로 그 기업에 유용한 영업비밀이 담겨 있는 타인의 재물을 절취한 후, 그 영업비밀을 부정사용한 행위는 절도범행의 불가벌적 사후행위에 해당하지 아니한다.

④ 자동차를 절취한 후, 훔친 자동차의 번호판을 떼어 내 다른 자동차에 임의로 부착하여 운행한 행위는 자동차절도범행의 불가벌적 사후행위에 해당하지 아니한다.

해설 ① 대판 2001.11.27, 2000도3463
② × : 불가벌적 사후행위 ×(대판 2008.5.8, 2008도198 ∵ 가등기를 양도하여 본등기를 경료하게 함으로써 소유권을 상실케 하는 행위는 법익침해의 정도가 훨씬 중함)
③ 대판 2008.9.11, 2008도5364
④ 대판 2007.9.6, 2007도4739

04 불가벌적 사후행위에 관한 설명 중 가장 옳지 않은 것은?(다툼이 있는 경우 판례에 의함) 19. 법원직

① 미등기건물의 관리를 위임받아 보관하고 있는 자가 피해자의 승낙 없이 건물을 자신의 명의로 보존등기를 한 때 이미 횡령죄는 완성되고, 이후 근저당권설정등기를 한 행위는 불가벌적 사후행위에 해당한다.

② 사람을 살해한 자가 그 사체를 다른 장소로 옮겨 유기한 행위는 불가벌적 사후행위에 해당하여 별도의 사체유기죄를 구성하지 않는다.

③ 장물인 자기앞수표를 취득한 후 이를 현금 대신 교부한 행위는 장물취득에 대한 가벌적 평가에 당연히 포함되는 불가벌적 사후행위로서 별도의 범죄를 구성하지 아니한다.

④ 업무상 과실로 장물을 보관하고 있던 사람이 이를 제3자에게 처분한 행위는 불가벌적 사후행위에 해당하여 별도로 횡령죄를 구성하지 않는다.

해설 ① 대판 1993.3.9, 92도2999
② × : 살인죄와 사체유기죄의 경합범(대판 1997.7.25, 97도1142)
③ 대판 1993.11.23, 93도213
④ 대판 2004.4.9, 2003도8219

05 불가벌적 사후행위에 관한 설명 중 옳지 않은 것은?(다툼이 있는 경우 판례에 의함) 20. 변호사시험

① 재산범죄를 저지른 이후에 별도의 재산범죄의 구성요건에 해당하는 사후행위가 있었다면 비록 그 행위가 불가벌적 사후행위로서 처벌의 대상이 되지 않는다 할지라도 그 사후행위로 인하여 취득한 물건은 재산범죄로 인하여 취득한 물건으로서 장물이 될 수 있다.

② 종중의 부동산을 명의신탁 받아 보관 중인 자가 그 부동산에 근저당권설정등기를 마침으로써 횡령행위가 기수에 이른 후 해당 부동산을 매각함으로써 기존의 근저당권과 관계없이 법익침해의 결과를 발생시켰다면, 특별한 사정이 없는 한 불가벌적 사후행위가 아니라 별도의 횡령죄가 성립한다.

Answer 04. ② 05. ④

③ 부동산에 피해자 명의의 근저당권을 설정하여 줄 의사가 없음에도 피해자를 속이고 근저당권설정을 약정하여 금원을 편취하고 그 약정이 사기 등을 이유로 취소되지 않은 상황에서 다시 그 부동산에 관하여 제3자 명의로 근저당권설정등기를 마친 경우, 사기죄 이외에 별도의 배임죄가 성립하지 않는다.

④ 평소 본범과 공동하여 수차 상습으로 절도 등 범행을 함으로써 실질적인 범죄집단을 이루고 있었던 甲이 본범으로부터 장물을 취득하였다면, 본범이 범한 당해 절도범행에 있어서 정범자(공동정범이나 합동범)가 되지 아니하더라도 甲의 장물취득행위는 불가벌적 사후행위에 해당한다.

⑤ 자동차를 절취한 후 자동차등록번호판을 떼어내는 자동차관리법위반행위는 절도범행의 불가벌적 사후행위에 해당하지 않는다.

해설 ① 대판 2004.4.16, 2004도353

② 대판 2013.2.21, 2010도10500 전원합의체

③ 대판 2020.6.18, 2019도14340 전원합의체

④ × : ~ (3줄) 정범자(공동정범이나 합동범)로 되지 아니한 이상 이를 자기의 범죄라 할 수 없고, 따라서 甲의 장물취득행위는 불가벌적 사후행위라고 할 수 없다(대판 1986.9.9, 86도1273).

⑤ 대판 2007.9.6, 2007도4739

06 다음 중 피고인 甲의 불가벌적 사후행위에 해당하는 것으로 가장 옳은 것은?(다툼이 있는 경우 판례에 의함)
23. 해경승진

① A주식회사 대표이사인 피고인 甲이 자신의 채권자 乙에게 차용금에 대한 담보로 A회사 명의 정기예금에 질권을 설정하여 주었는데, 그 후 乙이 피고인 甲의 동의하에 위 정기예금계좌에 입금되어 있던 A회사 자금을 전액 인출한 경우

② 피고인 甲이 흡연할 목적으로 대마를 매입한 후 흡연할 기회를 포착하기 위하여 2일 이상 하의 주머니에 넣고 다님으로써 매입한 대마를 소지한 경우

③ 피고인 甲이 부정한 이익을 얻을 목적으로 타인의 영업비밀이 담긴 CD를 절취하여 그 영업비밀을 부정사용한 경우

④ 피고인 甲이 자동차를 절취한 후, 훔친 자동차의 번호판을 떼어 내 다른 자동차에 임의로 부착하여 운행한 경우

해설 • **불가벌적 사후행위** ○ : ① 대판 2012.11.29, 2012도10980

• **불가벌적 사후행위** × : ② 대판 1990.7.27, 90도543 ③ 대판 2008.9.11, 2008도5364 ④ 대판 2007. 9.6, 2007도4739

Answer | 06. ①

07 다음 중 법조경합에 해당하여 처벌되지 않는 행위는? 18. 법원직

① 부정한 이익을 얻거나 기업에 손해를 가할 목적으로 그 기업에 유용한 영업비밀이 담겨 있는 타인의 재물을 절취한 후, 그 영업비밀을 사용하는 행위

② 필로폰을 받아 장소를 옮겨 투약한 다음, 남은 필로폰을 숨겨 소지하는 행위

③ 피해자의 택시 운행업무를 방해하기 위하여 이루어진 폭행행위

④ 공동상속인 중 1인이 상속재산인 임야를 보관 중 다른 상속인들로부터 그들 지분을 나눠달라는 요구를 받고도 거부한 다음, 제3자에게 근저당권설정등기를 경료해 준 행위

> 해설 • **법조경합** ○ : ④ 별도의 횡령죄 ×(대판 2010.2.25, 2010도93 ∵ 불가벌적 사후행위 ○)
> • **법조경합** × : ① 절도죄와 영업비밀부정사용죄의 경합범(대판 2008.9.11, 2008도5364 ∵ 불가벌적 사후행위 ×) ② 향정신성약품수수죄와 소지죄의 경합범(대판 1999.8.20, 99도1744 ∵ 불가벌적 수반행위 ×) ③ 업무방해죄와 폭행죄의 상상적 경합(대판 2012.10.11, 2012도1895 ∵ 불가벌적 수반행위 ×)

08 포괄일죄에 관한 설명으로 가장 적절하지 않은 것은?(다툼이 있는 경우 다수설과 판례에 의함) 24. 경찰간부

① 연속범은 개별적인 행위가 범죄의 요소인 구성요건에 해당하고 위법·유책해야 하며, 동일한 법익의 침해가 있어야 성립되므로 피해법익의 동일성에 따라 보호법익을 같이 하는 횡령, 배임 등의 행위와 사기의 행위는 포괄일죄를 구성한다.

② 집합범은 다수의 동종의 행위가 동일한 의사에 의하여 반복될 것이 당해 구성요건에서 당연히 예상되는 범죄를 말하며, 집합범의 종류로는 영업범과 상습범이 있다.

③ 접속범은 동일한 법익에 대하여 수개의 구성요건적 행위가 불가분하게 접속하여 행하여지는 범행형태로 같은 기회에 하나의 행위로 여러 개의 영업비밀을 취득하였다면 이는 일죄로 평가된다.

④ 결합범은 개별적으로 독립된 범죄의 구성요건에 해당하는 수개의 행위가 결합하여 일죄를 구성하는 경우로 결합범 자체는 1개의 범죄완성을 위한 수개 행위의 결합이고, 수개 행위의 불법내용을 함께 평가하는 것이므로 포괄일죄가 된다.

> 해설 ① × : 포괄일죄라 함은 각기 따로 존재하는 수개의 행위가 한개의 구성요건을 한번 충족하는 경우를 말하므로 구성요건을 달리하고 있는 횡령, 배임 등의 행위와 사기의 행위는 포괄1죄를 구성할 수 없다(대판 1988.2.9, 87도58).
> ② 대판 2004.7.22, 2004도2390
> ③ 대판 2009.4.9, 2006도9022
> ④ 옳다.

Answer 07. ④ 08. ①

09 포괄일죄가 성립하는 경우로 가장 적절한 것은?(다툼이 있는 경우 판례에 의함)

18. 경찰승진, 22. 해경간부

① 甲이 계속적으로 무면허로 운전할 의사를 가지고 여러 날에 걸쳐 무면허운전행위를 반복한 경우(어느 날에 운전을 시작하여 다음날까지 동일한 기회에 일련의 과정에서 계속 운전을 한 경우와 같은 특별한 경우 등은 제외함)

② 작가협회 회원인 甲이 A의 명의를 도용하여 작가협회 교육원장을 비방하는 내용의 호소문을 작성한 후, 이를 작가협회 회원들에게 우편으로 송달한 경우

③ 금융기관 임직원인 甲이 그 직무에 관하여 乙로부터 정식 이사가 될 수 있도록 도와달라는 부탁을 받고 1년 동안 12회에 걸쳐 그 사례금 명목으로 합계 1억 2,000만원을 교부받은 경우

④ 甲이 히로뽕 완제품을 제조하고, 그때 함께 만든 액체 히로뽕 반제품을 땅에 묻어 두었다가 약 1년 9개월 후, 이전에 제조를 요구했던 사람이 아닌 다른 사람들의 요구에 따라 그들과 함께 위 반제품을 완제품으로 제조한 경우

해설 • 포괄일죄 ○ : ③ 대판 2000.6.27, 2000도1155
• 포괄일죄 × : ① 운전한 날마다 무면허운전죄 1죄 성립(대판 2002.7.23, 2001도6281) ② 사문서위조죄와 명예훼손죄의 실체적 경합관계(대판 2009.4.23, 2008도8527) ④ 실체적 경합관계(대판 1991.2.26, 90도2900)

10 포괄일죄에 대한 설명으로 옳은 것은?(다툼이 있는 경우 판례에 의함)

21. 경찰간부

① 공직선거법 제106조 제1항이 규정하고 있는 호별방문죄는 집집을 중단 없이 방문하거나 동일한 일시 및 기회에 방문할 것을 요하지 않으므로, 선거운동이라는 단일한 범의하에 수인의 집을 방문한 경우 시간적 근접성 및 연속성에 대한 판단 없이 포괄일죄가 성립한다.

② 단일한 범의하에 동일한 방법으로 수인의 피해자에 대하여 각 피해자별로 기망행위를 하여 재물을 편취한 경우, 사기죄의 포괄일죄가 성립한다.

③ 같은 심급에서 1회 선서한 이후 그 선서의 효력이 유지된 상태에서 변론기일을 달리하여 수차 증인으로 출석하여 수개의 허위진술을 한 경우 1개의 위증죄가 성립한다.

④ 수개의 등록상표에 대하여 상표권 침해행위가 계속된 경우 등록상표를 달리하는 수개의 상표권 침해행위는 포괄하여 하나의 죄가 성립한다.

해설 ① × : 공직선거법 제106조 제1항 소정의 호별방문죄에 있어서 각 집의 방문이 '연속적'인 것으로 인정되기 위해서는 반드시 집집을 중단 없이 방문하여야 하거나 동일한 일시 및 기회에 각 집을 방문하여야 하는 것은 아니지만, 각 방문행위 사이에는 어느 정도의 시간적 근접성이 있어야 할 것이고, 이러한 시간적 근접성이 없다면 '연속적'인 것으로 인정될 수는 없어 포괄일죄가 성립하지 않는다(대판 2007.3.15, 2006도9042).
② × : 포괄일죄 ×, 사기죄의 실체적 경합범 ○(대판 2003.4.8, 2003도382)
③ ○ : 대판 2007.3.15, 2006도9463
④ × : 포괄일죄 ×(대판 2013.7.25, 2011도12482 ∵ 각 등록상표 1개마다 포괄일죄 성립)

Answer 09. ③ 10. ③

11 포괄일죄에 대한 설명으로 옳은 것은?(다툼이 있는 경우 판례에 의함)

21. 9급 검찰·마약수사·철도경찰, 23. 해경승진

① 수인의 피해자에 대하여 각 피해자별로 기망행위를 하여 각각 재물을 편취한 경우에도 그 범의가 단일하고 범행방법이 동일한 경우에는 사기죄의 포괄일죄가 성립한다.

② 동일한 저작권자의 여러 개의 저작물에 대한 침해행위가 단일하고 동일한 범의 아래 행하여 졌다면 저작권법 위반의 포괄일죄가 성립한다.

③ 폭력행위 등 처벌에 관한 법률 제4조 제1항에서는 그 법에 규정된 범죄행위를 목적으로 하는 단체를 구성하거나 이에 가입하는 행위 또는 구성원으로 활동하는 행위를 처벌하도록 규정 하고 있으므로, 범죄단체를 구성하거나 이에 가입한 자가 나아가 구성원으로 활동하는 경우 에는 폭력행위 등 처벌에 관한 법률 위반의 포괄일죄가 성립한다.

④ 비의료인이 의료기관을 개설하여 운영하는 도중 개설자 명의를 다른 의료인으로 변경한 경우에 는 그 범의가 단일하고 범행방법이 종전과 동일하므로 의료법 위반의 포괄일죄가 성립한다.

해설 ① × : 포괄일죄 ×, 사기죄의 실체적 경합범 ○(대판 2003.4.8, 2003도382)
② × : 저작재산권 침해행위는 저작권자가 같더라도 저작물별로 침해되는 법익이 다르므로, 각각의 저작물 에 대한 침해행위는 원칙적으로 각 별개의 죄를 구성한다. 다만 단일하고도 계속된 범의 아래 동일한 저작 물에 대한 침해행위가 일정 기간 반복하여 행하여진 경우에는 포괄하여 하나의 범죄가 성립한다고 볼 수 있다(대판 2012.5.10, 2011도12131).
③ ○ : 대판 2015.9.10, 2015도7081
④ × : 비의료인이 의료기관을 개설하여 운영하는 도중 개설자 명의를 다른 의료인 등으로 변경한 경우에 는 그 범의가 단일하다거나 범행방법이 종전과 동일하다고 보기 어렵다. 따라서 개설자 명의별로 별개의 범죄가 성립하고 각 죄는 실체적 경합범의 관계에 있다고 보아야 한다(대판 2018.11.29, 2018도10779).

12 다음 중 죄수에 대한 설명으로 가장 옳지 않은 것은?(다툼이 있는 경우 판례에 의함) 21. 해경승진

① 법조경합은 1개의 행위가 실질적으로 수개의 구성요건을 충족하는 경우를 말하고, 상상적 경 합은 1개의 행위가 외관상 수개의 죄의 구성요건에 해당하는 것처럼 보이나 실질적으로 1죄 만을 구성하는 경우를 말한다.

② 미성년자의제강간죄 또는 미성년자의제강제추행죄는 행위시마다 1개의 범죄가 성립한다.

③ 피해자에 대한 폭행행위가 동일한 피해자에 대한 업무방해죄의 수단이 되었다고 하더라도 그러한 폭행행위가 이른바 '불가벌적 수반행위'에 해당하여 업무방해죄에 대해 흡수관계에 있다고 볼 수는 없다.

④ '가장거래에 의한 사기죄'와 '분식회계에 의한 사기죄'는 범행 방법이 동일하지 않아, 그 피해 자가 동일하더라도 포괄일죄가 성립한다고 할 수는 없다.

해설 ① × : 상상적 경합(법조경합 ×)은 1개의 ~ 말하고 법조경합(상상적 경합 ×)은 1개의 ~ 말한다(대판 2011.11.24, 2010도8568).
② 대판 1982.12.14, 82도2442 ③ 대판 2012.10.11, 2012도1895 ④ 대판 2010.5.27, 2007도10056

Answer 11. ③ 12. ①

13 죄수에 대한 설명이다. 아래 ㉠부터 ㉣까지의 설명 중 옳고 그름의 표시(○, ×)가 바르게 된 것은?(다툼이 있는 경우 판례에 의함)

22. 경찰승진

> ㉠ 보이스피싱 범죄의 범인 甲이 A를 기망하여 A의 돈을 사기 이용계좌로 이체받아 인출한 경우 - 사기죄는 성립하나 이체받은 돈의 인출행위는 불가벌적 사후행위로 횡령죄 불성립
>
> ㉡ 절도 범인으로부터 장물보관 의뢰를 받은 甲이 이후에 해당 장물을 임의처분한 경우 - 장물보관죄는 성립하나 장물의 임의처분행위는 불가벌적 사후행위로 횡령죄 불성립
>
> ㉢ 컴퓨터로 음란 동영상을 제공한 제1범죄행위로 서버컴퓨터가 압수된 이후 다시 장비를 갖추어 동종의 제2범죄행위를 한 경우 - 제1행위(음란 동영상 제공)에 대한 범죄는 성립하나 제2행위(음란 동영상 제공)는 불가벌적 사후행위로 범죄 불성립
>
> ㉣ 열차승차권을 절취한 甲이 그 승차권을 자기의 것인 양 속여 창구직원으로부터 환불받은 경우 - 절도죄는 성립하나 기망하여 환불받은 행위는 불가벌적 사후행위로 사기죄 불성립

① ㉠(○), ㉡(○), ㉢(×), ㉣(○) ② ㉠(×), ㉡(○), ㉢(×), ㉣(×)
③ ㉠(○), ㉡(○), ㉢(×), ㉣(×) ④ ㉠(×), ㉡(×), ㉢(○), ㉣(○)

해설 ㉠ ○ : 대판 2017.5.31, 2017도3894
㉡ ○ : 대판 2004.4.9, 2003도8219
㉢ × : 제1범죄행위와 제2범죄행위는 실체적 경합관계에 있다(대판 2005.9.30, 2005도4051).
㉣ ○ : 대판 1975.8.29, 75도1996

14 포괄일죄에 대한 설명으로 옳지 않은 것은?(다툼이 있는 경우 판례에 의함)

18. 9급 철도경찰, 21. 해경 2차

① 포괄일죄로 되는 개개의 범죄행위가 '다른 종류의 죄'의 확정판결의 전후에 걸쳐서 행하여진 경우에는 그 죄는 2죄로 분리되지 않고 확정판결 후인 최종의 범죄행위시에 완성되는 것이다.
② 포괄일죄의 범행 도중에 공동정범으로 범행에 가담한 자는 비록 그가 그 범행에 가담할 때에 이미 이루어진 종전의 범행을 알았다 하더라도 그 가담 이후의 범행에 대하여만 공동정범으로 책임을 진다.
③ 포괄일죄로 된 개개의 범죄행위가 법 개정의 전후에 걸쳐서 행하여진 경우에는 신·구법의 법정형에 대한 경중을 비교하여 경한 법을 적용해야 한다.
④ 포괄일죄에 관한 기존 처벌법규에 대하여 그 표현이나 형량과 관련한 개정을 하는 경우가 아니라 애초에 죄가 되지 아니하던 행위를 구성요건의 신설로 포괄일죄의 처벌대상으로 삼는 경우에는 신설된 포괄일죄 처벌법규가 시행되기 이전의 행위에 대하여는 신설된 법규를 적용하여 처벌할 수 없다.

해설 ① 대판 2003.8.22, 2002도5341 ② 대판 2007.11.15, 2007도6336
③ × : ~ 경중을 비교할 필요도 없이 신법을 적용해야 한다(대판 1994.10.28, 93도1166).
④ 대판 2016.1.28, 2015도15669

Answer 13. ① 14. ③

The Criminal Law

제3절 수 죄

1 상상적 경합(관념적 경합)

> **제40조【상상적 경합】** 한 개의 행위가 여러 개의 죄에 해당하는 경우에는 가장 무거운 죄에 대하여 정한 형으로 처벌한다. 22. 9급 철도경찰

(1) 의 의

상상적 경합이란 1개의 행위가 수개의 죄에 해당하는 경우(제40조)를 말하며 관념적 경합이라고도 한다. 형법은 이 경우 "가장 중한 죄에 정한 형으로 처벌한다."고 규정하고 있다.

(2) 상상적 경합의 요건

상상적 경합은 1개의 행위가 수개의 죄에 해당하는 때에 성립하므로 상상적 경합이 성립하려면 1개의 행위(즉, 행위의 단일성)와 수개의 죄라는 요건을 갖추어야 한다.

> **관련판례**
>
> 피고인이 단일한 범의로 동일한 장소에서 동일한 방법으로 시간적으로 접착된 상황에서 처와 자식들을 살해하였다고 하더라도 처와 자식들의 머리에 각기 권총 1발씩 순차로 발사하여 살해하였다면, 피해자들의 수에 따라 수개의 살인죄를 구성한다(대판 1991.8.27, 91도1637). 17. 법원직

(3) 상상적 경합의 법적 효과

상상적 경합이 인정되면 수개의 죄 가운데 가장 중한 죄에 정한 형으로 처벌한다(제40조 : 흡수주의). 여기서 가장 중한 형이란 법정형을 의미하며 형의 경중은 형법 제50조에 따라 정한다.

① **형법 제38조 제2항의 준용 여부** : 상상적 경합은 형의 경중을 제50조에 따라 정해야 하므로 경합범에 있어서 징역과 금고를 동종의 형으로 간주하여 징역형으로 처벌하도록 한 형법 제38조 제2항의 규정은 상상적 경합의 경우에 준용될 수 없다(대판 1976.1.27, 75도1543). 08. 9급 검찰

② **형의 경중의 비교방법** : 형의 경중을 비교할 때 중점적 대조주의(중한 형만을 비교하여 대조하는 방법)와 전체적 대조주의(형의 상·하한을 모두 대조하는 방법)가 있다.

상상적 경합은 실질적으로 수죄이므로 전체적 대조주의가 타당하다(통설·판례). 따라서 수죄의 법정형 가운데 상한과 하한이 모두 중한 형에 의하여 처벌해야 한다. 23. 법원행시·순경 1차

> 📝 1. A죄(5년 이하의 징역에 10년 이하의 자격정지를 병과)와 B죄(1년 이상 3년 이하의 징역)가 상상적 경합관계에 있을 때 처단형의 범위 ⇨ 1년 이상 5년 이하의 징역, 10년 이하의 자격정지 병과
> 2. 상상적 경합관계에 있는 업무상 배임죄와 부정경쟁방지 및 영업비밀보호에 관한 법률위반죄(영업비밀 국외누설)에 대하여 형이 더 무거운 업무상 배임죄에 정한 형으로 처벌하기로 하면서, 징역형과 벌금형을 병과할 수 있도록 규정한 위 특별법에 의하여 벌금형을 병과할 수 있다(대판 2008.12.24, 2008도9169). 18. 법원직, 23. 경찰간부

③ 상상적 경합은 실질적으로 수죄이므로 친고죄의 고소와 공소시효 등은 각 죄별로 따로 논해 야 한다.

▶ **관련판례**

1. 상상적 경합관계에 있는 2개의 죄 가운데 중한 죄가 친고죄로서 고소가 없거나 취소된 때에도 친고죄 가 아닌 경한 죄로 처벌할 수 있다(대판 1983.4.26, 83도323 **예** 감금죄와 강간미수죄가 상상적 경합관 계에 있는 경우 중한 강간미수죄가 친고죄로서 고소가 취소되었다 하더라도 경한 감금죄에 대하여는 아무런 영향을 미치지 않는다). 12. 경찰승진, 17. 법원직

2. 사기죄와 변호사법 위반죄가 상상적 경합의 관계에 있는 경우 변호사법 위반죄의 공소시효가 완성되 었다고 하여 그 죄와 상상적 경합관계에 있는 사기죄의 공소시효까지 완성되는 것은 아니다(대판 2006.12.8, 2006도6356). 상상적 경합관계에 있는 사기죄와 변호사법 위반죄에 대하여 형이 더 무거운 사기죄로 처벌하면서도, 필요적 몰수·추징에 관한 구 변호사법 제116조, 제111조에 의하여 청탁 명목으로 받은 금품 상당액을 추징한 것은 정당하다(대판 2006.1.27, 2005도8704). 12. 경찰승진, 21. 변호 사시험, 22. 법원행시

3. 형법 제40조에서 말하는 한 개의 행위란 법적 평가를 떠나 사회관념상 행위가 사물자연의 상태로서 한 개로 평가되는 것을 의미하고, 상상적 경합관계의 경우에는 그중 1죄에 대한 확정판결의 기판력은 다른 죄에 대하여도 미친다(대판 2017.9.21, 2017도11687). 22. 법원행시

② 실체적 경합(경합범)

제37조【경합범】 판결이 확정되지 아니한 수개의 죄 또는 금고 이상의 형에 처한 판결이 확정된 죄(판결 이 확정된 죄 ×)와 그 판결 확정 전에 범한 죄를 경합범으로 한다. 15. 변호사시험, 16. 법원직, 19. 순경 2차, 22. 법원행시

▶ **관련판례**

제1조 제2항을 유추적용하여 위 개정법률 시행 당시 법원에 계속 중인 사건 중 위 개정법률 전에 벌금 형에 처한 판결이 확정된 경우에도 적용된다(대판 2004.1.27, 2001도3178). 17. 변호사시험

(1) 의 의

경합범(실체적 경합)이란 한 사람에 의해 범해진 ① 판결이 확정되지 아니한 수개의 죄(동시적 경합범) 또는 ② 금고 이상의 형에 처한 판결이 확정된 죄와 그 판결확정 전에 범한 죄(사후적 경합범)를 말한다(제37조).

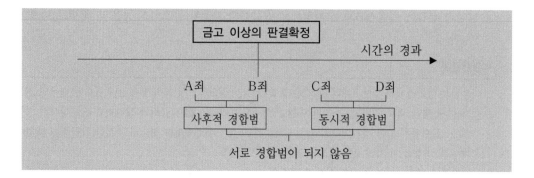

(2) 동시적 경합범의 요건(제37조 전단)

① **수개의 행위로 수개의 죄를 범할 것** : 1개의 행위로 수개의 죄를 범하거나 수개의 행위로 1개의 죄를 범한 때에는 경합범이 될 수 없다.

② **수개의 죄는 모두 판결이 확정되지 않았을 것** : 여기서 판결의 확정이란 상소 등 통상의 불복절차로써는 다툴 수 없는 상태를 말한다. 따라서 경합범 중 일부가 파기환송되고, 나머지가 확정된 때에는 동시적 경합범이 될 수 없다(대판 1974.10.8, 74도1301).

③ **수개의 죄는 동시에 판결될 수 있는 상태에 있을 것** : 수죄가 하나의 재판에서 같이 판결될 가능성이 있어야 한다. 따라서 수죄는 모두 기소되어 병합심리되어야 한다. 1심에서는 별도로 판결된 수죄일지라도 항소심에서 병합심리할 때에는 동시적 경합범이 된다(대판 1972.5.9, 72도597).

(3) 사후적 경합범의 요건(제37조 후단)

사후적 경합범이란 금고 이상의 형에 처한 판결이 확정된 죄와 그 판결확정 전에 범한 죄를 말한다(∵ 벌금형을 선고한 판결이나 약식명령이 확정된 죄는 제37조 후단의 경합범이 될 수 없다 ; 대판 2017.7.11, 2017도7287). 22. 9급 철도경찰

> **관련판례**
>
> 금고 이상의 형에 처한 판결확정 전후의 죄는 경합범이 되지 않는다.
> 1. 금고 이상의 형에 처한 판결확정 전에 저질러진 것으로서 아직 판결을 받지 아니한 죄가 이미 판결이 확정된 죄와 동시에 판결할 수 없었던 경우, 형법 제39조 제1항에 따라 동시에 판결할 경우와 형평을 고려하여 형을 선고하거나 형을 감경 또는 면제할 수 없다(대판 2012.9.27, 2012도9295). 16. 경찰간부 · 법원행시 · 법원직, 19. 경찰간부, 20. 해경승진, 22. 변호사시험, 24. 경찰승진 한편 공직선거법 제18조 제1항 제3호에 규정된 죄와 다른 죄의 경합범에 대하여는 이를 분리 선고하여야 한다(공직선거법 제18조 제3항 전단). 따라서 판결이 확정된 선거범죄와 확정되지 아니한 다른 죄는 동시에 판결할 수 없었던 경우에 해당하므로 형법 제39조 제1항에 따라 동시에 판결할 경우와의 형평을 고려하여 형을 선고하거나 그 형을 감경 또는 면제할 수 없다(대판 2021.10.14, 2021도8719).
> 2. 아직 판결을 받지 아니한 수개의 죄가 판결 확정을 전후하여 저질러진 경우 형법 제37조 전단의 경합범 관계가 인정되어 형법 제38조가 적용된다고 볼 수도 없으므로, 판결 확정을 전후한 각각의 범죄에

대하여 별도로 형을 정하여 선고할 수밖에 없다(대판 2014.3.27, 2014도469). 22. 법원행시 · 경력채용

3. 유죄의 확정판결을 받은 사람이 그 후 별개의 후행범죄를 저질렀는데 유죄의 확정판결에 대하여 재심이 개시된 경우, 후행범죄가 그 재심대상판결에 대한 재심판결 확정 전에 범하여졌다 하더라도 아직 판결을 받지 아니한 후행범죄는 재심심판절차에서 재심대상이 된 선행범죄와 함께 심리하여 동시에 판결할 수 없었으므로 후행범죄와 재심판결이 확정된 선행범죄 사이에는 형법 제37조 후단 경합범이 성립하지 않고, 동시에 판결할 경우와 형평을 고려하여 그 형을 감경 또는 면제할 수 없다 (대판 2019.6.20, 2018도20698 전원합의체). 20 · 22. 법원행시, 22. 경력채용, 23. 경찰간부, 24. 변호사시험

① **확정판결의 범위** : 금고 이상의 형에 처한 판결

> **관련판례**
>
> '판결이 확정된 죄'라 함은 수개의 독립된 죄 중의 어느 죄에 대하여 확정판결이 있었던 사실 그 자체를 의미하고 일반사면으로 형의 선고의 효력이 상실되었는지 여부나(대판 1996.3.8, 95도2114), 집행유예의 선고나 형의 선고유예를 받은 후 유예기간이 경과하여 형의 선고가 실효되었거나 면소된 것으로 간주되었는지 여부는 불문한다(대판 1992.11.24, 92도1417). 18. 경찰승진, 20. 해경승진, 22. 변호사시험 · 경력채용

② 포괄일죄로 되는 개개의 범죄행위가 다른 종류의 죄의 확정판결 전후에 걸쳐서 행하여진 경우에는 그 죄는 2죄로 분리되지 않고 확정판결 후인 최종의 범죄행위시에 완성되는 것이다 (대판 2003.8.22, 2002도5341 : 결국 양자는 사후적 경합범에 해당하지 않는다는 취지임). 15. 변호사시험

(4) 동시적 경합범의 처벌

① 흡수주의

> **제38조 【경합범과 처벌례】** ① 경합범을 동시에 판결할 때에는 다음 각 호의 구분에 따라 처벌한다.
>   1. 가장 무거운 죄에 대하여 정한 형이 사형, 무기징역, 무기금고인 경우에는 가장 무거운 죄에 대하여 정한 형으로 처벌한다.

⏲ 사형 또는 무기형인 때에 여기에 다른 형을 부과하거나 그 형을 가중하는 것은 의미가 없고 가혹하기 때문에 흡수주의가 적용된다.

② 가중주의

> **제38조 【경합범과 처벌례】** ① 경합범을 동시에 판결할 때에는 다음 각 호의 구분에 따라 처벌한다.
>   2. 각 죄에 대하여 정한 형이 사형, 무기징역, 무기금고 외의 같은 종류의 형인 경우에는 가장 무거운 죄에 대하여 정한 형의 장기 또는 다액에 그 2분의 1까지 가중하되 각 죄에 대하여 정한 형의 장기 또는 다액을 합산한 형기 또는 액수를 초과할 수 없다. 다만, 과료와 과료, 몰수와 몰수는 병과할 수 있다. 22. 7급 검찰
>   3. 각 죄에 대하여 정한 형이 무기징역, 무기금고 외의 다른 종류의 형인 경우에는 병과한다.
>   ② 제1항 각 호의 경우에 징역과 금고는 같은 종류의 형으로 보아 징역형으로 처벌한다.
> **제42조 【징역 또는 금고의 기간】** 징역 또는 금고는 무기 또는 유기로 하고, 유기는 1개월 이상 30년 이하로 한다. 단 유기징역 또는 유기금고에 대하여 형을 가중하는 때에는 50년까지로 한다.

㉠ '동종의 형'이란 형벌의 종류가 같은 것을 말한다(예 징역과 징역, 벌금과 벌금). 이때 징역과 금고는 동종의 형으로 간주하여 징역형으로 처벌한다(제38조 제2항). 18. 경찰승진, 20. 경찰간부

㉡ 여기에서 '가장 중한 죄에 정한 장기 또는 다액의 그 2분의 1까지 가중'한다는 것은 경합범의 각죄에 선택형이 있는 때에 그중에서 처단할 형종을 선택한 후에 선택된 형의 장기 또는 다액의 2분의 1까지를 가중한다는 의미이다(대판 1971.2.23, 71도1834).

㉢ 공직선거법 제18조 제3항(형법 제38조에도 불구하고 제1항 제3호에 규정된 죄와 다른 죄의 경합범에 대하여는 이를 분리선고하여야 한다)은 선거범이 아닌 다른 죄가 선거범의 양형에 영향을 미치는 것을 최소화하기 위하여 형법상 경합범 처벌례에 관한 조항의 적용을 배제하고 분리하여 형을 따로 선고하여야 한다는 취지이다. 그리고 선거범과 상상적 경합관계에 있는 다른 범죄에 대하여는 여전히 형법 제40조에 의하여 그중 가장 중한 죄에 정한 형으로 처벌해야 하고, 그 처벌받는 가장 중한 죄가 선거범인지 여부를 묻지 않고 선거범과 상상적 경합관계에 있는 모든 죄는 통틀어 선거범으로 취급하여야 한다(대판 2021.7.21, 2018도16587). 22. 순경 2차

③ **병과주의**

> **제38조 【경합범과 처벌례】** ① 경합범을 동시에 판결할 때에는 다음 각 호의 구분에 따라 처벌한다.
> 3. 각 죄에 대하여 정한 형이 무기징역, 무기금고 외의 다른 종류의 형인 경우에는 병과한다.

'이종의 형'이란 유기징역(유기금고 포함)과 벌금, 벌금과 과료, 자격정지와 구류와 같이 형벌의 종류가 다른 경우를 말한다. 이때 징역과 금고는 동종의 형으로 간주하여 징역형으로 처벌한다(제38조 제2항).

(5) 사후적 경합범의 처벌

> **제39조 【판결을 받지 아니한 경합범, 수개의 판결과 경합범, 형의 집행과 경합범】** ① 경합범 중 판결을 받지 아니한 죄가 있는 때에는 그 죄와 판결이 확정된 죄를 동시에 판결할 경우와 형평을 고려하여 그 죄에 대하여 형을 선고한다. 이 경우 그 형을 감경 또는 면제할 수 있다(감경 또는 면제한다 ×). <개정 2005. 7. 29> 16 · 18. 법원직, 21. 경찰간부, 22. 9급 철도경찰
> ② 삭제 <2005. 7. 29>
> ③ 경합범에 의한 판결의 선고를 받은 자가 경합범 중의 어떤 죄에 대하여 사면 또는 형의 집행이 면제된 때에는 다른 죄에 대하여 다시 형을 정한다. 22. 9급 철도경찰
> ④ 전 3항의 형의 집행에 있어서는 이미 집행한 형기를 통산한다.

① 형법 제37조 후단 경합범에 대하여 형법 제39조 제1항에 의하여 형을 감경할 때에도 법률상 감경에 관한 형법 제55조 제1항이 적용되어 유기징역을 감경할 때에는 그 형기의 2분의 1 미만으로는 감경할 수 없다(대판 2019.4.18, 2017도14609 전원합의체). 19. 경찰간부, 21 · 22. 법원행시, 22. 변호사시험

② 무기징역에 처하는 판결이 확정된 죄와 형법 제37조의 후단 경합범의 관계에 있는 죄에 대하여 공소가 제기된 경우, 뒤에 공소제기된 후단 경합범에 대한 형을 필요적으로 면제하여야 하는 것은 아니고, 후단 경합범에 대한 형을 감경 또는 면제할 것인지는 원칙적으로 법원이 재량에 따라 판단할 수 있다(대판 2008.9.11, 2006도8376). 15. 변호사시험, 22. 법원행시 · 경력채용 형법 제39조 제1항 후문의 '감경' 또는 '면제'는 판결이 확정된 죄의 선고형에 비추어 후단 경합범에 대하여 처단형을 낮추거나 형을 추가로 선고하지 않는 것이 형평을 실현하는 것으로 인정되는 경우에 만 적용할 수 있다(대판 2011.9.29, 2008도9109). 19. 법원행시

③ 제39조 제3항에서 "다시 형을 정한다."는 것은 그 죄에 대해 다시 재판을 한다는 뜻이 아니라 형의 집행될 부분만을 다시 정한다는 의미이다.

④ 제39조 제4항은 사후적 경합범의 경우 먼저 판결이 확정되어 이미 집행된 형기를 장차 집행 할 형기에 합산한다는 의미이다.

관련판례

죄수론 : 수험생들이 가장 어렵게 생각하고 있는 분야 중의 하나이다. 그러나 모든 시험에서 해마다 한 두 문제가 출제되고 있으며, 형법각론을 이해하는 데에도 매우 중요하다. 본서에서는 최근까지의 기출문제와 대법원 판례를 총망라하여 분야별로 비교·분석하여 정리하고자 한다.

1. **판단기준**

① 실질적으로 일죄인가, 수죄(상상적 경합, 실체적 경합)인가는 구성요건적 평가와 보호법익의 측면 에서 고찰하여 판단해야 한다(대판 2000.7.7, 2000도1899). 13. 경찰승진, 21. 해경승진, 23. 7급 검찰

② 상상적 경합과 (실체적) 경합범은 법적 평가를 떠나서 사물 자연의 상태에서 사회통념상 행위가 1개인가 수개인가에 따라 결정된다(대판 1987.2.24, 86도2731).

2. **재산범죄**

(1) **절도죄와 강도죄**

① 절도범이 체포를 면탈할 목적으로 체포하려는 수명의 피해자에게 같은 기회에 폭행을 가하여 그 중 1인에게만 상해를 가할 경우 ⇨ (포괄하여) 1개의 (준)강도상해죄(대판 2001.8.21, 2001도3447) 16. 경찰간부, 17. 9급 철도경찰, 19. 9급 검찰·마약수사 · 철도경찰

▶ **비교판례** : 강도가 한 개의 강도 범행을 하는 기회에 수명의 피해자에게 각각 폭행을 가하여 상해를 입힌 경우 ⇨ 강도상해죄의 실체적 경합(대판 1987.5.26, 87도527 ∵ 피해자별로 범죄 성립) 16. 경찰간부, 20. 변호사시험 · 법원직 · 해경승진, 21. 해경 1차, 23. 법원행시

② 단일범의로 절취한 시간·장소가 접착되어 있고 같은 관리인의 관리하에 있는 방안에서 소유자가 다른 두 사람의 물건을 절취한 경우 ⇨ 1개의 절도죄(대판 1970.7.21, 70도1133), 특수강도의 소위가 동일한 장소에서 동일한 방법에 의하여 시간적으로 접착된 상황에서 이루어진 경우에는 피해자가 여러 사람이더라도 단순일죄가 성립한다(대판 1979.10.10, 79도2093). 08. 사시, 10. 법원직

▶ **유사판례** : 강도가 시간적으로 접착된 상황에서 수인의 가족에게 폭행·협박하여 집안의 재물 을 강취한 경우(대판 1996.7.30, 96도1285 ∵ 가족의 공동점유, 소유자는 불문) ⇨ 포괄하여 1개의 강도죄 19. 법원행시

▶ **비교판례** : 한 건물 안에 있는 서로 다른 세대에서 각 재물을 절취한 경우(**에** 절도가 주인집의 방 안에서 재물을 절취하고 그 무렵 세 들어 사는 사람의 방 안에서 재물을 절취한 경우) ⇨ 2개의 절도죄의 경합범(대판 1989.8.8, 89도664 ∵ 범행장소와 재물의 관리자가 다름) 13. 법원직, 15. 사시, 17. 9급 철도경찰

③ 강도가 여관에서 칼로 종업원에게 상해를 가하고 여관 주인도 같은 방에 밀어넣은 후 금품을 강취한 후 종업원의 현금을 꺼내간 경우 ⇨ 강도상해죄와 특수강도죄의 상상적 경합(대판 1991.6.25, 91도643 ∵ 종업원과 주인을 폭행 · 협박한 행위는 법률상 1개의 행위) 13. 경찰승진, 23. 법원직

▶ **비교판례** : 강도가 서로 다른 시기에 다른 장소에서 수인의 피해자들에게 각기 폭행 또는 협박을 하여 각 그 피해자들의 재물을 강취하고, 그 피해자들 중 1인을 상해한 경우에는, 각기 별도로 강도죄와 강도상해죄가 성립하는 것이므로 실체적 경합범의 관계에 있다(대판 1991.6.25, 91도643 **에** 여관 1층 안내실에서 관리인을 찔러 상해를 가해 금품을 강취한 다음 각 객실에 들어가 투숙객들로부터 금품을 강취한 경우 ⇨ 피해자별로 강도상해죄와 강도죄의 실체적 경합).

④ 강도가 재물강취에 실패하고 그 자리에서 항거불능한 상태의 피해자를 간음하려다가 미수에 그쳤으나 반항을 억압하기 위한 폭행으로 상해를 입힌 경우 ⇨ 강도강간미수죄와 강도치상죄의 상상적 경합(대판 1988.6.28, 88도820) 15. 경찰간부, 22. 해경간부, 23. 법원행시

(2) 사기죄와 공갈죄

〈신용카드 · 현금카드와 관련된 범죄〉

① 현금카드 소유자를 공갈(협박)하여 예금인출승낙과 함께 카드를 교부받은 후 현금자동지급기에서 현금(예금)을 여러 번 인출한 경우(대판 1996.9.20, 95도1728) ⇨ 포괄하여 1개의 공갈죄 13. 사시

▶ **비교판례** : 강취한 현금카드를 이용하여 현금자동지급기에서 예금을 인출한 경우(대판 2007.5.10, 2007도1375) ⇨ 강도죄와 절도죄의 실체적 경합 18. 순경 1차, 20. 순경 2차, 21. 변호사시험

② 절취한 신용카드로 수개의 가맹점에서 매출전표에 서명 · 교부하고 물품을 구입한 경우(절도죄 제외) ⇨ 신용카드부정사용죄(포괄일죄 : 대판 1996.7.12, 96도1181, 사문서위조 및 동행사는 흡수됨 : 대판 1992.6.9, 92도77)와 사기죄의 경합범(대판 1996.7.12, 96도1181 **에** 비씨카드 1매를 절취한 후 2시간 20분 동안에 가맹점 7곳에서 물품을 구입한 후 결제한 경우) 14. 법원행시, 16. 경찰간부

▶ **유사판례** : 이미 절취한(이 부분은 논외로 함) 피해자 명의의 신용카드를 부정사용하여 현금자동인출기에서 현금서비스로 현금을 인출한 경우 ⇨ 신용카드부정사용죄와 절도죄의 실체적 경합(대판 1995.7.28, 95도997) 19. 9급 검찰 · 마약수사 · 철도경찰, 21. 해경간부

③ 강취한 신용카드로 자신이 정당한 소지인인 양 가맹점 주인을 속여서 물품(주류) 등을 제공받은 경우(강도죄 제외) ⇨ 신용카드부정사용죄와 사기죄의 경합범(대판 1997.1.21, 96도2715) 13. 9급 검찰 · 철도경찰

〈기 타〉

① 단일한 범의와 단일한 범행방법으로 수인의 피해자에 대하여 각 피해자별로 기망행위를 하여 각각 재물을 편취한 경우, 불특정 다수의 피해자들을 상대로 동일한 방식으로 사기분양을 하여 그들로부터 분양대금을 편취한 경우 ⇨ 포괄일죄 ×, 피해자별로 독립한 사기죄가 성립됨(대판 2003.4.8, 2003도382 ; 대판 2005.4.29, 2005도741). 20. 법원행시, 21. 경찰간부 다만, 피해자들이 하나의 동업체를 구성하는 등으로 피해 법익이 동일하다고 볼 수 있는 사정이 있는 경우에는 피해자가 복수이더라도 이들에 대한 사기죄를 포괄하여 일죄로 볼 수도 있다(대판 2011.4.14, 2011도769). 12. 순경 2차

- 수인의 피해자에 대하여 1개의 기망행위를 통해 각각 재물을 편취한 경우에는 범의가 단일하고 범행방법이 동일하더라도 피해자별로 독립한 사기죄가 성립하고 각 사기죄는 상상적 경합관계에 있다(대판 1990.1.25, 89도252). 13. 경찰승진, 20. 법원행시, 24. 변호사시험
- 다수의 계(契)를 조직하여 수인의 계원들을 개별적으로 기망하여 계불입금을 편취한 경우 각 피해자별로 독립하여 사기죄가 성립하고 그 사기죄 상호간은 실체적 경합범 관계에 있다(대판 2010.4.29, 2010도2810).
- 도박에 참여한 수인의 피해자로부터 사기도박으로 도금을 편취한 경우 ⇨ 사기죄의 상상적 경합(대판 2011.1.13, 2010도9330 ∵ 사회관념상 1개의 행위로 평가하는 것이 타당하므로) 13. 사시, 18. 수사경과

▶ **비교판례** : 동일한 피해자에 대하여 수회에 걸쳐 기망행위를 하여 금원을 편취한 경우
- 범의가 단일하고 계속된 범의하에 범행방법이 동일한 경우 ⇨ 사기죄의 포괄일죄(대판 2000. 2.11, 99도4862) 18. 법원직, 22. 해경간부
- 범의의 단일성·계속성이 불인정되거나 범행방법이 다른 경우 ⇨ 사기죄의 경합범(대판 2000. 2.11, 99도4862)

② 타인의 사무를 처리하는 자가 본인을 기망하여 재물을 교부받은 경우(**예** 신용협동조합의 전무가 그 조합의 담당직원을 기망하여 예금인출금 또는 대출금 명목으로 금원을 교부받은 경우) ⇨ 법조경합 ×, 사기죄와 (업무상) 배임죄의 상상적 경합 ○(대판 2002.7.18, 2002도669 전원합의체) 19. 경찰간부·순경 1차, 20. 법원행시·7급 검찰·철도경찰, 24. 해경간부

③ 사기의 수단으로 발행한 수표가 지급거절된 경우 부정수표 단속법위반죄와 사기죄는 그 행위의 태양과 보호법익을 달리하므로 실체적 경합범의 관계에 있다(대판 2004.6.25, 2004도1751). 15. 경찰간부, 17. 순경 1차, 22. 법원행시·해경간부

④ 예금통장을 강취(갈취)하고 예금자 명의의 예금청구서를 위조한 다음 이를 은행원에게 제출·행사하여 예금인출금을 교부받은 경우 ⇨ 강도죄(공갈죄), 사문서위조 및 동행사죄와 사기죄의 실체적 경합(대판 1991.9.10, 91도1722 ; 대판 1979.10.30, 79도489) 15. 순경 2차, 21. 법원행시

⑤ 공무원이 직무에 관하여 기망수단으로 재물을 교부받은 경우 ⇨ 사기죄와 수뢰죄의 상상적 경합(대판 1977.6.7, 77도1069) 18.7급 검찰, 19.7급 검찰, 22. 법원직, 23. 경찰승진

▶ **비교판례** : 공무원이 직무집행의 의사 없이 또는 직무처리와 대가적 관계없이 타인(피공갈자에게 뇌물공여죄 ×)을 공갈하여 재물을 교부하게 한 경우에는 공갈죄만이 성립하고 따로 뇌물수수죄는 성립하지 않는다(대판 1994.12.22, 94도2528). 15. 사시·경찰간부, 16. 경찰승진·수사경과, 18. 순경 3차, 21. 법원직, 22. 해경간부·해경 2차

(3) 기 타

① 본인에 대한 배임행위가 본인 이외의 제3자에 대한 사기죄를 구성한다 하더라도 그로 인하여 본인에게 손해가 생긴 때에는 사기죄와 함께 배임죄가 성립하고 두 죄는 실체적 경합관계에 있다(대판 2010.11.11, 2010도10690 **예** 건물관리인이 건물주로부터 월세임대차계약 체결업무를 위임받고도 임차인을 속여 전세임대차계약을 체결하고 그 보증금을 편취한 경우 ⇨ 사기죄와 업무상 배임죄의 실체적 경합범) 19. 순경 1차, 20. 변호사시험, 21. 해경 1차·7급 검찰, 24. 해경간부

② 채권자들에 의한 복수의 강제집행이 예상되는 경우 재산을 은닉 또는 허위양도함으로써 채권자들을 해하였다면 채권자별로 각각 강제집행면탈죄가 성립하고, 상호 상상적 경합범의 관계에 있다(대판 2011.12.8, 2010도4129). 16. 사시, 17. 법원행시, 18. 경찰간부, 17·19. 경찰승진

③ 甲이 A주식회사로부터 렌탈(임대차)하여 컴퓨터 본체, 모니터 등을 받아 보관하였고, B주식회사로부터 리스(임대차)하여 컴퓨터 본체, 모니터, 그래픽카드, 마우스 등을 보관하다가, 같은 날 성명불상의 업체에 한꺼번에 처분하여 횡령한 경우, 피해자들에 대한 각 횡령죄는 상상적 경합관계에 있다(대판 2013.10.31, 2013도10020 ∵ 여러 개의 위탁관계에 의하여 보관하던 여러 개의 재물을 1개의 행위에 의하여 횡령한 경우 ⇨ 횡령죄의 상상적 경합범 ○) 16. 경찰간부, 17. 경찰승진, 18. 7급 검찰, 21. 해경 2차, 23. 법원직

④ 자기가 보관하던 타인소유의 재물을 기망수단으로 영득한 경우 ⇨ 횡령죄 ○, 사기죄 ×(대판 1980.12.9, 80도1177) 19. 법원행시, 20. 해경 3차

⑤ 대표이사가 상가 분양사업을 수행하면서 수분양자들을 기망하여 분양대금을 편취한 후, 분양대금을 사적인 용도로 임의 지출한 경우 ⇨ 사기죄와 횡령죄의 경합범(대판 2005.4.29, 2005도741) 11. 순경, 12. 7급 검찰

⑥ 회사의 대표이사가 업무상 보관하던 회사 자금을 빼돌려 횡령한 다음 그중 일부를 더 많은 장비납품 등의 계약을 체결할 수 있도록 해달라는 취지의 묵시적 청탁과 함께 배임증재에 공여한 경우 ⇨ 횡령죄와 배임증재죄의 실체적 경합범(대판 2010.5.13, 2009도13463) 12. 9급 검찰·철도경찰

▶ 유사판례 : 회사의 이사 등이 업무상의 임무에 위배하여 보관 중인 회사의 자금으로 뇌물을 공여한 경우, 그 이사 등은 회사에 대하여 업무상 횡령죄의 죄책을 면하지 못한다(대판 2013.4.25, 2011도9238 ∵ 뇌물공여죄와 업무상 횡령죄 성립).

3. 기타 개인적 법익

① 감금행위가 강간 또는 강도의 수단이 된 경우 ⇨ 상상적 경합(대판 1997.1.21, 96도2715 예 피해자가 자동차에서 내릴 수 없는 상태에 있음을 이용하여 강간하려고 결의하고, 주행 중인 자동차에서 탈출불가능하게 하여 외포케 하고 50km를 운행하여 여관 앞까지 강제연행한 후 강간하려다 미수에 그친 경우 ⇨ 감금죄와 강간미수죄의 상상적 경합) 20. 해경 1차, 23. 법원행시

▶ 비교판례 : 감금행위가 단순히 강도상해 범행의 수단에 그치지 아니하고 강도상해의 범행이 끝난 뒤에도 계속된 경우(예 피해자를 강제로 승용차에 태우고 가면서 주먹으로 피해자를 때려 반항을 억압한 후 현금 35만원을 빼앗고 피해자에게 안면부 타박상을 입힌 후, 계속하여 15km 정도를 진행하다 내려준 경우) ⇨ 감금죄와 강도상해죄의 경합범(대판 2003.1.10, 2002도4380) 15. 사시·9급 검찰·마약수사, 19. 순경 1차, 24. 해경간부

② 살인 후 죄적을 은폐하기 위하여 시체를 다른 장소에 운반하여 유기한 경우 ⇨ 살인죄와 사체유기죄의 경합범(대판 1997.7.25, 97도1142) 12. 변호사시험, 13. 9급 철도경찰

▶ 비교판례

1. 강간치상범이 자신의 범행으로 인하여 실신상태에 있는 피해자를 그대로 방치하고 도주한 경우 포괄적으로 단일의 강간치상죄만을 구성한다(대판 1980.6.24, 80도726). 13. 사시, 20. 해경 3차

2. 甲이 A를 살해함에 있어 나중에 사체의 발견이 불가능 또는 심히 곤란하게 하려는 의사로 인적이 드문 장소로 A를 유인하여 그곳에서 살해하고 사체를 그대로 방치한 채 도주한 경우 ⇨ 살인죄 ○, 사체은닉죄 ×(대판 1986.6.24, 86도891) 12. 법원행시, 19. 변호사시험

③ 피해자를 2회 강간하여 질입구파열창을 입힌 자가 피해자에게 용서를 구하였으나 불응하면서 강간사실을 부모에게 알리겠다고 하자 피해자의 목을 졸라 질식 사망케 한 경우 ⇨ 강간치상죄와 살인죄의 경합범(대판 1987.1.20, 86도2360) 17. 법원직

④ 비방의 목적으로 18회에 걸쳐서 출판물에 의하여 공연히 허위의 사실을 적시·유포함으로써 한국 소비자보호원의 명예를 훼손하고 업무를 방해한 경우 ⇨ 출판물에 의한 명예훼손죄와 업무방해죄의 상상적 경합(대판 1993.4.13, 92도3035) 09. 9급 검찰, 21. 경력채용

▶ 유사판례 : 甲이 치료받은 다음 날 오전 병원 앞에서 허위사실이 기재된 현수막을 설치하고 허위 사실을 기재한 유인물을 불특정 다수에게 배포한 경우 ⇨ 허위사실 유포에 의한 업무방해죄와 허위사실적시에 의한 명예훼손죄의 상상적 경합(대판 2007.11.15, 2007도7140) 18. 경찰승진

⑤ 피해자의 방 안에 침입하여 식칼로 위협하여 반항을 억압한 다음 피해자를 강간하여 상해를 입힌 경우 ⇨ 포괄하여 특수강간치상죄(성폭력특례법) ○, 주거침입죄 ×(대판 1999.4.23, 99도354) 13. 법원행시

⑥ 슈퍼마켓 사무실에서 식칼을 들고 피해자를 협박하고 매장을 돌아다니며 손님을 내쫓은 경우 ⇨ 협박죄와 업무방해죄의 실체적 경합(대판 1991.1.29, 90도2445) 07. 7급 검찰

⑦ 강도강간죄는 강도가 강간하는 것을 그 요건으로 하므로 부녀를 강간한 자가 강간행위 후에 강도의 범의를 일으켜 재물을 강취하는 경우에는 강간죄와 강도죄의 경합범이 성립될 수 있을 뿐이다(대판 1977.9.28, 77도1350).

⑧ 주거침입강간죄는 사람의 주거 등을 침입한 자가 피해자를 강간한 경우에 성립하는 것으로서 주거침입죄를 범한 후에 사람을 강간하여야 하는 일종의 신분범이고, 선후가 바뀌어 강간죄를 범한 자가 그 피해자의 주거에 침입한 경우에는 강간죄와 주거침입죄의 실체적 경합범이 된다(대판 2021.8.12, 2020도17796). 22. 순경 2차

4. 사회적 법익

① 위조된 통화(유가증권·문서)를 행사하여 재물이나 재산상의 이익을 편취한 경우 ⇨ 위조통화(유가증권·문서)행사죄와 사기죄의 경합범(대판 1979.7.10, 79도840 ; 대판 1981.7.28, 81도529) 15. 순경 2차, 18. 경찰간부, 20. 7급 검찰·순경 1차, 22. 해경간부

② 공무원인 의사가 공무소의 명의로 허위진단서를 작성한 경우 ⇨ 허위공문서작성죄 ○, 허위진단서작성죄 ×(대판 2004.4.9, 2003도7762 ∵ 허위진단서작성죄의 대상은 공무원이 아닌 의사가 사문서로서 진단서를 작성한 경우에 한정됨) 18. 법원행시, 20. 법원직·7급 검찰, 22. 해경간부

③ 연결효과에 의한 상상적 경합 : 공무원이 수뢰 후 행한 부정행위(수뢰 후 부정처사죄 : A)가 허위공문서작성죄(B) 및 동행사죄(C) 또는 공도화변조죄(B) 및 동행사죄(C)와 각각(A·B, A·C) 상상적 경합관계에 있는 경우(이때 B·C는 실체적 경합) ⇨ A·B·C의 상상적 경합의 예에 따라 처벌(경합가중 × : 대판 1983.7.26, 83도1378 ; 대판 2001.2.9, 2000도1216) 17. 9급 검찰·마약수사·철도경찰, 22. 법원행시, 19·23. 순경 1차, 24. 해경승진

④ 피해자들의 재물 강취 후 그들을 살해할 목적으로 현주건조물에 방화하여 사망하게 한 경우 ⇨ 강도살인죄와 현주건조물방화치사죄의 상상적 경합(대판 1998.12.8, 98도3416) 19. 변호사시험, 21. 해경간부, 23. 순경 2차

⑤ 공무원이 위법사실을 발견하고도 위법사실을 적극적으로 은폐할 목적으로 허위공문서를 작성·행사한 경우 ⇨ 허위공문서작성 및 동행사죄 ○, 직무유기죄 ×[예 예비군중대장이 대원의 훈련불참 사실을 은폐하기 위해 훈련에 참석하는 양 허위내용의 학급구성명부를 작성·행사(대판 1982.12.28, 82도2210), 경찰관이 도박범행사실을 적발하고도 발견하지 못한 것처럼 근무일지를 허위로 작성하고 소장에게 허위보고한 경우(대판 1999.11.26, 99도1904)] 13. 사시, 15. 9급 검찰·마약수사

▶ **비교판례** : 공무원이 직무를 유기한 후 다른 목적을 위하여 허위공문서를 작성·행사한 경우
⇨ 직무유기죄와 허위공문서작성 및 동행사죄의 실체적 경합(대판 1993.12.24, 92도3334 **예** 농지
일시전용허가를 내주기 위해 현장출장복명서와 심사의견서를 허위로 작성하여 제출한 경우)
09. 경찰승진

⑥ 행사의 목적으로 타인의 인장을 위조하고 그 위조한 인장을 사용하여 타인의 사문서를 위조한 경우
⇨ 사문서위조죄(인장위조·동행사죄 × : 대판 1978.9.26, 78도1787 ∵ 인장위조죄는 사문서위조
죄에 흡수됨) 12. 변호사시험, 14. 법원행시

⑦ 법원을 기망하여 승소판결을 받고 그 확정판결에 의하여 소유권이전등기를 경료한 경우 ⇨ 사기
죄와 공정증서원본실기재죄의 실체적 경합(대판 1983.4.26, 83도188) 13. 사시, 17. 법원직

⑧ 1개의 문서에 2인 이상의 연명으로 된 문서를 위조한 경우(**예** 금전소비대차계약서의 주채무자와
연대보증인의 명의를 연명으로 위조한 경우) ⇨ 문서위조죄의 상상적 경합(대판 1987.7.21, 87도564
∵ 하나의 행위이고 작성명의인의 수를 기준으로 죄수 결정) 15. 사시, 23. 법원행시

▶ **비교판례** : 피해자 명의의 약속어음 2매를 위조한 경우 ⇨ 유가증권위조죄의 경합범(대판 1983.
4.12, 82도2938 ∵ 위조된 유가증권의 매수를 기준으로 죄수 결정)

⑨ 회사 명의의 합의서를 임의로 작성·교부한 행위에 대하여 약식명령이 확정된 사문서위조 및
그 행사죄의 범죄사실과 그로 인하여 회사에 재산상 손해를 가하였다는 업무상 배임의 공소사실
은 그 객관적 사실관계가 하나의 행위이므로 1개의 행위가 수개의 죄에 해당하는 경우로서 형법
제40조에 정해진 상상적(실체적 ×) 경합관계에 있다(대판 2009.4.9, 2008도5634). 24. 변호사시험

⑩ 업무상 과실로 교량을 손괴하여 자동차의 교통을 방해하고 자동차를 추락시킨 경우 ⇨ 업무상
과실일반교통방해죄와 업무상 과실자동차추락의 상상적 경합(대판 1997.11.28, 97도1740) 04. 사시

5. 국가적 법익

① 절도범이 체포를 면하려고 경찰관에게 폭행을 가한 경우 ⇨ 준강도죄와 공무집행방해죄의 상상
적 경합(대판 1992.7.28, 92도917), 강도범이 체포를 면하려고 경찰관에게 폭행을 가한 경우 ⇨
강도죄와 공무집행방해죄의 실체적 경합(대판 1992.7.28, 92도917) 16. 7급·9급 검찰·마약수사·철도
경찰, 18. 순경 3차, 19. 경찰간부, 21. 경찰승진·해경간부·법원행시, 23. 해경승진·순경 2차

② 동일한 공무를 집행하는 여럿의 공무원에 대하여 폭행·협박 행위가 이루어진 경우에는 공무를
집행하는 공무원의 수에 따라 여럿의 공무집행방해죄가 성립하고, 폭행·협박 행위가 동일한 장
소에서 동일한 기회에 이루어진 것으로서 사회관념상 1개의 행위로 평가되는 경우에는 여럿의
공무집행방해죄는 상상적 경합의 관계에 있다(대판 2009.6.25, 2009도3505 **예** 피해신고를 받고 출
동한 경찰관 甲을 폭행하고, 곧이어 이를 제지하는 경찰관 乙을 폭행한 경우). 15. 순경 2차, 17. 9급
철도경찰, 18. 경찰간부, 20. 법원직, 21. 해경간부, 24. 경찰승진

③ 공무원이 직무관련자에게 제3자와 계약을 체결하도록 요구하여 계약 체결을 하게 한 행위가 제3
자뇌물수수죄의 구성요건과 직권남용권리행사방해죄의 구성요건에 모두 해당하는 경우에는, 제
3자뇌물수수죄와 직권남용권리행사방해죄가 각각 성립하되, 이는 사회 관념상 하나의 행위가 수
개의 죄에 해당하는 경우이므로 두 죄는 형법 제40조의 상상적(실체적 ×) 경합관계에 있다(대판
2017.3.15, 2016도19659). 19. 9급 검찰·마약수사·철도경찰, 20. 변호사시험·해경 1차, 21. 법원행시·7급 검
찰·순경 2차, 22. 경찰간부, 23. 순경 1차, 24. 해경승진

④ 甲이 직무를 집행하는 공무원에 대하여 위험한 물건을 휴대하여 고의로 상해한 경우 특수공무집행방해치상죄와 별도로 폭력행위 등 처벌에 관한 법률 위반(집단·흉기 등 상해)죄는 성립하지 않는다(대판 2008.11.27, 2008도7311). 15. 9급 검찰·마약수사, 16. 순경 1차, 19. 법원행시, 20. 법원직

⑤ 형사가 검사로부터 범인을 검거하라는 지시를 받고서도 그 직무상의 의무에 따른 적절한 조치를 취하지 않고 오히려 범인에게 전화로 도피하라고 권유하여 그를 도피케 한 경우, 직무위배의 위법상태가 범인도피행위 속에 포함되어 있는 것으로 보아야 할 것이므로, 작위범인 범인도피죄만이 성립하고 부작위범인 직무유기죄는 따로 성립하지 아니한다(대판 1996.5.10, 96도51). 17. 순경 1차, 21. 경찰간부, 22. 법원행시

▶ **유사판례** : 경찰공무원이 지명수배 중인 범인을 발견하고도 직무상 의무에 따른 적절한 조치를 취하지 아니하고 오히려 범인을 도피하게 한 경우 ⇨ 범인도피죄 ○, 직무유기죄 ×(대판 2017. 3.15, 2015도1456) 18. 7급 검찰·순경 3차, 19. 변호사시험, 23. 해경승진

⑥ 경찰관이 압수물을 범죄 혐의의 입증에 사용하도록 하는 등의 적절한 조치를 취하지 않은 채 피압수자에게 돌려준 경우 증거인멸죄만 성립하고 별도로 직무유기죄는 성립하지 않는다(대판 2006.10.19, 2005도3909). 19. 경찰승진, 20. 7급 검찰

⑦ 시험을 관리하는 공무원이 타인으로부터 돈을 받고 직무상 지득한 시험 문제를 타인에게 알려준 경우 공무상 비밀누설죄와 수뢰후부정처사죄는 상상적 경합의 관계에 있다(대판 1970.6.30, 70도562). 18. 경찰간부, 20. 7급 검찰, 21. 해경승진

⑧ 공무를 집행하고 있는 공무원을 폭행하여 상해를 가한 경우(폭행의사로) ⇨ 공무집행방해죄와 폭행치상죄의 상상적 경합(대판 1984.2.28) 13. 경찰간부

6. **특별법**

⑴ **자동차운전과 관련된 판례 총정리**

① 특정범죄 가중처벌 등에 관한 법률 위반(위험운전치사상)죄와 도로교통법 위반(음주운전)죄는 입법취지와 보호법익 및 적용영역을 달리하는 별개의 범죄로서 양 죄가 모두 성립하는 경우 두 죄는 실체적 경합관계에 있는 것으로 보아야 한다(대판 2008.11.13, 2008도7143). 20. 법원직·순경 2차, 21. 경찰승진, 22. 경찰간부·변호사시험

▶ **비교판례** : 음주로 인한 특정범죄 가중처벌 등에 관한 법률 위반(위험운전치사상)죄가 성립하는 때에는 차의 운전자가 형법 제268조의 죄를 범한 것을 내용으로 하는 교통사고처리특례법 위반죄는 그 죄에 흡수되어 별죄를 구성하지 아니한다(대판 2008.12.11, 2008도9182). 12. 7급 검찰, 22·23. 변호사시험

② 음주 또는 약물의 영향으로 정상적인 운전이 곤란한 상태에서 자동차를 운전하여 사람을 상해에 이르게 함과 동시에 다른 사람의 재물을 손괴한 때에는 특정범죄 가중처벌 등에 관한 법률 위반(위험운전치사상)죄 외에 업무상 과실 재물손괴로 인한 도로교통법 위반죄가 성립하고, 위 두 죄는 1개의 운전행위로 인한 것으로서 상상적 경합관계에 있다(대판 2010.1.14, 2009도10845). 19. 경찰간부, 21·22. 법원행시, 23. 경찰승진

③ 무면허운전과 교통사고처리특례법위반죄(업무상 과실치사죄) ⇨ 실체적 경합범(대판 1972.10.31, 72도2001 : 운전면허 없이 운전을 하다가 두 사람을 한꺼번에 치어 사상케 한 경우에 이 업무상 과실치사상죄의 소위는 상상적 경합관계에 해당하고, 이와 무면허운전에 대한 도로교통법 위반죄와는 실체적 경합관계에 있다.) 07. 순경, 21. 변호사시험·법원행시

④ 무면허운전과 음주운전죄 ⇨ 상상적 경합(대판 1987.2.24, 86도2731) 16. 사시, 17. 변호사시험, 23. 법원행시

⑤ 甲이 사고 후 도로교통법 제54조 제1항의 조치를 취하지 아니하고 도주하여 특정범죄 가중처벌 등에 관한 법률위반(도주치상)죄와 도로교통법위반(사고 후 미조치)죄가 성립하는 경우, 위 두 죄는 상상적(실체적 ×) 경합관계에 있다(대판 2016.11.24, 2016도12407). 21. 변호사시험

⑥ 주취운전과 음주측정 거부의 각 도로교통법 위반죄 ⇨ 실체적 경합(대판 2004.11.12, 2004도5257) 09. 법원행시

(2) 상상적 경합이 인정되는 경우

① 공무원이 취급하는 사건에 관하여 청탁 또는 알선을 할 의사와 능력이 없음에도 청탁 또는 알선을 한다고 기망하고 금품을 교부받은 경우 ⇨ 사기죄와 변호사법 위반죄의 상상적 경합(대판 2006.1.27, 2005도8704) 21. 변호사시험 · 해경 1차, 22. 법원직, 23. 경찰승진

② 금융회사 등의 임직원의 직무에 속하는 사항에 관하여 알선할 의사와 능력이 없음에도 알선을 한다고 기망하고 금품 등을 수수하였다면, 사기죄와 특정경제범죄 가중처벌 등에 관한 법률 제7조 위반죄의 상상적 경합의 관계에 있다(대판 2012.6.28, 2012도3927). 17. 법원행시, 22. 경찰간부

③ 국회의원 선거에서 정당의 공천을 받게 하여 줄 의사나 능력이 없음에도 이를 해 줄 수 있는 것처럼 기망하여 공천과 관련하여 금품을 받은 경우, 공직선거법상 공천관련금품수수죄와 사기죄가 모두 성립하고 양자는 상상적 경합의 관계에 있다(대판 2009.4.23, 2009도834). 22. 법원행시

④ 형법 제307조의 명예훼손죄와 공직선거 및 선거부정방지법 제251조의 후보자비방죄는 상상적 경합의 관계에 있다(대판 1998.3.24, 97도2956). 14. 법원행시

⑤ 부정수표단속법 위반죄(당좌수표를 조합 이사장 명의로 발행하여 그 소지인이 지급제시기간 내에 지급제시하였으나 거래정지처분의 사유로 지급되지 아니한 경우)와 업무상 배임죄(동일한 수표를 발행하여 조합에 대하여 재산상 손해를 가한 경우)는 상상적 경합관계에 있다(대판 2004.5.13, 2004도1299). 11. 사시

⑥ 동일인 대출한도 초과대출 행위로 인하여 상호저축은행에 손해를 가함으로써 상호저축은행법 위반죄와 업무상 배임죄가 모두 성립한 경우, 위 두 죄는 형법 제40조 소정의 상상적 경합관계에 있다(대판 2012.6.28, 2012도2087).

⑦ 무허가 카지노영업으로 인한 관광진흥법 위반죄와 도박개장죄는 상상적 경합범 관계에 있다(대판 2009.12.10, 2009도11151). 11. 경찰승진

⑧ 공직선거기부행위제한기간 중 정당 내의 공직후보경선에서 당선될 목적으로 선거권을 가진 당원들에게 금품을 제공한 경우 ⇨ 정당법 위반죄(금품제공)와 공직선거 및 선거부정방지법(현 공직선거법) 위반죄(기부행위)의 상상적 경합(대판 2003.4.8, 2002도6033)

⑨ 수개의 접근매체를 한꺼번에 양도한 행위는 하나의 행위로 수개의 전자금융거래법 위반죄를 범한 경우에 해당하여 각 죄는 상상적 경합관계에 있다(대판 2010.3.25, 2009도1530). 22. 법원직

⑩ 피해견인 로트와일러가 묶여 있던 자신의 진돗개를 공격하자, 진돗개 주인이 피해견을 쫓아버리기 위해 엔진톱으로 위협하다가 피해견의 등 쪽을 절단하여 죽게 한 행위는 구 동물보호법 위반죄(잔인한 방법으로 죽이는 행위)와 재물손괴죄가 성립하고, 양자는 상상적 경합의 관계에 있다(대판 2016.1.28, 2014도2477). 22. 순경 2차

(3) 실체적 경합이 인정되는 경우

① 사기의 수단으로 발행한 수표가 지급거절된 경우(**예** 甲은 A에게 수표금액을 지급할 의사나 능력이 없는 상태에서 부도가 예상되는 당좌수표를 발행하여 주고 A로부터 금원을 차용하였으며, 그 당좌수표가 지급기일에 부도처리된 경우) ⇨ 부정수표단속법 위반죄와 사기죄의 실체적 경합범 (대판 2004.6.25, 2004도1751) 16. 사시, 15 · 22. 경찰간부

② 甲은 미성년자인 A를 약취한 후 강간을 목적으로 A에게 상해를 가하고 나아가 A에 대한 강간 및 살인미수를 범한 경우, 상해의 결과가 A에 대한 강간 및 살인미수행위 과정에서 발생한 것이라 하더라도 甲에게는 A에 대한 상해 등으로 인한 특정범죄 가중처벌 등에 관한 법률 위반죄 및 A에 대한 강간 및 살인미수행위로 인한 성폭력범죄의 처벌 등에 관한 특례법 위반죄가 각 성립하고 두 죄는 실체적 경합관계가 있다(대판 2014.2.27, 2013도12301). 16. 경찰간부, 21 · 22. 순경 2차

③ 유사수신행위 금지규정에 위반한 유사수신행위가 별도로 사기죄의 구성요건도 충족하는 경우 유사수신행위의 규제에 관한 법률 위반죄와 사기죄는 별개의 범죄로 성립하고, 양 죄는 실체적 경합관계에 있다(대판 2001.3.27, 2000도5318). 20. 법원행시, 22. 경찰간부

④ 초병이 그 수소를 이탈한 후 별도로 군무를 기피할 목적을 일으켜 그 직무를 이탈한 경우 ⇨ 초병의 수소이탈죄와 군무이탈죄의 실체적 경합범(대판 1981.10.13, 81도2397) 12. 법원행시, 15. 경찰간부

⑤ 경찰서 생활질서계에 근무하는 피고인 甲이 피고인 乙로부터 뇌물을 수수하면서, 피고인 乙의 자녀 명의 은행 계좌에 관한 현금카드를 받은 뒤 피고인 乙이 위 계좌에 돈을 입금하면 피고인 甲이 현금카드로 돈을 인출하는 방법으로 범죄수익의 취득에 관한 사실을 가장한 경우, 범죄수익 은닉의 규제 및 처벌 등에 관한 법률 위반죄와 특정범죄 가중처벌 등에 관한 법률 위반(뇌물)죄가 성립하고 두 죄가 실체적 경합범 관계에 있다(대판 2012.9.27, 2012도6079). 17. 경찰승진

⑥ 2개의 인터넷 파일공유 웹스토리지 사이트를 운영하는 피고인들이 이를 통해 저작재산권 대상인 디지털 콘텐츠가 불법 유통되고 있음을 알면서도 다수의 회원들로 하여금 수만 건에 이르는 불법 디지털 콘텐츠를 업로드하게 한 후 이를 수십만 회에 걸쳐 다운로드하게 함으로써 저작재산권 침해를 방조한 피고인들의 각 방조행위는 원칙적으로 서로 경합범 관계에 있다(대판 2012.5.10, 2011도12131). 13. 순경 1차

⑦ 형법상의 사기죄와 무허가 의약품제조행위를 처벌하는 보건범죄단속에 관한 특별조치법 위반죄의 관계 ⇨ 실체적 경합(대판 2004.1.15, 2001도1429)

⑧ 허위 또는 과장된 사실을 알리는 등 소비자를 유인하는 방법으로 기망하여 돈을 편취한 경우 사기죄와 방문판매업법 위반죄 ⇨ 실체적 경합관계 ○, 법조경합 ×, 상상적 경합 ×(대판 2010.2.11, 2009도12627) 22. 법원직

⑨ 무역업자가 수차례에 걸쳐 물품을 수입할 때마다 허위신고를 하여 관세를 포탈한 경우 ⇨ 관세법상의 관세포탈죄의 경합범(대판 2000.11.10, 99도782 ∵ 각각의 허위수입신고시마다 1개의 죄가 성립됨) ▶ 조세포탈범의 죄수는 과세기간마다 일죄가 성립하는 것이 원칙이나 조세종류를 불문하고 연간포탈세액이 특정범죄 가중처벌 등에 관한 법률 제8조 제1항의 금액 이상인 때에는 1년 단위로 일죄 구성(대판 2000.4.20, 99도3822) 16. 7급 검찰, 19. 경찰간부

▶ **유사판례**

1. 관세법상 무신고수입죄에 있어서 서로 다른 시기에 수회에 걸쳐 이루어진 무신고수입행위 ⇨ 경합범(대판 2000.5.26, 2000도1338)

2. 서로 다른 시기에 수회에 걸쳐 이루어진 관세부정환급행위는 원칙상 별도로 각각 1개의 관세부 정환급죄를 구성한다(∴ 포괄일죄 ×, 실체적 경합 ○ : 대판 2007.7.23, 2000도1094).

⑩ 상호신용금고가 실질적으로 동일한 채무자에게 동일인 대출 한도를 초과하여 대출한 경우 ⇨ 대출시마다 같은 죄가 성립한다 할 것이므로, 각 초과대출행위는 실질적인 경합범에 해당한다 (대판 2004.4.28, 2004도927).

⑪ 음반·비디오물 및 게임물에 관한 법률위반죄와 도박개장죄는 실체적 경합관계로 봄이 상당하다 (대판 2007.4.27, 2007도2094).

⑫ 법인별로 다단계판매업 등록을 하지 아니한 채 각 법인 명의로 다단계판매조직을 개설·관리 또는 운영하는 행위를 한 경우에는 법인별로 방문판매 등에 관한 법 제51조 제1항 제1호, 제13조 제1항 위반의 죄가 성립하며 이는 서로 실체적 경합관계에 있다(대판 2013.7.26, 2011도1264).

⑬ 수표금액의 지급 또는 거래정지처분을 면할 목적으로 금융기관에 거짓 신고를 한 자를 처벌하도 록 규정하는 부정수표단속법위반죄와 타인으로 하여금 형사처분 또는 징계처분을 받게 할 목적 으로 공무소 또는 공무원에 대하여 허위의 사실을 신고하는 때에 성립하는 무고죄는 서로 보호 법익이 다르고, 사회관념상 행위가 사물자연의 상태로서 1개로 평가되는 것으로 보기도 어려워 상상적 경합관계에 있다고 볼 수 없다(대판 2014.1.23, 2013도12064 ∴ 실체적 경합관계 ○). 23. 법원행시

⑭ 운행정지명령 위반으로 인한 자동차관리법 위반죄와 의무보험미가입자동차운행으로 인한 자동 차손해배상 보장법 위반죄는 상상적 경합관계로 볼 것이 아니라 실체적 경합관계로 보는 것이 타당하다(대판 2023.4.27, 2020도17883).

확인학습(다툼이 있는 경우 판례에 의함)

1 A와 B가 체포하려고 하자 절도범이 체포를 면탈할 목적으로 A의 얼굴을 팔꿈치로 폭행하고, 발로 B의 정강이를 걷어 차 약 2주간 치료가 필요한 상해를 입힌 경우 포괄하여 하나의 강도상해죄만 성립한다. (　　) 　　16. 경찰간부, 17. 9급 철도경찰, 19. 9급 검찰·마약수사·철도경찰

2 강도가 한 개의 강도범행을 하는 기회에 수명의 피해자에게 각 폭행을 가하여 각 상해를 입힌 경우에는 각 피해자별로 수개의 강도상해죄가 성립하며 이들은 상상적 경합범의 관계에 있다. (　　) 　　16. 경찰간부, 20. 변호사시험·법원직·해경승진, 21. 해경 1차, 23. 법원행시

3 절도가 주인집의 방 안에서 재물을 절취하고 그 무렵 세 들어 사는 사람의 방 안에서 재물을 절취한 경우 단순일죄(1개의 절도죄)가 성립한다. (　　) 　　13. 법원직, 15. 사시, 17. 9급 철도경찰

4 강도가 재물을 강취하려 하였으나 재물의 부재로 미수에 그치고 그 자리에서 항거불능 상태에 빠진 피해자를 간음할 것을 결의하고 실행에 착수했으나 미수에 그친 경우 반항을 억압하기 위한 폭행으로 피해자에게 상해를 입혔다면 강도강간미수죄와 강도치상죄의 상상적 경합범에 해당한다. (　　) 　　15. 경찰간부, 22. 해경간부, 19·23. 법원행시

5 사기의 수단으로 발행한 수표가 지급거절된 경우 부정수표단속법 위반죄와 사기죄는 그 행위의 태양과 보호법익을 달리하므로 실체적 경합범의 관계에 있다. (　　)
　　15. 경찰간부, 17. 순경 1차, 22. 법원행시·해경간부

6 공무원 甲이 직무집행의 의사 없이 또는 직무처리와 대가적 관계 없이 乙을 공갈하자 乙이 외포심을 느껴 재물을 교부한 경우 甲에게는 공갈죄가 성립하지만 乙에게는 뇌물공여죄가 성립할 수 없다. (　　) 　　15. 사시·경찰간부·9급 검찰·마약수사, 16. 경찰승진, 18. 순경 3차, 22. 해경간부·해경 2차

7 채권자들에 의한 복수의 강제집행이 예상되는 경우 재산을 허위 양도함으로써 채권자들을 해하였다면 채권자별로 각각 강제집행면탈죄가 성립하고 상호 상상적 경합관계에 있다. (　　)
　　16. 사시, 17. 법원행시, 18. 경찰간부, 17·19. 경찰승진

8 甲이 A주식회사로부터 렌탈(임대차)하여 컴퓨터 본체, 모니터 등을 받아 보관하였고, B주식회사로부터 리스(임대차)하여 컴퓨터 본체, 모니터, 그래픽카드, 마우스 등을 보관하다가, 같은 날 성명불상의 업체에 한꺼번에 처분하여 횡령한 경우, 피해자들에 대한 각 횡령죄는 상상적 경합관계에 있다. (　　) 　　16. 경찰간부, 17. 경찰승진, 18. 7급 검찰, 21. 해경 2차, 23. 법원직

9 피해자를 강제로 승용차에 태우고 가면서 주먹으로 피해자를 때려 반항을 억압한 후 현금 35만원을 빼앗고 피해자에게 안면부 타박상을 입힌 후, 계속하여 15km 정도를 진행하다가 내려준 경우 감금죄와 강도상해죄에 해당하는 경우로서 상상적 경합관계에 있다. (　　)
　　15. 사시·9급 검찰·마약수사, 19. 순경 1차, 22·24. 해경간부

Answer ← 1. ○　2. ×　3. ×　4. ○　5. ○　6. ○　7. ○　8. ○　9. ×

10 위조통화를 행사하여 재물을 불법영득한 경우에는 위조통화행사죄와 사기죄의 실체적 경합이다. ( )
15. 순경 2차, 18. 경찰간부, 20. 7급 검찰 · 순경 1차, 22. 해경간부

11 형법 제131조 제1항의 수뢰 후 부정처사에 있어서 공무원이 수뢰 후 행한 부정행위가 공도화변조 및 동행사죄의 구성요건을 충족하는 경우, 수뢰 후 부정처사죄 외에 별도로 공도화변조 및 동행사죄가 성립하고 이들 죄와 수뢰 후 부정처사죄는 각각 상상적 경합관계에 있다. ( )
17. 9급 검찰 · 마약수사 · 철도경찰, 22. 법원행시, 23. 순경 1차, 24. 해경승진

12 공무원인 의사가 공무소의 명의로 허위진단서를 작성한 경우 허위공문서작성죄와 허위진단서작성죄는 상상적 경합이 아니다. ( )
18. 법원행시, 20. 법원직 · 7급 검찰, 22. 해경간부

13 강도범인이 체포를 면탈할 목적으로 경찰관에게 폭행을 가한 때에는 강도죄와 공무집행방해죄가 성립하고 양 죄는 실체적 경합관계에 있다. ( )
16. 7급 · 9급 검찰 · 철도경찰, 18. 순경 3차,
19. 경찰간부, 21. 경찰승진 · 법원행시, 23. 해경승진 · 순경 2차

14 피고인이 피해신고를 받고 출동한 경찰관 甲을 폭행하고, 곧이어 이를 제지하는 경찰관 乙을 폭행한 경우 각 경찰관에 대하여 공무집행방해죄가 성립하고, 위 두 죄는 실체적 경합관계에 있다. ( )
15. 순경 3차, 17. 9급 철도경찰, 18. 경찰간부, 20. 법원직, 21. 해경승진, 24. 경찰승진

15 경찰관이 검사로부터 범인을 검거하라는 지시를 받고서도 그 직무상의 의무에 따른 적절한 조치를 취하지 아니하고 오히려 범인에게 전화로 도피하라고 권유하여 그를 도피케 한 경우, 범인도피죄와 직무유기죄의 상상적 경합이다. ( )
17. 순경 1차, 18. 7급 검찰 · 순경 3차, 21. 경찰간부, 22. 법원행시

16 차의 운전자가 음주의 영향으로 정상적인 운전이 곤란한 상태에서의 운전 중 교통사고로 사람에게 상해를 입게 하여 특정범죄 가중처벌 등에 관한 법률 위반(위험운전치사상)죄와 도로교통법 위반(음주운전)죄가 성립한 경우, 양 죄는 실체적 경합관계에 있다. ( )
20. 법원직 · 순경 2차, 21. 경찰승진, 22. 해경간부 · 변호사시험

17 도로교통법이 정한 기준을 초과하여 술에 취한 상태에서 운전면허 없이 자동차를 운전한 경우 도로교통법 위반(무면허운전)죄와 도로교통법 위반(음주운전)죄가 성립하고 양 죄는 상상적 경합관계에 있다. ( )
16. 사시, 17. 변호사시험, 23. 법원행시

18 甲이 음주의 영향으로 정상적인 운전이 곤란한 상태에서 자동차를 운전하여 사람을 상해에 이르게 함과 동시에 다른 사람의 재물을 손괴한 경우 특정범죄 가중처벌 등에 관한 법률 위반(위험운전치사상)죄 외에 업무상 과실재물손괴로 인한 도로교통법위반죄가 성립하고, 양죄는 실체적 경합관계에 있다. ( )
14. 7급 검찰, 19. 경찰간부, 22. 법원행시, 23. 경찰승진

19 甲이 공무원이 취급하는 사건에 관하여 청탁 또는 알선을 할 의사와 능력이 없음에도 청탁 또는 알선을 한다고 A를 기망하여 금품을 교부받은 경우 사기죄와 변호사법위반죄는 상상적 경합범의 관계에 있다. ( )
20. 변호사시험, 21. 해경 1차, 22. 법원직, 23. 경찰승진

Answer ► **10.** ○ **11.** ○ **12.** ○ **13.** ○ **14.** × **15.** × **16.** ○ **17.** ○ **18.** × **19.** ○

01 죄수에 관한 설명으로 옳은 것은 모두 몇 개인가?(다툼이 있는 경우 판례에 의함) 23. 순경 2차

⊙ 강도범인이 체포를 면탈할 목적으로 경찰관에게 폭행을 가한 때에는 강도죄와 공무집행방해 죄는 상상적 경합관계에 있다.

ⓛ 피고인들이 피해자들의 재물을 강취한 후 그들을 살해할 목적으로 현주건조물에 방화하여 사망에 이르게 한 경우 피고인들의 행위는 강도살인죄와 현주건조물방화치사죄에 모두 해당하고 그 두 죄는 실체적 경합관계에 있다.

ⓒ 폭력행위 등 처벌에 관한 법률 제4조 제1항은 그 법에 규정된 범죄행위를 목적으로 하는 단체를 구성하거나 이에 가입하는 행위(범죄단체구성 가입죄) 또는 구성원으로 활동하는 행위(범죄단체 활동죄)를 처벌하도록 정하고 있는데 범죄단체를 구성하거나 이에 가입한 자가 더 나아가 구성원으로 활동하는 경우, 각 행위는 실체적 경합관계에 있다.

ⓔ 범죄단체 등에 소속된 조직원이 저지른 폭력행위 등 처벌에 관한 법률 위반(단체 등의 공동강요)죄 등의 개별적 범행과 동법 위반(단체 등의 활동)죄는 범행의 목적이나 행위 등 측면에서 일부 중첩되는 부분이 있고, 이에 특별한 사정이 없는 한 법률상 1개의 행위로 평가되어 실체적 경합이 아닌 상상적 경합관계에 있다고 보아야 한다.

① 0개   ② 1개   ③ 2개   ④ 3개

해설 ⊙ × : ~ 실체적(상상적 ×) 경합관계에 있다(대판 1992.7.28, 92도917).

ⓛ × : ~ 상상적(실체적 ×) 경합관계에 있다(대판 1998.12.8, 98도3416).

ⓒ × : ~ (4줄) 활동하는 경우, 이는 포괄일죄(실체적 경합 ×)의 관계에 있다(대판 2015.9.10, 2015도7081).

ⓔ × : ~ (3줄) 일부 중첩되는 부분이 있더라도, 일반적으로 구성요건을 달리하는 별개의 범죄로서 범행의 상대방, 범행 수단 내지 방법, 결과 등이 다를 뿐만 아니라 그 보호법익이 일치한다고 볼 수 없다. 또한 폭력행위처벌법 위반(단체 등의 구성 · 활동)죄와 위 개별적 범행은 특별한 사정이 없는 한 법률상 1개의 행위로 평가되는 경우로 보기 어려워 상상적 경합이 아닌 실체적 경합관계에 있다고 보아야 한다(대판 2022.9.7, 2022도6993).

02 다음 설명 중 가장 옳지 않은 것은?(다툼이 있는 경우 판례에 의함) 17. 법원행시

① 채권자들에 의한 복수의 강제집행이 예상되는 경우 재산을 은닉 또는 허위양도함으로써 채권자들을 해하였다면 채권자별로 각각 강제집행면탈죄가 성립하고, 상호 상상적 경합범의 관계에 있다.

② 금융회사 등의 임직원의 직무에 속하는 사항에 관하여 알선할 의사와 능력이 없음에도 알선을 한다고 기망하고 이에 속은 상대방으로부터 알선을 한다는 명목으로 금품 등을 수수한 경우, 사기죄와 특정경제범죄 가중처벌 등에 관한 법률 제7조 위반죄가 모두 성립하고 위 두 죄는 상상적 경합의 관계에 있다.

Answer 01. ① 02. ⑤

③ 범죄 피해 신고를 받고 출동하여 신고 처리 및 수사 업무 집행 중이던 경찰관 甲, 乙에게 같은 장소에서 욕설을 하면서 먼저 경찰관 甲을 폭행하고 곧이어 이를 제지하는 경찰관 乙을 폭행한 경우 甲, 乙에 대한 공무집행방해죄가 모두 성립하고 위 두 죄는 상상적 경합의 관계에 있다.

④ 신용협동조합의 전무가 조합의 담당직원을 기망하여 예금 인출금 또는 대출금 명목으로 금원을 교부받은 경우, 사기죄와 업무상 배임죄가 모두 성립하고 위 두 죄는 상상적 경합관계에 있다.

⑤ 타인 명의의 등기서류를 위조하여 등기관에게 제출함으로써 자신의 명의로 소유권이전등기를 마친 경우, 사문서위조죄, 위조사문서행사죄, 사기죄가 모두 성립하고, 그중 위조사문서행사죄와 사기죄는 상상적 경합관계에 있다.

해설 ① 대판 2011.12.8, 2010도4129
② 대판 2012.6.28, 2012도3927
③ 대판 2009.6.25, 2009도3505
④ 대판 2002.7.18, 2002도669 전원합의체
⑤ × : ~ 실체적 경합(상상적 경합 ×)관계에 있다(대판 1981.7.28, 81도529).

03 〈보기1〉의 ( ) 속에 들어갈 죄수관계에 부합하는 사례를 〈보기2〉에서 모두 고른 것은?(다툼이 있는 경우 판례에 의함)   12. 사시

〈보기1〉
건물관리인이 건물주로부터 월세임대차계약 체결업무를 위임받고도 임차인을 속여 전세임대차계약을 체결하고 그 보증금을 편취한 경우, 업무상 배임죄와 사기죄가 성립하고 두 죄는 ( )의 관계에 있다.

〈보기2〉
㉠ 강도가 한 개의 강도범행을 하는 기회에 여러 명의 피해자에게 각 폭행을 가하여 각 상해를 입혔다.
㉡ 이미 절취한(이 부분은 논외로 함) 피해자 명의의 신용카드를 부정사용하여 현금자동인출기에서 현금서비스로 현금을 인출하여 취득하였다.
㉢ 강도가 재물강취의 뜻을 재물의 부재로 이루지 못한 채 미수에 그쳤으나 그 자리에서 항거불능의 상태에 빠진 피해자를 간음할 것을 결의하고 실행에 착수했으나 역시 미수에 그쳤더라도 반항을 억압하기 위한 폭행으로 피해자에게 상해를 입혔다.
㉣ 피해자 3명과 함께 같은 자리에서 약 4시간 동안 사기도박을 하여 피해자들로부터 각각 도금을 편취하였다.

① ㉠, ㉡   ② ㉡, ㉢   ③ ㉢, ㉣
④ ㉠, ㉡, ㉣   ⑤ ㉡, ㉢, ㉣

Answer   03. ①

해설 〈보기1〉 사기죄와 업무상 배임죄의 실체적 경합범(대판 2010.11.11, 2010도10690)
〈보기2〉 ㉠ 강도상해죄의 실체적 경합(대판 1987.5.26, 87도527)
　　　　 ㉡ 신용카드부정사용죄와 절도죄의 실체적 경합(대판 1995.7.28, 95도997)
　　　　 ㉢ 강도강간미수죄와 강도치상죄의 상상적 경합(대판 1988.6.28, 88도820)
　　　　 ㉣ 사기죄의 상상적 경합(대판 2011.1.13, 2010도9330)

04 다음 〈보기1〉의 (　) 속에 들어갈 죄수관계에 부합하는 사례를 〈보기2〉에서 모두 고른 것은?(다툼이 있는 경우 판례에 의함)　　　　　　　21. 해경간부

> 〈보기1〉
> 강도범인이 체포를 면탈할 목적으로 경찰관에게 폭행을 가한 때에는 강도죄와 공무집행방해죄가 성립하고 두 죄는 (　　　)의 관계에 있다.

> 〈보기2〉
> ㉠ 이미 절취한(이 부분은 논외로 함) 피해자 명의의 신용카드를 부정사용하여 현금자동인출기에서 현금을 인출하고 그 현금을 취득까지 한 경우
> ㉡ 비의료인이 의료기관을 개설하여 운영하는 도중 개설자 명의를 다른 의료인 등으로 변경한 경우
> ㉢ 강도가 재물을 강취한 후 현주건조물에 방화하여 피해자들을 사망에 이르게 한 경우
> ㉣ 범죄피해신고를 받고 출동한 두 명의 경찰관에게 욕설을 하면서 순차로 폭행하여 신고처리 및 수사업무에 관한 정당한 직무집행을 방해한 경우, 두 경찰관에 대한 공무집행방해죄

① ㉠, ㉡　　　　　　② ㉡, ㉢　　　　　　③ ㉢, ㉣　　　　　　④ ㉡, ㉣

해설 〈보기1〉은 실체적 경합범 관계임(대판 1992.7.28, 92도917).
㉠ 신용카드부정사용죄와 절도죄의 실체적 경합(대판 1995.7.28, 95도997)
㉡ 의료법위반죄의 실체적 경합(대판 2018.11.29, 2018도10779)
㉢ 강도살인죄와 현주건조물방화치사죄의 상상적 경합(대판 1998.12.8, 98도3416)
㉣ 공무집행방해죄의 상상적 경합(대판 2009.6.25, 2009도3505)

05 죄수에 대한 설명으로 옳은 것은?(다툼이 있는 경우 판례에 의함)　　　　21. 7급 검찰
① 공동상속인 중 1인인 甲이 상속재산인 임야를 보관 중 다른 상속인들로부터 매도 후 분배 또는 소유권이전등기를 요구받고도 그 반환을 거부한 경우 횡령죄가 성립하고, 그 후 그 임야에 관하여 다시 제3자 앞으로 근저당권설정등기를 경료해 주었다면 별도의 횡령죄를 구성한다.
② 공무원 甲이 직무관련 있는 A에게 제3자와 계약을 체결하도록 요구하여 계약 체결을 하게 한 행위가 제3자뇌물수수죄의 구성요건과 직권남용권리행사방해죄의 구성요건에 모두 해당하는 경우, 甲에게 제3자뇌물수수죄와 직권남용권리행사방해죄가 각각 성립하고 양 죄는 실체적 경합관계이다.

Answer　　04. ①　05. ④

③ 건물관리인 甲이 건물주로부터 월세임대차계약 체결업무를 위임받고도 임차인들을 속여 전세임대차계약을 체결하고 그 보증금을 편취한 경우, 甲에게 사기죄와 별도로 업무상 배임죄가 성립하고 양 죄는 상상적 경합관계이다.

④ 甲에게 폭행 범행을 반복하여 저지르는 습벽이 있고 이러한 습벽에 의하여 A를 단순폭행하고, 甲의 어머니 B를 존속폭행한 경우, 각 죄별로 상습성을 판단할 것이 아니라 포괄하여 甲에게 상습존속폭행죄만 성립한다.

해설 ① × : 별도의 횡령죄 ×(대판 2010.2.25, 2010도93 ∵ 횡령물을 처분하는 것은 불가벌적 사후행위 ○)
② × : 상상적 경합관계 ○, 실체적 경합관계 ×(대판 2017.3.15, 2016도19659)
③ × : 실체적 경합관계 ○, 상상적 경합관계 ×(대판 2010.11.11, 2010도10690)
④ ○ : 대판 2018.4.24, 2017도10956

06 죄수에 대한 설명으로 가장 적절한 것은?(다툼이 있는 경우 판례에 의함)　　　　22. 경찰간부

① 공무원인 의사가 공무소의 명의로 허위진단서를 작성한 경우, 허위진단서작성죄와 허위공문서작성죄의 상상적 경합에 해당한다.

② 금융회사 등의 임직원의 직무에 속하는 사항에 관하여 알선할 의사와 능력이 없음에도 알선을 한다고 기망하고 이에 속은 피해자로부터 알선을 한다는 명목으로 금품 등을 수수한 경우, 사기죄와 특정경제범죄 가중처벌 등에 관한 법률위반죄에 각 해당하고 두 죄는 실체적 경합의 관계에 있다.

③ 공무원이 직무관련자에게 제3자와 계약을 체결하도록 요구하여 계약 체결을 하게 한 행위가 제3자뇌물수수죄의 구성요건과 직권남용권리행사방해죄의 구성요건에 모두 해당하는 경우, 제3자뇌물수수죄와 직권남용권리행사방해죄가 각각 성립하고 양 죄는 상상적 경합관계에 있다.

④ 유사수신행위의 규제에 관한 법률 제3조에서 금지하고 있는 유사수신행위가 별도로 사기죄의 구성요건도 충족하는 경우 유사수신행위의 규제에 관한 법률 위반죄와 사기죄가 각각 성립하고 양 죄는 상상적 경합관계에 있다.

해설 ① × : 허위공문서작성죄 ○, 허위진단서작성죄 ×(대판 2004.4.9, 2003도7762)
② × : 상상적 경합 ○, 실체적 경합 ×(대판 2012.6.28, 2012도3927)
③ ○ : 대판 2017.3.15, 2016도19659
④ × : 실체적 경합 ○, 상상적 경합 ×(대판 2001.3.27, 2000도5318)

07 죄수에 대한 설명으로 가장 적절한 것은?(다툼이 있는 경우 판례에 의함)　　　　18. 경찰승진

① 甲이 치료받은 다음 날 오전 병원 앞에서 허위사실이 기재된 현수막을 설치하고 허위사실을 기재한 유인물을 불특정 다수에게 배포한 경우, 판례는 허위사실 유포에 의한 업무방해죄와 허위사실적시에 의한 명예훼손죄를 실체적 경합관계로 본다.

② 업무상 과실로 장물을 보관하다가 임의로 처분한 행위는 별도의 횡령죄를 구성한다.

Answer　06. ③　07. ③

③ 피고인이 당초부터 피해자를 기망하여 약속어음을 교부받은 경우에는 그 교부받은 즉시 사기죄가 성립하고 그 후 이를 피해자에 대한 피고인의 채권의 변제에 충당하였다 하더라도 불가벌적 사후행위가 됨에 그칠 뿐, 별도로 횡령죄를 구성하지 않는다.

④ 피해자에 대한 폭행행위가 동일한 피해자에 대한 업무방해죄의 수단이 되는 경우, 업무방해죄가 성립하기 위해서는 일반적으로 사람에 대한 폭행행위를 수반하므로 폭행행위는 업무방해죄의 불가벌적 수반행위에 해당한다.

해설 ① × : 상상적 경합관계 ○, 실체적 경합관계 ×(대판 2007.11.15, 2007도7140)
② × : 업무상 과실장물보관죄 ○, 횡령죄 ×(대판 2004.4.9, 2003도8219)
③ ○ : 대판 1983.4.26, 82도3079
④ × : 불가벌적 수반행위 ×(대판 2012.10.11, 2012도1895)

08 甲은 음주운전 전력으로 자동차 운전면허가 취소된 상태에서, 혈중알코올농도 0.15%의 술에 취하여 정상적인 운전이 곤란한 상태에서 자신의 승용차를 운전하여 가던 중, 전방에 신호대기로 정차하고 있던 A가 운전하는 화물차의 뒷부분을 들이받아 그 충격으로 A에게 약 2주간의 치료를 요하는 상해를 입게 하고, 위 화물차의 수리비가 150만원이 들도록 손괴하였다. 이에 관한 설명 중 옳지 않은 것을 모두 고른 것은?(다툼이 있는 경우 판례에 의함) 　　　21. 변호사시험

> ㉠ 甲이 범한 도로교통법위반(음주운전)죄와 도로교통법위반(무면허운전)죄는 상상적 경합관계에 있다.
> ㉡ 甲이 정상적인 운전이 곤란한 상태가 아니었다면, 甲이 범한 도로교통법위반(무면허운전)죄와 교통사고처리특례법위반(치상)죄는 상상적 경합관계에 있다.
> ㉢ 甲의 행위에 대하여 특정범죄 가중처벌 등에 관한 법률위반(위험운전치상)죄가 성립되는 경우, 교통사고처리특례법위반(치상)죄는 그 죄에 흡수되어 별죄를 구성하지 아니한다.
> ㉣ 甲이 사고 후 도로교통법 제54조 제1항의 조치를 취하지 아니하고 도주하여 특정범죄 가중처벌 등에 관한 법률위반(도주치상)죄와 도로교통법위반(사고 후 미조치)죄가 성립하는 경우, 위 두 죄는 실체적 경합관계에 있다.

① ㉠, ㉡　　　　　② ㉠, ㉢　　　　　③ ㉡, ㉢
④ ㉡, ㉣　　　　　⑤ ㉢, ㉣

해설 ㉠ ○ : 대판 1987.2.24, 86도2731
㉡ × : ~ 실체적(상상적 ×) 경합관계에 있다(대판 1972.10.31, 72도2001).
㉢ ○ : 대판 2008.12.11, 2008도9182
㉣ × : ~ 상상적(실체적 ×) 경합관계에 있다(대판 2016.11.24, 2016도12407).

Answer 08. ④

09 죄수에 대한 설명으로 가장 적절하지 않은 것은?(다툼이 있는 경우 판례에 의함) 21. 순경 2차

① 형법 제131조 제1항 수뢰 후 부정처사죄에 있어서 단일하고도 계속된 범의 아래 일정 기간 반복하여 일련의 뇌물수수 행위와 부정한 행위가 행하여졌고 뇌물수수 행위와 부정한 행위 사이에 인과관계가 인정되며 피해법익도 동일한 경우에는 최후의 부정한 행위 이후에 저질러진 뇌물수수 행위도 최후의 부정한 행위 이전의 뇌물수수 행위 및 부정한 행위와 함께 수뢰 후 부정처사죄의 포괄일죄가 된다.

② 미성년자를 약취한 후 강간 목적으로 가혹한 행위 및 상해를 가하고 나아가 강간 및 살인미수를 범한 경우에는 약취한 미성년자에 대한 상해 등으로 인한 특정범죄 가중처벌 등에 관한 법률위반죄와 미성년자에 대한 강간 및 살인미수행위로 인한 성폭력범죄의 처벌 등에 관한 특례법위반죄가 성립하고, 상해의 결과가 피해자에 대한 강간 및 살인미수행위 과정에서 발생한 것이라면 각 죄는 상상적 경합관계에 있다.

③ 공무원이 직무관련자에게 제3자와 계약을 체결하도록 요구하여 계약을 체결하게 한 행위가 제3자뇌물수수죄와 직권남용권리행사방해죄의 구성요건에 모두 해당하는 경우에 제3자뇌물수수죄와 직권남용권리행사방해죄는 상상적 경합관계에 있다.

④ 택시운전을 방해하는 과정에서 택시운전사를 폭행한 경우에는 피해자에 대한 폭행행위가 동일한 피해자에 대한 업무방해죄의 수단이 되었다 하더라도 그 폭행행위를 불가벌적 수반행위라 볼 수 없다.

해설 ① 대판 2021.2.4, 2020도12103
② ✕ : ~ (5줄) 발생한 것이라 하더라도 각 죄는 실체적 경합관계에 있다(대판 2014.2.27, 2013도12301).
③ 대판 2017.3.15, 2016도19659
④ 대판 2012.10.11, 2012도1895

10 다음 중 상상적 경합관계가 아닌 것은?(다툼이 있는 경우 판례에 의함) 22. 법원직

① 뇌물을 수수하면서 공여자를 기망한 경우 뇌물수수죄와 사기죄

② 수개의 접근매체를 한 번에 양도한 경우 각 전자금융거래법 위반죄

③ 공무원이 취급하는 사건에 관하여 청탁 또는 알선을 할 의사와 능력이 없음에도 청탁 또는 알선을 한다고 기망하여 돈을 받은 경우 사기죄와 변호사법 위반죄

④ 허위 또는 과장된 사실을 알리는 등 소비자를 유인하는 방법으로 기망하여 돈을 편취한 경우 사기죄와 방문판매업법 위반죄

해설 • 상상적 경합관계 ○ : ① 대판 1977.6.7, 77도1069 ② 대판 2010.3.25, 2009도1530 ③ 대판 2006.1. 27, 2005도8704
• 상상적 경합관계 ✕ : ④ 대판 2010.2.11, 2009도12627(법조경합관계 ✕, 실체적 경합관계 ○)

Answer 09. ② 10. ④

11 죄수에 관한 설명으로 가장 적절한 것은?(다툼이 있는 경우 판례에 의함) 　22. 순경 1차

① 예금주인 현금카드 소유자를 협박하여 그 카드를 갈취한 다음 피해자의 승낙에 의하여 현금 카드를 사용할 권한을 부여받아 이를 이용하여 현금자동지급기에서 현금을 인출한 행위는 공갈죄와는 별도로 절도죄를 구성한다.

② 음주로 인한 특정범죄 가중처벌 등에 관한 법률위반(위험운전치사상)죄는 중한 형태의 도로교통 법위반(음주운전)죄를 기본범죄로 하는 결과적 가중범으로 그 행위유형과 보호법익을 이미 모두 포함하고 있으므로, 특정범죄 가중처벌 등에 관한 법률위반(위험운전치사상)죄가 성립하 면 도로교통법위반(음주운전)죄는 이에 흡수되어 따로 성립하지 아니한다.

③ 공무원이 직무관련자에게 제3자와 계약을 체결하도록 요구하여 계약 체결을 하게 한 행위가 제3자 뇌물수수죄의 구성요건과 직권남용권리행사방해죄의 구성요건에 모두 해당하는 경우 에는 제3자 뇌물수수죄와 직권남용권리행사방해죄가 각각 성립하고 두 죄는 상상적 경합관 계에 있다.

④ 업무방해죄와 폭행죄의 관계에 있어 피해자에 대한 폭행행위가 동일한 피해자에 대한 업무 방해죄의 수단이 된 경우, 그러한 폭행행위는 이른바 불가벌적 수반행위에 해당하여 업무방 해죄에 대하여 흡수관계에 있다.

해설 ① × : 공갈죄 일죄 ○, 절도죄 ×(대판 1996.9.20, 95도1728)
② × : 특정범죄 가중처벌 등에 관한 법률위반(위험운전치사상)죄와 도로교통법위반(음주운전)죄는 입법취 지와 보호법익 및 적용영역을 달리하는 별개의 범죄로서 양 죄가 모두 성립하는 경우 두 죄는 실체적 경합 관계에 있는 것으로 보아야 한다(대판 2008.11.13, 2008도7143).
③ ○ : 대판 2017.3.15, 2016도19659
④ × : 설령 피해자에 대한 폭행행위가 동일한 피해자에 대한 업무방해죄의 수단이 되었다고 하더라도 그 러한 폭행행위가 이른바 '불가벌적 수반행위'에 해당하여 업무방해죄에 대하여 흡수관계에 있다고 볼 수는 없다(대판 2012.10.11, 2012도1895).

12 죄수론에 대한 설명 중 옳지 않은 것을 모두 고른 것은?(다툼이 있는 경우 판례에 의함) 23. 경찰승진

> ㉠ 공무원 甲이 A를 기망하여 그로부터 뇌물을 수수한 경우 수뢰죄와 사기죄는 구성요건을 달리 하는 별개의 범죄로서 서로 보호법익을 달리하고 있으므로 양죄는 실체적 경합범의 관계에 있다.
>
> ㉡ 甲이 공무원이 취급하는 사건에 관하여 청탁 또는 알선을 할 의사와 능력이 없음에도 청탁 또는 알선을 한다고 A를 기망하여 금품을 교부받은 경우 사기죄와 변호사법위반죄는 상상적 경합범의 관계에 있다.
>
> ㉢ 甲이 A로부터 수수한 메스암페타민을 장소를 이동하여 투약하고서 잔량을 은닉하는 방법으 로 소지한 행위는 그 소지의 경위나 태양에 비추어 볼 때 당초의 수수행위에 수반되는 필연 적 결과로 볼 수 있으므로 향정신성의약품수수죄만 성립하고 별도로 그 소지죄는 성립하지 않는다.

Answer 11. ③ 12. ②

㉣ 甲이 음주의 영향으로 정상적인 운전이 곤란한 상태에서 자동차를 운전하여 사람을 상해에 이르게 함과 동시에 다른 사람의 재물을 손괴한 경우 특정범죄 가중처벌 등에 관한 법률 위반 (위험운전치사상)죄 외에 업무상 과실재물손괴로 인한 도로교통법위반죄가 성립하고, 양죄는 실체적 경합관계에 있다.

㉤ 甲이 음주상태로 자동차를 운전하다가 제1차 사고를 내고 그대로 진행하여 제2차 사고를 낸 경우 제1차 사고 당시의 음주운전으로 인한 도로교통법위반(음주운전)죄와 제2차 사고 당시의 음주운전으로 인한 도로교통법위반(음주운전)죄는 포괄일죄의 관계에 있다.

① ㉠, ㉡, ㉣ ② ㉠, ㉢, ㉣
③ ㉠, ㉢, ㉤ ④ ㉡, ㉢, ㉣, ㉤

해설 ㉠ × : ~ 수뢰죄와 사기죄는 형법상 1개의 행위가 뇌물죄와 사기죄의 각 구성요건에 해당될 수 있으므로 양죄는 상상적 경합범의 관계에 있다(대판 1977.6.7, 77도1069).
㉡ ○ : 대판 2006.1.27, 2005도8704
㉢ × : ~ (3줄) 향정신성의약품수수죄 외에 별도로 그 소지죄가 성립한다(대판 1999.8.20, 99도1744).
㉣ × : ~ (3줄) 성립하고, 양죄는 1개의 운전행위로 인한 것으로서 상상적 경합관계에 있다(대판 2010.1.14, 2009도10845).
㉤ ○ : 대판 2007.7.26, 2007도4404

13 죄수에 관한 설명 중 가장 적절하지 않은 것은?(다툼이 있는 경우 판례에 의함)   23. 순경 1차
① 공무원이 직무관련자에게 제3자와 계약을 체결하도록 요구하여 계약 체결을 하게 한 행위가 제3자뇌물수수죄의 구성요건과 직권남용권리행사방해죄의 구성요건에 모두 해당하는 경우, 제3자뇌물수수죄와 직권남용권리행사방해죄가 각각 성립하고 양죄는 상상적 경합관계에 있다.
② 허위공문서작성죄와 동행사죄가 수뢰 후 부정처사죄와 각각 상상적 경합관계에 있는 경우, 허위공문서작성죄와 동행사죄 상호간은 실체적 경합범관계에 있다고 할지라도 상상적 경합범관계에 있는 수뢰 후 부정처사죄와 대비하여 가장 중한 죄에 정한 형으로 처단하면 족하다.
③ 수개의 행위가 여러 개의 구성요건을 충족하는 경우에도 포괄일죄가 될 수 있으므로 횡령, 배임의 행위와 사기의 행위 사이에는 포괄일죄를 구성할 수 있다.
④ 형법 제40조가 규정하는 한 개의 행위가 여러 개의 죄에 해당하는 경우에 "가장 무거운 죄에 정한 형으로 처벌한다."란, 여러 개의 죄명 중 가장 무거운 형을 규정한 법조에 의하여 처단한다는 취지와 함께 다른 법조의 최하한의 형보다 가볍게 처단할 수 없다는 취지, 즉 각 법조의 상한과 하한을 모두 중한 형의 범위 내에서 처단한다는 것을 포함한다.

해설 ① 대판 2017.3.15, 2016도19659 ② 대판 1983.7.26, 83도1378
③ × : 포괄일죄라 함은 각기 따로 존재하는 수개의 행위가 한개의 구성요건을 한번 충족하는 경우를 말하므로 구성요건을 달리하고 있는 횡령, 배임 등의 행위와 사기의 행위는 포괄1죄를 구성할 수 없다(대판 1988.2.9, 87도58).
④ 대판 2006.1.27, 2005도8704

Answer 13. ③

14 죄수에 관한 다음 설명 중 가장 옳지 않은 것은?(다툼이 있는 경우 판례에 의함)　　23. 법원행시

① 강도가 재물강취의 뜻을 재물의 부재로 이루지 못한 채 미수에 그쳤으나 그 자리에서 항거불능의 상태에 빠진 피해자를 간음할 것을 결의하고 실행에 착수했으나 역시 미수에 그쳤더라도 반항을 억압하기 위한 폭행으로 피해자에게 상해를 입힌 경우에는 강도강간미수죄와 강간치상죄가 성립되고 이들은 상상적 경합관계에 있다.

② 상습절도 등의 범행을 한 자가 추가로 자동차등불법사용의 범행을 한 경우에 그것이 절도습벽의 발현이라고 보이는 이상, 상습절도 등의 죄만 성립하고 이와 별개로 자동차 등 불법사용죄는 성립하지 않는다.

③ 강도가 한 개의 강도범행을 하는 기회에 수명의 피해자에게 각 폭행을 가하여 각 상해를 입힌 경우에는 각 피해자별로 수개의 강도상해죄가 성립하며 이들은 실체적 경합범의 관계에 있다.

④ 무면허운전으로 인한 도로교통법 위반죄는 운전한 날마다 무면허운전으로 인한 도로교통법 위반의 1죄가 성립한다고 할 것이지만, 같은 날 무면허운전 행위를 여러 차례 반복한 경우라도 그 범의의 단일성 내지 계속성이 인정되지 않거나 범행 방법 등이 동일하지 않은 경우 각 무면허운전 범행은 실체적 경합관계에 있다고 볼 수 있다.

⑤ 감금행위가 강간미수죄의 수단이 되었다 하여 감금행위는 강간미수죄에 흡수되어 범죄를 구성하지 않는다고 할 수는 없다.

해설 ① × : 강도강간미수죄와 강도(강간 ×)치상죄의 상상적 경합관계(대판 1988.6.28, 88도820)
② 대판 2002.4.26, 2002도429 ③ 대판 1987.5.26, 87도527
④ 대판 2022.10.27, 2022도8806 ⑤ 대판 1983.4.26, 83도323

15 죄수론에 관한 설명으로 옳지 않은 것을 모두 고른 것은?(다툼이 있는 경우 판례에 의함) 24. 경찰승진

> ㉠ 피해자에 대한 폭행행위가 동일한 피해자에 대한 업무방해죄의 수단이 되었다고 하더라도 그러한 폭행행위가 이른바 '불가벌적 수반행위'에 해당하여 업무방해죄에 대하여 흡수관계에 있다고 볼 수는 없다.
>
> ㉡ 형법 제37조 후단, 제39조 제1항의 문언과 입법 취지 등에 비추어 보면, 아직 판결을 받지 않은 죄가 이미 판결이 확정된 죄와 동시에 판결할 수 없었던 경우라 하더라도 형법 제39조 제1항에 따라 동시에 판결할 경우와 형평을 고려하여 형을 선고하거나 그 형을 감경 또는 면제할 수 있다고 해석함이 타당하다.
>
> ㉢ 피해신고를 받고 출동한 두 명의 경찰관에게 욕설을 하면서 순차로 폭행을 하여 경찰관의 정당한 직무집행을 방해한 경우 포괄하여 하나의 공무집행방해죄가 성립한다.
>
> ㉣ 상습사기죄에 있어서의 사기행위의 습벽은 행위자의 사기 습벽의 발현으로 인정되는 한, 동종의 수법에 의한 사기범행의 습벽만을 의미하는 것이 아니라 이종의 수법에 의한 사기 범행을 포괄하는 사기의 습벽도 포함한다.

① ㉠, ㉡　　　　　② ㉡, ㉢　　　　　③ ㉢, ㉣　　　　　④ ㉡, ㉢, ㉣

Answer 14. ① 15. ②

해설 ㉠ ○ : 대판 2012.10.11, 2012도1895
㉡ × : ~ (3줄) 그 형을 감경 또는 면제할 수 없다(대판 2012.9.27, 2012도9295).
㉢ × : 공무집행방해죄의 상상적 경합 ○, 포괄일죄 ×(대판 2009.6.25, 2009도3505)
㉣ ○ : 대판 1999.11.26, 99도3929

16 형법 제37조 후단 경합범에 관한 설명 중 옳지 않은 것은?(다툼이 있는 경우 판례에 의함)

① 후단 경합범이란 금고 이상의 형에 처한 판결이 확정된 죄와 그 판결확정 전에 범한 죄를 가리키는데, 여기서 말하는 판결에는 집행유예 판결도 포함된다.
② 확정판결이 있는 죄에 대하여 일반사면이 있는 경우는 형의 선고효력이 상실되지만 그 죄에 대한 확정판결이 있었던 사실 자체는 인정되므로 그 확정판결 이전에 범한 죄와의 관계에서 후단 경합범이 성립한다.
③ 포괄일죄로 되는 개개의 범죄행위가 다른 종류의 죄의 확정판결 전후에 걸쳐서 행하여진 경우에는 그 죄는 2죄로 분리되지 않고 확정판결 후인 최종의 범죄행위시에 완성되므로 후단 경합범에 해당하지 않는다.
④ 판결을 받지 아니한 수개의 죄가 판결확정을 전후하여 저질러진 경우 판결확정 전에 범한 죄를 이미 판결이 확정된 죄와 동시에 판결할 수 없었던 경우라면, 판결확정을 전후한 각각의 범죄는 형법 제37조 후단 경합범이 아니라 전단 경합범에 해당하여 하나의 형을 선고하여야 한다.
⑤ 후단 경합범에 대하여 형법 제39조 제1항에 의하여 형을 감경할 때에도 법률상 감경에 관한 형법 제55조 제1항이 적용되어 유기징역을 감경할 때에는 그 형기의 2분의 1 미만으로는 감경할 수 없다.

해설 ① 대판 1992.11.24, 92도1417 ② 대판 1996.3.8, 95도2114 ③ 대판 2003.8.22, 2002도5341
④ × : ~ (3줄) 후단 경합범(사후적 경합범)이나 전단 경합범(동시적 경합범)에 해당하지 아니하여 판결확정을 전후한 각각의 범죄에 대하여 별도로 형을 선고할 수밖에 없다(대판 2014.3.27, 2014도469).
⑤ 대판 2019.4.18, 2017도14609 전원합의체

17 경합범에 대한 설명으로 옳은 것은?(다툼이 있는 경우 판례에 의함)　　　　22. 9급 철도경찰

① 경합범 중 판결을 받지 않은 죄가 있는 때에는 그 죄와 판결이 확정된 죄를 동시에 판결할 경우와 형평을 고려하여 그 죄에 대하여 형을 선고하되 그 형을 면제할 수는 없다.
② 경합범에 의한 판결의 선고를 받은 자가 경합범 중의 어떤 죄에 대하여 사면을 받거나 형의 집행이 면제된 때에는 다른 죄에 대하여 다시 형을 정한다.
③ 형법 제37조 전단은 '판결이 확정되지 아니한 수개의 죄'를 경합범으로 규정하고 있으므로, 한 개의 행위가 수개의 죄에 해당하는 경우도 형법 제37조 전단의 경합범이 될 수 있다.

Answer 16. ④　17. ②

④ 형법 제37조 후단은 '금고 이상의 형에 처한 판결이 확정된 죄와 그 판결확정 전에 범한 죄'를 경합범으로 규정하고 있으므로, 약식명령이 확정된 죄도 형법 제37조 후단의 경합범이 될 수 있다.

> **해설** ① × : ~ 형을 감경 또는 면제할 수 있다(제39조 제1항).
> ② ○ : 제39조 제3항
> ③ × : 한 개의 행위가 수개의 죄에 해당하는 경우 ⇨ 상상적 경합관계(제40조)
> ④ × : 형법 제37조 후단에서 '금고 이상의 형에 처한 판결이 확정된 죄와 그 판결확정 전에 범한 죄'를 경합범으로 규정하고 있으므로, 벌금형을 선고한 판결이나 약식명령이 확정된 죄는 형법 제37조 후단의 경합범이 될 수 없다(대판 2017.7.11, 2017도7287).

18 죄수에 관한 설명 중 가장 적절하지 않은 것은?(다툼이 있는 경우 판례에 의함)   22. 순경 2차

① 주거침입강간죄는 사람의 주거 등을 침입한 자가 피해자를 강간한 경우에 성립하는 것으로서 주거침입죄를 범한 후에 사람을 강간하여야 하는 일종의 신분범이고, 선후가 바뀌어 강간죄를 범한 자가 그 피해자의 주거에 침입한 경우에는 강간죄와 주거침입죄의 실체적 경합범이 된다.

② 피해견인 로트와일러가 묶여 있던 자신의 진돗개를 공격하자, 진돗개 주인이 피해견을 쫓아버리기 위해 엔진톱으로 위협하다가 피해견의 등 쪽을 절단하여 죽게 한 행위는 구 동물보호법 위반죄(잔인한 방법으로 죽이는 행위)와 재물손괴죄가 성립하고, 양자는 상상적 경합의 관계에 있다.

③ 공직선거법 제18조 제3항(형법 제38조에도 불구하고 제1항 제3호에 규정된 죄와 다른 죄의 경합범에 대하여는 이를 분리선고하여야 한다)은 선거범이 아닌 다른 죄가 선거범의 양형에 영향을 미치는 것을 최소화하기 위하여 형법상 경합범 처벌례에 관한 조항의 적용을 배제하고 분리하여 형을 따로 선고하여야 한다는 취지이기에, 선거범과 상상적 경합관계에 있는 모든 죄는 통틀어 선거범으로 취급하여서는 아니 된다.

④ 수개의 등록상표에 대하여 상표법 제230조의 상표권 침해행위가 계속하여 이루어진 경우에는 등록상표마다 포괄하여 1개의 범죄가 성립하나, 하나의 유사상표 사용행위로 수개의 등록상표를 동시에 침해하였다면 각각의 상표법 위반죄는 상상적 경합의 관계에 있다.

> **해설** ① 대판 2021.8.12, 2020도17796
> ② 대판 2016.1.28, 2014도2477
> ③ × : ~ (4줄) 한다는 취지이다. 그리고 선거범과 상상적 경합관계에 있는 다른 범죄에 대하여는 여전히 형법 제40조에 의하여 그중 가장 중한 죄에 정한 형으로 처벌해야 하고, 그 처벌받는 가장 중한 죄가 선거범인지 여부를 묻지 않고 선거범과 상상적 경합관계에 있는 모든 죄는 통틀어 선거범으로 취급하여야 한다(대판 2021.7.21, 2018도16587).
> ④ 대판 2020.11.12, 2019도11688

Answer 18. ③

19 죄수에 대한 설명으로 옳은 것은?(다툼이 있는 경우 판례에 의함)　　　　23. 경찰간부

① 징역형만 규정된 A죄와 징역형과 벌금형의 임의적 병과규정이 있는 B죄가 상상적 경합관계에 있는 경우, A죄에 정해진 징역형의 상한이 B죄에 정해진 징역형의 상한보다 높다면 A죄에서 정한 징역형으로 처벌해야 하고 벌금형은 병과할 수 없다.

② 甲이 상습절도죄(A죄)로 X법원으로부터 징역형을 선고받고 확정된 후 동일한 습벽이 있는 별개의 B죄를 저질러 Y법원에서 심리 중이었는데 확정된 A죄에 대한 X법원의 적법한 재심 심판절차에서 징역형이 선고되어 확정된 경우, 별개로 기소된 B죄를 심판하는 Y법원은 B죄에 대하여 형법 제39조 제1항에 의한 형의 감경 또는 면제를 할 수 없다.

③ 甲이 A를 살해할 목적으로 흉기를 구입하여 A의 집 앞에서 A를 기다렸으나 만나지 못하였고 다음날 A의 맥주잔에 독약으로 오인한 제초제를 몰래 넣었으나 복통만 일으키게 하다가 며칠 뒤 A를 자동차로 치어 사망하게 한 경우, 甲에게는 살인예비 내지 미수죄와 동 기수죄의 경합죄가 성립한다.

④ 운전면허시험에 계속 불합격하였으나 운전을 잘하던 甲이 영업을 하기 위해 자동차를 구입하여 일주일 동안 매일 매일 운전 해오다가 적발된 경우, 甲에게는 포괄하여 도로교통법위반(무면허운전)의 일죄가 성립한다.

> **해설** ① × : ~ (3줄) 징역형으로 처벌하기로 하면서 벌금형을 병과할 수 있다(대판 2008.12.24, 2008도9169).
>
> ② ○ : 유죄의 확정판결을 받은 사람이 그 후 별개의 후행범죄를 저질렀는데 유죄의 확정판결에 대하여 재심이 개시된 경우, 후행범죄가 그 재심대상판결에 대한 재심판결 확정 전에 범하여졌다 하더라도 아직 판결을 받지 아니한 후행범죄는 재심심판절차에서 재심대상이 된 선행범죄와 함께 심리하여 동시에 판결할 수 없었으므로 후행범죄와 재심판결이 확정된 선행범죄 사이에는 형법 제37조 후단 경합범이 성립하지 않고, 동시에 판결할 경우와 형평을 고려하여 그 형을 감경 또는 면제할 수 없다(대판 2019.6.20, 2018도20698 전원합의체).
>
> ③ × : ~ (3줄) 사망하게 한 경우, 포괄하여 1개의 살인기수죄가 성립한다(대판 1965.9.28, 65도695).
>
> ④ × : 계속적으로 무면허운전을 할 의사를 가지고 여러 날에 걸쳐 무면허운전행위를 반복하였다면 운전한 날마다 무면허운전으로 인한 도로교통법 위반의 1죄가 성립한다고 보아야 한다(대판 2002.7.23, 2001도6281).

Answer　19. ②

20 죄수에 관한 설명 중 옳은 것(○)과 옳지 않은 것(×)을 올바르게 조합한 것은?(다툼이 있는 경우 판례에 의함)

24. 변호사시험

⊙ 수인의 피해자에 대하여 1개의 기망행위를 통해 각각 재물을 편취한 경우에는 범의가 단일하고 범행방법이 동일하더라도 피해자별로 독립한 사기죄가 성립하고 각 사기죄는 상상적 경합관계에 있다.

㉡ 절도범인으로부터 장물보관 의뢰를 받은 자가 그 정을 알면서 이를 인도받아 보관하고 있다가 임의처분한 경우, 이러한 횡령행위는 장물죄의 불가벌적 사후행위에 불과하여 별도의 횡령죄가 성립하지 않는다.

㉢ 회사 명의의 합의서를 임의로 작성·교부한 행위에 의해 회사에 재산상 손해를 가하였다면, 사문서위조죄 및 그 행사죄와 업무상 배임죄는 실체적 경합관계에 있다.

㉣ 2인 이상의 작성명의인이 연명으로 서명·날인한 문서를 하나의 행위로 위조한 때에는 작성명의인의 수에 해당하는 문서위조죄의 상상적 경합범에 해당한다.

㉤ 유죄의 확정판결을 받은 사람이 그 후 별개의 후행범죄를 저질렀는데 유죄의 확정판결에 대하여 재심이 개시된 경우, 후행범죄와 재심판결이 확정된 선행범죄 사이에는 형법 제37조 후단에서 정한 경합범이 성립한다.

① ⊙(○), ㉡(×), ㉢(×), ㉣(○), ㉤(○)

② ⊙(○), ㉡(○), ㉢(○), ㉣(×), ㉤(×)

③ ⊙(○), ㉡(○), ㉢(×), ㉣(○), ㉤(×)

④ ⊙(×), ㉡(○), ㉢(○), ㉣(○), ㉤(○)

⑤ ⊙(×), ㉡(×), ㉢(×), ㉣(×), ㉤(○)

해설 ⊙ ○ : 대판 1990.1.25, 89도252

㉡ ○ : 대판 2004.4.9, 2003도8219

㉢ × : 회사 명의의 합의서를 임의로 작성·교부한 행위에 대하여 약식명령이 확정된 사문서위조 및 그 행사죄의 범죄사실과 그로 인하여 회사에 재산상 손해를 가하였다는 업무상 배임의 공소사실은 그 객관적 사실관계가 하나의 행위이므로 1개의 행위가 수개의 죄에 해당하는 경우로서 형법 제40조에 정해진 상상적 경합관계에 있다(대판 2009.4.9, 2008도5634).

㉣ ○ : 대판 1987.7.21, 87도564

㉤ × : ~ 경합범이 성립하지 않는다(대판 2019.6.20, 2018도20698 전원합의체).

조충환·양건

형법총론

형벌론

---

① 형벌의 의의

형벌이란 국가가 형벌권의 주체가 되어(公形罰) 범죄에 대한 법률상의 효과로서 범죄자에게 과하는 법익의 박탈을 말한다.

② 형벌의 종류

> **제41조 【형의 종류】** 형의 종류는 다음과 같다.
> 1. 사형   2. 징역   3. 금고   4. 자격상실   5. 자격정지
> 6. 벌금   7. 구류   8. 과료   9. 몰수

(1) 사형 : 생명형

① 사형은 교도소(형무소) 내에서 교수(絞首)하여 집행하며(제66조), 군형법은 총살형을 인정하고 있다(동법 제3조).

② **절대적 법정형으로 사형만이 규정된 범죄** : 여적죄(제93조)뿐이다. 16. 변호사시험

🔖 여적죄도 작량감경(제53조)의 여지는 남겨져 있으므로 반드시 사형에 처해야 하는 것은 아니다.

③ 사형이 법정형으로 규정된 결과적 가중범 중 현주건조물 등 방화치사죄와 해상강도치사죄 이외에는 개정형법(1995)에서 사형이 모두 삭제되었다. 08. 경찰승진, 19. 순경 1차

④ 사형은 인간의 생명을 박탈하는 냉엄한 궁극의 형벌로서 사법제도가 상정할 수 있는 극히 예외적인 형벌이라는 점을 감안할 때, 사형의 선고는 범행에 대한 책임의 정도와 형벌의 목적에 비추어 누구라도 그것이 정당하다고 인정할 수 있는 특별한 사정이 있는 경우에만 허용된다(대판 2023.7.13, 2023도2043).

(2) 자유형

자유형이란 수형자의 신체적 자유를 박탈하는 것을 내용으로 하는 형벌로서, 현행형법은 징역, 금고 및 구류라는 세 가지 종류의 자유형을 인정하고 있다.

> **제42조 【징역 또는 금고의 기간】** 징역 또는 금고는 무기 또는 유기로 하고, 유기는 1개월 이상 30년(15년 ×) 이하로 한다. 단, 유기징역 또는 유기금고에 대하여 형을 가중하는 때에는 50년(25년 ×)까지로 한다. 14. 법원직, 16. 법원행시

> **제46조【구류】** 구류는 1일 이상 30일 미만(이하 ×)으로 한다. 20. 법원행시, 22. 해경 2차
> **제67조【징역】** 징역은 교정시설에 수용하여 집행하며, 정해진 노역에 복무하게 한다. 22. 해경 2차
> **제68조【금고와 구류】** 금고와 구류는 교정시설에 수용하여 집행한다.

(3) 재산형

재산형이란 범죄인으로부터 일정한 재산을 박탈하는 것을 내용으로 하는 형벌이다. 형법은 재산형으로 벌금, 과료 및 몰수 세 가지를 인정하고 있다.

① 벌금과 과료

> **제45조【벌금】** 벌금은 5만원 이상으로 한다. 다만, 감경하는 경우에는 5만원 미만으로 할 수 있다.
> **제47조【과료】** 과료는 2천원(5천원 ×) 이상 5만원 미만으로 한다. 14. 법원직, 22. 해경 2차
> **제69조【벌금과 과료】** ① 벌금과 과료는 판결확정일로부터 30일(60일 ×) 내에 납입하여야 한다. 단, 벌금을 선고할 때에는 동시에 그 금액을 완납할 때까지 노역장에 유치할 것을 명할 수 있다. 12. 법원직·7급 검찰, 21. 해경승진
> ② 벌금을 납입하지 아니한 자는 1일(1개월 ×) 이상 3년 이하, 과료를 납입하지 아니한 자는 1일 이상 30일 미만의 기간 노역장에 유치하여 작업에 복무하게 한다. 18. 9급 검찰·마약수사·철도경찰
> **제70조【노역장 유치】** ① 벌금이나 과료를 선고할 때에는 이를 납입하지 아니하는 경우의 노역장 유치기간을 정하여 동시에 선고하여야 한다. 12. 7급 검찰, 18. 9급 검찰·마약수사·철도경찰
> ② 선고하는 벌금이 1억원 이상 5억원 미만인 경우에는 300일 이상, 5억원 이상 50억원 미만인 경우에는 500일 이상, 50억원 이상인 경우에는 1천일 이상의 노역장 유치기간을 정하여야 한다. 18. 법원행시·9급 검찰·마약수사·9급 철도경찰, 22. 7급 검찰
> **제71조【유치일수의 공제】** 벌금이나 과료의 선고를 받은 사람이 그 금액의 일부를 납입한 경우에는 벌금 또는 과료액과 노역장 유치기간의 일수에 비례하여 납입금액에 해당하는 일수를 뺀다.

🏛 벌금형을 선고할 경우에 선고유예는 가능하고(제59조 제1항), 500만원 이하의 벌금형을 선고할 경우에 집행유예도 가능하다(제62조 제1항). 19. 법원행시

🏛 제70조 제2항의 개정규정은 이 법 시행 후 최초로 저지른 범죄부터 적용한다(부칙 제2조 : 2020.10.20. 공포·시행).

◄ 관련판례

징역형과 벌금형 가운데서 벌금형을 선택하여 선고하면서 환산한 노역장유치기간이 선택형인 징역형의 장기보다 더 길더라도 위법이 아니다(대판 2000.11.24, 2000도3945). 15. 사시, 18. 9급 검찰

② 몰 수

> **제48조【몰수의 대상과 추징】** ① 범인 외의 자의 소유에 속하지 아니하거나 범죄 후 범인 외의 자가 사정을 알면서 취득한 다음 각 호의 물건은 전부 또는 일부를 몰수할 수 있다.
> 1. 범죄행위에 제공하였거나 제공하려고 한 물건
> 2. 범죄행위로 인하여 생겼거나 취득한 물건
> 3. 제1호 또는 제2호의 대가로 취득한 물건

② 제1항 각 호의 물건을 몰수할 수 없을 때에는 그 가액을 추징한다.

③ 문서, 도화, 전자기록 등 특수매체기록 또는 유가증권의 일부가 몰수의 대상이 된 경우에는 그 부분을 폐기한다.

제49조 【몰수의 부가성】 몰수는 타형에 부가하여 과한다. 단, 행위자에게 유죄의 재판을 아니할 때에도 몰수의 요건이 있는 때에는 몰수만을 선고할 수 있다.

㉠ **몰수의 부가성** : 몰수는 원칙적으로 타형에 부가하여 과하는 부가형이지만(제49조 본문), 행위자에게 유죄의 재판을 하지 아니할 때에도 몰수의 요건이 있는 때에는 예외적으로 몰수만을 선고할 수 있다(제49조 단서). 16. 법원행시, 18. 법원직·순경 3차, 21. 7급 검찰, 23. 경찰승진, 24. 해경승진

㉡ **임의적 몰수와 필요적 몰수** : 몰수의 여부는 원칙적으로 법관의 자유재량에 의한다(제48조 제1항, 제49조 단서). 즉, 몰수는 원칙적으로 임의적 몰수이다. 그러나 형법 각칙과 특별법에 필요적 몰수로 하는 경우가 있다.

> **≡ KEY point 형법상의 필요적 몰수** 15. 경찰승진·순경 3차
>
> 1. 범인 또는 정을 아는 제3자가 받은 뇌물 또는 뇌물에 공할 금품은 몰수한다(제134조).
> 2. 아편에 관한 죄에 제공한 아편, 몰핀이나 그 화합물 또는 아편흡식기는 몰수한다(제206조).
> 3. 배임수재죄에 의하여 범인이 취득한 재물은 몰수한다(제357조 제3항).
>   ▶ **주의** : 배임증재죄의 경우는 필요적 몰수가 아니다.

㉢ **몰수의 법적 성질** : 몰수는 형식적으로는 형벌이나 실질적으로는 범죄반복의 위험성을 예방하고 범인이 범죄로부터 부당한 이득을 취하지 못하도록 하는 것을 목적으로 하는 대물적 보안처분의 성질을 가진다(다수설).

㉣ 특별법에서 해당 법률의 입법 목적과 취지 등을 고려하여 몰수·추징의 성격이나 그 범위 등에 관하여 형법과 달리 정한 경우에는 특별법 우선의 원칙상 특별법 규정이 적용되는 한도에서 형법 제48조의 적용이 배제된다. 그러나 특별법에 따른 몰수·추징 요건이 구비되지 않고 형법 제48조의 요건만 충족되는 경우에는 이에 따른 몰수·추징이 가능하다(대판 1974.6.11, 74도352). 23. 법원행시

┌ 관련판례

1. 피고인이 신고 없이 외국환을 해외 계좌로 송금한 사실로 체포될 당시에 미처 송금하지 못하고 소지하고 있던 자기앞수표나 현금은 장차 실행하려고 한 외국환거래법 위반의 범행에 제공하려는 물건일 뿐, 그 이전에 범해진 외국환거래법 위반의 '범죄행위에 제공하려고 한 물건'으로는 볼 수 없으므로 몰수할 수 없다(대판 2008.2.14, 2007도10034 ∵ 어떠한 물건을 '범죄행위에 제공하려고 한 물건'으로서 몰수하기 위하여는 그 물건이 유죄로 인정되는 당해 범죄행위에 제공하려고 한 물건임이 인정되어야 하므로 장차 실행하려고 한 범행에 제공하려고 한 물건은 몰수할 수 없음). 19. 경력채용, 22. 법원행시·법원직·해경간부·해경 2차, 23. 해경승진

▶ 유사판례

① '물품에 대한 수입신고를 함에 있어 주요사항을 허위로 신고'하여 구 관세법을 위반한 경우, 허위신고의 대상물 ⇨ 몰수 ×(대판 1974.6.11, 74도352 ∵ 위 물건은 신고의 대상물에 지나지 않아 신고로서 이루어지는 허위신고죄의 범죄행위 자체에 제공한 물건 ×) 21. 법원행시

② 부동산의 소유권을 이전받을 것을 내용으로 하는 계약(1차 계약)을 체결한 자가 그 부동산에 대하여 다시 제3자와 소유권이전을 내용으로 하는 계약(전매계약)을 체결한 것이 부동산등기 특별조치법 제8조 제1호 위반행위에 해당하는 경우, 전매계약에 의하여 제3자로부터 받은 대금 ⇨ 몰수 ×(대판 2007.12.14, 2007도7353 ∵ 전매계약에 의하여 제3자로부터 받은 대금은 같은 법 제8조 제1호가 처벌대상으로 삼고 있는 1차 계약에 따른 소유권이전등기를 하지 않은 행위로 인하여 취득한 것이라고 볼 수 없으므로 형법 제48조 제1항 제2호, 제2항에 의하여 이를 몰수하거나 추징할 수 없다.) 21. 법원행시

2. 형법 제48조 제1항의 '범인'에는 공범자도 포함되므로 피고인의 소유물은 물론 공범자의 소유물도 그 공범자의 소추 여부를 불문하고 몰수할 수 있는 것이고 여기에서의 공범자에는 공동정범, 교사범, 방조범에 해당하는 자는 물론 필요적 공범관계에 있는 자도 포함된다. 이 경우에 형법 제48조 제1항의 '범인'에 해당하는 공범자는 반드시 유죄의 죄책을 지는 자에 국한된다(국한된다 ×)고 볼 수 없고, 공범에 해당하는 행위를 한 자이면 족하다(대판 2006.11.23, 2006도5586). 21. 법원행시 · 해경승진, 22. 법원직 · 변호사시험, 23. 9급 검찰 · 마약수사 · 철도경찰 그리고 형벌은 공범자 전원에 대하여 각기 별도로 선고하여야 할 것이므로 공범자 중 1인 소유에 속하는 물건에 대한 부가형인 몰수에 관하여도 개별적으로 선고하여야 한다(대판 2013.5.23, 2012도11586).

3. 형법 제48조 제1항 제1호의 "범죄행위에 제공한 물건"은, 가령 살인행위에 사용한 칼 등 범죄의 실행행위 자체에 사용한 물건에만 한정되는 것이 아니며, 실행행위의 착수 전의 행위 또는 실행행위의 종료 후의 행위에 사용한 물건이더라도 그것이 범죄행위의 수행에 실질적으로 기여하였다고 인정되는 한 위 법조 소정의 제공한 물건에 포함된다[대판 2006.9.14, 2006도4075 예 대형할인매장에서 수회 상품을 절취하여 자신의 승용차(소나타)에 싣고 간 경우, 위 승용차 ⇨ 몰수대상 ○]. 16. 법원직 · 경찰간부, 17. 법원행시, 20. 9급 검찰 · 마약수사 · 철도경찰, 23. 경찰승진 · 7급 검찰, 24. 해경간부 · 변호사시험

4. 甲이 A로 하여금 사기도박에 참여하도록 유인하기 위하여 고액의 수표를 제시해 보였다면 그 수표를 직접적으로 도박자금으로 사용하지 않았더라도 몰수할 수 있다(없다 ×)(대판 2002.9.24, 2002도3589). 16. 경찰간부, 17. 9급 검찰 · 마약수사 · 철도경찰, 22. 변호사시험 · 법원직, 23. 경찰승진

5. 형법 제48조 제1항 제1호에 의한 몰수는 임의적인 것이므로 그 몰수의 요건에 해당되는 물건이라도 이를 몰수할 것인지의 여부는 일응 법원의 재량에 맡겨져 있다 할 것이나, 형벌 일반에 적용되는 비례의 원칙에 의한 제한을 받는다(대판 2013.5.23, 2012도1586). 14. 경찰간부, 16. 법원행시

6. 공무원이 그 권한에 의하여 허위로 작성한 공문서(군 PX에서 공무원인 군인이 허위작성한 월간 판매실적보고서)는 몰수할 수 없다(대판 1983.6.14, 83도808 ∵ 공무소인 소관 육군부대의 소유임). 12. 법원직 · 사시, 21. 해경간부

7. 사행성 게임기는 기판과 본체가 서로 물리적으로 결합되어야만 비로소 그 기능을 발휘할 수 있는 기계로서, 당국으로부터 적법하게 등급심사를 받은 것이라고 하더라도 본체를 포함한 그 전부가 범죄행위에 제공된 물건으로서 몰수의 대상이 된다(대판 2006.12.8, 2006도6400). 19. 경력채용, 22. 7급 검찰

8. 장물매각대금은 장물죄 피해자에게 환부되어야 할 물건으로서 범인의 소유가 아니므로 몰수할 수 없다(대판 1969.1.21, 68도1672). 12. 사시, 14. 경찰간부

9. 몰수를 선고한 판결의 효력은 원칙적으로 몰수의 원인이 된 사실에 관하여 유죄의 판결을 받은 피고인에 대한 관계에서 그 물건을 소지하지 못하게 하는 데 그치고, 그 사건에서 재판을 받지 아니한 제3자의 소유권에 어떤 영향을 미치는 것은 아니다(대결 2017.9.29, 2017모236). 예금통장이 몰수되었다고 하여 예금반환채권까지 몰수된 것으로 볼 수 없다(대판 1997.11.14, 97다34235). 15. 법원행시

10. 몰수하여야 할 압수물이 멸실, 파손 또는 부패의 염려가 있거나 보관하기에 불편하여 형사소송법 제132조의 규정에 따라 매각하여 그 대가를 보관하는 경우에는 그 대가보관금을 몰수할 수 있다(대판 1996.11.11, 96도2477). 12. 법원직, 22. 법원행시, 23. 해경승진

11. 피고인이 甲에게서 명의신탁을 받아 피고인 명의로 소유권이전등기를 마친 토지 및 그 지상 건물(이하 '부동산'이라고 한다)에서 甲과 공동하여 영업으로 성매매알선 등 행위를 함으로써 성매매에 제공되는 사실을 알면서 부동산을 제공한 경우, 부동산(성매매업소 5층 건물 전체)을 몰수한 원심의 조치는 정당하고 비례의 원칙에 반하여 재량권을 남용한 잘못이 없다(대판 2013.5.23, 2012도1586).

12. 형법 제48조가 규정하는 몰수·추징의 대상은 범인이 범죄행위로 인하여 취득한 물건을 뜻하고, 여기서 '취득'이란 해당 범죄행위로 인하여 결과적으로 이를 취득한 때를 말한다고 제한적으로 해석함이 타당하다(대판 2021.7.21, 2020도10970).

13. 오락실업자, 상품권업자 및 환전소 운영자가 공모하여 사행성 전자식 유기기구에서 경품으로 배출된 상품권을 현금으로 환전하면서 그 수수료를 일정한 비율로 나누어 가지는 방식으로 영업을 한 경우 환전소 운영자가 환전소에 보관하던 현금 전부를 몰수할 수 있다(대판 2006.10.13, 2006도3302). 10. 법원직, 22. 법원행시

14. 휴대전화로 촬영한 동영상은 일정한 저장매체에 전자방식이나 자기방식에 의하여 저장된 기록으로서 저장매체를 매개로 존재하는 물건이므로 몰수의 사유가 있는 때에는 그 전자기록을 몰수할 수 있다(대판 2017.10.23, 2017도5905 ∵ 동영상은 휴대전화기에 저장된 전자기록으로서, 형법 제48조 제1항 제2호가 정하는 '범죄행위로 인하여 생긴 물건'에 해당함). 23. 변호사시험·법원행시

ⓜ **추징·폐기** : 몰수의 대상인 물건을 몰수하기 불능한 때에는 그 가액을 추징하고(제48조 제2항), 문서·도화·전자기록 등 특수매체기록 또는 유가증권의 일부가 몰수에 해당하면 그 부분을 폐기한다(제48조 제3항). 11. 법원행시

ⓐ 추징은 형법상의 형벌이 아니지만 실질적으로 부가형으로서의 성질을 가진다(대판 1989.2.14, 88도2211). 추징은 일종의 형으로서 검사가 공소를 제기함에 있어 관련 추징규정의 적용을 빠뜨렸다 하더라도 법원은 직권으로 이를 적용하여야 하는 것이다(대판 2007.1.25, 2006도8663). 16. 경찰간부, 24. 해경승진

ⓑ 수인이 공동하여 뇌물을 수수한 경우에는 각자가 실제로 분배받은 금품을 몰수하거나 그 가액을 추징하여야 하며, 수수한 뇌물을 공동으로 소비하였거나 분배액이 불명한 경우에는 평등하게 추징하여야 한다(대판 1975.4.22, 73도1963). 12. 법원행시, 13. 경찰간부

ⓒ 추징가액을 산정하는 기준은 재판선고시의 가격(몰수불능시의 가격 ×, 취득가액 ×)을 기준으로 정한다(대판 1991.5.28, 91도352). 16. 법원행시, 17. 9급 검찰, 21. 경찰간부, 23. 7급 검찰, 24. 해경간부

따라서 추징가액은 범인이 그 물건을 보유하고 있다가 몰수의 선고를 받았더라면 잃게 될 이득상당액을 의미하므로, 추징하여야 할 가액이 몰수의 선고를 받았더라면 잃게 될 이득상당액을 초과하여서는 아니 된다(대판 2017.9.21, 2017도8611). 21. 법원행시, 22. 경찰간부, 23. 법원직 · 9급 검찰 · 마약수사 · 철도경찰

관련판례

1. 주형을 선고유예하는 경우에 몰수 · 추징을 선고유예할 수 있으며(대판 1979.4.10, 78도3098) 몰수(추징)만을 선고할 수도 있으나(대판 1990.4.27, 89도2291), 주형에 대해 선고유예를 하지 않으면서 이에 부가할 몰수 · 추징에 대해서만 선고유예를 할 수는 없다(대판 1988.6.21, 88도551). 14. 사시, 18. 법원직, 21. 해경간부 · 해경승진, 23. 7급 검찰

2. 몰수나 추징을 선고하기 위하여는 공소가 제기된 공소사실과 관련되어 있어야 하나 그 공소사실에 관하여 이미 공소시효가 완성되어 유죄의 선고를 할 수 없는 경우에는 몰수나 추징도 할 수 없다(대판 1992.7.28, 92도700). 15. 순경 3차, 20. 9급 검찰 · 마약수사 · 철도경찰, 22 · 24. 해경간부

▶ **유사판례**

① 몰수나 추징을 선고하기 위하여서는 몰수나 추징의 요건이 공소가 제기된 공소사실과 관련이 있어야 하고, 공소가 제기되지 아니한 별개의 범죄사실을 법원이 인정하여 그에 관하여 몰수나 추징을 선고하는 것은 불고불리의 원칙에 위반되어 허용되지 아니한다(대판 2010.5.13, 2009도11732). 23. 법원직 · 법원행시 · 9급 검찰 · 마약수사 · 철도경찰, 24. 변호사시험

② 우리 법제상 공소제기 없이 몰수만을 선고할 수 있는 제도가 마련되어 있지 아니하므로 실체판단에 들어가 공소사실을 인정하는 경우가 아닌 면소의 경우에는 원칙적으로 몰수도 할 수 없다(대판 2007.7.26, 2007도4556). 15. 9급 검찰 · 마약수사

③ 마약류 관리에 관한 법률 제67조의 몰수나 추징을 선고하기 위하여는 몰수나 추징의 요건이 공소가 제기된 범죄사실과 관련되어 있어야 하므로, 법원으로서는 범죄사실에서 인정되지 아니한 사실에 관하여는 몰수나 추징을 선고할 수 없다(대판 2016.12.15, 2016도16170 🈁 범죄사실에서 필로폰 양을 특정할 수 없는 경우 ⇨ 추징 ×). 18. 법원행시 · 순경 3차

3. 몰수대상은 반드시 압수되어 있는 물건에 제한되지 않으므로 몰수대상물건의 압수 여부 및 적법절차에 의한 압수 여부는 몰수의 요건이 아니다(대판 2003.5.30, 2003도705). 따라서 판결선고 전 검찰에 의해 압수된 후 피고인에게 환부된 물건도 몰수할 수 있다(대판 1977.5.24, 76도4001). 16. 법원행시, 19. 경찰승진, 21. 경찰간부, 22. 해경 2차 · 7급 검찰, 23. 법원직 · 9급 검찰 · 마약수사, 24. 해경간부

4. 징역형의 집행유예와 추징의 선고를 받은 자에 대하여 징역형의 선고의 효력을 상실케 하는 동시에 복권하는 특별사면이 있는 경우에 추징에 대하여도 형선고의 효력이 상실된다고 볼 수 없다(대결 1996.5.14, 96모14). 12. 경찰승진, 14. 7급 검찰

5. 범인이 직접 또는 간접적으로 점유하던 밀수출 대상 물품을 압수한 경우에는 그 물품이 제3자의 소유에 속하더라도 관세법상 밀수출범죄의 필요적 몰수 대상이 된다(대결 2017.9.29, 2017모236). 21. 해경승진

The Criminal Law

관련판례

● **몰수 · 추징의 목적** : 범죄행위로 인한 이득을 박탈하여 부정한 이익을 보유하지 못하게 한 경우 ⇨ 몰수 · 추징의 범위는 피고인이 실질적으로 취득하거나 그에게 귀속된 이익에 한정된다.

1. 형법상의 몰수 · 추징 : 공무원의 직무에 속한 사항의 알선에 관하여 금품을 받은 범인이 그 금품 중의 일부를 받은 취지에 따라 청탁과 관련하여 관계공무원에게 뇌물로 공여한 경우에는 그 부분의 이익은 실질적으로 그 범인에게 귀속된 것이 아니어서 그 범인으로부터는 이를 제외한 나머지 금품만을 몰수하거나 그 가액을 추징하여야 한다(대판 2002.6.14, 2002도1283). 11. 순경, 12. 경찰승진, 24. 변호사시험

2. 변호사법상의 몰수 · 추징 : 수인이 공동하여 공무원이 취급하는 사건 또는 사무에 관하여 청탁을 한다는 명목으로 받은 금품을 분배한 경우에는 각자로부터 실제로 분배받은 금품만을 개별적으로 몰수하거나 그 가액을 추징하여야 한다(대판 1996.11.29, 96도2490). 12. 법원행시 · 순경 2차

3. 성매매알선 등 행위의 처벌에 관한 법률 제25조의 규정에 의한 추징의 범위는 범인이 실제로 취득한 이익에 한정된다고 봄이 상당하다(대판 2009.5.14, 2009도2223).

4. 부패방지법 제86조 제3항의 규정에 의한 필요적 몰수 또는 추징의 경우 범인 또는 그 정을 아는 제3자가 재물을 취득하면서 그 대가를 지급하였다고 하더라도 범죄행위로 취득한 재물 자체를 몰수하고, 몰수가 불가능하다면 그 가액 상당을 추징하는 것이며, 재물을 취득하기 위한 대가로 지급한 금원 등을 뺀 나머지를 추징해야 하는 것은 아니고, 그 결과 추징액이 실제 범인이 재물의 취득으로 받은 이익을 초과한다고 하더라도 헌법상의 재산권 보장, 과잉금지의 원칙 등에 위배된다고 할 수는 없다(대판 2015.11.12, 2015도9123).

5. 공공단체 등 위탁선거에 관한 법률 제60조에 의한 필요적 몰수 또는 추징 : 축산업협동조합장 선거에 출마한 피고인이 선거운동을 목적으로 선거인 甲 또는 선거인의 가족 乙에게 제공한 금전을 그대로 돌려받았다면 제공자인 피고인으로부터 이를 몰수하거나 그 가액을 추징하여야 한다(대판 2017.5.17, 2016도11941).

● **몰수 · 추징의 취지** : 범죄행위로 인한 이득박탈이 목적이 아니라 범죄사실에 대한 징벌적 제재의 성격을 갖는 경우 ⇨ 이득을 취득하지 않은 경우에도 추징을 명하고 각 범칙자 전원에 대하여 그 가액 전부의 추징을 명해야 한다.

1. 마약류관리에 관한 법률 제67조에 의한 몰수나 추징은 범죄행위로 인한 이득의 박탈을 목적으로 하는 것이 아니라 징벌적 성질의 처분이므로, 그 범행으로 인하여 이득을 취득한 바 없다 하더라도 법원은 그 가액의 추징을 명하여야 한다〔대판 2000.9.8, 2000도546 : 이때 수수한 의약품(히로뽕) 가액 전액을 추징하면 되지 직접 투약한 부분에 대한 가액의 별도 추징 불가능〕. 15. 순경 3차, 19. 경찰승진, 21 · 22. 법원행시, 23. 법원직

2. 관세법상 추징은 일반 형사법에서의 추징과는 달리 징벌적 성격을 띠고 있어 여러 사람이 공모하여 관세를 포탈하거나 관세장물을 알선, 운반, 취득한 경우에는 그 물품의 범칙 당시의 국내도매가격 상당의 가액 전액을 그 물품의 소유 또는 점유사실의 유무를 불문하고 범칙자 전원으로부터 각각 추징할 수 있다(대판 2007.12.28, 2007도8401). 16. 법원행시 외국환관리법상 몰수 · 추징(대판 1998.5.21, 95도2002), 19. 법원행시 밀항단속법상의 몰수와 추징은 여러 사람이 공모하여 죄를 범하고도 몰수대상인 수수 또는 약속한 보수를 몰수할 수 없을 때에는 공범자 전원에 대하여 그 보수액 전부의 추징을 명하여야 한다(대판 2008.10.9, 2008도7034). 15. 법원직

3. 특정경제범죄가중처벌 등에 관한 법률 제10조 제3항, 제1항에 의한 몰수·추징은 징벌적 성격의 처분이라고 보는 것이 상당하므로 그 도피재산이 피고인들이 아닌 회사의 소유라거나 피고인들이 이를 점유하고 그로 인하여 이득을 취한 바가 없다고 하더라도 피고인들 모두에 대하여 그 도피재산의 가액 전부의 추징을 명하여야 한다(대판 2005.4.29, 2002도7262). 16. 사시

● **추징관련 판례**

1. 뇌물에 공할 금품이 특정되지 않았던 것은 몰수할 수 없고 그 가액을 추징할 수도 없다(대판 1996.5.8, 96도221 **예** 甲이 공무원 A에게 승용차 대금 명목으로 1,400만원을 뇌물로 제공하기로 약속한 경우, 뇌물로 약속된 승용차대금 명목의 금품은 특정되지 않아 이를 몰수할 수 없었으므로 그 가액을 추징할 수 없다. ∵ 추징은 몰수할 수 있었음을 전제로 하는 것임). 추징의 대상이 되는지 여부는 엄격한 증명을 필요로 하는 것은 아니나, 그 대상이 되는 범죄수익을 특정할 수 없는 경우에는 추징할 수 없다(대판 2007.6.14, 2007도2451). 17. 경찰간부·9급 검찰, 18. 순경 3차, 24. 해경승진

2. 범죄행위로 인하여 물건을 취득하면서 그 대가를 지급하였다고 하더라도 범죄행위로 취득한 것은 물건 자체이고, 이는 몰수되어야 할 것이나 이미 처분되어 없다면 그 가액 상당을 추징할 것이고, 그 가액에서 이를 취득하기 위한 대가로 지급한 금원(**예** 범죄행위로 취득한 주식의 취득대가)을 빼 나머지를 추징해야 하는 것은 아니다(대판 2005.7.15, 2003도4293). 15. 9급 검찰·마약수사, 17. 경찰간부, 22. 해경간부, 24. 해경승진

3. 금품의 무상대여를 통하여 위법한 재산상 이익을 취득한 경우 범인이 받은 부정한 이익은 그로 인한 금융이익 상당액이므로 추징의 대상이 되는 것은 무상으로 대여받은 금품 그 자체가 아니라 위 금융이익 상당액이다(대판 2008.9.25, 2008도2590). 17. 경찰간부, 19. 경찰승진, 20. 해경승진, 22. 경찰간부

4. 공무원이 뇌물취득을 위하여 상대방에게 뇌물액에 상당하는 금원의 일부를 비용명목으로 출연하거나 경제적 이익을 제공한 경우 ⇨ 그 받은 뇌물 자체를 몰수·추징한다(대판 1999.10.8, 99도1638 ∵ 뇌물을 받는 데 지출한 부수적 비용에 불과). 19. 변호사시험·법원행시, 22. 경찰간부

▶ **유사판례** : 공무원이 뇌물을 받는 데에 필요한 경비를 지출한 경우 그 경비는 뇌물수수의 부수적 비용에 불과하여 뇌물의 가액과 추징액에서 공제할 항목에 해당하지 않는다. 뇌물을 받는 주체가 아닌 자가 수고비로 받은 부분이나 뇌물을 받기 위하여 형식적으로 체결된 용역계약에 따른 비용으로 사용된 부분은 뇌물수수의 부수적 비용에 지나지 않는다(대판 2017.3.22, 2016도21536). 17. 7급 검찰·마약수사·철도경찰·법원행시, 18. 경찰간부

5. 甲주식회사 대표이사인 피고인이 금융기관에 청탁하여 乙주식회사가 대출을 받을 수 있도록 알선행위를 하고 그 대가로 용역대금 명목의 수수료를 甲회사 계좌를 통해 송금받아, 위 수수료에 대한 권리가 甲회사에 귀속된다 하더라도 행위자인 피고인으로부터 수수료로 받은 금품을 몰수 또는 그 가액을 추징할 수 있으므로, 피고인이 개인적으로 실제 사용한 금품이 없더라도 마찬가지라고 볼 것이다(대판 2015.1.15, 2012도7571). 19. 변호사시험, 21. 경찰간부·해경간부, 22. 법원행시·해경 2차, 23. 해경승진

6. 변호사법 위반의 범행으로 금품을 취득한 경우 그 범행과정에서 지출한 비용이 있더라도 추징할 금원을 산정할 때 그 금품의 가액에서 위 지출 비용을 공제할 수는 없다(대판 2008.10.9, 2008도6944). 13. 경찰간부, 14. 순경 1차, 19. 경찰승진

예 변호사가 형사사건 피고인으로부터 담당판사에 대한 교제 명목으로 받은 돈의 일부를 공동변호 명목으로 다른 변호사에게 지급한 경우, 이는 변호사법 위반으로 취득한 재물의 소비방법에 불과하므로 위 돈을 추징에서 제외할 수 없다(대판 2006.11.23, 2005도3255). 09. 법원행시

7. 뇌물을 수수한 자가 뇌물의 공동수수자가 아닌 교사범 또는 종범에게 뇌물 중 일부를 사례금 명목으로 교부하였다 하더라도, 뇌물수수자에게서 수뢰액 전부를 추징하여야 한다(대판 2011.11.24, 2011도9585). 15. 법원직, 18. 변호사시험 · 순경 3차, 21. 법원행시 · 7급 검찰

▶ **비교판례** : 마약류 불법거래 방지에 관한 특례법 제6조를 위반하여 마약류를 수출입 · 제조 · 매매하는 행위 등을 업으로 하는 범죄행위의 정범이 그 범죄행위로 얻은 수익은 몰수 · 추징의 대상이 된다. 그러나 정범으로부터 대가를 받고 판매할 마약을 공급하는 방법으로 범행을 용이하게 한 방조범은 정범의 범죄행위로 인한 수익을 정범과 공동으로 취득하였다고 평가할 수 없다면 정범과 같이 추징할 수는 없고, 그 방조범으로부터는 방조행위로 얻은 재산 등에 한하여 몰수 · 추징할 수 있다고 보아야 한다(대판 2021.4.29, 2020도16369). 21. 법원행시

8. 알선의뢰인이 알선수재자에게 공무원이나 금융기관 임직원의 직무에 속한 사항에 관한 알선의 대가를 형식적으로 체결한 고용계약에 터잡아 급여의 형식으로 지급한 경우에, 알선수재자가 수수한 알선수재액은 명목상 급여액이 아니라 원천징수된 근로소득세 등을 제외하고 알선수재자가 실제 지급받은 금액으로 보아야 하고, 또한 위 금액만을 몰수 · 추징하여야 한다(대판 2012.6.14, 2012도534). 18. 법원행시

9. 금원이나 자기앞수표를 뇌물로 받아 이를 소비하거나 뇌물인 수표를 예금한 후 동액 상당의 현금을 증뢰자에게 반환한 경우 ⇨ 수뢰자로부터 그 가액 추징(대판 1999.1.29, 98도3584) 12. 법원행시, 19 · 23. 법원직, 24. 변호사시험

10. 수뢰자가 뇌물을 그대로 보관하였다가 증뢰자에게 반환한 경우 ⇨ 증뢰자로부터 몰수 · 추징(대판 1984.2.28, 83도2783) 13. 경찰간부, 14. 7급 검찰, 15. 사시, 16. 9급 검찰 · 마약수사, 23. 법원직

▶ **유사판례** : 수재자가 증재자로부터 받은 재물을 그대로 가지고 있다가 증재자에게 반환하였다면 증재자로부터 이를 몰수하거나 그 가액을 추징하여야 한다(대판 2017.4.7, 2016도18104). 18. 법원행시 · 순경 3차, 19. 변호사시험, 23. 경찰승진

11. 뇌물로 받은 돈을 그 후 다른 사람에게 다시 뇌물로 공여한 경우 수뢰액 전부를 (제1)수뢰자로부터 추징하여야 한다(대판 1986.11.25, 86도1951). 08. 경찰승진, 13. 7급 검찰

12. 상상적 경합관계에 있는 사기죄와 변호사법 위반죄에 대하여 형이 더 무거운 사기죄로 처벌하면서도, 필요적 몰수 · 추징에 관한 구 변호사법 제116조, 제111조에 의하여 청탁 명목으로 받은 금품 상당액을 추징한 것은 정당하다(대판 2006.1.27, 2005도8704). 21. 변호사시험, 22. 법원행시

13. 공무원의 직무에 속한 사항의 알선에 관하여 금품을 받음에 있어 타인의 동의하에 그 타인 명의의 예금계좌로 입금받는 방식을 취하였다고 하더라도 이는 범인이 받은 금품을 관리하는 방법의 하나에 지나지 아니하므로, 그 가액 역시 범인으로부터 추징하지 않으면 안 된다고 할 것이다(대판 2006.10.27, 2006도4659). 14. 사시

14. 수뢰자가 금품의 무상차용을 통하여 위법한 재산상 이익을 취득한 경우, 추징의 대상이 되는 금융이익 상당액은 금융기관으로부터 대출받는 등 통상적인 방법으로 자금을 차용하였을 경우 부담하게 될 대출이율을 기준으로 하거나, 그 대출이율을 알 수 없는 경우에는 금품을 제공받은 피고인의 지위에 따라 민법 또는 상법에서 규정하고 있는 법정이율을 기준으로 하여 금융이익의 수액을 산정한 뒤 추징한다(대판 2014.5.16, 2014도1547). 15. 법원직

15. 범죄수익은닉의 규제 및 처벌 등에 관한 법률에 정한 중대범죄에 해당하는 범죄행위에 의하여 취득한 것으로 재산적 가치가 인정되는 무형재산도 몰수할 수 있다[대판 2018.5.30, 2018도3619 **예** 피고

인이 음란물유포 인터넷사이트를 운영하면서 정보통신망 이용촉진 및 정보보호 등에 관한 법률 위반 (음란물유포)죄와 도박개장방조죄에 의하여 비트코인(Bitcoin)을 취득한 경우, 비트코인은 재산적 가치가 있는 무형의 재산이라고 보아야 하고, 몰수의 대상인 비트코인이 특정되어 있으므로, 피고인이 취득한 비트코인을 몰수할 수 있다]. 22. 법원행시·해경간부·해경 2차, 23. 해경승진

▶ **비교판례** : 형법 제48조는 몰수의 대상을 '물건'으로 한정하고 있다. 이는 범죄행위에 의하여 생긴 재산 및 범죄행위의 보수로 얻은 재산을 범죄수익으로 몰수할 수 있도록 한 범죄수익은닉의 규제 및 처벌 등에 관한 법률이나 범죄행위로 취득한 재산상 이익의 가액을 추징할 수 있도록 한 형법 제357조(배임수재죄) 등의 규정과는 구별된다〔대판 2021.10.14, 2021도7168 **예** 피고인이 범죄행 위에 이용한 웹사이트 매각을 통해 취득한 대가는 형법 제48조 제1항 제2호, 제2항이 규정한 추징 의 대상에 해당하지 않는다. ∵ 위 웹사이트는 범죄행위에 제공된 무형의 재산에 해당할 뿐 형법 제48조 제1항 제2호에서 정한 '범죄행위로 인하여 생(生)하였거나 이로 인하여 취득한 물건'에 해당하지 않으므로]. 23. 변호사시험·법원행시·7급 검찰

16. 알선수재자가 금품 중의 일부를 받은 취지에 따르지 않고 독자적인 판단에 따라 경비로 사용한 경우 ⇨ 그 금액 추징 가능(대판 1999.5.11, 99도963 ; 대판 1970.4.14, 69도2461)

17. 피고인이 뇌물로 받은 주식이 압수되어 있지 않고 주주명부상 피고인의 배우자 명의로 등재되어 있으며, 위 배우자는 몰수의 선고를 받은 자가 아니어서 그에 대해서는 몰수물의 제출을 명할 수도 없고, 몰수를 선고한 판결의 효력도 미치지 않으므로 몰수하는 대신 그 가액을 추징할 수 있다(대판 2005.10.28, 2005도5822).

18. 수인이 공모하여 도박개장을 하여 이익을 얻은 경우에도 실질적으로 귀속된 이익이 없는 피고인에 대하여는 추징을 할 수 없다(대판 2007.10.12, 2007도4695).

19. 피고인들이 보이스피싱 사기 범죄단체의 구성원으로 활동하면서 그 범죄수익이 사기죄의 피해자로 부터 취득한 재산에 해당하여도 범죄수익은닉의 규제 및 처벌 등에 관한 법률에 의하여 추징의 대 상이 된다(대판 2017.10.26, 2017도8600).

20. 안마사 자격이 없는 종업원들을 고용한 안마시술업소에서 행한 마사지와 유사성교행위로 인한 손님 으로부터 지급받는 서비스대금은 그 전부가 마사지 대가이면서 동시에 유사성교행위의 대가라고 보아 유사성교행위가 포함된 서비스대금 전액을 추징한다(대판 2018.2.8, 2014도10051).

21. ① 국민체육진흥법에 따라 처벌받는 자가 유사행위를 통하여 얻은 재물은 같은 법에 의하여 추징의 대상이 되고, 위 추징은 부정한 이익을 박탈하여 이를 보유하지 못하게 함에 목적이 있으므로, 수인이 공동으로 유사행위를 하여 이익을 얻은 경우에는 분배받은 금원, 즉 실질적으로 귀속된 이익금을 개별적으로 추징하여야 한다(대판 2020.5.28, 2020도2074).

② 피고인이 총책인 甲 등이 불법 인터넷 도박 사이트를 개설하여 운영하는 데 이용될 대포통장을 제공함으로써, 피고인이 대포통장 제공의 대가로 얻은 수익은 도박 사이트 운영자들이 범행을 위해 지출한 비용이자 피고인이 전자금융거래법 위반 행위로 얻은 이익으로 봄이 타당하고, 피고 인이 도박 사이트 운영자들과 공동으로 국민체육진흥법 위반(도박개장 등) 범행을 저지른 뒤 이익 을 분배받은 것으로 보기는 어려우므로, 피고인으로부터 국민체육진흥법에 따른 추징은 허용되지 않는다(대판 2020.5.28, 2020도2074). 21. 법원행시

22. 부패재산의 몰수 및 회복에 관한 특례법 제6조 제1항, 제3조 제1항, 제2조 제3호에서 정한 몰수·추징의 원인이 되는 범죄사실은 공소제기된 범죄사실에 한정되고, '범죄피해재산'은 그 공소제기된 범죄사실 피해자로부터 취득한 재산 또는 그 재산의 보유·처분에 의하여 얻은 재산에 한정되며, 그 피해자의 피해회복이 심히 곤란하다고 인정되는 경우(범죄피해자가 그 재산에 관하여 범인에 대한 재산반환청구권 또는 손해배상청구권 등을 행사할 수 없는 등)에만 몰수·추징이 허용된다(대판 2022.11.17, 2022도8662). 23. 법원행시

23. 형법 제247조의 도박개장죄를 유죄로 인정하면서 그로 인한 범죄수익을 추징할 경우, 도박공간을 개설한 자가 도박에 참가하여 얻은 수익을 도박공간개설로 얻은 범죄수익으로 몰수하거나 추징할 수 없다. 따라서 전체 범죄수익 중 피고인이 직접 도박에 참가하여 얻은 수익을 도박공간개설의 범죄로 인한 추징 대상에서 제외하고 그 차액만을 추징한 원심의 판단이 정당하다(대판 2022.12.29, 2022도8592).

(4) 명예형

① 자격상실

> **제43조 【형의 선고와 자격상실, 자격정지】** ① 사형, 무기징역 또는 무기금고의 판결을 받은 자는 다음에 기재한 자격을 상실한다.
> 1. 공무원이 되는 자격
> 2. 공법상의 선거권과 피선거권
> 3. 법률로 요건을 정한 공법상의 업무에 관한 자격
> 4. 법인의 이사, 감사 또는 지배인 기타 법인의 업무에 관한 검사역이나 재산관리인이 되는 자격

☛ 사형·무기징역·무기금고의 판결을 받은 경우 그 형의 효력으로 일정한 자격이 당연히 상실된다.

② 자격정지 : 일정기간 동안 일정한 자격의 전부 또는 일부를 정지시키는 것을 말한다. 형법은 자격정지를 선택형 또는 병과형으로 규정하고 있으며, 당연정지와 선고정지가 있다.

㉠ 당연정지

> **제43조 【형의 선고와 자격상실, 자격정지】** ② 유기징역 또는 유기금고의 판결을 받은 자는 그 형의 집행이 종료하거나 면제될 때까지 전항 제1호 내지 제3호에 기재된 자격이 정지된다. 12. 7급 검찰 다만, 다른 법률에 특별한 규정이 있는 경우에는 그 법률에 따른다. 20. 법원행시, 21. 해경승진, 22. 순경 2차

㉡ 선고정지

> **제44조 【자격정지】** ① 전조에 기재한 자격의 전부 또는 일부에 대한 정지는 1년(1개월 ×) 이상 15년 이하로 한다. 17. 법원직, 20. 법원행시
> ② 유기징역 또는 유기금고에 자격정지를 병과한 때에는 징역 또는 금고의 집행을 종료하거나 면제된 날로부터 정지기간을 기산한다. 12. 7급 검찰, 14. 법원행시

KEY point 형벌의 범위 총정리

징역·금고	무 기	종신(단, 20년이 경과한 후에는 가석방이 가능)
	유 기	1개월 이상 30년 이하(단, 가중시는 50년 이하)
구 류		1일 이상 30일 미만
자격정지	당연정지(제43조 제2항)	형 집행의 종료 또는 면제시까지
	선고에 의한 정지(제44조)	1년 이상 15년 이하
벌 금		5만원 이상
과 료		2,000원 이상 5만원 미만

③ 형의 경중

제50조【형의 경중】 ① 형의 경중은 제41조 각 호의 순서에 따른다. 다만, 무기금고와 유기징역은 무기금고를 무거운 것으로 하고 유기금고의 장기가 유기징역의 장기를 초과하는 때에는 유기금고를 무거운 것으로 한다. 20. 법원행시
② 같은 종류의 형은 장기가 긴 것과 다액이 많은 것을 무거운 것으로 하고 장기 또는 다액이 같은 경우에는 단기가 긴 것과 소액이 많은 것을 무거운 것으로 한다.
③ 제1항 및 제2항을 제외하고는 죄질과 범정을 고려하여 경중을 정한다.

① 형의 경중은 제41조 기재의 순서에 의한다(제50조 제1항 본문). 즉, 사형 > 징역 > 금고 > 자격상실 > 자격정지 > 벌금 > 구류 > 과료 > 몰수의 순이다. 10. 경찰승진, 20. 법원직

② **동종의 형** : 장기의 긴 것과 다액의 많은 것이 더 중하고, 장기 또는 다액이 동일한 때에는 단기의 긴 것과 소액의 많은 것이 더 중하다(제50조 제2항).

1 체포될 당시에 미처 송금하지 못하고 소지하고 있던 자기앞수표나 현금은 장차 실행하려고 한 외국환거래법 위반의 범행에 제공하려는 물건으로서 몰수할 수 있다. ( )

15. 법원행시, 17. 경찰간부, 19. 경력채용, 22. 해경간부 · 법원직, 23. 해경승진

2 형법 제48조 제1항의 '범인'에는 공범자도 포함되므로 피고인의 소유물은 물론 공범자의 소유물도 그 공범자의 소추 여부를 불문하고 몰수할 수 있고, 여기에서의 공범자에는 공동정범, 교사범, 방조범에 해당하는 자는 물론 필요적 공범관계에 있는 자도 포함된다. ( )

21. 법원행시 · 해경승진, 22. 변호사시험 · 법원직, 23. 9급 검찰 · 마약수사 · 철도경찰

3 피해자로 하여금 사기도박에 참여하도록 유인하기 위하여 고액의 수표를 제시해 보이기만 한 경우 그 수표가 직접적으로 도박자금으로 사용되지 아니한 이상 몰수할 수 없다. ( )

17. 9급 검찰 · 마약수사 · 철도경찰, 19. 법원행시, 22. 변호사시험 · 법원직, 23. 경찰승진

4 범죄실행행위의 착수 전의 행위 또는 실행행위의 종료 후에 사용한 물건이더라도 그것이 범죄행위의 수행에 실질적으로 기여하였다고 인정되는 한, 몰수의 대상인 범죄행위에 제공한 물건에 포함된다. ( )   16. 경찰간부 · 법원직, 20. 9급 검찰 · 마약수사 · 철도경찰, 23. 경찰승진 · 7급 검찰, 24. 해경간부

5 몰수하기 불능한 때에 추징하여야 할 가액은 범인이 그 물건을 보유하고 있다가 몰수의 선고를 받았더라면 잃었을 이득상당액을 의미한다고 보아야 할 것이므로 그 가액산정은 판결선고시의 가격을 기준으로 하여야 한다. ( )   16. 법원행시, 17. 9급 검찰, 21. 경찰간부, 23. 7급 검찰, 24. 해경간부

6 주형인 징역형의 선고를 유예할 경우에도 추징을 선고할 수 있다. ( )

14. 사시, 18. 법원직, 21. 해경간부, 23. 7급 검찰

7 공소가 제기되지 않은 별개의 범죄사실을 법원이 인정하여 그에 관하여 몰수나 추징을 선고할 수 있다. ( )   15. 순경 3차, 20. 9급 검찰 · 마약수사 · 철도경찰, 22. 해경간부, 23. 법원직

8 몰수대상 물건이 적법한 절차를 거치지 않고 압수된 경우에는 이를 몰수할 수 없다. ( )

19. 경찰승진, 21. 경찰간부, 22. 해경간부, 23. 법원직 · 9급 검찰 · 마약수사 · 7급 검찰

9 자기앞수표를 뇌물로 받아 모두 소비한 후 액면 상당의 현금을 반환한 경우에도 수뢰자로부터 그 가액을 추징하여야 한다. ( )   12. 법원행시 · 변호사시험, 19 · 23. 법원직

10 수뢰자가 뇌물을 그대로 보관하였다가 증뢰자에게 반환한 때에도 수뢰자에게 그 가액을 추징하여야 한다. ( )   13. 경찰간부, 14. 7급 검찰, 15. 사시, 17. 9급 검찰 · 마약수사 · 철도경찰, 23. 법원직

11 몰수는 특정된 물건에 대한 것이므로 뇌물에 공할 금품이 특정되지 않았던 것은 몰수할 수 없지만 그 가액을 추징할 수는 있다. ( )   17. 경찰간부, 18. 순경 3차, 20. 해경승진

Answer ← 1. × 2. ○ 3. × 4. ○ 5. ○ 6. ○ 7. × 8. × 9. ○ 10. × 11. ×

12 범죄행위로 인하여 주식을 취득하면서 그 대가를 지급하였더라도 그 주식 자체가 몰수되어야 하지만, 주식이 이미 처분되어 없어 그 가액상당을 추징할 때에도 대가로 지급한 금원을 뺀 나머지를 추징하여야 하는 것은 아니다. (　　) 15. 9급 검찰·마약수사, 17. 경찰간부, 20. 해경승진, 22. 해경간부

13 금품의 무상차용을 통하여 위법한 재산상 이익을 취득한 경우 범인이 받은 부정한 이익은 무상으로 대여받은 금품 그 자체이므로 추징의 대상은 금품 그 자체다. (　　)
17. 경찰간부, 19. 경찰승진, 20. 해경승진, 22. 해경간부

14 향정신성의약품을 수수하여 그중 일부를 직접 투약한 경우에는 수수한 향정신성의약품의 가액뿐만 아니라 직접 투약한 부분에 대한 가액을 별도로 추징하여야 한다. (　　)
15. 순경 3차, 19. 경찰승진, 21. 법원행시, 23. 법원직

15 변호사법 위반의 범행으로 금품을 취득한 경우 그 범행과정에서 지출한 비용은 그 금품을 취득하기 위하여 지출한 부수적 비용이고, 몰수하여야 할 것은 변호사법 위반의 범행으로 취득한 금품 그 자체이므로, 취득한 금품이 이미 처분되어 추징할 금원을 산정할 때 그 금품의 가액에서 그 지출 비용을 공제하여야 한다. (　　) 13. 경찰간부, 14. 순경 1차, 19. 경찰승진

16 뇌물을 수수한 자가 뇌물의 공동수수자가 아닌 교사범 또는 종범에게 뇌물 중 일부를 사례금 명목으로 교부하였다 하더라도, 뇌물수수자에게서 수뢰액 전부를 추징하여야 한다. (　　)
15. 법원직, 18. 변호사시험·순경 3차, 21. 법원행시·7급 검찰

17 甲주식회사 대표이사가 금융기관에 청탁하여 乙주식회사의 대출을 알선하고 그 대가로 용역대금 명목의 수수료를 받아 특정경제범죄 가중처벌 등에 관한 법률 위반죄를 범한 경우, 수수료에 대한 권리는 甲회사에 귀속되기 때문에 수수료로 받은 금품을 몰수 또는 그 가액을 추징할 수 없다. (　　) 19. 변호사시험, 21. 경찰간부·해경간부, 22. 법원행시·해경 2차, 23. 해경승진

18 피고인이 정보통신망법 위반(음란물유포)죄와 도박개장방조죄의 대가로 취득한 비트코인은 비록 특정되어 있더라도, 재산적 가치가 인정되지 않는 무형재산이므로 몰수할 수 없다. (　　)
22. 법원행시·해경간부·해경 2차, 23. 해경승진

19 범죄행위에 이용한 웹사이트 매각을 통해 피고인이 취득한 대가는 형법 제48조 제2항의 추징 대상이 된다. (　　) 23. 변호사시험·법원행시·7급 검찰

20 형의 경중은 사형－징역－금고－자격상실－자격정지－벌금－구류－과료－몰수의 순이다. (　　)
10. 경찰승진, 20. 법원직

Answer ← **12.** ○ **13.** × **14.** × **15.** × **16.** ○ **17.** × **18.** × **19.** × **20.** ○

01 다음 중 형의 종류와 경중에 대한 설명으로 가장 옳지 않은 것은?(다툼이 있는 경우 판례에 의함)

21. 해경승진

① 징역은 금고보다 무거운 형이지만, 유기금고의 장기가 유기징역의 장기를 초과하는 때에는 금고를 중한 것으로 한다.

② 유기징역 또는 유기금고의 판결을 받은 자는 그 형의 집행이 종료하거나 면제될 때까지 공무원이 되는 자격이 정지된다. 다만 다른 법률에 특별한 규정이 있는 경우에는 그 법률에 따른다.

③ 징역형의 집행유예와 벌금형이 병과된 신청인에 대하여 징역형의 집행유예의 효력을 상실케 하는 내용의 특별사면이 있다면, 그 벌금형의 선고의 효력을 상실케 한다.

④ 벌금은 5만원 이상으로 하며, 판결확정일로부터 30일 이내에 납입하여야 한다.

> **해설** ① 제50조 제1항
> ② 제43조
> ③ × : ~ 특별사면이 있는 경우, 그 특별사면의 효력이 병과된 나머지 형에까지 미치는 것은 아니므로 그 벌금형의 선고의 효력까지 상실케 하는 것은 아니다(대결 1997.10.13, 96모33).
> ④ 제69조 제1항

02 벌금형에 대한 설명으로 옳지 않은 것은?(다툼이 있는 경우 판례에 의함)

18. 9급 검찰 · 마약수사 · 철도경찰

① 법정형에 징역형과 벌금형이 선택형으로 규정되어 있는 범죄에서 벌금형을 선택하여 처벌하는 경우에 노역장 유치기간은 법정형에서 정한 징역형의 상한을 초과하여 정할 수 없다.

② 벌금을 선고할 때에는 납입하지 아니하는 경우의 유치기간을 정하여 동시에 선고하여야 한다.

③ 벌금을 납입하지 아니하는 자에 대한 노역장 유치기간은 벌금액수가 아무리 많더라도 3년을 초과할 수 없다.

④ 선고하는 벌금이 5억원 이상 50억원 미만인 경우에는 500일 이상의 유치기간을 정하여야 한다.

> **해설** ① × : 징역형과 벌금형 가운데서 벌금형을 선택하여 선고하면서 환산한 노역장유치기간이 선택형인 징역형의 장기보다 더 길더라도 위법이 아니다(대판 2000.11.24, 2000도3945).
> ② 제70조 제1항
> ③ 제69조 제2항(1일 이상 3년 이하)
> ④ 제70조 제2항

Answer 01. ③ 02. ①

03 몰수와 추징에 대한 설명으로 옳지 않은 것은?(다툼이 있는 경우 판례에 의함)

17. 9급 검찰·마약수사·철도경찰

① 甲이 공무원 A에게 승용차 대금 명목으로 1,400만원을 뇌물로 제공하기로 약속하였다면 甲으로부터 그 뇌물로 제공하기로 약속된 승용차 대금 명목의 금품을 추징해야 한다.

② 甲이 A로 하여금 사기도박에 참여하도록 유인하기 위하여 고액의 수표를 제시해 보였다면 그 수표를 직접적으로 도박자금으로 사용하지 않았더라도 몰수할 수 있다.

③ 수뢰자가 증뢰자로부터 뇌물을 교부받아 그대로 보관하였다가 증뢰자에게 뇌물 그 자체를 반환한 경우에는 증뢰자로부터 몰수 또는 추징한다.

④ 몰수의 취지가 범죄에 의한 이득의 박탈을 그 목적으로 하는 것이고 추징도 이러한 몰수의 취지를 관철하기 위한 것인 경우에는 추징가액의 산정은 재판선고시의 가격을 기준으로 하여야 한다.

> **해설** ① ×: 뇌물로 약속된 승용차대금 명목의 금품은 특정되지 않아 이를 몰수할 수 없었으므로 그 가액을 추징할 수 없다(대판 1996.5.8, 96도221).
> ② 대판 2002.9.24, 2002도3589
> ③ 대판 1984.2.28, 83도2783
> ④ 대판 1991.5.28, 91도352

04 몰수·추징에 대한 설명으로 가장 적절하지 않은 것은?(다툼이 있는 경우 판례에 의함) 19. 경찰승진

① 변호사법 위반의 범행으로 금품을 취득한 경우 그 범행과정에서 지출한 비용은 그 금품을 취득하기 위하여 지출한 부수적 비용이고, 몰수하여야 할 것은 변호사법 위반의 범행으로 취득한 금품 그 자체이므로, 취득한 금품이 이미 처분되어 추징할 금원을 산정할 때 그 금품의 가액에서 그 지출 비용을 공제하여야 한다.

② 금품의 무상대여를 통하여 위법한 재산상 이익을 취득한 경우 범인이 받은 부정한 이익은 그로 인한 금융이익 상당액이므로 추징의 대상이 되는 것은 무상으로 대여받은 금품 그 자체가 아니라 그 금융이익 상당액이다.

③ 히로뽕을 수수하여 그중 일부를 직접 투약한 경우에는 수수한 히로뽕의 가액만을 추징할 수 있고 직접 투약한 부분에 대한 가액을 별도로 추징할 수 없다.

④ 몰수의 대상이 되는 물건은 반드시 압수되어 있는 물건에 대하여서만 하는 것이 아니므로, 몰수대상 물건이 압수되어 있는가 하는 점 및 적법한 절차에 의하여 압수되었는가 하는 점은 몰수의 요건이 아니다.

> **해설** ① ×: ~ 지출 비용을 공제할 수는 없다(대판 2008.10.9, 2008도6944).
> ② 대판 2008.9.25, 2008도2590
> ③ 대판 2000.9.8, 2000도546
> ④ 대판 2003.5.30, 2003도705

Answer 03. ① 04. ①

05 몰수에 대한 설명으로 옳은 것은?(다툼이 있는 경우 판례에 의함)　　20. 9급 검찰·마약수사·철도경찰

① 상품을 절취하여 자신의 승용차에 싣고 간 경우, 그 승용차가 단순한 교통수단을 넘어 장물의 운반에 사용한 것이라고 인정된다면 이를 범죄행위에 제공한 물건으로 보아 몰수할 수 있다.

② 몰수나 추징이 공소사실과 관련이 있는 경우 그 공소사실에 관하여 이미 공소시효가 완성된 경우에도 몰수나 추징을 할 수 있다.

③ 피고인의 소유물은 물론 공범자의 소유물도 몰수할 수 있으나, 공범자의 소유물은 공범자가 소추된 경우에 한하여 몰수할 수 있다.

④ 집행을 종료함으로써 효력을 상실한 압수·수색영장에 기하여 다시 압수·수색을 실시하면서 몰수대상물건을 압수한 경우, 압수 자체가 위법하므로 그러한 압수물의 몰수 역시 효력이 없다.

> **해설** ① ○ : 대판 2006.9.14, 2006도4075
> ② × : ~ 수 없다(대판 1992.7.28, 92도700).
> ③ × : ~ 소유물은 그 공범자의 소추 여부를 불문하고 몰수할 수 있다(대판 2006.11.23, 2006도5586).
> ④ × : ~ 효력은 인정된다(대판 2003.5.30, 2003도705).

06 몰수와 추징에 대한 설명으로 옳은 것은?(다툼이 있는 경우 판례에 의함)　　21. 경찰간부

① 甲주식회사 대표이사가 금융기관에 청탁하여 乙주식회사의 대출을 알선하고 그 대가로 용역대금 명목의 수수료를 받아 특정경제범죄 가중처벌 등에 관한 법률 위반죄를 범한 경우, 수수료에 대한 권리는 甲회사에 귀속되기 때문에 수수료로 받은 금품을 몰수 또는 그 가액을 추징할 수 없다.

② 몰수는 범죄에 의한 이득을 박탈하는데 그 취지가 있고 추징도 이러한 몰수의 취지를 관철하기 위한 것이라는 점에서 추징 가액의 산정은 재판선고시의 가격이 기준이 된다.

③ 형법 제48조 제1항의 '범인'에 해당하는 공범자는 유죄의 죄책을 지는 자에 국한되므로, 유죄의 죄책을 지지 않는 공범자의 물건은 몰수할 수 없다.

④ 효력을 상실한 압수·수색영장에 기하여 다시 압수를 실시하여 압수해 온 물건을 몰수하였다면, 해당 몰수는 위법한 것으로 효력이 없다.

> **해설** ① × : ~ 추징할 수 있다(대판 2015.1.15, 2012도7571).
> ② ○ : 대판 1991.5.28, 91도352
> ③ × : ~ 국한되지 않으므로, ~ 몰수할 수 있다(대판 2006.11.23, 2006도5586).
> ④ × : 지문의 경우 압수 자체가 위법하더라도 위 물건에 대한 몰수의 효력은 인정된다(대판 2003.5.30, 2003도705).

Answer　05. ①　06. ②

07 **몰수와 추징에 대한 설명이다. 아래 설명 중 옳고 그름의 표시(○, ×)가 바르게 된 것은?**(다툼이 있는 경우 판례에 의함)

22. 경찰간부

> ㉠ 공무원이 뇌물을 받으면서 그 취득을 위하여 상대방에게 뇌물의 가액에 상당하는 금원의 일부를 비용의 명목으로 출연하거나 그 밖에 경제적 이익을 제공한 경우, 공무원이 받은 뇌물은 그 뇌물의 가액에서 위와 같은 지출액을 공제한 나머지 가액에 상당한 이익에 한정되고 이를 몰수·추징해야 하는 것이지 받은 뇌물 자체를 몰수·추징해야 하는 것은 아니다.
> ㉡ 추징의 가액산정은 재판선고시의 가격을 기준으로 하므로, 경우에 따라 추징하여야 할 가액이 몰수의 선고를 받았더라면 잃게 될 이득상당액을 초과하는 것도 가능하다.
> ㉢ 금품의 무상대여를 통하여 위법한 재산상 이익을 취득한 경우, 범인이 받은 부정한 이익은 그로 인한 금융이익 상당액이라 할 것이므로 추징의 대상이 되는 것은 무상으로 대여받은 금품 그 자체가 아니라 위 금융이익 상당액이라 보아야 한다.
> ㉣ 대형할인매장에서 상당한 부피의 상품을 수회 절취하여 승용차로 운반한 경우 그 승용차는 실행행위의 종료 이후 사용한 물건이므로 형법 제48조 제1항 제1호의 "범죄행위에 제공한 물건"으로 볼 수 없어 몰수의 대상이 되지 않는다.
> ㉤ 마약류관리에 관한 법률 제67조에 의한 몰수나 추징은 범죄행위로 인한 이득의 박탈을 목적으로 하는 것이 아니라 징벌적 성질의 처분이므로, 그 범행으로 인하여 이득을 취득한 바 없다 하더라도 법원은 그 가액의 추징을 명하여야 하고, 그 추징의 범위에 관하여는 죄를 범한 자가 여러 사람일 때에는 각자에 대하여 그가 취급한 범위 내에서 의약품 가액 전액의 추징을 명하여야 한다.

① ㉠(○), ㉡(×), ㉢(○), ㉣(×), ㉤(○)
② ㉠(×), ㉡(○), ㉢(○), ㉣(○), ㉤(×)
③ ㉠(○), ㉡(×), ㉢(×), ㉣(○), ㉤(×)
④ ㉠(×), ㉡(×), ㉢(○), ㉣(×), ㉤(○)

해설 ㉠ × : ~ (3줄) 뇌물의 가액에서 지출액을 공제한 나머지 가액에 상당한 이익에 한정되는 것이 아니고 그 받은 뇌물 자체를 몰수·추징해야 한다(대판 1999.10.8, 99도1638).
㉡ × : ~ 초과하여서는 아니된다(대판 2017.9.21, 2017도8611).
㉢ ○ : 대판 2008.9.25, 2008도2590
㉣ × : ~ (2줄) 실행행위의 종료 이후 사용한 물건이더라도 형법 ~ 볼 수 있어 몰수의 대상이 된다(대판 2006.9.14, 2006도4075).
㉤ ○ : 대판 2000.9.8, 2000도546

Answer 07. ④

08 다음 중 몰수 또는 추징할 수 없는 것은 모두 몇 개인가?(다툼이 있는 경우 판례에 의함)

22. 법원행시 · 해경간부 · 해경 2차, 23. 해경승진

> ㉠ 피고인이 음란물유포 인터넷사이트를 운영하면서 정보통신망 이용촉진 및 정보보호 등에 관한 법률위반(음란물유포)죄와 도박개장방조죄에 의하여 비트코인(Bitcoin)을 취득한 사안에서 비트코인
>
> ㉡ 甲주식회사 대표이사인 피고인이 금융기관에 청탁하여 乙주식회사가 대출을 받을 수 있도록 알선행위를 하고 그 대가로 용역대금 명목의 수수료를 甲회사 계좌를 통해 송금받아 특정경제범죄 가중처벌 등에 관한 법률위반(알선수재)죄가 인정된 사안에서 甲회사 계좌를 통해 받은 수수료
>
> ㉢ 압수한 밀수품이 멸실, 파손 또는 부패의 염려가 있어 형사소송법 제132조에 따라 이를 매각하고 취득한 대가
>
> ㉣ 피고인이 신고 없이 외국환을 해외 계좌로 송금한 사실로 체포될 당시 미처 송금하지 못하고 소지하고 있던 각 자기앞수표 또는 현금
>
> ㉤ 오락실업자, 상품권업자 및 환전소 운영자가 공모하여 사행성 전자식 유기기구에서 경품으로 배출된 상품권을 현금으로 환전하면서 그 수수료를 일정한 비율로 나누어 가지는 방식으로 영업을 한 경우 환전소 운영자가 환전소에 보관하던 현금 전부
>
> ㉥ 범죄행위로 인하여 취득한 물건이기는 하나, 판결선고 전 검찰에 의하여 압수된 후 피고인에게 환부된 것

① 1개   ② 2개   ③ 3개   ④ 4개   ⑤ 5개

해설 • **몰수 ○** : ㉠ 대판 2018.5.30, 2018도3619(∵ 비트코인은 재산적 가치가 있는 무형의 재산이고, 몰수의 대상인 비트코인이 특정되어 있음) ㉢ 대가보관금(대판 1996.11.11, 96도2477) ㉤ 대판 2006. 10.13, 2006도3302 ㉥ 대판 1977.5.24, 76도4001
• **추징 ○** : ㉡ 대판 2015.1.15, 2012도7571
• **몰수 ×** : ㉣ 대판 2008.2.14, 2007도10034(∵ 어떠한 물건을 '범죄행위에 제공하려고 한 물건'으로서 몰수하기 위하여는 그 물건이 유죄로 인정되는 당해 범죄행위에 제공하려고 한 물건임이 인정되어야 하므로 장차 실행하려고 한 범행에 제공하려고 한 물건은 몰수할 수 없음)

09 몰수 · 추징에 대한 설명 중 가장 적절한 것은?(다툼이 있는 경우 판례에 의함)   23. 경찰승진

① 몰수는 원칙적으로 타형에 부가하여 과하는 부가형이므로, 몰수의 요건이 있는 경우라도 행위자에게 유죄의 재판을 하지 아니할 때에는 몰수만을 선고할 수 없다.

② 형법 제357조 배임수증재죄에서 수재자가 증재자로부터 받은 재물을 그대로 가지고 있다가 증재자에게 반환한 경우 증재자로부터 이를 몰수하거나 그 가액을 추징할 수 없다.

③ 살인행위에 사용한 칼 등 범죄의 실행행위 자체에 사용한 물건뿐만 아니라 실행행위의 착수 전의 행위에 사용한 물건도 몰수할 수 있지만, 실행행위의 종료 후의 행위에 사용한 물건은 그것이 범죄행위의 수행에 실질적으로 기여하였다고 인정되더라도 몰수할 수 없다.

Answer   08. ①   09. ④

④ 피해자로 하여금 사기도박에 참여하도록 유인하기 위하여 수표를 제시해 보인 경우 수표가 직접적으로 도박자금에 사용되지 아니하였다 할지라도, 피해자로 하여금 사기도박에 참여하도록 만들기 위한 수단으로 사용되었다면 몰수할 수 있다.

해설 ① × : ~ 과하는 부가형이지만(제49조 본문), 행위자에게 유죄의 재판을 하지 아니할 때에도 몰수의 요건이 있는 때에는 선고할 수 있다(제49조 단서).
② × : ~ 그 가액을 추징하여야 한다(대판 2017.4.7, 2016도18104).
③ × : ~ 기여하였다고 인정되는 한 몰수할 수 있다(대판 2006.9.14, 2006도4075).
④ ○ : 대판 2002.9.24, 2002도3589

10 다음 설명 중 가장 옳은 것은?(다툼이 있는 경우 판례에 의함) 　　　　　　23. 법원직

① 압수되어 있는 물건만을 몰수할 수 있는 것은 아니나, 압수되어 있는 물건을 몰수하기 위하여는 그 압수가 적법한 절차에 의하여 이루어졌을 것이 요구된다.

② 피고인이 필로폰을 수수하여 그중 일부를 직접 투약한 경우, 필로폰 수수죄와 필로폰 투약죄가 별도로 성립하므로 피고인이 수수한 필로폰의 가액에 피고인이 투약한 필로폰의 가액을 더하여 추징하여야 한다.

③ 수뢰자가 뇌물로 받은 돈을 입금시켜 두었다가 뇌물공여자에게 같은 금액의 돈을 반환한 경우라면, 수뢰자가 뇌물을 그대로 보관하여 두었다가 뇌물공여자에게 반환한 것과 달리 볼 이유가 없으므로, 뇌물공여자로부터 그 가액을 추징하여야 한다.

④ 우리 법제상 공소제기 없이 별도로 몰수·추징만을 선고할 수 있는 제도가 마련되어 있지 아니하므로, 몰수·추징을 선고하려면 몰수·추징의 요건이 공소가 제기된 공소사실과 관련되어 있어야 하고, 공소가 제기되지 아니한 별개의 범죄사실을 법원이 인정하여 그에 관하여 몰수·추징을 선고하는 것은 불고불리의 원칙에 위배되어 허용되지 않는다.

해설 ① × : 몰수대상은 반드시 압수되어 있는 물건에 제한되지 않으므로 몰수대상물건의 압수 여부 및 적법절차에 의한 압수 여부는 몰수의 요건이 아니다(대판 2003.5.30, 2003도705).
② × : 수수한 필로폰의 가액만을 추징할 수 있고, 직접 투약한 필로폰의 가액을 별도로 추징할 수 없다(대판 2000.9.8, 2000도546).
③ × : ~ (2줄) 경우에는, 수뢰자가 뇌물을 그대로 보관하여 두었다가 뇌물공여자에게 반환한 것과 달리 수뢰자로부터 그 가액을 추징하여야 한다(대판 1999.1.29, 98도3584).
④ ○ : 대판 2010.5.13, 2009도11732

Answer 　10. ④

11 몰수와 추징에 관한 설명 중 옳지 않은 것은?(다툼이 있는 경우 판례에 의함)   24. 변호사시험

① 공소사실이 인정되지 않는 경우에 이와 관련되지 않은 범죄사실을 법원이 인정하여 몰수·추징을 선고하는 것은 불고불리의 원칙에 위반된다.

② 수뢰자가 자기앞수표를 뇌물로 받아 이를 소비한 후 자기앞수표 상당액을 증뢰자에게 반환하였다 하더라도 뇌물 그 자체를 반환한 것은 아니므로 이를 몰수할 수 없고 수뢰자로부터 그 가액을 추징하여야 한다.

③ 범죄행위의 수행에 실질적으로 기여한 것으로 인정된다고 하더라도, 실행행위의 착수 전 또는 실행행위 종료 후의 행위에 사용되었을 뿐 범죄의 실행행위 자체에 사용되지 않은 물건은 몰수·추징의 대상인 '범죄행위에 제공한 물건'에 포함될 수 없다.

④ 몰수·추징이 공소사실과 관련이 있다 하더라도 그 공소사실에 관하여 이미 공소시효가 완성된 경우에는 몰수·추징을 할 수 없다.

⑤ 甲이 공무원 직무에 속한 사항의 알선에 관하여 1억원을 받았으나 그중 3,000만원을 받은 취지에 따라 청탁과 관련하여 관계 공무원에게 뇌물로 공여한 경우라면, 甲으로부터는 이를 제외한 나머지 7,000만원만 몰수·추징할 수 있다.

해설 ① 대판 2010.5.13, 2009도11732

② 대판 1999.1.29, 98도3584

③ × : 범죄행위의 수행에 실질적으로 기여한 것으로 인정된다면, 실행행위의 착수 전 또는 실행행위 종료 후의 행위에 사용되었을 뿐 범죄의 실행행위 자체에 사용되지 않은 물건은 몰수·추징의 대상인 '범죄행위에 제공한 물건'에 포함될 수 있다(대판 2006.9.14, 2006도4075).

④ 대판 1992.7.28, 92도700

⑤ 대판 2002.6.14, 2002도1283

12 형의 종류와 경중에 관한 설명 중 가장 옳지 않은 것은?(다툼이 있는 경우 판례에 의함) 20. 법원행시

① 징역이 금고보다 무거운 형이나, 유기금고의 장기가 유기징역의 장기를 초과하는 때에는 금고를 중한 것으로 한다.

② 유기징역 또는 유기금고의 판결을 받은 자는 그 형의 집행이 종료하거나 면제될 때까지 공무원이 되는 자격이 정지된다. 다만, 다른 법률에 특별한 규정이 있는 경우에는 그 법률에 따른다.

③ 유기징역은 1개월 이상 30년 이하로 하고, 자격정지는 1개월 이상 15년 이하로 한다.

④ 구류는 1일 이상 30일 미만으로 한다.

⑤ 벌금은 5만원 이상으로 한다. 다만, 감경하는 경우에는 5만원 미만으로 할 수 있다.

해설 ① 제50조 제1항 ② 제43조

③ × : ~ , 자격정지는 1년(1개월 ×) 이상 ~ 한다(제44조 제1항).

④ 제46조 ⑤ 제45조

Answer 11. ③ 12. ③

제2절 ▶ 형의 양정(양형, 형의 적용)

(1) 의 의

구체적인 사건에 있어서 법관이 형법에 규정된 형벌의 종류와 범위 내에서 범인에게 선고할 형을 정하는 것을 양형(형의 양정) 또는 형의 적용이라 한다.

(2) 양형의 단계

구체적인 사건을 통하여 추상적인 형벌이 다음과 같은 3단계를 거쳐 구체화된다.

법정형	처단형	선고형
개개의 범죄에 대하여 법률에 추상적으로 규정되어 있는 형벌, 즉 개개의 구성요건에 규정되어 있는 형벌을 말한다.	법정형에 법률상·재판상의 가중·감경을 한 형을 말한다.	법정형에 처단형의 범위 내에서 구체적으로 선고하는 형을 말한다.

▸ 관련판례

형의 양정은 법정형 확인, 처단형 확정, 선고형 결정 등 단계로 구분된다. 법관은 형의 양정을 할 때 법정형에서 형의 가중·감경 등을 거쳐 형성된 처단형의 범위 내에서만 양형의 조건을 참작하여 선고형을 결정하여야 하고, 이는 형법 제37조 후단 경합범의 경우에도 마찬가지이다(대판 2019.4.18, 2017도14609 전원합의체). 20. 법원행시·순경 2차

(3) 형의 면제와 형집행의 면제

① **형의 면제** : 범죄가 성립되어 형벌권은 발생하였으나 재판확정 전의 사유로 인하여 형만을 과하지 않는 것을 말한다. 이에는 법률상 면제(임의적 면제와 필요적 면제)에 한하며, 재판상 면제는 인정되지 않는다(▶ 구체적인 형의 면제사유는 뒤에서 도표로 총정리).

② **형집행의 면제** : 재판확정 후의 사유로 인하여 형의 집행이 면제되는 것을 말한다.

   예 재판확정 후 법률의 변경에 의하여 그 행위가 범죄를 구성하지 아니하는 때에는 형의 집행을 면제한다(제1조 제3항).

(4) 자수·자복

> **제52조【자수, 자복】** ① 죄를 지은 후 수사기관에 자수한 경우에는 형을 감경하거나 면제할 수 있다.
> ② 피해자의 의사에 반하여 처벌할 수 없는 범죄의 경우에는 피해자에게 죄를 자복하였을 때에도 형을 감경하거나 면제할 수 있다.

① **자수** : '자수'란 범인이 스스로 수사책임이 있는 관서에 자기의 범행을 자발적으로 신고하고 그 처분을 구하는 의사표시이므로, 내심적 의사만으로는 부족하고 외부로 표시되어야 이를 인정할 수 있는 것이다(대판 1982.9.28, 82도1965). 자수한 때에는 형을 감경 또는 면제할 수 있다(임의적 감면사유). 16·18. 법원행시

📛 **주의** : 형법 제52조는 자수를 임의적 감면사유로 규정하고 있으나, 형법 제152조의 **위증죄** 및 모해위증죄와 형법 제156조의 무고죄에서는 '공술한 사건의 재판 또는 징계처분이 확정되기 전에 자수한 때'에는 형법 제153조 및 제157조에 의해 형을 **필요적으로** 감면한다. 14. 사시, 16. 경찰간부

📛 **구별개념**
- 고소 · 고발 : 타인의 범죄사실을 신고
- 자수 : 자기의 범죄사실을 신고
- 자백 : 수사기관의 신문을 받고 범죄사실을 인정하는 진술을 한 경우
- 자수 : 자발적으로 자기의 범죄사실을 신고한 경우

관련판례

1. 형법상 자수의 효력이 발생한 후에 수사기관이나 법정에서 범죄사실을 일부 부인하거나 자백과 차이가 나는 진술을 하더라도 자수의 효력에는 영향이 없다(대판 2002.8.23, 2002도46). 13. 법원행시

   ▶ **유사판례** : 피고인들이 검찰에 조사 일정을 문의한 다음 지정된 일시에 검찰에 출두하는 등의 방법으로 자진 출석하여 범행을 사실대로 진술하였다면 자수가 성립되었다고 할 것이고, 그 후 법정에서 범행사실을 부인한다고 하여 뉘우침이 없는 자수라거나, 이미 발생한 자수의 효력이 없어진다고 볼 수 없다(대판 2005.4.29, 2002도7262). 12. 경찰간부, 18. 법원행시, 23. 법원직

2. 자수서를 소지하고 수사기관에 자발적으로 출석하였으나 생각이 바뀌어 자수서를 제출하지 아니하고 범행사실도 부인하였다가, 그 후 구속이 되자 수사기관에 자수서를 제출하고 범행사실을 시인하였다면 자수에 해당한다고 할 수 없다(대판 2004.10.14, 2003도3133). 13. 법원행시, 16. 법원직, 24. 경찰승진

3. 수사기관의 추궁에 의하여 범죄사실을 시인한 경우 ➪ 자수 ×, 자백 ○(대판 1999.4.13, 98도4560)

   ▶ **유사판례**

   ① 세관 검색시 금속탐지기에 의해 대마 휴대 사실이 발각될 상황에서 세관 검색원의 추궁에 의하여 대마 수입 범행을 시인한 경우, 자발성이 결여되어 자수에 해당하지 않는다(대판 1999.4.13, 98도4560). 12. 경찰간부, 22. 해경간부

   ② 경찰관이 피고인의 강도상해 범행에 관하여 수사를 하던 중 증거를 토대로 피고인의 여죄를 추궁하자, 또 다른 강도강간 범행을 자백한 경우 ➪ 자수 ×(대판 2006.9.22, 2006도4883) 11. 법원행시, 22. 해경간부

   ③ 수사기관의 질문 또는 조사에 응하여 범죄사실을 진술하는 것 ➪ 자백 ○, 자수 ×(대판 1982.9.28, 82도1965) 16. 법원직, 18 · 23. 법원행시, 24. 해경승진

4. 피고인이 수사기관에 자진 출석하여 처음 조사를 받으면서는 돈을 차용하였을 뿐이라며 범죄사실을 부인하다가 제2회 조사를 받으면서 비로소 업무와 관련하여 돈을 수수하였다고 자백한 행위를 자수라고 할 수 없고, 설령 자수하였다고 하더라도 자수한 이에 대하여는 법원이 임의로 형을 감경할 수 있음에 불과한 것으로서 원심이 자수의 착오 주장에 대하여 판단하지 아니하였다 하여 위법하다고 할 수 없다(대판 2011.12.22, 2011도12041). 16. 법원행시, 20. 순경 2차, 22. 변호사시험

5. 수개의 범죄사실 중 일부에 관하여만 자수한 때에는 그 부분 범죄사실에 대해서만 자수의 효력이 있다(대판 1994.10.14, 94도2130). 12. 사시, 21. 법원행시

6. 수사기관에 뇌물수수의 범죄사실을 자발적으로 신고하였으나 그 수뢰액을 실제(5,000만원)보다 적게(3,000만원) 신고함으로써 적용법조와 법정형이 달라지게 된 경우에는 자수가 성립하였다고 할 수 없고, 시인한 3,000만원에 대해서도 법률상 감경을 할 수 없다(대판 2004.6.24, 2004도2003). 12. 경찰간부, 13. 법원행시 · 9급 검찰, 16. 순경 2차

7. 범죄사실과 범인이 누구인가가 발각된 후라 하더라도 또 수사기관에 의해 지명수배를 받은 연후라 하더라도 체포되기 전에 자발적으로 자기의 범죄사실을 수사기관에 신고한 이상 자수로 보아야 한다 (대판 1968.7.30, 68도754). 13. 법원행시, 16. 순경 2차

8. 법인에게 (양벌규정으로 법인이 처벌받는 경우) 자수감경규정을 적용하기 위해서는 법인의 이사 기타 대표자가 자수한 경우에 한하고, 위반행위를 한 직원이나 사용인이 자수한 것만으로는 형을 감경할 수 없다(대판 1995.7.25, 95도391). 12. 법원행시, 16. 법원직

9. 범죄사실을 부인하거나 죄를 뉘우침이 없는 자수는 그 외형은 자수일지라도 형의 감경사유가 되는 진정한 자수가 아니다(대판 1994.10.14, 94도2130). 13. 법원행시

10. 범죄사실을 신고한 이상 범죄성립요건을 완전히 갖춘 범죄행위라고 인식할 필요는 없으며(대판 1995.6.30, 94도1017), 범죄사실의 세부에 다소차이가 있어도 무관하다(판례). 18. 법원행시, 24. 경찰승진

11. 공직선거 및 선거부정방지법(제262조)상의 '자수'를 '범행발각 전에 자수한 경우'로 한정해석하는 것은 유추해석금지원칙에 위반된다(대판 1997.3.20, 96도1167 전원합의체). 21. 법원행시, 22. 해경간부

12. 자수는 임의적 감면사유이므로 자수감경을 하지 아니하거나 자수감경주장에 대해 판단하지 않아도 위법이라고 할 수 없다(대판 2001.4.24, 2001도872). 18. 법원행시, 22. 변호사시험

13. 수사기관에의 신고가 자발적이라고 하더라도 그 신고의 내용이 자기의 범행을 명백히 부인하는 등의 내용으로 자기의 범행으로서 범죄성립요건을 갖추지 아니한 사실일 경우에는 자수는 성립하지 않고, 일단 자수가 성립하지 아니한 이상 그 이후의 수사과정이나 재판과정에서 범행을 시인하였다고 하더라도 새롭게 자수가 성립할 여지는 없다고 할 것이다(대판 2004.10.14, 2003도3133). 12. 법원행시, 23. 법원직

14. 어느 죄에 관한 자수의 요건과 효과가 어떠한가 하는 문제는 논리필연적으로 도출되는 문제가 아니라 그 입법취지가 자수의 두 가지 측면, 즉 범죄를 스스로 뉘우치고 개전의 정을 표시하는 것으로 보아 비난가능성이 약하다는 점과 자수를 하면 수사를 하는 데 용이할 뿐 아니라 형벌권을 정확하게 행사할 수 있어 죄 없는 자에 대한 처벌을 방지할 수 있다는 점 중 어느 한쪽을 얼마만큼 중시하는지 또는 양자를 모두 동등하게 고려하는지에 따라 입법정책적으로 결정되는 것이다(대판 1997.3.20, 96도1167 전원합의체). 18. 법원행시

15. 언론에 혐의사실이 보도하기 시작한 후에 수사기관에 전화를 걸어 조사를 요청한 다음 자진출석하여 혐의사실을 모두 자백한 경우 ⇨ 자수 ○(대판 1994.9.9, 94도619) 11. 법원행시, 22. 해경간부

▶ 비교판례 : 수사기관이 아닌 자에게 자수의 의사를 전하기만 한 경우, 범죄사실을 신고하지 않고 수사권 있는 공무원을 만나거나 주소를 알린 경우, 제3자에게 전화로 자수의사를 경찰서에 전달하여 달라고 한 것만으로는 자수가 아니다(대판 1967.1.24, 66도1662).

16. 피고인이 그 기도한 범죄행위의 실행방법으로서 수사권이 있는 공무원을 만났다거나 자기의 주소를 수사권이 있는 공무원에게 알린 사실이 있다고 하더라도 이는 피고인 본인이 자기의 범죄사실을 신고한 것이 아니므로 자수라고 할 수 없다(대판 1963.10.22, 63도247).

② **자복** : 자복은 피해자의 명시한 의사에 반하여 처벌할 수 없는 해제조건부 범죄(반의사불벌죄) 에서 범죄인이 피해자에게 자신의 범죄를 고백하는 것이다. 자복한 때에는 그 형을 감경 또는 면제할 수 있다(임의적 감면사유).16. 순경 2차, 24. 경찰승진·해경승진 해제조건부 범죄가 아닌 범죄 (예 친고죄)에 대하여 피해자에게 찾아가서 사죄하는 것은 자복이라 할 수 없다(대판 1968.3.5, 68도105).

형의 가중 · 감경 · 면제 사유의 총정리

16. 변호사시험 · 경찰간부, 18 · 19. 법원직 · 경력채용, 20. 9급 검찰 · 철도경찰, 21 · 22. 해경간부, 23. 해경승진

형의 가중 { · 법률상의 가중 ○ · 재판상의 가중 × { · 필요적 가중 ○ · 임의적 가중 ×	**총 칙** (일반적 가중사유)	• 특수교사 · 방조의 가중(제34조 제2항) : 교사(2분의 1까지 가중), 방조 (정범의 형) • 누범가중(제35조) : 장기(단기 ×)의 2배까지 가중 • 경합범가중(제38조) : 장기 · 다액의 2분의 1까지 가중
	각 칙 (특수적 가중사유)	• 상습범 가중(제203조, 제264조, 제279조, 제285조, 제351조 등) • 특수범죄의 가중 ┌ 특수공무방해죄(제144조) : 2분의 1까지 가중 └ 특수체포 · 감금죄(제278조) : 2분의 1까지 가중
필요적 감경 (형을 감경한다.)	**총 칙**	• 농아자(제11조) • 종범(제32조 제2항)
임의적 감경 (형을 감경할 수 있다.)	**총 칙**	• 심신미약자(제10조 제2항) • 미수범(장애미수 : 제25조 제2항) • 작량감경(정상참작감경, 재판상의 감경 : 제53조)
	각 칙	• 범죄단체조직죄(제114조 제1항 단서) • 약취 · 유인 및 인신매매의 죄(제295조의 2), 인질강요죄 · 인질상해 · 치상죄(제324조의 6) ➡ 피해자를 안전한 장소로 풀어준 때 ▶ 주의 : 체포 · 감금죄와 인질강도죄에는 이에 해당하는 규정이 없다.
필요적 감면 (형을 감경 또는 면제한다.)	**총 칙**	중지미수(제26조)
	각 칙	• 내란죄 · 외환죄 · 외국에 대한 사전죄 · 방화죄 · 통화위조죄에 있어서 실행에 이르기 전에 자수한 때(제90조 제1항 · 제2항, 제101조 제1항 · 제2항, 제120조 제1항 · 제2항, 제175조, 제213조) • 위증죄, 허위 · 감정 · 통역 · 번역죄, 무고죄에 있어서 재판 또는 징계 처분이 확정되기 전에 자백 또는 자수한 때(제153조, 제154조, 제157조) • 장물죄에 있어서 장물범과 본범 간에 일정한 친족관계가 있을 때(제 365조 제2항)
임의적 감면 (형을 감경 또는 면제할 수 있다.)	**총 칙**	• 과잉방위(제21조 제2항) • 과잉피난(제22조 제3항) • 과잉자구행위(제23조 제2항) • 불능미수(제27조) • 자수 · 자복(제52조) • 사후적 경합범(제39조 제1항) ▶ 외국에서 받은 형의 집행(제7조) ➡ 임의적 감면 ×
필요적 면제 (형을 면제한다.)	**각 칙**	**친족상도례** : 직계혈족 · 배우자 · 동거친족 · 동거가족 또는 그 배우자 간의 권리행사방해죄(제328조 제1항), 절도죄(제344조), 사기 · 공갈죄 (제354조), 횡령 · 배임죄(제361조), 장물범과 피해자 간의 경우(제365 조 제1항)

🔔 출제빈도가 높으므로 철저한 암기를 요한다.

⑤ 형의 가중 · 감경의 순서

① 형종의 선택

> **제54조【선택형과 정상참작감경】** 한 개의 죄에 정한 형이 여러 종류인 때에는 먼저 적용할 형을 정하고 그 형을 감경한다.

② 가중 · 감경하는 사유가 경합하는 경우 가중 · 감경의 순서

> **제56조【가중 · 감경의 순서】** 형을 가중 · 감경할 사유가 경합하는 경우에는 다음 각 호의 순서에 따른다. 15. 경찰간부, 19. 7급 검찰, 20. 법원행시, 21. 법원직, 22. 해경 2차, 23. 9급 검찰 · 마약수사 · 철도경찰
> 1. 각칙 조문에 따른 가중   2. 제34조 제2항에 따른 가중(특수한 교사 · 방조)
> 3. 누범 가중   4. 법률상 감경
> 5. 경합범 가중   6. 정상참작감경
> ▶ **암기** : (각) ⇨ (특) ⇨ (누) ⇨ (법) ⇨ (경) ⇨ (정)

┌ **관련판례**

① 형의 감경에는 법률상 감경과 재판상 감경인 작량감경이 있다. 작량감경 외에 법률의 여러 조항에서 정하고 있는 감경은 모두 법률상 감경이라는 하나의 틀 안에 놓여 있다. 따라서 형법 제39조 제1항 후문에서 정한 감경도 당연히 법률상 감경에 해당한다(대판 2019.4.18, 2017도14609 전원합의체). 20. 법원행시

② 처단형은 선고형의 최종적인 기준이 되므로 그 범위는 법률에 따라서 엄격하게 정하여야 하고, 별도의 명시적인 규정이 없는 이상 형법 제56조에서 열거하고 있는 가중 · 감경할 사유에 해당하지 않는 다른 성질의 감경 사유를 인정할 수는 없다(대판 2019.4.18, 2017도14609 전원합의체). 23. 법원행시

③ 형법은 형의 가중 · 감경할 사유가 경합된 때에 그 적용순서에 관하여, 각칙조문에 따른 가중, 제34조 제2항에 따른 가중, 누범 가중, 법률상 감경, 경합범 가중, 정상참작감경 순으로 규정하고 있으므로, 법관이 처단형을 결정하는 과정에서 최종 선고형을 머릿속에 그리면서 임의적 감경 여부를 결정하는 것은 법리적 · 논리적 순서에 부합한다고 볼 수 있다(대판 2021.1.21, 2018도5475 전원합의체). 22. 법원직

⑥ 법률상 감경(제55조)의 정도

구 분	감경례
사 형	무기 또는 20년 이상 50년 이하의 징역 또는 금고 09. 순경
무기징역 · 무기금고	10년 이상 50년 이하의 징역 또는 금고 03. 행시
유기징역 · 유기금고	형기의 2분의 1
자격상실	7년 이상의 자격정지
자격정지	그 형기의 2분의 1
벌 금	그 다액의 2분의 1
구 류	그 장기의 2분의 1
과 료	그 다액의 2분의 1

① 법률상 감경할 사유가 수개 있는 때에는 거듭 감경할 수 있다(제55조 제2항).

② 벌금의 경우 '다액의 2분의 1'로 규정되어 있으나 그 상한과 함께 하한도 2분의 1로 내려간다 (대판 1978.4.25, 78도246 전원합의체). 15. 9급 철도경찰, 18. 법원행시, 19. 순경 1차

③ ㉠ 필요적 감경의 경우에는 감경사유의 존재가 인정되면 반드시 형법 제55조 제1항에 따른 법률상 감경을 하여야 함에 반해, 임의적 감경의 경우에는 감경사유의 존재가 인정되더라도 법관이 형법 제55조 제1항에 따른 법률상 감경을 할 수도 있고 하지 않을 수도 있다. ㉡ 나아가 임의적 감경사유의 존재가 인정되고 법관이 그에 따라 징역형에 대해 법률상 감경을 하는 이상 형법 제55조 제1항 제3호에 따라 상한과 하한을 모두 2분의 1로 감경한다. 따라서 유기징역형에 대한 법률상 감경을 하면서 형법 제55조 제1항 제3호에서 정한 것과 같이 장기와 단기를 모두 2분의 1로 감경하는 것이 아닌 장기 또는 단기 중 어느 하나만을 2분의 1로 감경하는 방식이나 2분의 1보다 넓은 범위의 감경을 하는 방식 등은 죄형법정주의 원칙상 허용될 수 없다(대판 2021.1.21, 2018도5475 전원합의체). 21. 순경 2차, 22. 법원직, 23. 변호사시험 · 법원행시

④ 법정형에 하한이 설정된 형법 제37조 후단 경합범(사후적 경합범)에 대하여 형법 제39조 제1항에 의하여 형을 감경할 때에도 법률상 감경에 관한 형법 제55조 제1항이 적용되어 유기징역을 감경할 때에는 그 형기의 2분의 1 미만으로는 감경할 수 없다(대판 2019.4.18, 2017도14609 전원합의체). 19 · 20. 법원행시, 21. 법원직 · 순경 2차

⑤ 형법이 '형을 감경할 수 있다.'고 규정하고 있는 것은 임의적 감경사유가 인정되더라도 그에 따른 감경이 필요한 경우와 필요하지 않은 경우가 모두 있을 수 있으니 임의적 감경사유로 인한 행위불법이나 결과불법의 축소효과가 미미하거나 행위자의 책임의 경감 정도가 낮은 경우에는 감경하지 않은 무거운 처단형으로 처벌할 수 있도록 한 것이다(대판 2021.1.21, 2018도5475 전원합의체). 22. 법원직 · 7급 검찰

(7) 재판상의 감경(작량감경)의 정도

> **제53조 【정상참작감경】** 범죄의 정상에 참작할 만한 사유가 있는 경우에는 그 형을 감경할 수 있다.

현행형법은 작량감경의 정도에 관하여 직접적인 명문규정을 두고 있지 않으나, 법률상 감경례(제55조)에 준한다(통설 · 판례).

① 법률상 감경례(제55조 제2항)와 달리 작량감경은 모든 정상을 종합적으로 관찰하여 1회에 한하여 감경할 수 있을 뿐이고 정상 하나하나에 거듭 작량감경을 할 수 있는 것은 아니다(대판 1964.4.7, 63도410). 16. 변호사시험 법률상 감경사유가 있을 때에는 작량감경보다 우선하여 하여야 하고, 작량감경은 이와 같은 법률상 감경을 다하고도 그 처단형보다 낮은 형을 선고하고자 할 때에 하는 것이 옳다(대판 1991.6.11, 91도985). 16. 변호사시험, 19. 법원행시, 20. 순경 2차

② 하나의 죄에 대해 징역형과 벌금형을 병과할 경우에 특별한 규정이 없는 한 징역형에만 작량감경을 하고 벌금형에는 작량감경을 하지 않는 것은 위법하다(대판 2009.2.12, 2008도6551). 19. 9급 검찰 · 마약수사 · 철도경찰, 21. 법원행시 그러나 형법 제38조 제1항 제3호(이종의 형)에 의하여 징역형

과 벌금형을 병과하는 경우, 징역형에만 작량감경을 하고 벌금형에는 작량감경을 하지 아니하였다고 하여 이를 위법하다고 할 수는 없다(대판 2006.3.23, 2006도1076). 21. 순경 2차, 22. 변호사시험 또한 양벌규정에 의해 자연인과 법인이 함께 처벌받을 경우 자연인에 대해서는 작량감경을 하고 법인에 대해서는 작량감경을 하지 않아도 무방하다(대판 1995.12.12, 95도1893).

┌─ 관련판례

1. 법정형 중에서 무기징역을 선택한 후 작량감경한 결과 유기징역을 선고하게 되었을 경우에 미성년자라 하더라도 부정기형을 선고할 수 없다(대판 1991.4.9, 91도357).
2. 무기징역형을 선택한 이상 무기징역형으로만 처벌하고 따로이 경합범가중을 하거나 가장 중한 죄가 누범이라 하여 누범가중을 할 수 없음은 더 말할 나위도 없고, 위와 같이 무기징역형을 선택한 후 형법 제56조 제6호의 규정에 의하여 작량감경을 하는 경우에는 50년을 초과한 징역형을 선고할 수 없다(대판 1992.10.13, 92도1428 전원합의체). 09. 법원행시 · 법원직

⑻ 양형의 조건

형법 제51조는 양형에 있어서 꼭 참작해야 할 조건으로 다음과 같이 규정하고 있다.

> **제51조【양형의 조건】** 형을 정함에 있어서는 다음 사항을 참작하여야 한다.
> 1. 범인의 연령, 성행, 지능과 환경
> 2. 피해자에 대한 관계
> 3. 범행의 동기, 수단과 결과
> 4. 범행 후의 정황

☝ 1. 범행 전의 정황, 내외국인, 남녀, 전과자 ⇨ 제51조의 양형의 조건 × 18. 경찰승진, 20. 해경승진
2. 범죄의 불법과 책임을 근거지우거나 가중·감경사유가 된 상황은 다시 양형의 자료가 될 수 없는데, 이를 '이중평가의 금지'라고 한다. 16. 변호사시험
3. 양형의 조건에 관하여 규정한 형법 제51조의 사항은 널리 형의 양정에 관한 법원의 재량사항에 속하고, 이는 열거적인 것이 아니라 예시적인 것이다(대판 2017.8.24, 2017도5977 전원합의체).

⑼ 미결구금(판결선고 전 구금)과 판결의 공시

① **미결구금** : 판결선고 전 구금(미결구금)이란 범죄의 혐의를 받고 있는 자를 재판이 확정될 때까지 구금하는 것을 말한다. 미결구금은 형은 아니나 실질적으로 자유형의 집행과 동일한 효력을 가지므로 형법은 다음과 같이 규정하고 있다.

> **제57조【판결선고 전 구금일수의 통산】** ① 판결선고 전의 구금일수는 그 전부(일부 ×)를 유기징역, 유기금고, 벌금이나 과료에 관한 유치 또는 구류에 산입한다(산입할 수 있다 ×). 17. 법원행시, 18. 7급 검찰, 23. 9급 검찰 · 마약수사 · 철도경찰
> ② 전항의 경우에는 구금일수의 1일은 징역, 금고, 벌금이나 과료에 관한 유치 또는 구류의 기간의 1일로 계산한다.

┌ **관련판례**

1. 피고인이 범행 후 미국으로 도주하였다가 '한 · 미간의 범죄인인도조약'에 따라 체포된 후 인도절차를 밟기 위한 절차에 해당하는 기간은 본형에 산입될 미결구금일수에 해당하지 않는다(대판 2004.4.27, 2004도482 ; 대판 2009.5.28, 2009도1446 ∵ 공소의 목적을 달성하기 위하여 어쩔 수 없이 이루어진 강제처분기간이 아님). 18. 7급 검찰, 21. 법원행시

2. 외국에서 형이 집행된 것이 아니라 단지 미결구금되었다가 무죄판결을 받은 사람의 미결구금일수를 형법 제7조의 유추적용에 의하여 그가 국내에서 같은 행위로 인하여 선고받는 형에 산입하여야 한다는 것은 허용되기 어렵다(대판 2017.8.24, 2017도5977 전원합의체). 18. 7급 검찰

3. 형의 집행과 구속영장의 집행이 경합하고 있는 경우에는 미결구금일수를 본형에 통산하여서는 안 된다(대판 2001.10.26, 2001도4583 ∵ 형의 집행에 의한 구금만이 존재 ○, 구속에 의한 자유박탈 ×). 18. 7급 검찰

4. 판결 선고 당일에 집행유예, 선고유예, 벌금형 등의 선고나 보석, 구속취소 등으로 인하여 그날 중으로 석방된 피고인이 바로 당일에 상소를 제기한 경우에는 그 선고 당일(석방된 당일)의 구금일수 1일은 상소심의 통산의 대상이 된다(대판 2006.2.10, 2005도6246). 18. 7급 검찰

5. 판결선고 전 미결구금일수는 그 전부가 법률상 당연히 본형에 산입하게 되었으므로(헌재결 2009. 6.25, 2007헌바25), 판결에서 별도로 미결구금일수 산입에 관한 사항을 판단할 필요가 없다(대판 2009.12.10, 2009도11448). 11. 법원행시, 12. 7급 검찰

② 판결의 공시

> **제58조【판결의 공시】** ① 피해자(피고인 ×)의 이익을 위하여 필요하다고 인정할 때에는 피해자(피고인 ×)의 청구가 있는 경우에 한하여 피고인(피해인 ×)의 부담으로 판결공시의 취지를 선고할 수 있다.
> ② 피고사건에 대하여 무죄의 판결을 선고하는 경우에는 무죄판결공시의 취지를 선고하여야 한다(필요적). 다만, 무죄판결을 받은 피고인이 무죄판결공시 취지의 선고에 동의하지 아니하거나 피고인의 동의를 받을 수 없는 경우에는 그러하지 아니하다. 16. 사시, 17. 법원행시, 19. 순경 1차
> ③ 피고사건에 대하여 면소의 판결을 선고하는 경우에는 면소판결공시의 취지를 선고할 수 있다(임의적). 16. 사시 · 법원행시

📸 판결의 공시는 피해자의 이익이나 피고인의 명예회복을 위해 형의 선고와 동시에 관보 또는 일간신문 등을 통하여 판결의 전부 또는 일부를 공적으로 주지시키는 제도이다.

01 형법의 감면규정에 대한 설명으로 가장 적절한 것은?   18. 경력채용

① 농아자(청각 및 언어 장애인)의 행위는 형을 감경할 수 있다.
② 종범의 형은 정범의 형보다 감경한다.
③ 실행의 수단 또는 대상의 착오로 인하여 결과의 발생이 불가능하더라도 위험성이 있는 때에는 처벌한다. 단, 형을 감경 또는 면제한다.
④ 피해자의 의사에 반하여 처벌할 수 없는 죄에 있어서 피해자에게 자복한 때에는 그 형을 감경 또는 면제한다.

> 해설 ① × : ~ 감경한다(제11조). ② ○ : 제32조 제2항
> ③ × : ~ 감경 또는 면제할 수 있다(제27조). ④ × : ~ 면제할 수 있다(제52조).

02 형의 감면에 관한 다음 설명 중 가장 옳은 것은?(다툼이 있는 경우 판례에 의함)   19. 법원직

① 자기 또는 타인의 법익에 대한 현재의 부당한 침해에 대한 방위행위가 그 정도를 초과한 때에는 그 형을 감경할 수 있을 뿐, 면제할 수는 없다.
② 범행이 심신미약의 상태에서 저질러진 때에는 그 형을 감경해야 한다.
③ 경합범 중 판결을 받지 아니한 죄가 있는 때에는 그 죄와 판결이 확정된 죄를 동시에 판결할 경우와 형평을 고려하여 그 죄에 대하여 형을 선고하되, 이 경우 그 형을 감경 또는 면제해야 한다.
④ 범인이 자의로 실행에 착수한 행위를 중지하거나 그 행위로 인한 결과의 발생을 방지한 때에는 형을 감경 또는 면제해야 한다.

> 해설 ① × : ~ 형을 감경 또는 면제할 수 있다(제21조 제2항).
> ② × : ~ 형을 감경할 수 있다(제10조 제2항).
> ③ × : ~ 형을 감경 또는 면제할 수 있다(제39조 제1항). ④ ○ : 제26조

03 형을 임의적으로 감경 또는 면제할 수 있는 경우만을 모두 고르면?   20. 9급 검찰

> ㉠ 자구행위가 그 정도를 초과하였지만 정황에 참작할 사유가 있는 경우
> ㉡ 실행 수단의 착오로 인하여 결과의 발생이 불가능하지만 위험성이 인정되는 경우
> ㉢ 직계혈족, 배우자, 동거친족 또는 동거가족의 재물을 절취한 경우
> ㉣ 피해자의 의사에 반하여 처벌할 수 없는 죄에 있어서 피해자에게 자복(自服)한 경우
> ㉤ 범인이 자의로 실행에 착수한 행위를 중지하거나 그 행위로 인한 결과의 발생을 방지한 경우

Answer   01. ②   02. ④   03. ③

① ㉠, ㉢

② ㉡, ㉤

③ ㉠, ㉡, ㉣

④ ㉡, ㉣, ㉤

> [해설] • 임의적 감경 또는 면제 : ㉠ 과잉자구행위(제23조 제2항) ㉡ 불능미수(제27조) ㉣ 자수 · 자복(제52조)
> • 필요적 감경 또는 면제 : ㉤ 중지미수(제26조)
> • 필요적 면제 : ㉢ 친족상도례(제328조 제1항)

04 다음 〈사례〉와 형의 가중 · 감경 · 면제사유가 동일한 것은 모두 몇 개인가?(다툼이 있는 경우 판례에 의함)

20. 해경승진

> 〈사 례〉
> 강간하려고 피해자를 폭행하였으나 피해자가 다음에 친해지면 응해주겠다고 설득하여 그만둔 경우

> ㉠ 통화위조죄에 있어서 실행에 이르기 전에 자수한 때
> ㉡ 경합범 중 판결을 받지 아니한 죄에 대하여 형을 선고할 때
> ㉢ 타인을 무고한 사람이 그 무고한 사건의 재판이 확정되기 전에 수사기관에 자수한 때
> ㉣ 장물취득죄를 범한 자가 본범과 동거친족인 때

① 1개

② 2개

③ 3개

④ 4개

> [해설] 사례는 중지미수(대판 1993.10.12, 93도1851)에 해당되어 필요적 감면사유임(제26조).
> • 필요적 감면사유 : ㉠ 제213조 ㉢ 제157조 ㉣ 제365조 제2항
> • 임의적 감면사유 : ㉡ 제39조 제1항

05 다음 사례 중 형의 임의적 감경 · 면제사유에 해당하는 것을 모두 고른 것은?

21. 경찰간부

> ㉠ 죄를 범한 후 수사책임이 있는 관서에 자수한 경우
> ㉡ 심신장애로 인하여 사물변별능력 또는 의사결정능력이 미약한 경우
> ㉢ 실행의 수단 또는 대상의 착오로 인하여 결과의 발생이 불가능하더라도 위험성이 있는 경우
> ㉣ 미성년자약취죄를 범한 사람이 약취된 미성년자를 안전한 장소로 풀어준 경우
> ㉤ 범죄에 의하여 외국에서 형의 전부 또는 일부의 집행을 받은 경우

① ㉠, ㉢

② ㉠, ㉡, ㉢

③ ㉠, ㉢, ㉤

④ ㉡, ㉣, ㉤

> [해설] • 임의적 감경 · 면제사유 : ㉠ 자수(제52조) ㉢ 불능미수(제27조)
> • 임의적 감경사유 : ㉡ 심신미약자(제10조 제2항) ㉣ 약취 · 유인 및 인신매매의 죄(제295조의 2)
> • 외국에서 받은 형의 집행(제7조) : 임의적 감경 · 면제사유 ×(㉤)

Answer   04. ③   05. ①

06 다음 설명 중 옳지 않은 것은 모두 몇 개인가?(다툼이 있는 경우 판례에 의함)   20. 법원행시

> ㉠ 형의 양정은 법정형 확인, 처단형 확정, 선고형 결정 등 단계로 구분된다. 법관은 형의 양정을 할 때 법정형에서 형의 가중·감경 등을 거쳐 형성된 처단형의 범위 내에서만 양형의 조건을 참작하여 선고형을 결정하여야 하고, 이는 형법 제37조 후단 경합범의 경우에도 마찬가지이다.
>
> ㉡ 형법 제56조는 형을 가중·감경할 사유가 경합된 경우 가중·감경의 순서를 '1. 각칙 본조에 의한 가중, 2. 제34조 제2항의 가중, 3. 누범가중, 4. 법률상 감경, 5. 경합범가중, 6. 작량감경(정상참작감경)' 순으로 하도록 정하고 있다.
>
> ㉢ 형의 감경에는 법률상 감경과 재판상 감경인 작량감경(정상참작감경)이 있다. 작량감경(정상참작감경) 외에 법률의 여러 조항에서 정하고 있는 감경은 모두 법률상 감경이라는 하나의 틀 안에 놓여 있다. 따라서 형법 제39조 제1항 후문에서 정한 감경도 당연히 법률상 감경에 해당한다.
>
> ㉣ 형법 제37조 후단 경합범에 대하여 형법 제39조 제1항에 의하여 형을 감경할 때에도 법률상 감경에 관한 형법 제55조 제1항이 적용되어 유기징역을 감경할 때에는 그 형기의 2분의 1 미만으로는 감경할 수 없다.
>
> ㉤ 어떠한 행위가 위법성조각사유로서 정당행위나 정당방위가 되는지 여부는 구체적인 경우에 따라 합목적적·합리적으로 가려야 하고, 또 행위의 적법 여부는 국가질서를 벗어나서 이를 가릴 수 없는 것이다.

① 1개   ② 2개   ③ 3개   ④ 4개   ⑤ 없 음

해설 ㉠ ○ : 대판 2019.4.18, 2017도14609 전원합의체
㉡ ○ : 제56조
㉢ ○ : 대판 2019.4.18, 2017도14609 전원합의체
㉣ ○ : 대판 2019.4.18, 2017도14609 전원합의체
㉤ ○ : 대판 2018.12.27, 2017도15226

07 자수에 관한 다음 설명 중 가장 옳지 않은 것은?(다툼이 있는 경우 판례에 의함)   13. 법원행시

① 범죄사실을 부인하거나 죄의 뉘우침이 없는 자수는 그 외형은 자수일지라도 법률상 형의 감경사유가 되는 진정한 자수라고는 할 수 없다.

② 자수서를 소지하고 수사기관에 자발적으로 출석하였으나 자수서를 제출하지 아니하고 범행사실도 부인하였고, 그 이후 구속까지 된 상태에서 자수서를 제출하고 범행사실을 시인한 것을 자수에 해당한다고 볼 수는 없다.

③ 피고인이 검찰에 자진출석하여 자수서를 제출하고 범행을 자백하였으나, 그 후 검찰 수사 및 재판과정에서 범행을 부인한 경우에는 자수라고 볼 수 없다.

④ 수사기관에 뇌물수수의 범죄사실을 자발적으로 신고하였으나 그 수뢰액을 실제보다 적게 신고함으로써 적용법조와 법정형이 달라지게 된 경우에는 자수에 해당하지 않는다.

⑤ 자수시기에 관한 특별한 규정이 없으면 범행발각이나 지명수배 여부와 관계없이 체포 전에만 자수하면 자수에 해당한다.

Answer   06. ⑤   07. ③

해설 ① 대판 1994.10.14, 94도2130 ② 대판 2004.10.14, 2003도3133
③ × : 피고인이 검찰의 소환에 따라 자진 출석하여 검사에게 범죄사실에 관하여 자백함으로써 형법상 자수의 효력이 발생하였다면, 그 후에 검찰이나 법정에서 범죄사실을 일부 부인하였다고 하더라도 일단 발생한 자수의 효력이 소멸하는 것은 아니다(대판 2002.8.23, 2002도46).
④ 대판 2004.6.24, 2004도2003 ⑤ 대판 1965.10.5, 65도597

08 다음 설명 중 가장 옳지 않은 것은?(다툼이 있는 경우 판례에 의함)　　　16. 법원직

① 자수라 함은 범인이 스스로 수사책임이 있는 관서에 자기의 범행을 고하고 그 처분을 구하는 의사표시를 하는 것을 말하므로, 수사기관의 직무상의 질문 또는 조사에 응하여 범죄사실을 진술한 경우는 자수로 평가할 수 있다.

② 법인의 직원 또는 사용인이 위반행위를 하여 양벌규정에 의하여 법인이 처벌받는 경우, 법인에게 자수감경을 적용하기 위하여는 법인의 이사 기타 대표자가 수사책임이 있는 관서에 자수한 경우에 한하고, 그 위반행위를 한 직원 또는 사용인이 자수한 것만으로는 형을 감경할 수 없다.

③ 법률상 감경사유가 있을 때에는 작량감경보다 우선하여야 한다.

④ 자수서를 소지하고 수사기관에 자발적으로 출석하였으나 자수서를 제출하지 아니하고 범행사실도 부인하였다면 자수가 성립하지 아니하고, 그 이후 구속까지 된 상태에서 자수서를 제출하고 범행사실을 시인한 것을 자수에 해당한다고 인정할 수 없다.

해설 ① × : 수사기관의 직무상의 질문 또는 조사에 응하여 범죄사실을 진술하는 경우 ⇨ 자수 ×, 자백 ○ (대판 1982.9.28, 82도1965). ② 대판 1995.7.25, 95도391 ③ 제56조 ④ 대판 2004.10.14, 2003도3133

09 자수에 관한 설명으로 가장 적절한 것은?(다툼이 있는 경우 판례에 의함)　　　24. 경찰승진

① 반의사불벌죄를 저지른 자가 피해자에게 죄를 자복하였을 경우와 달리 죄를 지은 후 수사기관에 자수한 경우에는 형을 감경하거나 면제할 수 있다.

② 법률상의 형의 감경사유가 되는 자수를 위하여는 법적으로 요건을 완전히 갖춘 범죄행위라고 적극적으로 인식하고 있을 필요가 있다.

③ 형법 제52조 제1항에서 말하는 '자수'란 범행이 발각된 후에 수사기관에 자진 출석하여 범죄사실을 자백한 경우도 포함하나, 그 후에 범인이 번복하여 수사기관이나 법정에서 범행을 부인하는 경우라면 일단 발생한 자수의 효력은 소멸한다.

④ 자수서를 소지하고 수사기관에 출석하였으나 조사를 받으면서 자수서를 제출하지 아니하고 범행사실을 부인하였다면 자수가 성립한다고 볼 수 없고, 그 이후 구속까지 된 상태에서 자수서를 제출하고 제4회 피의자신문 당시 범행사실을 시인한 것은 자수에 해당하지 않는다.

해설 ① × : ~ 자복하였을 경우와 동일하게(달리 ×) 죄를 지은 후 수사기관에 자수한 경우에는 형을 감경하거나 면제할 수 있다(제52조 제2항과 제1항). ② × : ~ 있을 필요가 없다(대판 1995.6.30, 94도1017). ③ × : ~ (3줄) 범행을 부인하는 경우라도 일단 발생한 자수의 효력이 소멸하는 것은 아니다(대판 1999.7.9, 99도1695). ④ ○ : 대판 2004.10.14, 2003도3133

Answer　08. ①　09. ④

10 다음 설명 중 가장 적절하지 않은 것은?(다툼이 있는 경우 판례에 의함) 20. 순경 2차

① 형사사건으로 외국 법원에 기소되었다가 무죄판결을 받은 사람은, 설령 그가 무죄판결을 받기까지 상당 기간 미결구금되었더라도 이를 유죄판결에 의하여 형이 실제로 집행된 것으로 볼 수는 없으므로, '외국에서 형의 전부 또는 일부가 집행된 사람'에 해당한다고 볼 수 없고, 그 미결구금 기간은 형법 제7조에 의한 산입의 대상이 될 수 없다.

② 피고인이 수사기관에 자진 출석하여 처음 조사를 받으면서는 돈을 차용하였을 뿐이라며 범죄사실을 부인하다가 제2회 조사를 받으면서 비로소 업무와 관련하여 돈을 수수하였다고 자백한 행위를 자수라고 할 수 없다.

③ 법관은 양형을 함에 있어 법정형에서 형의 가중·감면 등을 거쳐 형성된 처단형의 범위 내에서 양형의 조건을 참작하여 선고형을 정하여야 한다.

④ 작량감경이란 법률상 특별한 감경사유가 없는 경우에도 피고인에게 정상참작의 여지가 있을 때 법원이 재량으로 하는 형의 감경이고, 법률상 감경사유가 있을 때에는 항상 작량감경이 우선해야 한다.

> **해설** ① 대판 2017.8.24, 2017도5977 전원합의체
> ② 대판 2011.12.22, 2011도12041 ③ 대판 2019.4.18, 2017도14609 전원합의체
> ④ × : 법률상 감경사유가 있을 때에는 작량감경보다 우선하여 하여야 하고, 작량감경은 이와 같은 법률상 감경을 다하고도 그 처단형보다 낮은 형을 선고하고자 할 때에 하는 것이 옳다(대판 1991.6.11, 91도985).

11 형의 양정에 관한 다음 설명 중 가장 옳지 않은 것은?(다툼이 있는 경우 판례에 의함) 22. 법원직

① 필요적 감경의 경우에는 감경사유의 존재가 인정되면 반드시 형법 제55조 제1항에 따른 법률상 감경을 하여야 함에 반해, 임의적 감경의 경우에는 감경사유의 존재가 인정되더라도 법관이 형법 제55조 제1항에 따른 법률상 감경을 할 수도 있고 하지 않을 수도 있다.

② 형법은 형의 가중·감경할 사유가 경합된 때에 그 적용순서에 관하여, 각칙조문에 따른 가중, 제34조 제2항에 따른 가중, 누범 가중, 법률상 감경, 경합범 가중, 정상참작감경 순으로 규정하고 있으므로, 법관이 처단형을 결정하는 과정에서 최종 선고형을 머릿속에 그리면서 임의적 감경 여부를 결정하는 것은 법리적·논리적 순서에 부합한다고 볼 수 없다.

③ 유기징역형에 대한 법률상 감경을 하면서 형법 제55조 제1항 제3호에서 정한 것과 같이 장기와 단기를 모두 2분의 1로 감경하는 것이 아닌 장기 또는 단기 중 어느 하나만을 2분의 1로 감경하는 방식이나 2분의 1보다 넓은 범위의 감경을 하는 방식 등은 죄형법정주의 원칙상 허용될 수 없다.

④ 형법이 '형을 감경할 수 있다.'고 규정하고 있는 것은 임의적 감경사유가 인정되더라도 그에 따른 감경이 필요한 경우와 필요하지 않은 경우가 모두 있을 수 있으니 임의적 감경사유로 인한 행위불법이나 결과불법의 축소효과가 미미하거나 행위자의 책임의 경감 정도가 낮은 경우에는 감경하지 않은 무거운 처단형으로 처벌할 수 있도록 한 것이다.

> **Answer** 10. ④ 11. ②

해설 ①③④ 대판 2021.1.21, 2018도5475 전원합의체
② × : ~ 부합한다고 볼 수 있다(대판 2021.1.21, 2018도5475 전원합의체).

12 자수에 관한 설명 중 옳은 것은 모두 몇 개인가?(다툼이 있는 경우 판례에 의함)　　22. 해경간부

> ㉠ 신문지상에 혐의사실이 보도되기 시작한 후 담당 검사에게 전화를 걸어 조사를 받게 해 달라고 요청한 다음 자진출석하여 혐의사실을 모두 인정하는 내용의 진술서를 작성하고 검찰 수사과정에서 혐의사실을 모두 자백한 경우 자수에 해당한다.
> ㉡ 경찰관이 피고인의 강도상해 범행에 관하여 수사를 하던 중 증거를 토대로 피고인의 여죄를 추궁하자, 또 다른 강도강간 범행을 자백한 경우 자수에 해당한다.
> ㉢ 수사기관의 질문 또는 조사에 응하여 범죄사실을 진술하는 것은 자백일 뿐 자수는 아니다.
> ㉣ 세관 검색시 금속탐지기에 의해 대마 휴대 사실이 발각될 상황에서 세관 검색원의 추궁에 의하여 대마 수입 범행을 시인한 경우, 자수에 해당하지 않는다.
> ㉤ 공직선거법 제262조는 자수가 범죄발견에 유용하다는 측면에서 형의 필요적 면제를 규정한 것이므로 범행이 발각되고 피고인에 대한 구속영장까지 발부된 이후에 수사기관에 자진출두하여도 공직선거법상의 자수에 해당하지 아니한다고 보는 것이 대법원의 태도이다.

① 1개　　　　② 2개　　　　③ 3개　　　　④ 4개

해설 ㉠ ○ : 대판 1994.9.9, 94도619
㉡ × : 자수 ×(대판 2006.9.22, 2006도4883)
㉢ ○ : 대판 1982.9.28, 82도1965
㉣ ○ : 대판 1999.4.13, 98도4560
㉤ × : 공직선거법 제262조의 '자수'를 '범행발각 전에 자수한 경우'로 한정하는 풀이는 단순한 목적론적 축소해석에 그치는 것이 아니라, 형면제 사유에 대한 제한적 유추를 통하여 처벌범위를 실정법 이상으로 확대한 것으로서 죄형법정주의의 파생원칙인 유추해석금지의 원칙에 위반된다(대판 1997.3.20, 96도1167 전원합의체).

Answer　12. ③

제3절 ▶ 누 범

> **제35조【누범】** ① 금고 이상의 형을 선고받아 그 집행이 종료되거나 면제된 후 3년 내에 금고 이상에 해당하는 죄를 지은 사람은 누범으로 처벌한다. 21. 해경승진
> ② 누범의 형은 그 죄에 대하여 정한 형의 장기(단기 ×, 형기 ×)의 2배까지 가중한다.

1 누범과 상습범

누범은 범죄를 누적적·반복적으로 범한다는 의미에서 상습범과 밀접한 관계가 있으나, 누범이 반복된 처벌을 의미함에 반하여 상습범은 반복된 범죄에 징표된 범죄경향을 말한다는 점에서 개념상 구별된다. 즉, 누범은 범죄의 수를 기준으로 전과를 요건으로 하지만, 상습범은 행위자의 습벽(상습성)을 기초로 결정되므로 전과가 요건이 아니다.

예 절도범행이 단 1회라 할지라도 그것이 상습성의 발현이라고 볼 수 있으면 상습절도가 되지만, 절도 전과사실만으로 당연히 상습성이 인정되는 것은 아니다.

구 분	누 범	상습범
판단기준	범죄의 수	상습적 습벽
요 건	전과를 요건으로 함	전과가 요건이 아님 동일죄명 또는 동일죄질의 범죄 반복요구
처벌의 근거	행위책임	행위자책임(상습범) 11. 법원행시
형법규정	총칙에서 규정(제35조, 제36조)	각칙에서 상습범규정(예 제246조 제2항, 제332조 등)
양자의 관계	상습범에 대한 누범가중 가능(대판 1982.5.25, 82도600 ∴ 상습범가중과 누범가중사유가 경합하는 경우에는 양자를 병과하여 적용할 수 있다.) 12. 법원행시, 18. 법원직	

🔑 KEY point 형법 각칙에서 상습범을 가중처벌하는 범죄

1. 국가적 법익 : 해당범죄 ×(예 무고죄 ⇨ 상습범가중처벌규정 ×)
2. 사회적 법익 : 아편에 관한 죄(제203조), 도박죄(제246조 제2항)(▶ 주의 : 상습도박개장죄 ×)뿐임 15. 법원행시
3. 개인적 법익
   • 상해죄와 폭행죄(존속상해·폭행죄, 중상해·존속중상해죄, 특수상해·폭행죄 : 제264조)
   • 체포·감금죄(존속체포·감금, 중체포·감금, 존속중체포·감금)
   • 협박죄(존속협박죄 : 제285조)
   • 절도죄(제332조), 강도죄(제341조), 사기·공갈죄(제351조), 장물죄(제363조)
   • 강간과 추행의 죄(제305조의 2) : 2010. 4. 15. 개정·시행
   ▶ 재산범죄 중 횡령·배임죄, 손괴죄, 권리행사방해죄 ⇨ ×
4. 처벌 : 상습범 중 도박죄, 강도죄, 장물죄는 별도의 법정형이 규정되어 있고 나머지는 모두 그 죄에 정한 형의 2분의 1을 가중 처벌함. 15. 법원행시, 21. 해경승진

┌ 관련판례

1. 상습범과 누범은 서로 다른 개념으로서 누범에 해당한다고 하여 반드시 상습범이 되는 것이 아니며, 반대로 상습범에 해당한다고 하여 반드시 누범이 되는 것도 아니다. 또한, 행위자책임(행위책임 ×)에 형벌가중의 본질이 있는 상습범과 행위책임(행위자책임 ×)에 형벌가중의 본질이 있는 누범을 단지 평면적으로 비교하여 그 경중을 가릴 수는 없고, 사안에 따라서는 누범의 책임이 상습범의 경우보다 오히려 더 무거운 경우도 얼마든지 있을 수 있다(대판 2007.8.23, 2007도4913). 15. 법원행시, 19. 7급 검찰, 21. 해경승진

2. 헌법재판소는 누범을 가중처벌하는 것은 전범에 대한 형벌의 경고적 기능을 무시하고 다시 범죄를 저질렀다는 점에서 비난가능성이 많고, 누범이 증가하고 있다는 현실에서 사회방위, 범죄의 특별예방 및 일반예방이라는 형벌목적에 비추어 보아, 헌법상의 평등의 원칙에 위배되지 아니한다고 보았다(헌 재결 1995.2.23, 93헌바43). 21. 법원행시

3. 상습범은 같은 유형의 범행을 반복누행하는 습벽을 말하는 것인바, 절도와 강도는 유형을 달리하는 범행이므로 각 별로 상습성의 유무를 가려야 하며, 절도와 강도를 형법 각칙의 같은 장에 규정된 죄로서 동종 또는 유사한 죄로 규정하고 있다고 하여 상습성 인정의 기초가 되는 같은 유형의 범죄라고 말할 수 없다(대판 1990.4.10, 90감도8). 15. 법원행시

4. 상습성을 인정하는 자료에는 아무런 제한이 없으므로 피고인이 과거에 소년법에 의한 보호처분을 받은 사실도 상습성 인정의 자료로 삼을 수 있다(대판 1990.6.26, 90도887). 15. 법원행시

5. 특수상해죄(형법 제258조의 2 제1항)를 상습으로 범한 자에 대해서는 상습범 가중 규정(형법 제264조)에 따라 그 법정형의 단기와 장기를 모두 2분의 1까지 가중한다(대판 2017.6.29, 2016도18194). 22. 7급 검찰

---

② 누범가중의 요건

(1) 전범은 금고 이상의 형을 선고받았을 것

① 금고 이상의 형은 선고형(법정형 ×)을 의미하며, 금고 · 징역 · 사형이 이에 해당된다. 14. 사시

┌ 관련판례

1. 누범가중사유가 되는 전과에 관한 사실은 엄격한 의미에서의 범죄사실과는 구별되는 것으로서 피고인의 자백만으로서도 이를 인정할 수 있다(대판 1979.8.21, 79도1528). 19. 법원행시

2. 누범가중사유가 되는 전과사실은 범죄사실이 아니므로 공소장에 기재된 바 없다하더라도 이를 심리 · 처단할 수 있다 할 것이다(대판 1971.12.21, 71도2004). 19. 법원행시

② 전범은 금고 이상의 형을 선고받아야 하므로 형의 선고는 유효해야 한다.

　㉠ 일반사면이나 형의 실효 등에 관한 법률에 따라 형이 실효된 경우(대판 2016.6.23, 2016도5032), 선고유예 · 집행유예기간의 경과로 전범의 형의 선고가 효력을 상실하면 누범이 될 수 없다(대판 1970.9.22, 70도1627). 16. 사시, 17. 법원직, 21. 법원행시

ⓛ 유죄의 확정판결에 대하여 재심개시결정이 확정되어 법원이 그 사건에 대하여 다시 심판을 한 후 재심의 판결을 선고하고 그 재심판결이 확정된 때에는 종전의 확정판결은 당연히 효력을 상실하므로, 누범전과가 될 수 없다(대판 2019.4.11, 2018도17909 ∴ 재심이 가능하다는 이유만으로는 누범전과가 될 수 있음). 19. 법원행시·7급 검찰, 20. 경찰간부

ⓒ 특별사면을 받아 형의 집행을 면제받거나(단, 특별사면으로 형의 선고의 효력이 상실된 예외적인 경우 ⇨ 누범 ×), 복권이 된 때에도 형의 선고의 효력은 상실되지 않으므로 특별사면으로 출소 후 3년 이내에 다시 죄를 범한 경우 누범에 해당한다(대판 1986.11.11, 86도2004). 15. 사시, 17. 법원직, 21·23. 법원행시

ⓓ 폭력행위 등 처벌에 관한 법률 제2조 제3항은 2회 이상 징역형을 받은 사람에 대해서 누범으로 가중 처벌하도록 하고 있는데, 집행유예의 선고를 받은 후 그 선고가 실효 또는 취소됨이 없이 유예기간을 경과하여 형의 선고가 효력을 잃은 경우는 위 조항의 '징역형을 받은 경우'에 해당하지 않는다(대판 2016.6.23, 2016도5032). 23. 변호사시험

⑵ 후범이 금고 이상에 해당하는 죄일 것

누범으로서 판결의 대상이 되는 범죄(후범)도 금고 이상의 형에 해당하는 죄이어야 한다.

① 여기서 '금고 이상에 해당하는 죄'란 법정형을 의미하는 것이 아니라 선고형을 의미한다(통설·판례).

> 刪 형법 제35조 제1항에 규정된 '금고 이상에 해당하는 죄'라 함은 유기금고형이나 유기징역형으로 처단할 경우에 해당하는 죄를 가리키는 것으로서, 징역형과 벌금형이 선택형으로 규정되어 있는 경우에 징역형을 선택하여 처벌하는 때에만 누범이 될 뿐, 벌금형을 선택한 때에는 누범가중을 할 수 없다(대판 1982.9.14, 82도1702). 15. 사시, 21. 해경승진, 22. 7급 검찰·철도경찰 또한 법정형에서 무기징역을 선택한 경우에도 누범가중을 할 수 없다. 15. 경찰간부

② 후범은 전범과 같은 죄명이나 죄질을 같이 하는 범죄일 것을 요하지 않으며 후범이 고의범인가 과실범인가도 불문한다. 19. 법원행시

┌ 관련판례

누범가중을 하기 위해서는 반드시 누범에 해당하는 전과사실과 새로이 범한 범죄 사이에 일정한 상관관계가 있어야 하는 것은 아니다(대판 2008.12.24, 2006도1427). 13. 9급 검찰·철도경찰, 16. 7급 검찰·철도경찰, 17. 법원행시

⑶ 전범의 형집행종료 또는 면제받은 후 3년 이내에 후범이 있을 것

후범은 전범의 집행을 종료·면제받은 후 3년 내에 행해져야 한다. 이때 3년을 누범시효라고 한다. 따라서 형집행종료 후 3년이 경과된 후에 다시 죄를 범한 경우는 누범이 아니다. 20. 해경 1차

KEY point 누범이 되지 않는 경우

1. 전범에 대한 형의 집행 전 또는 집행 중에 범한 후범 ⇨ 예 교도소 안에서 범한 죄
2. 집행유예기간 중에 범한 후범(대판 1983.8.23, 83도1600), 18. 법원직, 19. 법원행시, 21. 해경승진 선고유예 기간 중에 범한 범죄
3. 집행정지 중에 재범한 경우 ⇨ 예 복역 중 도주하여 범한 죄
4. 가석방기간 중에 재범한 경우(대판 1976.9.14, 76도2071) 18·19. 법원행시

관련판례

1. 포괄일죄의 일부 범행이 누범기간 내에 이루어진 이상 나머지 범행이 누범기간 경과 후에 이루어졌더라도 그 범행 전부가 누범에 해당한다고 보아야 한다(대판 2012.3.29, 2011도14135 예 상습사기 중 일부 행위가 누범기간 내에 이루어졌다면 나머지 행위가 누범기간 경과 후에 행해졌더라도 행위 전부는 누범관계에 있고, 이 경우 상습범가중 후 누범가중도 하여야 한다). 15. 사시·경찰간부·9급 검찰·철도경찰, 16·19. 7급 검찰·철도경찰, 18. 법원직, 22. 법원행시

2. 누범이 되려면 3년의 기간 내에 실행의 착수에 있으면 족하고, 그 기간 내에 기수에까지 이르러야 되는 것은 아니다(대판 2006.4.7, 2005도9858 전원합의체). 16. 7급 검찰·철도경찰, 22. 법원행시, 23. 9급 철도 경찰·법원직

3. 폭력행위 등 처벌에 관한 법률 제3조 제4항의 누범에 대하여 다시 형법 제35조의 누범가중 규정을 적용한다고 하더라도 그것이 동일한 행위에 대한 이중처벌로서 헌법상의 인간의 존엄과 가치, 행복추구권을 침해하는 것이라고는 볼 수 없다(대판 2007.8.23, 2007도4913). 15. 사시

   ▶ **유사판례** : 반복된 음주운전행위에 대해 도로교통법(2011. 6. 8. 법률 제10790호로 개정) 제148조의 2 제1항 제1호를 적용하고 다시 형법 제35조에 의한 누범가중을 하는 것은 헌법상 일사부재리나 이중처벌금지에 반하지 아니한다(대판 2014.7.10, 2014도5868). 21. 법원행시·순경 2차

4. 피고인이 폭력행위 등 처벌에 관한 법률 위반(집단·흉기 등 재물손괴 등)죄 등으로 징역 8월을 선고받아 판결이 확정되어 그 집행을 종료한 후 3년 내에 상해죄를 범하였는데, 상해죄 범행 이후 진행된 재심심판절차에서 징역 8월을 선고한 재심판결이 확정됨으로써 종전의 확정판결은 당연히 효력을 상실하였으므로, 더 이상 상해죄 등 범행이 확정판결에 의한 형의 집행이 끝난 후 3년 내에 이루어진 것이 아니다(대판 2017.9.21, 2017도4019 ∴ 누범으로 가중처벌 ×).

5. 특정범죄가중법 제5조의 4 제5항 제1호 중 '이들 죄를 범하여 누범으로 처벌하는 경우' 부분에서 '이들 죄'란, 앞의 범행과 동일한 범죄일 필요는 없으나, 특정범죄가중법 제5조의 4 제5항 각호에 열거된 모든 죄가 아니라 앞의 범죄와 동종의 범죄, 즉 형법 제329조(절도) 내지 제331조(특수절도)의 죄 또는 그 미수죄를 의미한다(대판 2020.2.27, 2019도18891).

   ▶ **유사판례** : 특정범죄 가중처벌 등에 관한 법률 제5조의 4 제5항 제1호에서 정한 '징역형'에는 절도의 습벽이 인정되어 형법 제329조부터 제331조까지의 죄 또는 그 미수죄의 형보다 가중처벌되는 형법 제332조의 상습절도죄로 처벌받은 전력이 포함된다(대판 2020.5.14, 2019도18947). 21·22. 법원행시

6. 형법 제35조 제1항은 "금고 이상의 형을 받아 그 집행을 종료하거나 면제를 받은 후 3년 내에 금고 이상에 해당하는 죄를 범한 자는 누범으로 처벌한다."고 규정하고 있다. 여기서 '형집행 종료 후'라 함은 '형집행 종료일 후'를 의미한다고 해석되므로, 형집행 종료일에 출소하여 같은 날 다시 죄를

범하였다고 하더라도 위 조항의 누범으로 볼 수 없고, 누범기간의 기산점도 형집행 종료일의 다음 날이라고 봄이 타당하다(대판 2021.2.25, 2020도8728). 22. 법원행시

7. 집행유예가 실효되는 등의 사유로 인하여 두 개 이상의 금고형 내지 징역형을 선고받아 각 형을 연이어 집행받음에 있어 하나의 형의 집행을 마치고 또 다른 형의 집행을 받던 중 먼저 집행된 형의 집행종료일로부터 3년 내에 금고 이상에 해당하는 죄를 저지른 경우에, 집행 중인 형(징역 1년형)에 대한 관계에 있어서는 누범에 해당하지 않지만 앞서 집행을 마친 형(징역 3년형)에 대한 관계에 있어 서는 누범에 해당한다. 이는 형법 제37조 후단 경합범에 해당하여 두 개 이상의 금고형 내지 징역형을 선고받아 각 형을 연이어 집행받은 경우에도 마찬가지이다(대판 2021.9.16, 2021도8764). 22. 법원행시, 23. 법원직

8. 징역형의 집행유예를 선고한 판결이 확정된 후 선고의 실효 또는 취소 없이 유예기간을 경과함에 따라 형 선고의 효력이 소멸되어 그 확정판결이 특정범죄가중법 제5조의 4 제5항(절도·강도·장물죄 또는 그 미수죄로 세 번 이상 징역형을 받은 사람이 다시 이들 죄를 범하여 누범으로 처벌하는 경우 가중처벌한다.)에서 정한 "징역형"에 해당하지 않음에도, 위 확정판결에 적용된 형벌 규정에 대한 위헌결정 취지에 따른 재심판결에서 다시 징역형의 집행유예가 선고·확정된 후 유예기간이 경과되지 않은 경우라면, 특정범죄가중법 제5조의 4 제5항의 입법 취지에 비추어 위 재심판결은 위 조항에서 정한 "징역형"에 포함되지 아니한다(대판 2022.7.28, 2020도13705).

③ 누범의 효과

누범의 형은 그 죄에 정한 형의 장기(형기 ×, 단기 ×)의 2배까지 가중한다(제35조 제2항). 다만, 제42조 단서에 의해 장기는 50년(30년 ×)을 초과할 수 없다. 누범은 장기만 가중되므로 단기는 당해 범죄의 형이 그대로 적용된다. 15. 경찰간부, 18. 법원행시, 20. 해경 1차

예 법정형이 3년 이상의 유기징역으로 되어 있는 범죄가 누범일 경우 처단형은?

⇨ 3년 이상의 유기징역의 단기는 3년, 장기는 30년이므로 장기의 2배를 가중하면 60년이 되나 제42조 단서에 의해 50년으로 제한된다. ⇨ ∴ 처단형은 3년 이상 50년 이하의 징역

┌ **관련판례**

절도죄, 강도죄, 장물죄로 세 번 이상 징역형을 받은 사람이 다시 이들 죄를 범하여 누범으로 가중처벌 되는 특정범죄 가중처벌 등에 관한 법률 제5조의 4 제5항에서 정한 형(2년 이상 20년 이하의 징역)에 다시 형법 제35조의 누범가중한 형기 범위 내에서 처단형(2년 이상 40년 이하의 징역)을 정하여야 한다 (대판 2020.5.14, 2019도18947). 21. 순경 1차

① 누범으로 인하여 가중되는 형은 법정형을 의미하며 선고형을 뜻하는 것은 아니므로, 누범가 중의 경우라고 하여 반드시 그 죄의 법정형을 초과하여 선고하여야 하는 것은 아니고, 법원은 단기까지의 범위에서 선고형을 정할 수 있다. 14. 사시

② 누범에 대해 법률상·재판상 감경이 가능하다.

4 판결선고 후의 누범 발각

> **제36조【판결선고 후의 누범 발각】** 판결선고 후 누범인 것이 발각된 때에는 그 선고한 형을 통산하여 다시 형을 정할 수 있다(~ 형을 정한다 ×). 단, 선고한 형의 집행을 종료하거나 그 집행이 면제된 후에는 예외로 한다. 13. 법원직, 21. 해경승진·9급 검찰·마약수사

⏰ 여기서 "다시 형을 정한다."고 함은 다시 재판한다는 의미가 아니라 집행 중인 형에 누범으로 인하여 가중되는 형만을 추가한다는 의미이다.

01 누범에 관한 다음 설명 중 가장 옳지 않은 것은? 18. 법원직

① 금고 이상의 형을 받아 그 집행을 종료하거나 면제를 받은 후 3년 내에 금고 이상에 해당하는 죄를 범한 자는 누범으로 처벌한다.

② 금고 이상의 형을 받고 그 형의 집행유예기간 중에 금고 이상에 해당하는 죄를 범하였다면 누범으로 처벌할 수 있다.

③ 포괄일죄의 일부 범행이 누범기간 내에 이루어진 이상 나머지 범행이 누범기간 경과 후에 이루어졌더라도 그 범행 전부가 누범에 해당한다고 보아야 한다.

④ 구성요건상 상습범에 해당하는 경우라도 누범가중을 할 수 있다.

> **해설** ① 제35조 제1항
> ② × : ~ 처벌할 수 없다(대판 1983.8.23, 83도1600).
> ③ 대판 2012.3.29, 2011도14135 ④ 대판 1982.5.25, 82도600

02 다음 설명 중 옳지 않은 것은 모두 몇 개인가?(다툼이 있는 경우 판례에 의함) 18. 법원행시

> ⊙ 누범이 경합범인 경우에는 먼저 경합범 가중을 한 후에 누범가중을 해야 한다.
> ⓛ 집행유예의 선고를 받은 후 그 선고의 실효 또는 취소됨이 없이 유예기간을 경과한 경우 그 전과사실은 누범가중의 사유가 되지 않는다.
> ⓒ 형면제 판결을 선고받은 전과 및 일반사면된 전과는 누범전과가 될 수 없으나, 특별사면된 전과 및 복권된 전과는 예외 없이 누범전과에 해당한다.
> ⓔ 잔형기 경과 전인 가석방기간 중에 범한 죄에 대하여는 형 집행 종료 후에 죄를 범한 경우에 해당한다고 볼 수 없으므로 누범가중을 할 수 없다.
> ⓜ 형법상 누범의 형은 그 죄에 정한 형의 장기의 2배까지 가중하므로, 징역 50년은 초과할 수 있으나 단기는 가중하지 않는다.

① 0개   ② 1개   ③ 2개   ④ 3개   ⑤ 4개

> **해설** ⊙ × : 누범가중(제56조 제3호) ⇨ 경합범 가중(제56조 제5호) 순서
> ⓛ ○ : 대판 1970.9.22, 70도1627
> ⓒ × : 형면제 판결을 선고받은 전과 및 일반사면된 전과(대판 1965.11.30, 65도910) ⇨ 누범전과 ×, 특별사면으로 형의 집행을 면제받아 잔형기가 면제된 전과(대판 1986.11.11, 86도2004) ⇨ 누범전과 ○, 특별사면으로 형의 언도의 효력이 상실된 전과(예외적인 특별사면 ; 사면법 제5조 제2호 단서) ⇨ 누범전과 ×, 복권된 전과(대판 1981.4.14, 81도543) ⇨ 누범전과 ○
> ⓔ ○ : 대판 1976.9.14, 76도2071
> ⓜ × : 제42조 단서에 의해 장기는 50년을 초과할 수 없다.

Answer   01. ②   02. ④

03 누범에 대한 설명으로 옳은 것은?(다툼이 있는 경우 판례에 의함) 19. 7급 검찰

① 행위책임에 형벌가중의 본질이 있는 상습범과 행위자책임에 형벌가중의 본질이 있는 누범을 단지 평면적으로 비교하여 그 경중을 가릴 수는 없다.

② 포괄일죄의 일부 범행이 누범기간 내에 이루어졌다고 하더라도 나머지 범행이 누범기간 경과 후에 이루어졌다면 선행 범죄만이 누범에 해당한다고 보아야 한다.

③ 누범을 가중 처벌하는 이유는 전범에 대하여 처벌을 받았음에도 다시 범행을 하는 경우에 전범도 후범과 일괄하여 다시 처벌한다는 것이다.

④ 누범가중의 사유가 되는 전과에 적용된 법률조항에 대하여 위헌결정이 있어 재심이 가능하다는 이유만으로 그 전과의 누범가중사유로서의 법률적 효력에 영향이 있다고 할 수는 없다.

> 해설 ① × : 행위자(행위 ×)책임에 ~ 상습범과 행위(행위자 ×)책임에 ~ 없다(대판 2007.8.23, 2007도4913).
> ② × : 그 범행 전부가 누범에 해당한다(대판 2012.3.29, 2011도14135).
> ③ × : ~ 경우에 후범에 대하여 그 죄에 정한 형의 장기의 2배까지 가중처벌한다는 것이다(제35조 제2항).
> ④ ○ : 대판 2019.4.11, 2018도17909(∵ 재심판결이 확정된 때 ⇨ 종전의 확정판결은 당연히 효력상실 ⇨ 누범전과 ×)

04 누범에 관한 설명 중 옳지 않은 것은 모두 몇 개인가?(다툼이 있는 경우 판례에 의함) 21. 법원행시

> ㉠ 형법상 누범의 형은 그 죄에 정한 형의 단기 및 장기의 2배까지 가중한다.
> ㉡ 헌법재판소는 누범을 가중처벌하는 것은 전범에 대한 형벌의 경고적 기능을 무시하고 다시 범죄를 저질렀다는 점에서 비난가능성이 많고, 누범이 증가하고 있다는 현실에서 사회방위, 범죄의 특별예방 및 일반예방이라는 형벌목적에 비추어 보아, 헌법상의 평등의 원칙에 위배되지 아니한다고 보았다.
> ㉢ 특별사면으로 출소한 후 3년 이내에 다시 범죄를 저지른 경우에는 누범으로 처벌되지 않는다.
> ㉣ 형법 제35조 제1항에 규정된 '금고 이상에 해당하는 죄'라 함은 법정형이 유기금고형이나 유기징역형에 해당하는 죄를 가리키는 것이다.
> ㉤ 형법 제35조 제1항에서 말하는 '형집행 종료 후'라 함은 '형집행 종료일 후'를 의미한다고 해석되므로, 형집행 종료일에 출소하여 같은 날 다시 죄를 범하였다고 하더라도 위 조항의 누범으로 볼 수 없고, 누범기간의 기산점도 형집행 종료일의 다음날이다.

① 1개 　　　　　② 2개 　　　　　③ 3개
④ 4개 　　　　　⑤ 5개

> 해설 ㉠ × : ~ 형의 장기(단기 ×)의 2배까지 가중한다(제35조 제2항).
> ㉡ ○ : 헌재결 1995.2.23, 93헌바43
> ㉢ × : ~ 처벌된다(대판 1986.11.11, 86도2004).
> ㉣ × : ~ 함은 선고형(법정형 ×)이 ~ 것이다(대판 1982.9.14, 82도1702).
> ㉤ ○ : 대판 2021.2.25, 2020도8728

Answer　03. ④　04. ③

05 형의 가중·감경에 대한 설명으로 옳지 않은 것은 모두 몇 개인가?(다툼이 있는 경우 판례에 의함)

21. 순경 2차

> ㉠ 임의적 감경사유의 존재가 인정되고 법관이 그에 따라 징역형에 대해 법률상 감경을 하는 경우에는 법정형의 하한만 2분의 1로 감경한다.
> ㉡ 경합범에 대하여 형법 제38조 제1항 제3호에 의하여 징역형과 벌금형을 병과하는 경우 징역형에만 작량감경을 하고 벌금형에는 작량감경을 하지 아니하는 것은 위법하다.
> ㉢ 법정형에 하한이 설정된 형법 제37조 후단 경합범에 대하여 형법 제39조 제1항 후문에 따라 형을 감경할 때에는 형법 제55조 제1항이 적용되지 아니하여 유기징역의 경우에는 그 형기의 2분의 1 미만으로도 감경할 수 있다.
> ㉣ 절도죄로 3차례에 걸쳐 징역형을 선고받고 그 형의 집행을 종료한 후, 누범기간 내에 수회의 절도 범행을 저지른 경우에는 반복적으로 범행을 저지르는 절도 사범에 관한 법정형을 강화한 특정범죄 가중처벌 등에 관한 법률(2016. 1. 6. 법률 제13717호로 개정·시행) 제5조의 4 제5항 제1호가 적용되므로 별도로 형법 제35조의 누범가중한 형기범위 내에서 처단형을 정할 필요는 없다.
> ㉤ 반복된 음주운전행위에 대해 도로교통법(2011. 6. 8. 법률 제10790호로 개정) 제148조의 2 제1항 제1호를 적용하고 다시 형법 제35조에 의한 누범가중을 하는 것은 헌법상 일사부재리나 이중처벌금지에 반하지 아니한다.

① 1개   ② 2개   ③ 3개   ④ 4개

해설 ㉠ × : ~ 법정형의 상한과 하한을 모두 2분의 1로 감경한다(대판 2021.1.21, 2018도5475 전원합의체).
㉡ × : ~ 위법하다고 할 수는 없다(대판 2006.3.23, 2006도1076).
㉢ × : ~ 2분의 1 미만으로는 감경할 수 없다(대판 2019.4.18, 2017도14609 전원합의체).
㉣ × : ~ 처단형을 정하여야 한다〔대판 2020.5.14, 2019도18947∴ 상습절도죄도 특가법 제5조의 4 제5항 제1호(누범가중처벌)가 적용되나, 다시 형법 제35조의 누범가중 규정을 적용함〕.
㉤ ○ : 대판 2014.7.10, 2014도5868

06 형벌에 대한 설명으로 옳지 않은 것은?(다툼이 있는 경우 판례에 의함)

22. 7급 검찰

① 임의적 감경의 사유가 존재하고 법관이 그에 따라 징역형에 대해 법률상 감경을 하는 이상 형법 제55조 제1항 제3호에 따라 상한과 하한을 모두 2분의 1로 감경한다.
② 특수상해죄(형법 제258조의 2 제1항)를 상습으로 범한 자에 대해서는 상습범 가중 규정(형법 제264조)에 따라 그 법정형의 단기와 장기를 모두 2분의 1까지 가중한다.
③ 형법은 경합범을 동시에 판결할 때, 각 죄에 대하여 정한 형이 사형, 무기징역, 무기금고 외의 같은 종류의 형인 경우에 가중주의를 채택하고 있는데, 과료와 과료는 병과(倂科)할 수 있다.
④ 도로교통법위반죄에 대하여 당해 법조가 정하고 있는 징역형과 벌금형 가운데에서 벌금형을 선택한 경우, 피고인이 금고(禁錮) 이상의 형을 선고받아 그 집행이 종료된 후 3년이 경과하기 전이라면 누범가중을 할 수 있다.

Answer | 05. ④   06. ④

해설 ① 대판 2021.1.21, 2018도5475 전원합의체

② 대판 2017.6.29, 2016도18194

③ 제38조 제1항 제2호 단서

④ × : 형법 제35조 제1항에 규정된 '금고 이상에 해당하는 죄'라 함은 유기금고형이나 유기징역형으로 처단할 경우에 해당하는 죄를 가리키는 것으로서, 징역형과 벌금형이 선택형으로 규정되어 있는 경우에 징역형을 선택하여 처벌하는 때에만 누범이 될 뿐, 벌금형을 선택한 때에는 누범가중을 할 수 없다(대판 1982.9.14, 82도1702).

07 다음 설명 중 가장 옳은 것은?(다툼이 있는 경우 판례에 의함) 23. 법원직

① 자수가 성립하였다고 하더라도 그 후에 범인이 이를 번복하여 수사기관이나 법정에서 범행을 부인하면 자수의 효력이 소멸하여 형법 제52조 제1항의 자수감경을 할 수 없다.

② 수사기관에의 신고가 자발적인 이상 그 신고의 내용이 자기의 범행을 명백히 부인하는 등의 내용으로 자기의 범행으로서 범죄성립요건을 갖추지 아니한 사실이라고 하더라도 자수는 성립한다.

③ 형법 제35조 소정의 누범이 되려면 금고 이상의 형을 받아 그 집행을 종료하거나 면제를 받은 후 3년 내에 다시 금고 이상에 해당하는 죄를 범하여야 하는데, 이 경우 다시 금고 이상에 해당하는 죄를 범하였는지 여부는 그 범죄가 기수에 이르렀는지 여부를 기준으로 결정하여야 하므로, 3년의 기간 내에 기수에 이르러야 누범 가중이 가능하다.

④ 집행유예가 실효되는 등의 사유로 인하여 두 개 이상의 금고형 내지 징역형을 선고받아 각 형을 연이어 집행받음에 있어 하나의 형의 집행을 마치고 또 다른 형의 집행을 받던 중 먼저 집행된 형의 집행종료일로부터 3년 내에 금고 이상에 해당하는 죄를 저지른 경우에, 집행 중인 형에 대한 관계에 있어서는 누범에 해당하지 않지만 앞서 집행을 마친 형에 대한 관계에 있어서는 누범에 해당한다.

해설 ① × : 자수가 성립 ⇨ 수사기관이나 법정에서 범행 부인 ⇨ 이미 발생한 자수의 효력에 영향 ×(대판 2005.4.29, 2002도7262 ∴ 자수감경을 할 수 있다.)

② × : 수사기관에의 신고가 자발적이라고 하더라도 그 신고의 내용이 자기의 범행을 명백히 부인하는 등의 내용으로 자기의 범행으로서 범죄성립요건을 갖추지 아니한 사실일 경우에는 자수는 성립하지 않고, 일단 자수가 성립하지 아니한 이상 그 이후의 수사과정이나 재판과정에서 범행을 시인하였다고 하더라도 새롭게 자수가 성립할 여지는 없다고 할 것이다(대판 2004.10.14, 2003도3133).

③ × : ~ (3줄) 죄를 범하였는지 여부는 그 범죄의 실행행위를 하였는지 여부를 기준으로 결정하여야 하므로, 3년의 기간 내에 실행의 착수가 있으면 족하고, 그 기간 내에 기수에까지 이르러야 되는 것은 아니다(대판 2006.4.7, 2005도9858 전원합의체).

④ ○ : 대판 2021.9.16, 2021도8764

Answer 07. ④

제4절 ▶ 선고유예 · 집행유예 · 가석방

① 선고유예

(1) 선고유예의 의의와 법적 성질

① 선고유예란 범정(犯情)이 경미한 범죄에 대하여 일정기간 동안 형의 선고를 유예하고 그 유예기간(2년)을 실효됨이 없이 경과하면 면소된 것으로 간주하는 제도를 말한다(제59조~제61조).

② 선고유예는 형의 선고 자체를 유예한다는 점에서 형을 선고하되 그 집행만을 유예하는 집행유예와는 다르다.

(2) 선고유예의 요건

> **제59조【선고유예의 요건】** ① 1년 이하의 징역이나 금고, 자격정지 또는 벌금의 형을 선고할 경우에 제51조의 사항을 고려하여 뉘우치는 정상이 뚜렷할 때에는 그 형의 선고를 유예할 수 있다. 다만, 자격정지 이상의 형을 받은 전과가 있는 사람에 대해서는 예외로 한다.
> ② 형을 병과할 경우에도 형의 전부 또는 일부에 대하여 선고를 유예할 수 있다.

① **1년 이하의 징역이나 금고, 자격정지 또는 벌금의 형을 선고할 경우**

㉠ 여기서의 형은 처단형 내지 선고형을 의미하지 법정형을 의미하는 것은 아니며, 징역·금고·자격정지는 1년 이하의 경우이고 벌금은 금액을 불문한다. 19. 경찰간부·순경 1차, 24. 경찰승진

> **KEY point**
>
> 구류나 과료의 형을 선고할 경우 ⇨ 선고유예 × 14. 법원직, 23. 순경 1차

㉡ 선고유예를 할 수 있는 형이란 주형과 부가형을 포함한 처단형 전체를 의미하므로(대판 1972.10.31, 72도2049) 주형을 선고유예하는 경우에 부가형(몰수나 추징)도 선고유예를 할 수 있으나(대판 1980.3.11, 77도2027 ; 필수적 몰수의 경우에도 동일함 : 대판 1978.4.25, 76도2262), 주형에 대하여 선고를 유예하지 않으면서 이에 부가한 몰수나 추징에 대해서만 선고를 유예할 수는 없다(대판 1988.6.21, 88도551). 18. 경찰승진·순경 1차, 21. 법원행시, 22. 법원직, 24. 해경승진 형의 선고유예를 하는 경우에도 몰수의 요건이 있는 때에는 몰수형만의 선고를 할 수 있다(대판 1973.12.11, 73도1133 전원합의체).

㉢ 형을 병과할 경우에도 형의 전부 또는 일부에 대하여 선고를 유예할 수 있다(제59조 제2항). 21. 법원직, 23. 9급 검찰·마약수사·철도경찰

> **예** 징역형과 벌금형을 병과하면서 어느 한 쪽에 대해서만 선고유예를 할 수도 있고 혹은 징역형은 집행유예를 하고 벌금형은 선고유예를 할 수도 있다(대판 1976.6.8, 74도1266). 21. 법원행시

  ㉣ 선고유예도 조건부 유죄판결의 일종이므로 선고유예의 판결을 하는 경우에 선고형(형의
    종류와 양)을 정해 놓아야 하고 벌금형일 경우에는 벌금액과 환형유치처분까지 해두어야
    한다(대판 1993.6.11, 92도3437). 16. 9급 검찰·철도경찰, 17. 사시·법원직, 19. 경찰승진, 21. 경찰간부·법원행시

② **뉘우치는 정상이 뚜렷할 것** : 뉘우치는 정상이 뚜렷할 것이라 함은 행위자에게 형을 선고하
 지 않아도 재범의 위험성이 없다고 인정되는 경우를 말한다. 그 판단기준은 제51조의 양형
 조건이며 판단의 기준시기는 판결선고시이다.

> **관련판례**
>
> 종래 판례는 '뉘우치는 정상이 뚜렷할 것'이란 죄를 깊이 뉘우치는 것을 의미하므로 범죄를 부인하는
> 경우에는 선고유예를 할 수 없다(대판 1999.11.12, 99도3140)고 하였으나, '뉘우치는 정상이 뚜렷할 것'
> 을 반드시 피고인이 죄를 깊이 뉘우치는 경우만을 뜻하는 것으로 제한하여 해석하거나, 피고인이 범죄
> 사실을 자백하지 않고 부인할 경우에는 언제나 선고유예를 할 수 없다고 해석할 것은 아니다라고 판
> 례를 변경하였다(대판 2003.2.20, 2001도6138 전원합의체). 14. 변호사시험, 16. 9급 검찰·마약수사·철도경찰,
> 18. 법원행시·순경 1차

③ **자격정지 이상의 형을 받은 전과가 없을 것** : 선고유예는 형법상 가장 경한 유죄판결로서
 재범의 위험성이 가장 적은 초범에 대하여만 인정될 수 있다는 의미이다.

> **관련판례**
>
> 1. '자격정지 이상의 형을 받은 전과'라 함은 자격정지 이상의 형을 받은 범죄경력 자체를 의미하므로
>   그 형의 효력상실 여부는 불문한다. 따라서 집행유예 선고를 받아 형선고가 효력을 잃게 된 경우에도
>   '자격정지 이상의 형을 받은 전과가 있는 자'에 해당한다(대판 2003.12.26, 2003도3768 ∴ 집행유예를
>   받았던 자에 대하여 선고유예 ×). 14. 변호사시험, 19. 법원행시, 22. 해경간부·해경 2차·7급 검찰, 20. 경찰간부
>   그러나 징역형의 선고유예를 받았던 자에 대하여는 선고유예를 할 수 있다(∵ 선고유예는 '형을 선고
>   받은 범죄경력 자체'가 없음). 06. 사시
> 2. 형법 제39조 제1항에 의하여 형법 제37조 후단 경합범 중 판결을 받지 아니한 죄에 대하여 형을
>   선고하는 경우에 있어서 형법 제37조 후단(사후적 경합범)에 규정된 금고 이상의 형에 처한 판결이
>   확정된 죄의 형도 형법 제59조 제1항 단서에서 정한 '자격정지 이상의 형을 받은 전과'에 포함된다
>   (대판 2010.7.8, 2010도931 ∴ 판결을 받지 아니한 죄에 대해 선고유예 ×). 13. 법원행시, 14. 경찰간부·변
>   호사시험, 17. 경찰승진

(3) **선고유예와 보호관찰**

> **제59조의 2 【보호관찰】** ① 형의 선고를 유예하는 경우에 재범방지를 위하여 지도 및 원호가 필요한 때
> 에는 보호관찰을 받을 것을 명할 수 있다(임의적○, 필요적 ×). 20. 경찰승진, 23. 9급 검찰·철도경찰
> ② 제1항의 규정에 의한 보호관찰의 기간은 1년으로 한다. 17. 법원직, 18. 경찰승진, 21. 경찰간부

📌 **주의** : 선고유예에는 집행유예와 달리 사회봉사명령이나 수강명령제도가 없다. 19. 경찰간부, 22. 법원직, 24. 경찰승진

(4) 선고유예의 효과

> **제60조 【선고유예의 효과】** 형의 선고유예를 받은 날로부터 2년을 경과한 때에는 면소된 것으로 간주한다.

① 선고유예의 판결 여부는 법원의 재량에 속하나['… 그 선고를 유예할 수 있다"(제59조)], 선고유예기간은 법원의 재량이 아니라 언제나 2년이다(제60조). 18. 순경 1차, 20. 해경 1차, 24. 해경승진

② 형의 선고유예를 받은 날로부터 선고유예의 실효(제61조) 없이 2년(1년 ×)을 경과하면 면소된 것으로 간주한다. 16. 9급 검찰·마약수사·철도경찰, 19·20. 경찰승진, 22. 해경간부·법원직

(5) 선고유예의 실효

> **제61조 【선고유예의 실효】** ① 형의 선고유예를 받은 자가 유예기간 중 자격정지 이상의 형에 처한 판결이 확정되거나 자격정지 이상의 형에 처한 전과가 발견된 때에는 유예한 형을 선고한다. 09. 9급 검찰
> ② 제59조의 2의 규정에 의하여 보호관찰을 명한 선고유예를 받은 자가 보호관찰기간 중에 준수사항을 위반하고 그 정도가 무거운 때(가벼운 때 ×)에는 유예한 형을 선고할 수 있다.

- 제61조 제1항의 경우 ⇨ 필요적임('유예한 형을 선고한다.')
- 제61조 제2항의 경우 ⇨ 임의적임. 즉, 법원의 재량('유예한 형을 선고할 수 있다.')

관련판례

1. 형법 제61조 제1항에서 말하는 '형의 선고유예를 받은 자가 자격정지 이상의 형에 처한 전과가 발견된 때'란 형의 선고유예의 판결이 확정된 후에 비로소 위와 같은 전과가 발견된 경우를 말하고, 그 판결확정 전에 이러한 전과가 발견된 경우에는 이를 취소할 수 없으며, 이때 판결확정 전에 발견되었다고 함은 검사가 명확하게 그 결격사유를 안 경우만을 말하는 것이 아니라 당연히 그 결격사유를 알 수 있는 객관적 상황이 존재함에도 부주의로 알지 못한 경우도 포함한다(대결 2008.2.14, 2007모845). 15. 법원행시, 16. 9급 검찰·마약수사·철도경찰, 18. 순경 1차

2. 선고유예를 받은 자가 유예기간 중에 또 범죄를 저질러 자격정지 이상의 형에 처한 판결이 확정되어 검사의 선고유예 실효청구에 의한 절차진행(선고유예 실효결정에 대한 즉시항고 또는 재항고로 선고유예 실효결정의 효력이 발생하기 전 상태 포함) 중 선고유예판결을 받은 날로부터 2년이 경과한 경우에는 법원은 선고유예에 대한 실효결정을 할 수 없다(대결 2018.2.6, 2017모3459). 21. 법원행시

② 집행유예

(1) 의의와 법적 성질

형의 집행유예란 일단 유죄를 인정하여 형을 선고하되 일정한 요건 아래 일정한 기간 동안 그 형의 집행을 유예하고 그것이 취소 또는 실효됨이 없이 유예기간을 경과하면 형의 선고의 효력을 상실하게 하는 제도이다(조건부 유죄판결제도).

(2) 집행유예의 요건

> **제62조 【집행유예의 요건】** ① 3년 이하의 징역이나 금고 또는 500만원 이하의 벌금의 형을 선고할 경우에 제51조의 사항을 참작하여 그 정상에 참작할만한 사유가 있는 때에는 1년 이상 5년 이하의 기간 형의 집행을 유예할 수 있다. 다만, 금고 이상의 형을 선고한 판결이 확정된 때부터 그 집행을 종료하거나 면제된 후 3년까지의 기간에 범한 죄에 대하여 형을 선고하는 경우에는 그러하지 아니하다.
> ② 형을 병과할 경우에는 그 형의 일부에 대하여 집행을 유예할 수 있다. 16. 법원행시, 17. 법원직

① **3년 이하의 징역 또는 금고의 형을 선고할 경우** 11. 법원행시

　㉠ 3년 이하의 징역 또는 금고의 형을 선고할 때에 집행유예를 할 수 있다. 여기서 3년 이하의 형은 선고형을 의미하지 법정형을 의미하는 것은 아니다. 14. 9급 철도경찰

> **≡ KEY point**
>
> 자격정지·구류·과료의 형을 선고할 경우 ⇨ 집행유예 × 12. 순경 1차

　㉡ 하나의 형의 일부에 대한 집행유예는 허용되지 않으나(**메** 하나의 자유형 중 일부에 대해서는 실형을, 나머지에 대해서는 집행유예를 선고 ⇨ 허용 × : 대판 2007.2.22, 2006도8555), 14. 9급 철도경찰, 17. 법원행시, 19. 경찰승진, 21. 경찰간부, 22. 해경간부, 24. 해경승진 형을 병과할 경우에는 그 형의 일부에 대하여 집행유예를 할 수 있다(제62조 제2항).

> ┌ **관련판례**
>
> 1. 제37조 후단의 경합범 관계(사후적 경합범)에 있는 죄에 대하여 제39조 제1항에 의하여 1개의 판결로 2개의 징역형을 선고하는 경우 각각 집행유예를 선고할 수도 있고, 1개는 실형을 선고하면서 다른 하나는 집행유예를 선고할 수도 있다(대판 2002.2.26, 2000도4637 ∵ 그 두 개의 징역형은 각각 별개의 형이므로). 14. 변호사시험 · 9급 철도경찰, 19. 법원행시, 20. 법원직, 22. 해경간부 · 7급 검찰, 24. 경찰승진
> 2. 형법 제57조에 의하여 산입된 미결구금기간이 징역 또는 금고의 본형기간을 초과한다고 하여도 형법 제62조의 규정에 따라 그 본형의 '집행'을 유예하는 데에는 아무런 지장이 없다(대판 2008.2.29, 2007도9137).

　㉢ 소년범에 대하여 부정기형을 과하는 경우에는 집행유예를 선고할 수 없다.

② **500만원 이하의 벌금의 형을 선고할 경우** : 종래에는 벌금형을 선고할 경우에 집행유예를 선고할 수 없었으나, 이제는 500만원 이하의 벌금형을 선고할 경우에도 집행유예를 선고할 수 있다. 18. 9급 철도경찰, 19. 경찰간부, 22. 9급 검찰 · 마약수사 · 철도경찰, 23. 해경승진 · 법원직, 24. 경찰승진

③ **정상에 참작할 만한 사유가 있을 것** : 제51조의 양형에 관한 조건을 종합 · 판단하여 참작하여야 하며, 판단의 기준시기는 판결선고시이다.

④ 금고 이상의 형을 선고한 판결이 확정된 때부터 그 집행을 종료하거나 면제된 후 3년까지의 기간에 범한 죄에 대하여 형을 선고한 경우가 아닐 것 17. 법원행시, 22. 법원직

관련판례

집행유예기간 중에 범한 범죄(집행유예 선고 ×)라고 할지라도 집행유예가 실효 취소됨이 없이 그 유예기간이 경과한 경우에는 이에 대해 다시 집행유예의 선고가 가능하다(대판 2007.2.8, 2006도6196). 18. 경찰간부, 19. 법원행시, 22. 변호사시험 · 해경간부 · 해경 2차 · 7급 검찰, 23. 해경승진 · 법원직

⑤ **집행유예의 기간** : 1년 이상 5년 이하 ⇨ 선고유예의 경우와는 달리(2년으로 함) 집행유예기간의 결정은 1년 이상 5년 이하의 범위 내에서 법원의 재량에 맡겨져 있다.

관련판례

형법이 집행유예기간의 시기에 관하여 명문의 규정을 두고 있지는 않지만 집행유예를 함에 있어 그 집행유예기간의 시기는 집행유예를 선고한 판결확정일로 하여야 하고 법원이 판결확정일 이후의 시점을 임의로 선택할 수는 없다(대판 2002.2.26, 2000도4637 ∴ 형법 제37조 후단의 경합범 관계에 있는 죄에 대하여 두 개의 징역형을 선고하면서 하나의 징역형에 대하여만 집행유예를 선고하고 그 집행유예기간의 시기를 다른 하나의 징역형의 집행종료일로 한 것은 위법하다). 16. 법원직, 19. 법원행시, 20. 경찰승진, 22. 7급 검찰

(3) 집행유예와 보호관찰, 사회봉사명령 및 수강명령

제62조의 2 【보호관찰, 사회봉사, 수강명령】 ① 형의 집행을 유예하는 경우에는 보호관찰을 받을 것을 명하거나 사회봉사 또는 수강을 명할 수 있다. 13. 경찰간부, 20. 해경승진
② 제1항의 규정에 의한 보호관찰의 기간은 집행을 유예한 기간으로 한다. 다만, 법원은 유예기간의 범위 내에서 보호관찰기간을 정할 수 있다. 14. 사시, 15 · 23. 법원직
③ 사회봉사명령 또는 수강명령은 집행유예기간 내에 이를 집행한다. 17. 경찰승진, 22. 9급 검찰 · 철도경찰

① 집행유예를 선고할 경우에는 보호관찰과 사회봉사 또는 수강을 동시에 명할 수 있다(대판 1998.4.24, 98도98). 15. 사시, 18. 경찰간부 · 법원행시, 22. 법원직 · 9급 검찰 · 철도경찰, 23. 변호사시험
② 보호관찰은 형벌이 아니라 보안처분의 성격을 갖는 것이다(대판 1997.6.13, 97도703).
③ 사회봉사명령과 수강명령은 선고유예나 가석방에는 할 수 없고 집행유예를 하는 경우에만 할 수 있다. 15. 법원직

관련판례

1. 법원이 형의 집행을 유예하는 경우 명할 수 있는 사회봉사는 자유형의 집행을 대체하기 위한 것으로서 500시간 내에서 시간 단위로 부과될 수 있는 일 또는 근로활동을 의미하는 것으로 해석되므로, 법원이 ① 집행유예를 선고하면서 사회봉사명령으로서 일정액의 금전출연을 주된 내용으로 하는 사회공헌계획의 성실한 이행을 명하는 것이나, ② 유죄로 인정된 범죄행위를 뉘우치거나 그 범죄행위를 공개하는 취지의 말이나 글을 발표하도록 하거나, ③ 준법경영을 주제로 하는 강연과 기고를 명하는 것은 허용될 수 없다(대판 2008.4.11, 2007도8373). 17. 7급 검찰, 19. 경찰승진, 21. 법원행시, 23. 해경승진

2. 현역 군인인 성폭력범죄 피고인에게 집행유예를 선고하는 경우 보호관찰 등에 관한 법률이 정한 군법 적용 대상자에 대한 특례 규정상 보호관찰을 명할 수 없어 보호관찰의 부과를 전제로 한 위치추적 전자장치의 부착명령 역시 명할 수 없다(대판 2012.2.23, 2011도8124). 14. 경찰간부

(4) 집행유예의 효과

제65조【집행유예의 효과】 집행유예의 선고를 받은 후 그 선고의 실효 또는 취소됨이 없이 유예기간을 경과한 때에는 형의 선고는 효력을 잃는다. 18. 경찰승진, 22. 9급 검찰·철도경찰, 23. 해경승진

① 형의 선고가 효력을 잃는다는 것은 형의 선고의 법률적 효과가 없어진다는 것이지 선고가 있었다는 기왕의 사실까지 없어지는 것은 아니다(대판 2003.12.26, 2003도3768). 14. 변호사시험, 20·21. 경찰간부 따라서 선고에 의하여 이미 발생한 법률효과에는 영향을 미치지 않는다. 17. 법원직

② 여기서 '형의 선고가 효력을 잃는다'는 의미는 형의 실효와 마찬가지로 형의 선고에 의한 법적 효과가 장래를 향하여 소멸한다는 취지이다. 따라서 형법 제65조에 따라 형의 선고가 효력을 잃는 경우에도 그 전과는 폭력행위 등 처벌에 관한 법률 제2조 제3항에서 말하는 '징역형을 받은 경우'라고 할 수 없다(대판 2016.6.23, 2016도5032). 21. 법원행시

③ 징역형의 집행유예와 벌금형이 병과된 신청인에 대하여 징역형의 집행유예의 효력을 상실케 하는 내용의 특별사면이 있는 경우, 그 특별사면의 효력이 병과된 나머지 형에까지 미치는 것은 아니므로 그 벌금형의 선고의 효력까지 상실케 하는 것은 아니다(대결 1997.10.13, 96모33). 21. 해경승진

(5) 집행유예의 실효

제63조【집행유예의 실효】 집행유예의 선고를 받은 자가 유예기간 중 고의(과실 ×)로 범한 죄로 금고 이상의 실형(집행유예 ×)을 선고받아 그 판결이 확정된 때에는 집행유예의 선고는 효력을 잃는다. 〈개정 2005. 7. 29〉 17. 9급 검찰, 18. 경찰간부, 18·20. 경찰승진, 23·24. 해경승진

① 과실범의 경우와 집행유예의 선고를 받는 경우 앞의 집행유예의 선고는 실효되지 않는다.

② 또한 집행유예기간 이전에 범한 범죄일 경우에는 그에 대하여 집행유예기간 중에 금고 이상의 실형이 확정되더라도 먼저 확정되었던 집행유예의 선고는 실효되지 않는다. 11. 사시

③ 집행유예가 실효되면 유예된 형이 집행된다.

(6) 집행유예의 취소

제64조【집행유예의 취소】 ① 집행유예의 선고를 받은 후 제62조 단서의 사유가 발각된 때에는 집행유예의 선고를 취소한다.
② 제61조의 2의 규정에 의하여 보호관찰이나 사회봉사 또는 수강을 명한 집행유예를 받은 자가 준수사항이나 명령을 위반하고 그 정도가 무거운(가벼운 ×) 때에는 집행유예의 선고를 취소할 수 있다(~ 취소한다 ×). 15. 법원직, 22. 경찰간부·9급 검찰·마약수사·철도경찰

① 제62조 단서의 취소는 필요적이다. 04. 행시

② 제64조 제2항의 취소는 임의적이다. 형법 제64조 제2항에 의한 위반사실이 동시에 범죄행위로 되더라도 그 형사절차와는 별도로 집행유예를 취소할 수 있다(대결 1999.3.10, 99모33). 23. 순경 1차

③ 집행유예가 취소되면 유예된 형을 집행하게 된다.

④ 그러나 집행유예의 선고를 받은 후 실효 또는 취소됨이 없이 유예기간이 경과한 때(형선고의 효력 잃음)에는 제62조 단서의 사유가 발각되거나 형법 제64조 제2항에서 정한 사유로 취소할 수 없다(대판 1999.1.12, 98모151 ; 대판 2022.8.31, 2022모1466). 18. 9급 철도경찰, 23. 법원직·순경 1차

┌ 관련판례

1. 제62조 단서의 사유가 발각된 때라 함은 집행유예 선고의 판결이 확정된 후에 발각된 경우를 말하므로 판결확정 전에 발각된 경우에는 취소할 수 없다. 그리고 집행유예 선고의 판결확정 전에 이미 수사단계에서 검사가 집행유예 결격사유가 되는 전과의 존재를 당연히 알 수 있는 객관적 상황이 존재하였음에도 부주의로 알지 못한 경우에도 집행유예의 선고를 취소할 수 없다(대결 2001.6.27, 2001모135). 17. 7급 검찰

2. 사회봉사·수강명령대상자에 대한 특별준수사항은 보호관찰대상자에 대한 것과 같을 수 없고, 따라서 보호관찰 등에 관한 법률에서 정한 보호관찰대상자에 대한 특별준수사항(예 '범죄행위로 인한 손해를 회복하기 위하여 노력할 것' 등)을 사회봉사·수강명령대상자에게 그대로 부과할 수 없다(대판 2020.11.5, 2017도18291). 12. 순경 1차, 21. 법원행시

3. 법원이 사회봉사명령의 특별준수사항으로 피고인에게 범행에 대한 원상회복을 명하는 것은 법률이 허용하지 아니하는 피고인의 권리와 법익에 대한 제한과 침해에 해당하므로 죄형법정주의 또는 보안처분 법률주의에 위배된다. 따라서 피고인의 범행에 대한 원상회복을 명하는 것은 현행법에 의한 사회봉사명령의 특별준수사항으로 허용될 수 없다(대판 2020.11.5, 2017도18291).

4. 근로기준법을 위반한 버스회사 노동조합 지부장인 피고인에 대하여 노조지부장 선거에 '개입하지 말 것'이라는 내용의 특별준수사항을 부과한 것은 정당하다(대판 2010.9.30, 2010도6403). 21. 법원행시

③ 가석방

(I) 가석방의 의의와 법적 성질

① 가석방이란 자유형의 집행을 받고 있는 자가 수형생활을 통해 뉘우치는 정상이 뚜렷할 것이라고 인정되는 때에 형기만료 전에 조건부로 수형자를 석방하고, 그것이 취소 또는 실효됨이 없이 일정한 기간을 경과한 때에는 형의 집행이 종료한 것으로 간주하는 제도이다.

② ┌ • **가석방** : 법원의 판결이 아닌 법무부장관의 행정처분에 의하여 이루어진다.
　└ • **집행유예와 선고유예** : 법원의 판결로 이루어진다.

(2) 가석방의 요건

> **제72조【가석방의 요건】** ① 징역이나 금고의 집행 중에 있는 사람이 행상이 양호하여 뉘우침이 뚜렷한 때에는 무기형은 20년, 유기형은 형기의 3분의 1이 지난 후 행정처분으로 가석방을 할 수 있다. 21. 법원직·7급 검찰, 22. 해경간부·해경 2차, 23. 순경 1차
> ② 제1항의 경우에 벌금이나 과료가 병과되어 있는 때에는 그 금액을 완납하여야 한다.
>
> **제73조【판결선고 전 구금과 가석방】** ① 형기에 산입된 판결선고 전 구금일수는 가석방을 하는 경우 집행한 기간에 산입한다.
> ② 제72조 제2항의 경우에 벌금이나 과료에 관한 노역장 유치기간에 산입된 판결선고 전 구금일수는 그에 해당하는 금액이 납입된 것으로 본다. 23. 순경 1차

⏰ 사형이 무기징역으로 특별감형된 경우 사형집행대기기간을 처음부터 무기징역을 받은 경우와 동일하게 가석방요건 중의 하나인 형의 집행기간에 다시 산입할 수는 없다(대경 1991.3.4, 90모59). 16. 사시

(3) 가석방의 기간 및 보호관찰

> **제73조의 2【가석방의 기간 및 보호관찰】** ① 가석방의 기간은 무기형에 있어서는 10년으로 하고, 유기형에 있어서는 남은 형기로 하되, 그 기간은 10년을 초과할 수 없다. 20. 해경 1차, 21. 7급 검찰
> ② 가석방된 자는 가석방기간 중 보호관찰을 받는다. 다만, 가석방을 허가한 행정관청이 필요가 없다고 인정한 때에는 그러하지 아니한다.

(4) 가석방의 효과

> **제76조【가석방의 효과】** 가석방의 처분을 받은 후 그 처분이 실효 또는 취소되지 아니하고 가석방기간을 경과한 때에는 형의 집행을 종료한 것으로 본다.

① 가석방의 요건이 구비된 경우 가석방심사위원회의 신청에 의하여 법무부장관이 행정처분으로 가석방을 할 수 있다(제72조, 형의 집행 및 수용자의 처우에 관한 법률 제122조).
② "형의 집행을 종료한 것으로 본다.": 국가의 형벌집행권이 소멸할 뿐 형의 선고 또는 유죄판결의 효력이 없어지는 것은 아니다.

(5) 가석방의 실효·취소

> **제74조【가석방의 실효】** 가석방 기간 중 고의(과실 ×)로 지은 죄로 금고 이상의 형을 선고받아 그 판결이 확정된 경우에 가석방 처분은 효력을 잃는다. 13. 법원직, 22. 9급 검찰·마약수사·철도경찰
> **제75조【가석방의 취소】** 가석방의 처분을 받은 자가 감시에 관한 규칙을 위배하거나, 보호관찰의 준수사항을 위반하고 그 정도가 무거운 때(가벼운 때 ×)에는 가석방처분을 취소할 수 있다.
> **제76조【가석방의 효과】** ② 전 2조의 경우에는 가석방 중의 일수는 형기에 산입하지 아니한다.

⏰ 가석방이 실효 또는 취소되면 가석방 당시의 잔형기의 형을 집행한다. 이때 가석방 중의 형기에 산입하지 아니한다.

선고유예 · 집행유예 · 가석방의 총정리

구 분	선고유예	집행유예	가석방
요 건	• 1년 이하 징역, 금고, 자격정지 또는 벌금의 형을 선고할 경우 • 뉘우치는 정상이 뚜렷할 것 • 자격정지 이상의 전과가 없을 것	• 3년 이하 징역이나 금고 또는 500만원 이하 벌금의 형을 선고할 경우 • 정상에 참작할만한 사유가 있는 때 • 금고 이상의 형을 선고한 판결이 확정된 때부터 그 집행을 종료하거나 면제된 후 3년까지의 기간에 범한 죄에 대하여 형을 선고한 경우가 아닐 것	• 징역 또는 금고의 집행 중에 있는 자가 무기의 경우 20년, 유기의 경우 형기의 3분의 1이 경과한 후일 것 • 행상이 양호하여 뉘우치는 정상이 뚜렷할 것 • 벌금 또는 과료의 병과가 있는 때에는 그 금액을 완납할 것
기 간	2년	1년 이상 5년 이하	무기는 10년, 유기는 잔형기
결 정	법원의 재량	법원의 재량	행정처분
효 과	면소된 것으로 간주 (전과가 남지 않음)	형선고의 효력상실 (전과가 남지 않음)	형집행이 종료된 것으로 간주(유죄판결 자체에 아무런 영향을 못 미침)

보호관찰	〈보호관찰〉
	• 임의적
	• 기간 : 1년으로 함
		〈보호관찰, 사회봉사 · 수강명령〉
		• 임의적
		• 기 간
		  - 보호관찰 : 집행유예기간
		  (단, 법원의 재량이 인정됨)
		  - 사회봉사 · 수강명령 : 집행유예기간 내에 집행
			〈보호관찰〉
			• 필요적임. 단, 가석방을 허가한 행정관청이 필요 없다고 인정한 때에는 제외
			• 기간 : 가석방기간 중

실 효	• 유예기간 중 자격정지 이상의 형에 대한 판결이 확정된 경우나 자격정지 이상의 형에 대한 전과가 발견된 경우 ⇨ 필요적 (유예한 형을 선고함) • 보호관찰기간 중에 준수사항을 위반하고 그 정도가 무거운 때 ⇨ 임의적(선고할 수 있음)	유예기간 중 고의로 범한 죄로 금고 이상의 실형을 선고받아 그 판결이 확정된 때	가석방 중에 금고 이상의 형을 선고받아 그 판결이 확정된 때 (단, 과실범은 예외)
취 소	없 음	• 위의 요건 세번째(제62조 단서)가 결여된 것이 발견된 때 '필요적 취소' • 보호관찰, 사회봉사 · 수강명령을 받은 집행유예자가 준수사항이나 명령을 위반하고 그 정도가 무거운 때 '임의적 취소'	감시에 관한 규칙에 위배한 때, 보호관찰의 준수사항을 위반하고 그 정도가 무거운 때 '임의적 취소'

확인학습 (다툼이 있는 경우 판례에 의함)

1 주형과 부가형이 있는 경우 주형을 선고유예하면서 부가형도 선고유예할 수 있지만, 주형을 선고유예하지 않으면서 부가형만을 선고유예할 수는 없다. (　)

18. 경찰승진 · 순경 1차, 21. 법원행시, 22. 법원직, 23. 해경승진

2 징역형과 벌금형을 병과하면서 징역형에 대하여는 집행을 유예하고 벌금형에 대하여는 선고를 유예하는 것은 허용되지 않는다. (　)

13. 7급 검찰, 21. 법원행시

3 선고유예 판결에서도 그 판결 이유에서는 형의 종류와 양, 즉 선고형을 정해 놓아야 하고 그 선고를 유예하는 형이 벌금형일 경우에는 그 벌금액뿐만 아니라 환형유치처분까지 해 두어야 한다. (　)

16. 9급 검찰 · 마약수사 · 철도경찰, 17. 법원직, 19. 경찰승진, 21. 경찰간부 · 법원행시

4 '뉘우치는 정상이 뚜렷할 것'이란 죄를 깊이 뉘우치는 것을 의미하므로 범죄를 부인하는 경우에는 선고유예를 할 수 없다. (　)

14. 변호사시험, 16. 9급 검찰, 18. 법원행시 · 순경 1차

5 집행유예선고를 받은 자가 제65조에 의해 형의 선고가 효력을 잃은 때에는 선고유예결격사유인 '자격정지 이상의 형을 받은 전과가 있는 자'에 해당하지 않는다. (　)

14. 변호사시험, 18. 법원행시, 20. 경찰간부, 22. 해경간부 · 해경 2차 · 7급 검찰

6 선고유예의 조건으로 사회봉사명령, 수강명령을 부과할 수 없다. (　)

19. 경찰간부, 22. 법원직, 24. 경찰승진

7 형법 제39조 제1항에 의하여 형법 제37조 후단 경합범 중 판결을 받지 아니한 죄에 대하여 형을 선고하는 경우에, 형법 제37조 후단에 규정된 '금고 이상의 형에 처한 판결이 확정된 죄'의 형은 선고유예의 결격사유인 '자격정지 이상의 형을 받은 전과'에 포함되지 않는다. (　)

13. 법원행시, 14. 변호사시험 · 경찰간부, 17. 경찰승진

8 형의 선고를 유예하는 경우 재범방지를 위하여 필요한 때에는 보호관찰을 받을 것을 명할 수 있고 그 기간은 법원이 형법 제51조의 사항을 참작하여 재량으로 정한다. (　)

15. 법원행시, 17. 법원직, 18. 경찰승진, 21. 경찰간부, 24. 해경승진

9 형의 선고유예를 받은 날로부터 1년을 경과한 때에는 면소된 것으로 간주한다. (　)

16. 9급 검찰 · 마약수사 · 철도경찰, 17. 법원직, 19 · 20. 경찰승진, 22. 해경간부

10 선고유예는 집행유예와 마찬가지로 법원이 유예기간을 정하여야 한다. (　)

18. 순경 1차, 20. 해경 1차

11 선고유예의 실효사유인 '형의 선고유예를 받은 자가 자격정지 이상의 형에 처한 전과가 발견된 때'란 형의 선고유예의 판결이 확정된 후에 전과가 발견된 경우를 말한다. (　)

15. 법원행시, 16. 9급 검찰 · 마약수사 · 철도경찰, 18. 순경 1차

Answer ← 1. ○ 2. × 3. ○ 4. × 5. × 6. ○ 7. × 8. × 9. × 10. × 11. ○

12 하나의 자유형 중 일부에 대해서는 실형을, 나머지에 대해서는 집행유예를 선고하는 것도 가능하다. ( )　　　17. 법원행시, 19. 경찰승진, 21. 경찰간부, 22. 해경간부, 24. 해경승진

13 형법 제37조 후단의 경합범 관계에 있는 죄에 대하여 하나의 판결로 두 개의 자유형을 선고하는 경우에 하나의 자유형에 대하여는 실형을, 다른 하나의 자유형에 대하여는 집행유예를 선고하는 것은 허용되지 않는다. ( )　　　19. 법원행시, 20. 법원직, 22. 해경간부 · 7급 검찰, 24. 경찰승진

14 500만원의 벌금형을 선고할 경우 그 집행을 유예할 수 있다. ( )
　　　18. 9급 철도경찰, 19. 경찰간부, 22. 9급 검찰 · 마약수사, 23. 법원직, 24. 경찰승진

15 집행유예기간 중에 고의로 범한 범죄라도 집행유예가 실효 또는 취소됨이 없이 그 유예기간이 경과한 경우에는 이에 대해 다시 집행유예의 선고를 할 수 있다. ( )
　　　18. 경찰간부, 19. 법원행시, 22. 변호사시험 · 7급 검찰, 23. 해경승진 · 법원직

16 집행유예기간의 시기(始期)에 관하여 형법에 명문의 규정을 두고 있지 않으므로 법원은 그 시기를 판결확정일 이후의 시점으로 임의로 선택할 수 있다. ( )
　　　16. 법원직, 19. 법원행시, 20. 경찰승진, 22.7급 검찰

17 집행유예를 선고하면서 재범방지를 위한 지도 및 원호가 필요하여 보호관찰을 명하는 경우에는 그 보호관찰의 기간이 집행유예기간을 초과할 수 있다. ( )　　　14. 사시, 15 · 23. 법원직

18 형의 집행을 유예하는 경우에는 보호관찰을 받을 것을 명하거나 사회봉사 또는 수강을 명할 수 있으나, 보호관찰과 사회봉사명령 또는 수강명령을 동시에 부과할 수는 없다. ( )
　　　15. 사시, 18. 법원행시, 19. 경찰간부, 22. 9급 검찰 · 철도경찰 · 법원직, 23. 변호사시험

19 집행유예를 선고하면서 피고인에게 유죄로 인정된 범죄행위를 뉘우치거나 그 범죄행위를 공개하는 취지의 말이나 글을 발표하도록 하는 내용의 사회봉사를 명하는 것은 허용될 수 있다. ( )　　　17.7급 검찰, 19. 경찰승진, 20. 해경승진

20 집행유예를 선고할 경우 법원이 명하는 사회봉사 명령으로서 일정한 금전출연은 명할 수 있으나 준법 경영을 주제로 하는 강연 또는 기고를 명하는 것은 허용되지 않는다. ( )
　　　14. 변호사시험, 18. 9급 철도경찰, 21. 법원행시

21 집행유예의 선고를 받은 후 그 선고의 실효 또는 취소됨이 없이 유예기간을 경과한 때에는 형의 집행이 면제된다. ( )　　　18. 경찰승진, 22. 9급 검찰 · 철도경찰, 23. 해경승진

22 집행유예 선고를 받은 자가 유예기간 중 고의로 범한 죄로 금고 이상의 실형을 선고받아 그 판결이 확정된 때에는 집행유예의 선고를 취소할 수 있다. ( )
　　　17 · 18. 경찰간부, 18 · 20. 경찰승진, 20 · 23. 해경승진

23 가석방 기간 중 과실로 인한 죄로 금고 이상의 형의 선고를 받아 그 판결이 확정된 때에도 가석방처분은 효력을 잃는다. ( )　　　13. 법원직, 22. 9급 검찰 · 마약수사 · 철도경찰

Answer ← **12.** × **13.** × **14.** ○ **15.** ○ **16.** × **17.** × **18.** × **19.** × **20.** × **21.** × **22.** × **23.** ×

01 선고유예제도에 대한 설명으로 옳은 것을 모두 고른 것은?(다툼이 있는 경우 판례에 의함)

18. 순경 1차

> ㉠ 선고유예는 집행유예와 마찬가지로 법원이 유예기간을 정하여야 한다.
> ㉡ 주형에 대하여 선고를 유예하는 경우에는 그 부가할 몰수 추징에 대하여도 선고를 유예할 수 있으나, 그 주형에 대하여 선고를 유예하지 아니하면서 이에 부가할 몰수 추징에 대하여서만 선고를 유예할 수는 없다.
> ㉢ 피고인이 범죄사실을 자백하지 않고 부인한 경우에는 선고유예의 요건 중 '뉘우치는 정상이 뚜렷할 것'에 해당하지 않으므로 언제나 선고유예를 할 수 없다.
> ㉣ 선고유예의 실효사유인 '형의 선고유예를 받은 자가 자격정지 이상의 형에 처한 전과가 발견된 때'란 형의 선고유예의 판결이 확정된 후에 전과가 발견된 경우를 말한다.

① ㉠, ㉡   ② ㉡, ㉣   ③ ㉠, ㉢   ④ ㉢, ㉣

해설 ㉠ × : 집행유예와 달리 선고유예기간은 법원의 재량이 아니라 언제나 2년이다(제60조).
㉡ ○ : 대판 1988.6.21, 88도551
㉢ × : '뉘우치는 정상이 뚜렷할 것'이란 다시 범행을 저지르지 않으리라는 사정이 현저하게 기대되는 경우를 가리키는 것이지 반드시 죄를 깊이 뉘우치고 있는 경우만을 뜻하거나, 범죄사실을 자백하지 않고 부인하는 경우 언제나 선고유예를 할 수 없다고 해석할 것은 아니다(대판 2003.2.20, 2001도6138 전원합의체).
㉣ ○ : 대결 2008.2.14, 2007모845

02 형의 집행유예에 대한 설명으로 옳지 않은 것은?(다툼이 있는 경우 판례에 의함)   17. 7급 검찰

① 집행유예기간 중에 범한 죄에 대하여 공소가 제기된 후 그 재판 도중에 집행유예기간이 경과한 경우에는 그 집행유예기간 중에 범한 죄에 대하여 다시 집행유예를 선고할 수 있다.
② 집행유예를 선고받은 사람이 그 선고가 실효 또는 취소됨이 없이 집행유예기간을 경과하여 형의 선고가 효력을 상실한 경우에는 선고유예 결격사유인 '자격정지 이상의 형을 받은 전과가 있는 자'에 해당한다.
③ 집행유예를 선고하면서 피고인에게 유죄로 인정된 범죄행위를 뉘우치거나 그 범죄행위를 공개하는 취지의 말이나 글을 발표하도록 하는 내용의 사회봉사를 명하는 것은 위법이다.
④ 집행유예 선고의 판결확정 전에 이미 수사단계에서 검사가 집행유예 결격사유가 되는 전과의 존재를 당연히 알 수 있는 객관적 상황이 존재하였음에도 부주의로 알지 못한 경우에는 집행유예의 선고를 취소할 수 있다.

해설 ① 대판 2007.2.8, 2006도6196 ② 대판 2003.12.26, 2003도3768 ③ 대판 2008.4.11, 2007도8373
④ × : ~ (3줄) 경우에도 집행유예의 선고를 취소할 수 없다(대결 2001.6.27, 2001모135).

Answer   01. ②   02. ④

03 집행유예에 대한 설명으로 옳지 않은 것만을 모두 고른 것은?(다툼이 있는 경우 판례에 의함)

18. 9급 철도경찰

> ㉠ 집행유예를 선고할 경우 법원이 명하는 사회봉사 명령으로서 일정한 금전출연은 명할 수 있으나 준법 경영을 주제로 하는 강연 또는 기고를 명하는 것은 허용되지 않는다.
> ㉡ 집행유예의 선고를 받은 자가 유예기간 중 고의로 범한 죄로 금고 이상의 실형을 선고받아 그 판결이 확정된 때에는 집행유예의 선고는 효력을 잃는다.
> ㉢ 3년 이하의 징역이나 금고의 형을 선고할 경우 집행유예를 선고할 수 있지만, 벌금형을 선고할 경우 집행유예를 선고할 수 없다.
> ㉣ 집행유예기간이 경과함으로써 형의 선고가 효력을 잃은 후에 집행유예 취소 사유가 발견된 때에는 집행유예를 취소할 수 없다.

① ㉠, ㉢   ② ㉠, ㉣   ③ ㉡, ㉣   ④ ㉠, ㉡, ㉢

해설 ㉠ × : 일정한 금전출연을 주된 내용으로 하는 사회공헌계획의 성실한 이행을 명하거나 준법 ~ 않는다(대판 2008.4.11, 2007도8373).
㉡ ○ : 제63조
㉢ × : 500만원 이하의 벌금형을 선고할 경우 집행유예를 선고할 수 있다(제62조).
㉣ ○ : 대결 1999.1.12, 98모151

04 선고유예와 집행유예에 대한 다음 설명으로 가장 적절한 것은?(다툼이 있는 경우 판례에 의함)

18. 경찰승진, 23. 해경승진

① 형의 선고를 유예하는 경우 재범방지를 위하여 필요한 때에는 보호관찰을 받을 것을 명할 수 있고 그 기간은 법원이 형법 제51조의 사항을 참작하여 재량으로 한다.
② 집행유예의 선고를 받은 후 그 선고의 실효 또는 취소됨이 없이 유예기간을 경과한 때에는 형의 선고는 효력을 잃는다.
③ 집행유예의 선고를 받은 자가 유예기간 중 고의 또는 과실로 범한 죄로 금고 이상의 실형을 선고받아 그 판결이 확정된 때에는 집행유예의 선고는 효력을 잃는다.
④ 주형에 대해 선고유예하지 않으면서 부가형에 대하여만 선고유예 할 수 있다.

해설 ① × : 법원의 재량이 아니라 1년으로 법정되어 있다(제59조의 2 제2항).
② ○ : 제65조
③ × : ~ 고의(과실 ×)로 범한 죄로 ~ 잃는다(제63조).
④ × : ~ 선고유예를 할 수 없다(대판 1988.6.21, 88도551).

Answer   03. ①   04. ②

05 형의 선고유예 · 집행유예에 대한 설명으로 가장 적절하지 않은 것은?(다툼이 있는 경우 판례에 의함)

19. 경찰승진

① 형의 선고유예를 받은 날로부터 2년을 경과한 때에는 면소된 것으로 간주한다.

② 형의 선고를 유예하는 판결을 할 경우에는 유예되는 선고형에 대한 판단이 있어야 한다.

③ 하나의 자유형 중 일부에 대해서는 실형을, 나머지에 대해서는 집행유예를 선고하는 것은 허용되지 않는다.

④ 집행유예를 선고하면서 피고인에게 유죄로 인정된 범죄행위를 뉘우치거나 그 범죄행위를 공개하는 취지의 말이나 글을 발표하도록 하는 내용의 사회봉사를 명하는 것은 허용될 수 있다.

> 해설 ① 제60조 ② 대판 1993.6.11, 92도3437 ③ 대판 2007.2.22, 2006도8555
> ④ × : ~ 허용될 수 없다(대판 2008.4.11, 2007도8373).

06 다음 설명 중 가장 옳지 않은 것은?(다툼이 있는 경우 판례에 의함)

20. 경찰간부

① 유죄의 확정판결에 대하여 재심개시결정이 확정되어 법원이 그 사건에 대하여 다시 심판을 한 후 재심의 판결을 선고하고 그 재심판결이 확정된 때에는 종전의 확정판결은 당연히 효력을 상실하므로, 누범전과가 될 수 없다.

② 형의 집행유예를 선고받은 후 형법 제65조에 의하여 그 선고가 실효 또는 취소됨이 없이 정해진 유예기간을 무사히 경과하여 형의 선고가 효력을 잃게 되는 경우에는 선고유예의 판결을 할 수 있다.

③ 집행유예의 선고를 받은 후에 그 선고가 실효 또는 취소됨이 없이 유예기간이 경과하더라도 형의 선고가 있었다는 사실 자체가 없어지는 것은 아니다.

④ 징역 또는 금고의 집행 중에 있는 자가 그 행상이 양호하여 뉘우치는 정상이 뚜렷할 것에는 무기에 있어서는 20년, 유기에 있어서는 형기의 3분의 1을 경과한 후 행정처분으로 가석방을 할 수 있다.

> 해설 ① 대판 2019.4.11, 2018도17909
> ② × : ~ 할 수 없다(대판 2003.12.26, 2003도3768 ∵ '자격정지 이상의 형을 받은 전과가 있는 자'에 해당).
> ③ 대판 2003.12.26, 2003도3768 ④ 제72조 제1항

07 선고유예와 집행유예에 대한 설명으로 옳은 것은?(다툼이 있는 경우 판례에 의함)

21. 경찰간부

① 형의 선고를 유예하는 경우 보호관찰을 명할 수 있고, 보호관찰의 기간은 법원이 형법 제51조의 사항을 참작하여 정할 수 있다.

② 형의 선고를 유예하는 판결을 할 경우에도 선고가 유예된 형에 대한 판단을 해야 하기 때문에 그 선고형을 정해 놓아야 하고, 벌금의 경우에는 벌금액을 정해야 하지만 환형유치처분까지 할 필요는 없다.

Answer 05. ④ 06. ② 07. ③

③ 형법 제62조 제1항은 '형'의 집행을 유예할 수 있다고 규정하고 있는데 이는 하나의 형의 전부에 대한 집행유예에 관한 규정으로 해석하여야 하고, 따라서 하나의 형의 일부에 대한 집행유예는 불가능하다.

④ 형의 집행유예를 선고받은 자가 유예기간을 무사히 경과하여 형의 선고가 효력을 잃게 되는 경우, 형의 선고가 있었다는 사실 자체까지 없어지므로 선고유예 결격사유인 '자격정지 이상의 형을 받은 전과가 있는 자'에 해당되지 않는다.

해설 ① × : 보호관찰 기간은 법원의 재량이 아니라 언제나 1년이다(제59조의 2 제2항).
② × : ~ 벌금액과 환형유치처분까지 해두어야 한다(대판 1993.6.11, 92도3437).
③ ○ : 대판 2007.2.22, 2006도8555
④ × : ~ (2줄) 사실 자체가 없어지는 것은 아니므로 ~ 해당된다(대판 2003.12.26, 2003도3768).

08 집행유예와 선고유예에 대한 설명이다. 아래 설명 중 옳지 않은 것은 모두 몇 개인가?(다툼이 있는 경우 판례에 의함)　　　　22. 경찰간부

> ㉠ 선고유예의 요건 중 '뉘우치는 정상이 뚜렷할 것'이라 함은 피고인이 죄를 깊이 뉘우치는 것을 의미하기 때문에 범죄사실을 자백하지 않고 부인하는 경우에는 선고유예를 할 수 없다.
> ㉡ 집행유예의 선고가 실효 또는 취소됨 없이 정해진 유예기간을 무사히 경과하여 형의 선고가 효력을 잃게 된 경우, 형법 제59조 제1항 단서에서 정한 선고유예 결격사유인 "자격정지 이상의 형을 받은 전과가 있는 자"에 해당하지 않는다.
> ㉢ 법원이 사회봉사명령으로서 일정액의 금전출연을 주된 내용으로 하는 사회공헌계획의 성실한 이행을 명하는 것은 허용될 수 없으나, 유죄로 인정된 범죄행위를 뉘우치거나 그 범죄행위를 공개하는 취지의 말이나 글을 발표하도록 하고 이를 위반하는 경우 집행유예의 선고를 취소할 수 있도록 하여 그 이행을 강제하는 것은 허용된다.
> ㉣ 형법 제62조의 2의 규정에 의하여 보호관찰이나 사회봉사 또는 수강을 명한 집행유예를 받은 자가 준수사항이나 명령을 위반하고 그 정도가 무거운 때에는 집행유예의 선고를 취소해야 한다.

① 1개　　　　② 2개　　　　③ 3개　　　　④ 4개

해설 ㉠ × : '뉘우치는 정상이 뚜렷할 것'이란 다시 범행을 저지르지 않으리라는 사정이 현저하게 기대되는 경우를 가리키는 것이지 반드시 죄를 깊이 뉘우치고 있는 경우만을 뜻하거나, 범죄사실을 자백하지 않고 부인하는 경우 언제나 선고유예를 할 수 없다고 해석할 것은 아니다(대판 2003.2.20, 2001도6138 전원합의체).
㉡ × : ~ 해당한다(대판 2003.12.26, 2003도3768).
㉢ × : ~ (2줄) 허용될 수 없고, ~ 강제하는 것도 허용될 수 없다(대판 2008.4.11, 2007도8373).
㉣ × : ~ 선고를 취소할 수 있다(제64조 제2항).

Answer　08. ④

09 집행유예 및 선고유예에 관한 설명으로 가장 적절한 것은?(다툼이 있는 경우 판례에 의함)

24. 경찰승진

① 3년 이하의 징역이나 금고의 형을 선고할 경우에 형법 제51조의 사항을 참작하여 그 정상에 참작할 만한 사유가 있는 때에는 1년 이상 5년 이하의 기간 형의 집행을 유예할 수 있지만, 500만원 이하의 벌금형을 선고할 경우에는 집행유예를 선고할 수 없다.

② 형법 제37조 후단의 경합범 관계에 있는 두 개의 범죄에 대하여 하나의 판결로 두 개의 자유형을 선고하는 경우에 형법 제62조 제1항에 정한 집행유예의 요건에 해당하더라도 그 두 개의 징역형 중 하나의 징역형에 대하여는 실형을 선고하면서 다른 징역형에 대하여 집행유예를 선고하는 것은 허용되지 아니한다.

③ 1천만원의 벌금형을 선고할 경우에 형법 제51조의 사항을 고려하여 뉘우치는 정상이 뚜렷하고 자격정지 이상의 형을 받은 전과가 없다면 그 형의 선고를 유예할 수 있다.

④ 법원이 집행유예 또는 선고유예를 하는 경우에 보호관찰을 받을 것을 명하거나, 사회봉사 또는 수강을 명할 수 있다.

해설 ① × : 3년 이하의 징역이나 금고 또는 500만원 이하의 벌금의 형을 선고할 경우에 제51조의 사항을 참작하여 그 정상에 참작할 만한 사유가 있는 때에는 1년 이상 5년 이하의 기간 형의 집행을 유예할 수 있다(제62조 제1항).

② × : 제37조 후단의 경합범 관계(사후적 경합범)에 있는 죄에 대하여 제39조 제1항에 의하여 1개의 판결로 2개의 징역형을 선고하는 경우 각각 집행유예를 선고할 수도 있고, 1개는 실형을 선고하면서 다른 하나는 집행유예를 선고할 수도 있다(대판 2002.2.26, 2000도4637).

③ ○ : 집행유예(500만원 이하의 벌금)와 달리 선고유예는 벌금의 금액을 불문하므로 옳다(제59조 제1항).

④ × : 집행유예 ➪ 보호관찰 ○, 사회봉사 또는 수강명령 ○
　　　　선고유예 ➪ 보호관찰 ○, 사회봉사 또는 수강명령 ×

Answer 　09. ③

제5절 ▶ 형의 시효 · 소멸 · 기간

1 형의 시효

(1) 의 의

형의 시효란 형의 선고를 받은 자가 재판이 확정된 후 그 형의 집행을 받지 않고 법률이 정한 일정한 기간을 경과하면 그 형의 집행이 면제되는 것을 말한다. 형의 시효는 형의 소멸원인의 하나이다.

📖 **형사시효**
1. 형의 시효(형법 제78조) : 이미 확정된 형벌의 집행권을 소멸시키는 제도이다.
2. 공소시효(형사소송법 제249조) : 미확정의 형벌권인 공소권을 소멸시키는 제도이다.

(2) 시효기간

> **제78조 【형의 시효의 기간】** 시효는 형을 선고하는 재판이 확정된 후 그 집행을 받지 아니하고 다음 각 호의 구분에 따른 기간이 지나면 완성된다. 22. 해경간부
> 1. 삭제〈2023. 8. 8〉(▶ 사형 : 30년 ⇨ 삭제)
> 2. 무기의 징역 또는 금고 : 20년
> 3. 10년 이상의 징역 또는 금고 : 15년
> 4. 3년 이상의 징역이나 금고 또는 10년 이상의 자격정지 : 10년
> 5. 3년 미만의 징역이나 금고 또는 5년 이상의 자격정지 : 7년(5년 ×)
> 6. 5년 미만의 자격정지, 벌금, 몰수 또는 추징 : 5년(3년 ×)
> 7. 구류 또는 과료 : 1년

📌 형의 시효기간은 판결이 확정된 날로부터 진행되며, 초일은 시간을 계산함이 없이 1일로 산정한다(제85조). 01. 법원직

(3) 시효의 효과

> **제77조 【형의 시효의 효과】** 형을 선고받은 사람에 대해서는 시효가 완성되면 그 집행이 면제된다.

📌 시효의 완성으로 형의 집형이 면제될 뿐이지 형의 선고 자체가 실효되는 것은 아니다. 05. 법원행시

(4) 시효의 정지와 중단

① 시효의 정지

> **제79조 【형의 시효의 정지】** ① 시효는 형의 집행의 유예나 정지 또는 가석방 기타 집행할 수 없는 기간은 진행되지 아니한다. 13. 법원행시
> ② 시효는 형이 확정된 후 그 형의 집행을 받지 아니한 사람이 형의 집행을 면할 목적으로 국외에 있는 기간 동안은 진행되지 아니한다. 17 · 22. 순경 2차

📌 시효의 정지는 시효의 진행이 일시 멈추는 것이므로 정지사유가 소멸한 때로부터 잔여시효기간이 계속 진행된다는 점에서 아래의 시효의 중단과 구별된다.

② **시효의 중단**

> **제80조【형의 시효의 중단】** 시효는 사형, 징역, 금고와 구류에 있어서는 수형자를 체포한 때, 벌금, 과료, 몰수 및 추징의 경우에는 강제처분을 개시한 때에 중단된다. 13. 법원직, 17. 순경 2차

┌ 관련판례

1. 수형자가 벌금의 일부를 납부한 경우에는 이로써 집행행위가 개시된 것으로 보아 그 벌금형의 시효가 중단된다고 봄이 상당하고, 이 경우 벌금의 일부 납부란 수형자 본인이 스스로 벌금을 일부 납부한 경우, 즉 벌금의 일부를 수형자 본인 또는 그 대리인이나 사자가 수형자 본인의 의사에 따라 이를 납부한 경우를 말하는 것이고, 수형자 본인의 의사와는 무관하게 제3자가 이를 납부한 경우는 포함되지 아니한다(대결 2001.8.23, 2001모91). 12. 사시, 14. 법원행시

2. ①추징형의 집행을 채권에 대한 강제집행의 방법으로 하는 경우에는 검사가 집행명령서에 기하여 법원에 채권압류명령을 신청하는 때에 강제처분인 집행행위의 개시가 있는 것이므로 특별한 사정이 없는 한 그때 시효중단의 효력이 발생한다. ②시효중단의 효력이 발생하기 위하여 집행행위가 종료하거나 성공할 필요는 없으므로 수형자의 재산이라고 추정되는 채권에 대하여 압류신청을 한 이상 피압류채권이 존재하지 않거나 압류채권을 환가하여도 집행비용 외에 잉여가 없다는 이유로 집행불능이 되었다고 하더라도 이미 발생한 시효중단의 효력이 소멸하지 않는다. 또한 채권압류가 집행된 후 해당 채권에 대한 압류가 취소되더라도 이미 발생한 시효중단의 효력이 소멸하지 않는다 (대결 2023.2.23, 2021모3227).

② 형의 소멸, 형의 실효와 복권·사면

(1) 형의 소멸

① **의의** : 형의 소멸이란 유죄판결의 확정에 의하여 발생한 형의 집행권을 소멸시키는 것을 말한다.

② **형의 소멸의 원인** : ㉠ 형집행의 종료, ㉡ 형집행의 면제, ㉢ 가석방기간의 만료, ㉣ 형의 시효의 완성, ㉤ 범인의 사망, ㉥ 특별사면(원칙)

③ **형의 소멸의 효과** : 형이 소멸되어도 전과사실은 그대로 남아 형선고의 법률상 효과는 소멸되지 않는다.

(2) 형의 실효 및 복권

형이 소멸되더라도 형선고의 법률상 효과가 소멸하는 것이 아니어서 전과사실은 그대로 남게 되어 여러 가지 자격의 제한이나 사회생활상의 불이익이 발생할 수 있으므로, 전과사실을 말소시켜서 그 자격을 회복시키고 사회복귀를 용이하게 하기 위한 형사정책적 목적에서 둔 제도로 형의 실효 및 복권이 있다.

① 형의 실효

> **제81조 【형의 실효】** 징역 또는 금고의 집행을 종료하거나 집행이 면제된 자가 피해자의 손해를 보상하고 자격정지 이상의 형을 받음이 없이 7년을 경과한 때에는 본인 또는 검사의 신청에 의하여 그 재판의 실효를 선고할 수 있다. 17. 순경 2차, 21. 법원직·7급·9급 검찰

☝ '자격정지 이상의 형을 받음이 없이 7년을 경과'해야 하므로 형의 집행종료 후 7년 이내에 집행유예의 선고를 받고 유예기간이 경과되어도 형의 실효를 선고할 수 없다(대결 1983.4.2, 83모8). 13·21. 법원행시

■ 형의 실효의 효과
재판상의 실효에 있어서 실효의 재판이 확정되거나 당연실효에 있어서 형이 실효되면 형의 선고에 의한 법적 효과, 즉 전과사실은 장래에 향하여 소멸된다.

② 복 권

> **제82조 【복권】** 자격정지의 선고를 받은 자가 피해자의 손해를 보상하고 자격정지 이상의 형을 받음이 없이 정지기간의 2분의 1을 경과한 때에는 본인 또는 검사의 신청에 의하여 자격의 회복을 선고할 수 있다. 14. 법원행시, 17. 순경 2차

■ 복권의 효과 : 복권은 형의 선고에 의하여 상실되거나 정지된 자격을 회복시킬 뿐 형선고의 효력 자체를 상실시키는 것이 아니므로 그 전과사실은 누범가중사유에 해당된다(대판 1981.4.14, 81도543). 13. 법원행시

3 형의 기간 12. 법원직

> **제83조 【기간의 계산】** 연 또는 월로 정한 기간은 연 또는 월 단위로 계산한다.

☝ "역수(曆數)에 따라 계산한다."라 함은 중간의 일·시·분·초를 정산하지 않고 연·월·일 단위로 계산한다는 것이다.

> **제84조 【형기의 기산】** ① 형기는 판결이 확정된 날로부터 기산한다.
> ② 징역, 금고, 구류와 유치에 있어서는 구속되지 아니한 일수는 형기에 산입하지 아니한다.
> **제85조 【형의 집행과 시효기간의 초일】** 형의 집행과 시효기간의 초일은 시간을 계산함이 없이 1일로 산정한다.
> **제44조 【자격정지】** 유기징역 또는 유기금고에 자격정지를 병과한 때에는 징역 또는 금고의 집행을 종료하거나 면제된 날로부터 정지기간의 초일은 시간을 계산함이 없이 1일로 산정한다.
> **제86조 【석방일】** 석방은 형기종료일에 하여야 한다.

01 형법상 형의 시효·소멸에 대한 설명으로 가장 적절하지 않은 것은?

17. 순경 2차

① 징역 또는 금고의 집행을 종료하거나 집행이 면제된 자가 피해자의 손해를 보상하고 자격정지 이상의 형을 받음이 없이 5년을 경과한 때에는 본인 또는 검사의 신청에 의하여 그 재판의 실효를 선고할 수 있다.

② 자격정지의 선고를 받은 자가 피해자의 손해를 보상하고 자격정지 이상의 형을 받음이 없이 정지기간의 2분의 1을 경과한 때에는 본인 또는 검사의 신청에 의하여 자격의 회복을 선고할 수 있다.

③ 시효는 형이 확정된 후 그 형의 집행을 받지 아니한 자가 형의 집행을 면할 목적으로 국외에 있는 기간 동안은 진행되지 아니한다.

④ 시효는 징역, 금고와 구류에 있어서는 수형자를 체포함으로, 벌금, 과료, 몰수와 추징에 있어서는 강제처분을 개시함으로 인하여 중단된다.

해설 ① × : ~ 7년(5년 ×)을 ~ 있다(제81조). ② 제82조 ③ 제79조 제2항 ④ 제80조

02 사면, 복권에 관한 다음 설명 중 옳지 않은 것은 모두 몇 개인가?(다툼이 있는 경우 판례에 의함)

23. 법원행시

> ⊙ 여러 개의 형이 병과된 사람에 대하여 그 병과형 중 일부의 집행을 면제하거나 그에 대한 형의 선고의 효력을 상실케 하는 특별사면이 있은 경우, 그 특별사면의 효력이 병과된 나머지 형에까지 미치는 것은 아니다.
>
> ⓒ 형의 선고를 받은 자가 특별사면을 받아 형의 집행을 면제받고, 또 후에 복권이 되었다 하더라도 형의 선고의 효력이 상실되는 것은 아니지만, 복권이 된 이상 누범의 기초가 되는 전과에는 포함되지 아니한다.
>
> ⓒ 확정판결의 죄에 대하여 일반사면이 있다 하더라도 일사부재리의 효력 등은 여전히 계속 존속하는 것이고, 확정판결이 있었던 사실에 의하여 그 전의 죄와 후의 죄 등이 형법 제37조 후단의 경합범 관계에 있었다고 하는 효과에도 영향이 있다고 할 수 없다.
>
> ② 일반사면은 죄의 종류를 정하여 행해지는 것으로, 대통령령의 방식으로 실시하며, 형 선고의 효력이 상실되고, 형을 선고받지 아니한 자에 대하여는 공소권(公訴權)이 상실된다.

① 없 음　　　② 1개　　　③ 2개　　　④ 3개　　　⑤ 4개

해설 ⊙ ○ : 대결 1997.10.13, 96모33
ⓒ × : ~ (2줄) 선고의 효력은 상실되지 않으므로, 누범의 기초가 되는 전과에 포함된다(대판 1986.11.11, 86도2004). ⓒ ○ : 대판 1995.12.22, 95도2446 ② ○ : 사면법 제8조, 사면법 제5조 제1항 제1호

Answer 01. ① 02. ②

03 다음 설명 중 옳은 것은 모두 몇 개인가?

> ㉠ 3년 이하의 징역 또는 금고의 형을 선고할 경우에 형법 제51조의 사항을 참작하여 그 정상에 참작할 만한 사유가 있는 때에는 1년 이상 7년 이하의 기간 형의 집행을 유예할 수 있음이 원칙이다.
>
> ㉡ 죄를 범한 후 수사책임이 있는 관서에 자수한 때에는 그 형을 감경 또는 면제하여야 한다.
>
> ㉢ 우리 형법은 무죄판결의 공시제도는 있으나, 면소판결의 공시제도는 없다.
>
> ㉣ 징역 또는 금고는 무기 또는 유기로 하되, 유기는 1개월 이상 30년 이하로 한다. 단, 유기징역 또는 유기금고에 대하여 형을 가중하는 때에는 50년까지로 한다.
>
> ㉤ 행위자에게 유죄의 재판을 아니할 때에도 몰수의 요건이 있는 때에는 몰수만을 선고할 수 있다.

① 1개   ② 2개   ③ 3개
④ 4개   ⑤ 없 음

해설 ㉠ × : ~ 1년 이상 5년(7년 ×) 이하의 ~(제62조 제1항)
㉡ × : 필요적 감면 ×, 임의적 감면 ○(제52조 제1항)
㉢ × : 무죄판결의 공시제도 ○(제58조 제2항), 면소판결의 공시제도 ○(제58조 제3항)
㉣ ○ : 제42조
㉤ ○ : 제49조 단서

04 형벌에 관한 설명 중 옳지 않은 것은?(다툼이 있는 경우 판례에 의함)

① 형법 제55조 제1항 제6호에서 벌금을 감경할 때의 다액의 2분의 1이라는 문구는 그 상한과 함께 하한도 2분의 1로 내려가는 것으로 해석하여야 한다.

② 무죄의 판결을 선고하는 경우, 피고인이 무죄판결공시 취지의 선고에 동의하지 아니하거나 피고인의 동의를 받을 수 없는 경우를 제외하고 무죄판결공시의 취지를 선고하여야 한다.

③ 500만원의 벌금형을 선고할 경우, 금고 이상의 형을 선고한 판결이 확정된 때부터 그 집행을 종료한 후 3년까지의 기간에 범한 죄가 아니고 형법 제51조의 사항을 참작하여 그 범죄의 정상에 참작할 만한 사유가 있더라도 그 형의 집행을 유예할 수 없다.

④ 1천만원의 벌금형을 선고할 경우, 형법 제51조의 사항을 참작하여 개전의 정상이 현저하고 자격정지 이상의 형을 받은 전과가 없다면, 그 선고를 유예할 수 있다.

해설 ① 대판 1978.4.25, 78도246 전원합의체
② 제58조 제2항
③ × : ~ 사유가 있는 때에는 그 형의 집행을 유예할 수 있다(제62조 제1항).
④ 대판 2003.2.20, 2001도6138 전원합의체

Answer   03. ②   04. ③

05 다음 설명 중 가장 옳은 것은?(다툼이 있는 경우 판례에 의함) 20. 법원직

① 형법 제37조 후단의 경합범 관계에 있는 죄에 대하여 형법 제39조 제1항에 의하여 따로 형을 선고하여야 하기 때문에 하나의 판결로 두 개의 자유형을 선고하는 경우 그 두 개의 자유형은 각각 별개의 형이므로 형법 제62조 제1항에 정한 집행유예의 요건에 해당하면 그 각 자유형에 대하여 각각 집행유예를 선고할 수 있는 것이고, 또 그 두 개의 자유형 중 하나의 자유형에 대하여 실형을 선고하면서 다른 자유형에 대하여 집행유예를 선고하는 것도 허용된다.

② '사형, 무기금고, 유기징역, 벌금, 자격상실, 자격정지, 구류, 과료, 몰수'는 형이 무거운 것부터 순서대로 나열한 것이다.

③ 금고 이상의 형을 받아 그 집행을 종료하거나 면제를 받은 후 5년 내에 금고 이상에 해당하는 죄를 범한 자는 누범으로 처벌한다.

④ 몰수는 타형에 부가하여 과한다. 따라서 행위자에게 유죄의 재판을 아니할 때에는 어떤 경우에도 몰수만을 선고할 수는 없다.

> **해설** ① ○ : 대판 2002.2.26, 2000도4637
> ② × : '~ 유기징역, 자격상실, 자격정지, 벌금, 구류 ~ 것이다(제50조 제1항).
> ③ × : ~ 후 3년(5년 ×) 내에 ~ 처벌한다(제35조 제1항).
> ④ × : 몰수는 타형에 부가하여 과한다. 단, 행위자에게 유죄의 재판을 아니할 때에도 몰수의 요건이 있는 때에는 몰수만을 선고할 수 있다(제49조).

06 형법상 형(刑)에 대한 설명으로 옳은 것은? 21. 9급 검찰 · 마약수사 · 철도경찰

① 판결선고 후 누범인 것이 발각된 때에는 그 선고한 형을 통산하여 다시 형을 정하여야 한다. 단, 선고한 형의 집행을 종료하거나 그 집행이 면제된 후에는 예외로 한다.

② 집행유예의 선고를 받은 자가 유예기간 중 벌금 이상의 형을 선고받아 그 판결이 확정된 때에는 집행유예의 선고는 효력을 잃는다.

③ 가석방의 처분을 받은 자가 감시에 관한 규칙을 위배하거나 보호관찰의 준수사항을 위반한 때에는 가석방처분을 취소한다.

④ 징역 또는 금고의 집행을 종료하거나 집행이 면제된 자가 피해자의 손해를 보상하고 자격정지 이상의 형을 받음이 없이 7년을 경과한 때에는 본인 또는 검사의 신청에 의하여 그 재판의 실효를 선고할 수 있다.

> **해설** ① × : ~ 다시 형을 정할 수 있다(~ 정하여야 한다. ×). 단, ~ 한다(제36조).
> ② × : 집행유예의 선고를 받은 자가 유예기간 중 고의로 범한 죄로 금고 이상의 실형을 선고 받아 그 판결이 확정된 때에는 집행유예의 선고는 효력을 잃는다(제63조).
> ③ × : 가석방의 처분을 받은 자가 감시에 관한 규칙을 위배하거나, 보호관찰의 준수사항을 위반하고 그 정도가 무거운 때(가벼운 때 ×)에는 가석방처분을 취소할 수 있다(제75조).
> ④ ○ : 제81조

Answer 05. ① 06. ④

07 다음 설명 중 가장 옳지 않은 것은?(다툼이 있는 경우 판례에 의함)

① 형을 가중·감경할 사유가 경합된 경우에는 형법 각칙 본조에 의한 가중 → 형법 제34조 제2항의 가중 → 누범가중 → 경합범 가중 → 법률상 감경 → 정상참작감경의 순서에 의하여야 한다.

② 형을 병과할 경우에도 형법 제59조에 따라 형의 전부 또는 일부에 대하여 선고를 유예할 수 있다.

③ 징역이나 금고의 집행 중에 있는 사람이 행상이 양호하여 뉘우침이 뚜렷한 때에는 무기형은 20년, 유기형은 형기의 3분의 1이 지난 후 행정처분으로 가석방을 할 수 있다.

④ 징역 또는 금고의 집행을 종료하거나 집행이 면제된 자가 피해자의 손해를 보상하고 자격정지 이상의 형을 받음이 없이 7년을 경과한 때에는 본인 또는 검사의 신청에 의하여 그 재판의 실효를 선고할 수 있다.

해설 ① × : ~ 누범가중 ⇨ 법률상 감경 ⇨ 경합범 가중 ⇨ 정상참작감경의 순서에 의하여야 한다(제56조).
② 제59조 제2항
③ 제72조 제1항
④ 제81조

08 형벌에 대한 설명으로 옳지 않은 것은?(다툼이 있는 경우 판례에 의함)

① 몰수는 부가형이므로 행위자에게 몰수의 요건이 충족되었다고 하더라도 유죄의 재판을 아니 할 때에는 몰수만 선고할 수는 없다.

② 주형을 선고유예할 때에는 그에 부가할 추징도 선고유예할 수 있지만, 주형을 선고유예하지 않으면서 그에 부가할 추징만 선고유예할 수는 없다.

③ 유기징역에 있어서 형기의 3분의 1을 경과한 후 행정처분으로 가석방할 수 있으며, 가석방의 기간은 남은 형기로 하되, 그 기간은 10년을 초과할 수 없다.

④ 징역형의 집행을 종료한 자가 피해자의 손해를 보상하고 자격정지 이상의 형을 받음이 없이 7년을 경과한 때에는 본인 또는 검사의 신청에 의하여 그 재판의 실효를 선고할 수 있다.

해설 ① × : 몰수는 원칙적으로 타형에 부가하여 과하는 부가형이지만(제49조 본문), 행위자에게 유죄의 재판을 하지 아니할 때에도 몰수의 요건이 있는 때에는 예외적으로 몰수만을 선고할 수 있다(제49조 단서).
② 대판 1988.6.21, 88도551
③ 제72조 제1항, 제73조의 2
④ 제81조

09 형벌에 관한 설명 중 옳은 것(○)과 옳지 않은 것(×)을 올바르게 조합한 것은?(다툼이 있는 경우 판례에 의함) 22. 변호사시험

> ㉠ 경합범의 처벌에 관한 형법 제38조 제1항 제3호에 의하여 징역형과 벌금형을 병과하는 경우에 징역형에만 작량감경을 하고 벌금형에는 작량감경을 하지 않는 것은 위법하다.
> ㉡ 2020. 7. 1. 무고죄로 징역 1년에 집행유예 2년을 선고받고 그 판결이 같은 달 9. 확정된 甲이 2021. 6. 1. 상습도박죄를 범하여 같은 해 11. 1. 유죄판결을 선고받는 경우, 법원은 甲에게 상습도박죄에 대한 집행유예는 선고할 수 없다.
> ㉢ 몰수에 관한 형법 제48조 제1항의 '범인'에는 공범자도 포함되므로 피고인의 소유물은 물론 공범자의 소유물도 그 공범자의 소추 여부를 불문하고 몰수할 수 있다.
> ㉣ 사기도박에 참여하도록 유인하기 위하여 고액의 수표를 제시해 보인 경우라도 그 수표가 직접적으로 도박자금으로 시용되지 않았다면 몰수할 수 없다.
> ㉤ 강도상해의 범행에 대하여 자수한 사안에서 법원이 자수감경을 하지 않았거나 자수감경 주장에 대한 판단을 하지 않았다고 해도 위법하다고 할 수 없다.

① ㉠(○), ㉡(○), ㉢(×), ㉣(×), ㉤(○)
② ㉠(×), ㉡(×), ㉢(○), ㉣(○), ㉤(×)
③ ㉠(○), ㉡(○), ㉢(×), ㉣(×), ㉤(×)
④ ㉠(×), ㉡(○), ㉢(○), ㉣(×), ㉤(○)
⑤ ㉠(×), ㉡(×), ㉢(○), ㉣(○), ㉤(○)

> 해설 ㉠ × : ~ 것은 위법하다고 할 수는 없다(대판 2006.3.23, 2006도1076).
> ㉡ ○ : 대판 2007.2.8, 2006도6196
> ㉢ ○ : 대판 2006.11.23, 2006도5586
> ㉣ × : ~ 않았더라도 몰수할 수 있다(대판 2002.9.24, 2002도3589).
> ㉤ ○ : 대판 2001.4.24, 2001도872

10 형법의 규정과 상응하는 것만을 모두 고르면? 22. 9급 검찰 · 마약수사

> ㉠ 벌금형의 경우에 선고유예는 물론이고 그 액수에 상관없이 집행유예를 할 수 있다.
> ㉡ 과료를 납입하지 아니한 자는 1일 이상 30일 미만의 기간 노역장에 유치하여 작업에 복무하게 한다.
> ㉢ 형을 선고받은 사람에 대해서는 시효가 완성되면 그 집행이 면제된다.
> ㉣ 가석방 기간 중 고의 또는 과실로 지은 죄로 금고 이상의 형의 선고를 받아 그 판결이 확정된 때에는 가석방 처분은 효력을 잃는다.
> ㉤ 집행유예의 선고를 받은 후 그 선고의 실효 또는 취소됨이 없이 유예기간을 경과한 때에는 형의 집행을 종료한 것으로 본다.

① ㉠, ㉣   ② ㉡, ㉢   ③ ㉡, ㉢, ㉤   ④ ㉢, ㉣, ㉤

Answer 09. ④ 10. ②

해설 ㉠ × : 벌금형의 경우에 그 액수에 상관없이 선고유예를 할 수 있으나(제59조 제1항), 500만원 이하의 벌금형을 선고할 경우에 집행유예를 할 수 있다(제62조 제1항).
㉡ ○ : 제69조 제2항 ㉢ ○ : 제77조
㉣ × : ~ 고의(과실 ×)로 지은 죄로 ~ 잃는다(제74조).
㉤ × : ~ 때에는 형의 선고는 효력을 잃는다(제65조).

11 다음 설명 중 옳지 않은 것을 모두 고른 것은?
22. 법원행시

㉠ 문서, 도화, 전자기록 등 특수매체기록 또는 유가증권의 일부가 몰수의 대상이 된 경우에는 그 부분을 폐기할 수 있다.

㉡ 집행유예의 선고를 받은 후 형법 제62조 단행의 사유가 발각된 때에는 집행유예의 선고를 취소할 수 있다.

㉢ 사형은 교정시설 안에서 교수하여 집행할 수 있다.

㉣ 징역이나 금고의 집행 중에 있는 사람이 행상이 양호하여 뉘우침이 뚜렷한 때에는 무기형은 20년, 유기형은 형기의 4분의 1이 지난 후 행정처분으로 가석방을 할 수 있다.

㉤ 가석방 기간 중 고의로 지은 죄로 금고 이상의 형을 선고받아 그 판결이 확정된 경우에 가석방 처분은 효력을 잃는다.

① ㉠, ㉡, ㉢, ㉣   ② ㉠, ㉡, ㉢, ㉣, ㉤   ③ ㉠, ㉡, ㉢
④ ㉠, ㉡   ⑤ ㉣, ㉤

해설 ㉠ × : ~ 폐기한다(제48조 제3항).
㉡ × : ~ 취소한다(제64조 제1항). ㉢ × : ~ 집행한다(제66조).
㉣ × : ~ 형기의 3분의 1이 ~ 있다(제72조 제1항). ㉤ ○ : 제74조

12 형벌에 관한 설명 중 가장 적절하지 않은 것은?
22. 순경 2차

① 징역 10년 형을 선고받은 甲은 그 형의 집행이 종료하거나 면제될 때까지 다른 법률에 특별한 규정이 있는 경우를 제외하고는 공무원이 되는 자격, 공법상의 선거권과 피선거권, 법률로 요건을 정한 공법상의 업무에 관한 자격이 정지된다.

② 甲에게 징역 12년 형이 확정된 후 그 집행을 받지 아니하고 15년이 경과했다면, 그 기간 내에 형의 집행을 면할 목적으로 국외에 3년 동안 나가 있던 것이 확인된 경우라도 형의 시효는 완성된다.

③ 법원이 중상해죄(1년 이상 10년 이하의 징역)로 유죄가 인정된 甲에게 형의 가중감경사유 중 형법 제10조 제2항(심신미약)과 제35조(누범)만을 적용하여 형을 선고할 경우, 甲에게 선고할 수 있는 형의 최하한은 징역 6월이다.

④ 법원이 피고인 甲에게 30억원의 벌금을 선고하는 경우, 이를 납입하지 아니하는 것을 대비하여 500일 이상의 노역장 유치기간을 정하여 동시에 선고하여야 한다.

Answer | 11. ①   12. ②

해설 ① 제43조 제2항

② × : 甲에게 ~ 15년이 경과(제78조 제3호)했더라도, 그 기간 내에 ~ 확인된 경우 형의 시효는 완성되지 아니한다〔∵ 시효는 형이 확정된 후 그 형의 집행을 받지 아니한 자가 형의 집행을 면할 목적으로 국외에 있는 기간 동안은 진행되지 아니한다(제79조 제2항)〕.

③ 가중·감경의 순서(제56조) : 누범가중(제3호) ⇨ 법률감경(제4호) ∴ 누범가중〔장기의 2배 가중(제35조 제2항) : 1년 이상 20년 이하의 징역〕 ⇨ 법률상 감경〔심신미약 : 그 형기의 2분의 1 감경(제55조 제1항 제3호) : 6월 이상 10년 이하의 징역이므로 형의 최하한은 징역 6월이다.〕

④ 노역장 유치기간(제70조 제2항 : 벌금 1억원 이상 5억원 미만 ⇨ 300일 이상, 5억원 이상 50억원 미만 ⇨ 500일 이상, 50억원 이상 ⇨ 1천일 이상)

13 형벌에 관한 설명 중 옳은 것(○)과 옳지 않은 것(×)을 올바르게 조합한 것은?(다툼이 있는 경우 판례에 의함)
23. 변호사시험

㉠ 폭력행위 등 처벌에 관한 법률 제2조 제3항은 2회 이상 징역형을 받은 사람에 대해서 누범으로 가중 처벌하도록 하고 있는데, 집행유예의 선고를 받은 후 그 선고가 실효 또는 취소됨이 없이 유예기간을 경과하여 형의 선고가 효력을 잃은 경우는 위 조항의 '징역형을 받은 경우'에 해당하지 않는다.

㉡ 형의 집행을 유예하는 경우에는 보호관찰과 사회봉사 또는 수강을 동시에 명할 수는 없다.

㉢ 범죄행위에 이용한 웹사이트 매각을 통해 피고인이 취득한 대가는 형법 제48조 제2항의 추징 대상이 된다.

㉣ 휴대전화로 촬영한 동영상은 일정한 저장매체에 전자방식이나 자기방식에 의하여 저장된 기록으로서 저장매체를 매개로 존재하는 물건이므로 몰수의 사유가 있는 때에는 그 전자기록을 몰수할 수 있다.

㉤ 유기징역형에 대한 법률상 감경을 하면서 형법 제55조 제1항 제3호에서 정한 것과 같이 장기와 단기를 모두 2분의 1로 감경하는 것이 아닌 장기 또는 단기 중 어느 하나만을 2분의 1로 감경하는 방식이나 2분의 1보다 넓은 범위의 감경을 하는 방식 등은 죄형법정주의 원칙상 허용될 수 없다.

---

① ㉠(×), ㉡(×), ㉢(○), ㉣(○), ㉤(×)
② ㉠(○), ㉡(○), ㉢(○), ㉣(×), ㉤(○)
③ ㉠(○), ㉡(×), ㉢(×), ㉣(○), ㉤(○)
④ ㉠(×), ㉡(○), ㉢(×), ㉣(×), ㉤(×)
⑤ ㉠(○), ㉡(×), ㉢(○), ㉣(×), ㉤(○)

해설 ㉠ ○ : 대판 2016.6.23, 2016도5032

㉡ × : ~ 동시에 명할 수 있다(대판 1998.4.24, 98도98).

㉢ × : ~ 추징의 대상에 해당하지 않는다〔대판 2021.10.14, 2021도7168 ∵ 위 웹사이트는 범죄행위에 제공된 무형의 재산에 해당할 뿐 형법 제48조 제1항 제2호에서 정한 '범죄행위로 인하여 생(生)하였거나 이로 인하여 취득한 물건'에 해당하지 않으므로〕.

㉣ ○ : 대판 2017.10.23, 2017도5905 ㉤ ○ : 대판 2021.1.21, 2018도5475 전원합의체

Answer 13. ③

공편저자 약력·저서

조충환

· 중앙대학교 법학박사(형사법전공)
現 · 박문각 경찰승진 형사소송법 대표교수
前 · 중앙대·울산대 출강
  · 노량진 남부경찰학원 대표강사
  · 노량진 남부행정고시학원 대표강사
  · 노량진 한교경찰학원 대표강사
  · 노량진 베리타스경찰학원 대표강사
  · 법무부 교정지 출제위원
  · 경찰청 인터넷방송 초빙교수

주요저서

· SPA 형법
· SPA 형사소송법
· 객관식 테마 형법
· 객관식 테마 형사소송법
· ALL THAT 올댓 형사법 형법 총론
· ALL THAT 올댓 형사법 형법 각론
· ALL THAT 올댓 형사법 수사·증거
· 수사경과 대비 형사법능력평가
· COPSPA 경찰 형법
· COPSPA 경찰 형사소송법
· 3+3 형법
· 3+3 형사소송법
· 논문 다수

상 훈

· 중앙대 강의평가 우수강사 총장 표창(3회)
· 모범강사 전국학원연합회 회장표창

양 건

現 · 박문각 경찰승진 형법 대표교수
  · 공무원저널 형사법 판례교실 집필위원
  · 법률저널 경찰·교정직 집필위원
前 · 조이에듀경찰학원 형법 대표강사
  · 신림동 태학관 법정연구회 강의
  · 종로행정고시학원 경찰승진 형법 대표강사
  · 중앙경찰고시학원 형법 대표강사
  · 경찰승진특강
  · 노량진 한교경찰학원 대표강사(형법)
  · 노량진 베리타스경찰학원 대표강사(형법)

주요저서

· SPA 형법
· SPA 형사소송법
· 객관식 테마 형법
· 객관식 테마 형사소송법
· ALL THAT 올댓 형사법 형법 총론
· ALL THAT 올댓 형사법 형법 각론
· ALL THAT 올댓 형사법 수사·증거
· 수사경과 대비 형사법능력평가
· COPSPA 경찰 형법
· COPSPA 경찰 형사소송법
· 3+3 형법
· 3+3 형사소송법

S P A

2025 전면 개정판

조충환·양건
형법총론 Ⅱ

초판인쇄 : 2024년 2월 10일
초판발행 : 2024년 2월 15일
편 저 : 조충환·양건
발 행 인 : 박 용
발 행 처 : (주)박문각출판
등 록 : 2015. 4. 29. 제2015-000104호
주 소 : 06654 서울시 서초구 효령로 283 서경 B/D
전 화 : (02) 6466-7202
팩 스 : (02) 584-2927

저자와의 협의하에 인지생략

정가 36,000원
ISBN 979-11-6987-815-9
ISBN 979-11-6987-813-5(총론세트)